ANJOS e DEMÔNIOS

Anjos e Demônios

Dan Brown

SEXTANTE

Publicado originalmente com o título: *Angels & Demons*
Copyright© 2000 por Dan Brown
Copyright da tradução© 2004 por Editora Sextante (GMT Editores Ltda.)

tradução
Maria Luiza Newlands da Silveira

preparo de originais
Virginie Leite

revisão
José Tedin Pinto
Mariana Kaplan da Veiga Pereira
Sérgio Bellinello Soares

diagramação
Valéria Teixeira

capa
Raul Fernandes

fotolitos
RR Donnelley América Latina

impressão e acabamento
Geográfica e Editora Ltda.

CIP-BRASIL. CATALOGAÇÃO-NA-FONTE
SINDICATO NACIONAL DOS EDITORES DE LIVROS, RJ

B897a   Brown, Dan, 1964-
             Anjos e demônios
      / Dan Brown; tradução de Maria Luiza Newlands da Silveira. – Rio de Janeiro: Sextante, 2004.
        il.:
             Tradução de: Angels & demons
             ISBN 85-7542-146-8
      1. Ficção americana.   I. Silveira, Maria Luiza Newlands da.   II. Título.

04-2328.   CDD 813
                                                                CDU 821.111(73)-3

Todos os direitos reservados por
Editora Sextante / GMT Editores Ltda.
Rua Voluntários da Pátria, 45 – Gr. 1.404 – Botafogo
22270-000 – Rio de Janeiro – RJ
Tel.: (21) 2286-9944 – Fax: (21) 2286-9924
Central de Atendimento: 0800-22-6306
E-mail: atendimento@esextante.com.br
www.sextante.com.br

Ay!

Feliz

Aniversário

Para Blythe...

08/08/08 !!! Te Chic!!!

!!!

Maria Ataíde

O maior estabelecimento de pesquisa científica do mundo – Conseil Européen pour la Recherche Nucléaire (CERN) –, na Suíça, recentemente conseguiu produzir as primeiras partículas de antimatéria. A antimatéria é idêntica à matéria física, exceto por ser composta de partículas cujas descargas elétricas são *inversas* àquelas encontradas na matéria normal.

A antimatéria é a mais poderosa fonte de energia conhecida pelo homem. Libera energia com 100 por cento de eficiência (a fissão nuclear é 1,5 por cento eficiente). A antimatéria não é poluente nem radioativa, e bastaria uma gota para abastecer a cidade de Nova York de energia por um dia inteiro.

Há, porém, uma ressalva...

A antimatéria é extremamente instável. Incendeia-se ao entrar em contato com qualquer coisa, inclusive o ar. Um único grama de antimatéria contém energia igual à de uma bomba nuclear de 20 quilotons – o tamanho da bomba que caiu sobre Hiroshima.

Até bem recentemente, a antimatéria tinha sido criada apenas em quantidades bem reduzidas (alguns átomos por vez). Agora, porém, o CERN começou a trabalhar com o novo desacelerador de antiprótons – um avançado aparelho que promete criar antimatéria em quantidades maiores.

Resta uma pergunta: será que essa substância tão volátil vai salvar o mundo ou será usada para gerar a mais mortífera arma de todos os tempos?

NOTA DO AUTOR

Todas as referências a obras de arte, a arquitetura, a túneis e a tumbas em Roma são inteiramente factuais (assim como suas localizações exatas). Essas obras e monumentos ainda podem ser vistos hoje. A fraternidade dos Illuminati também é factual.

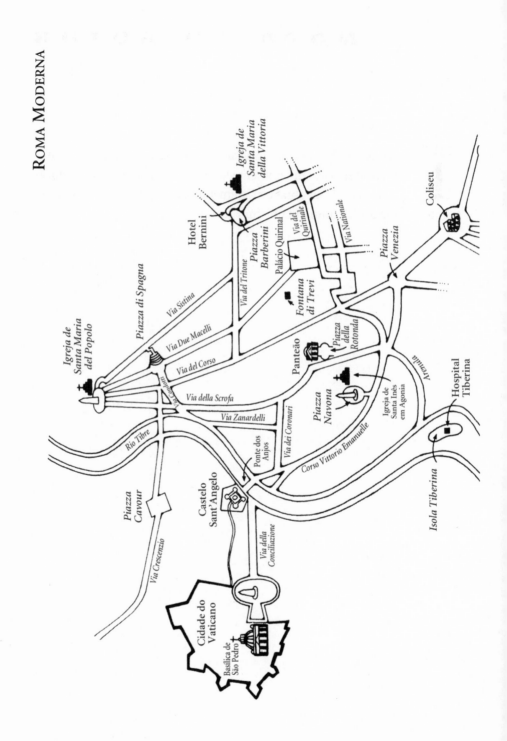

ROMA MODERNA

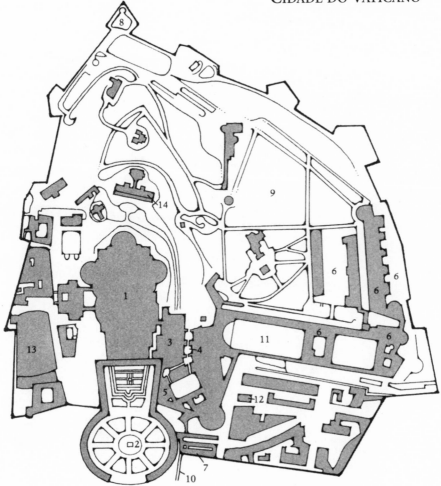

1. Basílica de São Pedro
2. Praça de São Pedro
3. Capela Sistina
4. Pátio dos Bórgia
5. Escritório do Papa
6. Museus do Vaticano
7. Escritório da Guarda Suíça
8. Heliporto
9. Jardins
10. O *Passetto*
11. Pátio do Belvedere
12. Correio Central
13. Sala de audiências do Papa
14. Palácio do Governo –
    Governatorato

Prólogo

O físico Leonardo Vetra sentiu cheiro de carne queimada e sabia que era a sua. Levantou os olhos, aterrorizado, para a figura sombria que o dominava.

– O que você quer?

– *La chiave* – respondeu a voz rascante. – A senha.

– Mas eu não...

O intruso curvou-se de novo para a frente, pressionando com mais força o objeto em brasa no peito de Vetra. Ouviu-se um chiado de carne grelhando.

Vetra gritou alto, agoniado.

– Não existe senha nenhuma! – E sentiu que mergulhava na inconsciência.

O rosto do homem encheu-se de uma fúria contida.

– *Ne avevo paura*. Era o que eu temia.

Vetra esforçou-se para manter os sentidos, mas a escuridão envolvia-o pouco a pouco. Seu único consolo era saber que o agressor jamais obteria o que viera buscar. Um momento mais tarde, porém, o homem fez aparecer uma lâmina e ergueu-a diante do rosto de Vetra. A lâmina adejou no ar. Precisa. Cirúrgica.

– Pelo amor de Deus! – gritou Vetra.

Mas era tarde demais.

CAPÍTULO 1

Do alto da pirâmide de Gizé, a jovem riu e voltou-se para ele, lá embaixo, chamando-o.

– Ande, Robert! Devia ter me casado com um homem mais moço! – O sorriso dela era mágico.

Ele tentou acompanhá-la, mas suas pernas pesavam como se fossem feitas de pedra.

– Espere – pediu. – Por favor...

Enquanto subia, sua vista começou a turvar-se. Seus ouvidos latejavam. *Preciso alcançá-la!* Mas, quando olhou de novo para cima, a mulher desaparecera. Em seu lugar havia um velho de dentes estragados. O homem encarou-o, os lábios torcendo-se em uma careta melancólica. E ele deixou escapar um grito de angústia que ressoou pelo deserto.

Robert Langdon acordou sobressaltado do pesadelo. O telefone ao lado de sua cama estava tocando. Tonto, levou-o ao ouvido.

– Alô?

– Gostaria de falar com Robert Langdon – disse uma voz masculina.

Langdon sentou-se na cama e tentou clarear sua mente.

– Aqui... é Robert Langdon – e apertou os olhos para o mostrador do relógio digital. Eram 5h18 da madrugada.

– Preciso encontrá-lo imediatamente.

– Quem está falando?

– Meu nome é Maximilian Kohler. Sou um físico de Partículas Discretas.

– Um *o quê?* – Langdon mal conseguia se concentrar. – Tem certeza de que procurou o Langdon certo?

– O senhor é professor de Simbologia Religiosa na Universidade de Harvard. Escreveu três livros sobre simbologia e...

– Sabe que horas são?

– Peço desculpas. Há uma coisa que precisa ver. Não posso explicar pelo telefone.

Um resmungo conformado escapou dos lábios de Langdon. Aquilo já acontecera antes. Um dos perigos de se escrever livros sobre simbologia religiosa era o chamado de fanáticos querendo que ele confirmasse o último sinal que haviam recebido de Deus. No mês anterior, uma *stripper* de Oklahoma prometera a Langdon a melhor sessão de sexo de sua vida se ele pegasse um avião até a cidade dela para verificar a autenticidade de uma figura cruciforme que aparecera magicamente nos lençóis de sua cama. *O sudário de Tulsa,* como Langdon a chamara.

– Como conseguiu o número do meu telefone? – Langdon tentou ser amável, apesar da hora.

– Na Internet. No site do seu livro.

Langdon franziu a testa. Tinha certeza de que o número do telefone de sua casa não constava do site de seu livro. O homem obviamente estava mentindo.

– Preciso vê-lo – a voz do outro lado insistiu. – Vou pagar bem.

Agora Langdon estava ficando furioso.

– Sinto muito, mas eu...

– Se sair agora, pode estar aqui por volta de...

– Não vou a lugar nenhum! São cinco horas da manhã!

Langdon desligou e caiu de volta na cama. Fechou os olhos e tentou adormecer novamente. Não adiantou. O sonho estava entranhado em sua mente. Relutante, vestiu um roupão e desceu.

◆◆◆

Robert Langdon perambulou descalço por sua casa deserta, uma construção vitoriana em Massachusetts, segurando seu remédio habitual contra a insônia: uma caneca de chocolate instantâneo fumegante. O luar de abril filtrava-se pelas janelas da sacada e formava desenhos nos tapetes orientais. Os colegas de Langdon sempre brincavam que o lugar parecia mais um museu de antropologia do que uma casa. As prateleiras estavam cheias de artefatos religiosos de todo o mundo – um *akuaba* de Gana, uma cruz dourada da Espanha, um ídolo cicladense do Egeu e um ainda mais raro *boccus* de Bornéu, o símbolo da perpétua juventude de um jovem guerreiro.

Sentado em uma arca de latão *maharishi* e saboreando o chocolate quente, deu com o seu reflexo nas vidraças das janelas. A imagem estava distorcida e pálida... como a de um fantasma. Um *fantasma envelhecido,* pensou, sendo cruelmente lembrado de que o seu espírito da mocidade vivia dentro de um invólucro mortal.

Apesar de não ser propriamente bonito no sentido clássico, Langdon, com seus quarenta e cinco anos, possuía o que as colegas do sexo feminino classificavam de um encanto "erudito" – mechas grisalhas misturadas ao espesso cabelo castanho, perspicazes olhos azuis, uma voz grave atraente e o sorriso forte e despreocupado de um atleta universitário. Membro da equipe de mergulho da faculdade, Langdon ainda tinha um corpo de nadador, um metro e oitenta de boa forma, que ele mantinha cuidadosamente com 2.500 metros diários de exercício na piscina da universidade.

Seus amigos sempre o viram como uma espécie de enigma – um homem que pertencia a séculos diferentes. Nos fins de semana, viam-no andando pelo pátio da universidade vestido de jeans e conversando sobre computação gráfica e história religiosa com os alunos; outras vezes, aparecia com seu paletó de tweed e colete *paisley* nas páginas de importantes revistas de arte em aberturas de exposições de museus para as quais era convidado a dar palestras.

Mesmo sendo um professor rigoroso e muito severo quanto à disciplina, Langdon era o primeiro a acolher o que chamava de "a arte perdida de uma boa brincadeira". Apreciava os momentos de divertimento com um fanatismo contagiante, o que lhe valera uma aceitação fraternal entre seus alunos. Seu apelido no campus, "Golfinho", era uma referência tanto à sua natureza afável quanto à sua lendária capacidade de mergulhar em uma piscina e confundir a estratégia de toda a equipe adversária em um jogo de pólo aquático.

Enquanto estava ali, sozinho, olhando distraído para a escuridão, o silêncio da casa foi quebrado novamente, dessa vez pelo toque da máquina de fax. Exausto demais para se incomodar, Langdon forçou uma risadinha cansada.

O povo de Deus, pensou. *Dois mil anos de espera pelo Messias e eles ainda são de uma persistência infernal.*

Entediado, deixou a caneca vazia na cozinha e foi andando devagar para seu escritório revestido de painéis de carvalho. O fax recém-chegado estava na bandeja da máquina. Suspirando, pegou a folha de papel e olhou para ela.

No mesmo instante foi tomado por uma onda de náusea.

A imagem na página era a de um cadáver humano. O corpo fora despido e a cabeça fora torcida, virada completamente para trás. No peito da vítima havia uma terrível queimadura. O homem fora marcado a fogo... com uma única palavra. Uma palavra que Langdon conhecia bem, muito bem. Ele olhou fixamente, incrédulo, para as letras desenhadas.

– Illuminati – ele gaguejou, o coração batendo forte. *Não pode ser...*

Lentamente, temendo o que estava para presenciar, Langdon girou o papel 180 graus. Olhou para a palavra de cabeça para baixo.

E quase perdeu o fôlego. Era como se tivesse sido atropelado por um caminhão. Mal acreditando em seus olhos, virou a folha de novo, lendo a palavra nas duas posições.

– Illuminati – murmurou.

Aturdido, deixou-se cair em uma cadeira. Ficou ali por um momento, totalmente desnorteado. Aos poucos, sua atenção voltou-se para a luz vermelha que piscava na máquina. Quem mandara o fax ainda estava na linha... esperando para falar. Langdon contemplou durante longo tempo o ponto luminoso piscando.

Depois, trêmulo, levantou o fone.

CAPÍTULO 2

– Vai me dar atenção agora? – disse o homem quando Langdon finalmente atendeu o telefone.

– Sim, senhor, com certeza, agora vou. Pode explicar melhor?

– Foi o que tentei lhe contar antes – a voz era rígida, mecânica. – Sou físico. Dirijo uma organização de pesquisas. Aconteceu um crime e o senhor viu o fax.

– Como me encontrou? – Langdon mal conseguia se concentrar na conversa. Sua mente estava na imagem no fax.

– Já lhe disse. Na Internet, no site de seu livro *A arte dos Illuminati*.

Langdon procurou reunir seus pensamentos. Seu livro era praticamente desconhecido nos círculos literários convencionais mas tivera uma repercussão bastante significativa on-line. Ainda assim, a explicação não fazia sentido.

– A página não traz informações para contato – Langdon desafiou-o. – Tenho certeza disto.

– No laboratório tenho gente que é especialista em extrair informações sobre os usuários da Internet.

Langdon ainda estava meio cético.

– Parece que seu laboratório *sabe tudo* sobre a Internet.

– Claro – o outro disparou –, fomos nós que a *inventamos*.

Algo na voz do homem dizia que ele não estava brincando.

– Preciso vê-lo – insistiu. – Não é assunto para se tratar pelo telefone. Meu laboratório fica a apenas uma hora de vôo de Boston.

Na penumbra de seu escritório, Langdon analisou o fax que tinha em mãos. A imagem era estarrecedora, talvez representasse a maior descoberta epigráfica do século, uma década de suas pesquisas confirmada em um único símbolo.

– É urgente – a voz pressionou-o.

Os olhos de Langdon estavam fixos na queimadura. *Illuminati*, ele lia sem parar. Seu trabalho sempre se baseara no equivalente simbólico dos fósseis – documentos antigos e boatos históricos –, mas aquela imagem diante dele representava o hoje. O tempo presente. Sentia-se como um paleontólogo que dá de cara com um dinossauro vivo.

– Tomei a liberdade de mandar um avião buscá-lo – disse a voz. – Vai estar em Boston dentro de 20 minutos.

Langdon sentiu a boca seca. *Uma hora de vôo...*

– Por favor, desculpe minha impertinência – continuou o homem. – Preciso do senhor aqui.

Langdon olhou outra vez para a imagem no fax – um antigo mito confirmado em preto-e-branco. As implicações eram assustadoras. Levantou um olhar ausente para as janelas. Os primeiros vestígios da aurora insinuavam-se por entre os galhos das bétulas dos fundos de sua casa, mas a vista de alguma forma parecia diferente naquela manhã. À medida que uma estranha mistura de medo e animação ia tomando conta dele, Langdon percebeu que não tinha escolha.

– O senhor me convenceu – falou ele. – Agora me diga onde encontrar o avião.

CAPÍTULO **3**

A milhares de quilômetros dali, dois homens encontravam-se. O aposento era escuro. Medieval. De pedra.

– *Benvenuto* – disse o encarregado. Estava sentado nas sombras, fora de visão. – Foi bem-sucedido?

– *Si* – respondeu o vulto. – *Perfectamente.* – Suas palavras soavam duras como as paredes de pedra.

– E não haverá dúvidas quanto à responsabilidade?

– Nenhuma.

– Excelente. Trouxe o que pedi?

Os olhos do assassino brilharam, negros como petróleo. Pegou um pesado aparelho eletrônico e colocou-o sobre a mesa.

O homem nas sombras pareceu satisfeito.

– Você se saiu bem.

– Servir à fraternidade é uma honra – disse o assassino.

– A fase dois vai começar logo. Procure descansar um pouco. Esta noite vamos mudar o mundo.

CAPÍTULO 4

O Saab 900S de Robert Langdon saiu do túnel Callahan no lado leste do porto de Boston, perto da entrada para o Aeroporto Logan. Verificando o endereço, Langdon encontrou a Aviation Road e dobrou à esquerda depois do prédio da Eastern Airlines. Na estrada de acesso, uns 300 metros adiante, um hangar surgiu na escuridão. Pintado nele, um grande número "4". Langdon parou no estacionamento e saiu do carro.

Um homem de rosto redondo vestindo um uniforme azul de vôo saiu de trás da construção.

– Robert Langdon? – indagou.

A voz era amigável, com um sotaque peculiar que Langdon não conseguiu identificar.

– Eu mesmo – respondeu ele, trancando o carro.

– Cálculo perfeito – disse o homem. – Acabei de aterrissar. Venha comigo, por favor.

Ao rodearem o prédio, Langdon sentiu-se tenso. Não estava acostumado a receber telefonemas enigmáticos nem a marcar encontros secretos com estranhos. Sem saber o que esperar, envergara seu traje habitual de dar aulas – calças de algodão, camisa de gola rulê e um paletó de tweed. Enquanto caminhavam, pensou no fax no bolso de seu paletó, ainda incapaz de acreditar na imagem que apresentava.

O piloto pareceu perceber a ansiedade de Langdon.

– Voar não é problema para o senhor, ou é?

– De jeito nenhum – Langdon replicou. *Corpos marcados a fogo é que são. Voar não é nada.*

O homem conduziu Langdon até o outro lado do hangar. Contornaram um dos cantos e saíram na pista de pouso.

Langdon estacou, boquiaberto diante da aeronave estacionada na pista.

– Vamos *nisso aí?*

O homem sorriu.

– Gostou dele?

Langdon ficou parado olhando algum tempo.

– Dele? Que diabos é isso?

◆◆◆

O avião era enorme. Lembrava um pouco o ônibus espacial, exceto pelo topo, que parecia ter sido raspado fora, deixando-o perfeitamente plano. Estacionado ali, parecia uma cunha gigantesca. A primeira sensação de Langdon foi a de que estava sonhando. O veículo dava a impressão de ser tão capaz de voar quanto um Buick. As asas praticamente não existiam – apenas dois atarracados estabilizadores verticais na traseira da fuselagem. Um par de pequenos lemes dorsais erguia-se na ré. O resto do avião era apenas casco – cerca de sessenta metros de ponta a ponta –, sem janelas, nada mais além de casco.

– Pesa 250 toneladas com o tanque de combustível cheio – adiantou-se o piloto, como um pai se gabando do filho recém-nascido. – Movido a hidrogênio. O casco é feito de um molde de titânio com fibras de carbureto de silício. Arremete com um coeficiente de empuxo de 20:1; a maioria dos jatos só chega a 7:1. O diretor deve estar com uma pressa danada de encontrar o senhor. Ele não costuma mandar o possante assim à toa.

– Essa coisa *voa?* – espantou-se Langdon.

O piloto riu.

– Se voa!

Conduziu Langdon pela pista na direção do avião.

– Chega a assustar, eu sei, mas é bom ir se acostumando. Daqui a cinco anos, é só o que se vai ver – os HSCT, High Speed Civil Transports (Transporte Civil de Alta Velocidade). Nosso laboratório é um dos primeiros a ter um.

Deve ser um tremendo laboratório – pensou Langdon.

– Este é um protótipo do Boeing X-33 – continuou o piloto –, mas existem dezenas de outros: o National Aero Space Plane, o Scramjet dos russos, o Hotol dos ingleses. O futuro está aqui, só vai levar algum tempo para chegar ao setor público. Pode ir se despedindo dos jatos convencionais.

Langdon examinou o avião com ar desconfiado.

– Acho que teria preferido um jato convencional.

O piloto apontou para a escada de embarque.

– Vamos subir, por favor, senhor Langdon. Cuidado com os degraus.

◆◆◆

Minutos depois, Langdon estava sentado dentro da cabine vazia. O piloto instalou-o na primeira fila e encaminhou-se para a frente do avião.

Surpreendentemente, a cabine parecia com a de um grande jato comercial comum. A única exceção era o fato de não possuir janelas, o que incomodava Langdon bastante. A vida inteira fora perseguido por uma leve claustrofobia, vestígio de um incidente de infância jamais superado por completo.

Sua aversão por espaços fechados não chegava a atrapalhar, mas sempre fora causa de algumas frustrações. Manifestava-se de formas sutis. Ele evitava a prática de esportes de quadras fechadas, como o squash, e pagara de bom grado uma pequena fortuna por sua casa vitoriana, arejada e com pé-direito alto, embora houvesse pronta disponibilidade de moradia mais econômica para professores da universidade. Às vezes, suspeitava que sua atração pelo mundo da arte desde muito jovem devia-se ao seu gosto pelos amplos espaços abertos dos museus.

Os motores roncaram sob os seus pés causando um estremecimento profundo que percorreu todo o corpo do avião. Langdon engoliu em seco e aguardou. Sentiu o avião começar a taxiar. Acima de sua cabeça espalhou-se suavemente o som de música country com instrumentos de sopro.

Um telefone na parede a seu lado tocou duas vezes. Langdon pegou o fone e levou-o ao ouvido.

– Alô?

– Está confortável, senhor Langdon?

– Nem um pouco.

– Procure relaxar. Vamos chegar lá em uma hora.

– E onde exatamente é *lá?* – perguntou Langdon, percebendo que não tinha noção de para onde estavam indo.

– Genebra – respondeu o piloto, acelerando os motores. – O laboratório é em Genebra.

– Genebra – repetiu Langdon, sentindo-se um pouco melhor. – No norte do estado de Nova York. Tenho parentes perto do lago Seneca. Não sabia que havia um laboratório de Física em Genebra.

O piloto deu uma risada.

– Não é a Genebra de Nova York, senhor Langdon. Estamos indo para a Genebra da Suíça.

A palavra demorou um longo momento para ser assimilada.

– Suíça? – O pulso de Langdon acelerou-se. – Mas você não disse que o laboratório ficava só a uma hora de viagem?

– E fica, senhor Langdon. – Ele deu mais uma risadinha. – Este avião voa a Mach 15.

CAPÍTULO 5

Em uma movimentada rua européia, o assassino deslocava-se de maneira sinuosa através da multidão. Era um homem vigoroso. Moreno e forte. De uma agilidade dissimulada. Seus músculos ainda estavam tensos pela emoção do encontro.

Correu tudo bem, disse a si mesmo. Embora seu empregador não tivesse em nenhum momento mostrado o rosto, o assassino sentia-se honrado por estar em sua presença. *Fazia realmente apenas 15 dias que haviam feito o primeiro contato?* O assassino ainda lembrava cada palavra da conversa...

– Meu nome é Janus – dissera a pessoa que telefonara. – Estamos de certa forma ligados pelos mesmos laços. Temos um inimigo comum. Soube que se pode contratar seus serviços profissionais.

– Depende de quem você representa – replicou o assassino.

O interlocutor disse um nome.

– Não acho graça nessa brincadeira.

– Vejo que já ouviu falar de nós – observou o homem.

– Claro que sim. A fraternidade é lendária.

– E mesmo assim noto que você duvida que eu seja um membro genuíno.

– Todos sabem que os irmãos foram reduzidos a pó.

– Um ardil para desviar a atenção. O inimigo mais perigoso é aquele que ninguém teme.

O matador mostrou-se cético.

– A fraternidade ainda subsiste?

– Mais às ocultas do que nunca. Nossas raízes estão infiltradas em tudo o que você vê... até na fortaleza sagrada de nosso inimigo mais declarado.

– Impossível. Eles são invulneráveis.

– Nosso braço é longo.

– Nenhum braço chega tão longe.

– Logo você vai acreditar. Uma demonstração irrefutável do poder da fraternidade já veio a público. Um único ato de traição e de prova.

– O que vocês fizeram?

O homem contou-lhe.

O matador arregalou os olhos.

– Uma tarefa impossível.

No dia seguinte, os jornais do mundo inteiro estampavam a mesma manchete. O matador passou a acreditar.

Agora, 15 dias depois, a fé do matador consolidara-se além de qualquer sombra de dúvida. *A fraternidade subsiste,* pensou. *Hoje à noite eles virão à tona para revelar seu poder.*

Caminhando pelas ruas, seus olhos negros brilhavam, cheios de expectativa. Uma das fraternidades mais ocultas e temidas que já haviam existido neste mundo convocara seus serviços. *Escolheram com sabedoria,* refletiu. Sua reputação de saber guardar segredo só era superada pela de infalibilidade.

Até ali, servira-os nobremente. Fizera a execução e entregara o objeto a Janus como fora solicitado. Agora, cabia a Janus lançar mão de seu poder para providenciar a instalação do objeto.

A instalação...

O assassino se perguntava como Janus realizaria aquela tarefa tão assombrosa. O homem certamente tinha contatos lá dentro. Os domínios da fraternidade pareciam ilimitados.

Janus, pensou ele. *Um codinome, sem dúvida.* Seria uma referência, ocorreu-lhe, ao deus romano de duas faces... ou à lua de Saturno? Não que fizesse qualquer diferença. Janus exercia um poder insondável. Dera provas irrefutáveis disso.

Enquanto andava, o assassino imaginava seus próprios ancestrais rindo para ele. Ele estava lutando a mesma batalha *deles,* era o mesmo inimigo contra o qual haviam lutado durante séculos, talvez desde o século XI... quando os exércitos dos cruzados haviam começado a pilhar suas terras, violentando e matando seu povo, declarando-o impuro, despojando seus templos e deuses.

Seus antepassados haviam formado um pequeno mas mortífero exército para se defender. Esse exército tornou-se famoso na região, seus membros eram vistos como protetores – hábeis carrascos que percorriam o país trucidando o inimigo onde quer que o encontrassem. Eram afamados não só por seus extermínios brutais, como por celebrá-los entregando-se ao entorpecimento causado pelo uso de drogas. A droga escolhida era uma potente substância inebriante a que chamavam de *hashish,* o haxixe.

À medida que sua notoriedade se espalhava, esses homens letais passaram a ser conhecidos por uma única denominação: *Hassassin* – literalmente, "os adeptos do haxixe". O nome *Hassassin* tornou-se sinônimo de morte em quase todas as línguas da terra. A palavra ainda é usada hoje, até nas línguas modernas... porém, assim como a arte de matar, o termo evoluiu.

Hoje pronuncia-se *assassino*.

CAPÍTULO **6**

Sessenta e quatro minutos se passaram e um incrédulo e ligeiramente nauseado Robert Langdon desceu a escada do avião na pista banhada pelo sol. Uma brisa fresca fez ondular as lapelas de seu paletó de tweed. A sensação de espaço aberto era maravilhosa. Ele apertou os olhos para ver melhor o vale coberto de verde e, acima, os picos cobertos de neve que rodeavam inteiramente o local onde estavam.

Estou sonhando, disse a si mesmo. *Vou acordar a qualquer momento.*

– Bem-vindo à Suíça – gritou o piloto acima do ruído dos motores HEDM do X-33 por trás deles.

Langdon conferiu o horário. Eram 7h07 da manhã.

– O senhor acabou de cruzar seis fusos horários – explicou o piloto. – Já passa um pouco de uma hora da tarde aqui.

Langdon acertou o relógio.

– Como está se sentindo?

Ele esfregou o estômago.

– Como se tivesse comido um pedaço de isopor.

O piloto assentiu.

– Por causa da altitude. Estávamos a 60 mil pés. A gente fica 30 por cento mais leve lá. Sorte que foi apenas um pulinho de nada. Se tivéssemos ido para Tóquio, eu teria subido o máximo possível – mais de 160 mil metros. *Isso* é que deixa o estômago embrulhado para valer.

Langdon fez um gesto cansado de cabeça e apreciou a sua boa sorte. De modo geral, o vôo fora surpreendentemente comum. Exceto pela sensação de esmagamento acelerado nos ossos do corpo durante a decolagem, o movimento no interior do avião fora bem característico – uma leve turbulência de vez em quando, umas poucas mudanças de pressão enquanto ganhavam altura, mas nada que indicasse que estavam cortando o espaço a uma atordoante velocidade de 20 mil quilômetros por hora.

Uma porção de técnicos aproximou-se correndo para cuidar do X-33. O piloto acompanhou Langdon até um Peugeot sedã preto estacionado atrás da torre de controle. Pouco depois, seguiam por uma estrada asfaltada que se estendia através da parte baixa do vale. Um amontoado indistinto de construções delineava-se à distância. Do lado de fora do carro, os campos relvados passavam depressa, um borrão verde.

Langdon observou espantado o piloto fazer o velocímetro alcançar 170 quilômetros por hora.

Qual seria o problema daquele sujeito com relação à velocidade? – ponderou ele.

– São cinco quilômetros até o laboratório – disse o piloto. – Vai estar lá em dois minutos.

Langdon procurou em vão o cinto de segurança.

Por que não em três minutos para chegarmos vivos?

O carro seguia em disparada.

– O senhor gosta de Reba? – perguntou o piloto, empurrando uma fita cassete no toca-fitas do carro.

Uma mulher começou a cantar: "É só o medo de estar só…"

Esse medo eu não tenho, pensou Langdon, distraído. Suas colegas costumavam caçoar que sua coleção de peças de museu não passava de uma tentativa evidente de encher uma casa vazia, uma casa que, segundo elas, seria muito favorecida pela presença de uma mulher. Langdon sempre ria disso, lembrando-lhes que já tinha três amores em sua vida: a simbologia, o pólo aquático e o celibato, sendo o último uma liberdade que lhe permitia viajar pelo mundo, dormir até a hora que bem entendesse e desfrutar de noites sossegadas em casa com uma bebida e um bom livro.

– Aqui é como se fosse uma cidade pequena – explicou o piloto, arrancando Langdon de seu devaneio. – Não existe só o laboratório. Temos supermercados, um hospital e até um cinema.

Langdon balançou vagamente a cabeça e voltou a atenção para o aglomerado de construções que se aproximava.

– Na realidade – o piloto acrescentou –, temos aqui a maior máquina do mundo.

– É mesmo? – Langdon correu os olhos pelo campo.

– Não dá para vê-la daqui, senhor. – O homem sorriu. – Está enterrada a uns 20 metros de profundidade.

Langdon não teve tempo de perguntar mais nada. Sem avisar, o piloto pisou firme no freio. O carro derrapou e parou junto a uma cabine reforçada de segurança.

Langdon leu a placa diante deles: SECURITÉ. ARRÊTEZ. Foi tomado por uma súbita onda de pânico ao se dar conta de onde estava.

– Meu Deus! Eu não trouxe meu passaporte!

– Não é necessário – o motorista garantiu. – Temos um acordo com o governo suíço.

Langdon, pasmo, viu seu motorista entregar um cartão de identificação ao guarda, que o passou em um aparelho eletrônico de autenticação. Uma luz verde se acendeu na máquina.

– Nome do passageiro?

– Robert Langdon – respondeu o motorista.

– Convidado de quem?

– Do diretor.

O guarda arqueou as sobrancelhas. Virou-se e examinou uma lista impressa, conferindo o que lera nos dados da tela de seu computador. Depois, voltou para a janela.

– Boa estada, senhor Langdon.

O carro disparou outra vez, acelerando mais uns 200 metros em torno de um amplo acesso circular que levava à entrada principal das instalações. Diante deles erguia-se uma estrutura retangular ultramoderna toda feita de vidro e aço. Langdon admirou a notável construção transparente. Sempre fora um grande apreciador de arquitetura.

– A Catedral de Vidro – explicou seu acompanhante.

– Uma igreja?

– Que nada. Igreja é uma coisa que não temos aqui. A religião deste lugar é a Física. Pode usar o nome de Deus em vão quanto quiser – riu ele –, mas não se atreva a falar mal de quarks nem de mésons.

O motorista fez a curva e parou na frente do prédio de vidro. Langdon estava atônito. *Quarks e mésons? Fronteira sem controle? Jato Mach 15? QUEM são esses caras, afinal?* E leu a resposta gravada em uma placa de granito na fachada do prédio:

CERN

Conseil Européen pour la Recherche Nucléaire

– Pesquisa nuclear? – perguntou Langdon, certo de que traduzira corretamente.

O motorista não respondeu. Inclinado para o painel do carro, ocupava-se em ajustar o toca-fitas.

– O senhor fica aqui. O diretor vem encontrá-lo nesta entrada.

Langdon viu um homem em uma cadeira de rodas saindo do prédio. Parecia ter pouco mais de 60 anos. Magro e pálido, inteiramente calvo e com um rosto severo, vestia um jaleco branco e calçava sapatos sociais, que apoiava com firmeza no suporte da cadeira. Mesmo de longe, seus olhos pareciam sem vida, como duas pedras cinzentas.

– É ele? – Langdon perguntou.

O motorista ergueu os olhos, virou-se e deu um sorriso agourento para Langdon.

– Falando do diabo...

Sem saber muito bem o que o esperava, Langdon desceu do carro.

O homem da cadeira de rodas apressou-se na direção de Langdon e estendeu-lhe a mão fria e úmida.

– Senhor Langdon? Fui eu quem falou com o senhor ao telefone. Meu nome é Maximilian Kohler.

CAPÍTULO 7

Pelas costas, Maximilian Kohler, diretor-geral do CERN, era

chamado de *König* – rei, em alemão. O título devia-se mais ao medo do que à reverência pela figura que governava o seu domínio sentado em um trono de rodas. Embora poucos o conhecessem pessoalmente, a horrível história da maneira como ficara aleijado era uma lenda no CERN, e também poucos ali o culpavam por sua amargura... ou por sua dedicação declarada à pura ciência.

Apenas alguns minutos na presença de Kohler bastaram para fazer Langdon notar que o diretor era um homem que se mantinha à distância. Langdon quase precisou correr para acompanhar a cadeira elétrica em direção à entrada principal. Era um tipo de cadeira de rodas que ele nunca vira antes – equipada com uma bancada de aparelhos eletrônicos, como um telefone com diversas linhas, um sistema de pager, uma tela de computador e até uma pequena câmara de vídeo destacável. O centro eletrônico de comando do rei Kohler.

Passaram por uma porta mecânica e entraram no descomunal saguão principal do CERN.

A Catedral de Vidro, Langdon refletiu, levantando os olhos para o alto.

Lá em cima, o teto de vidro azulado cintilava ao sol da tarde, lançando raios que formavam padrões geométricos no ar e davam ao local uma sensação de grandiosidade. Sombras angulares projetavam-se em forma de veias na cerâmica das paredes e no piso de mármore. O ar tinha um cheiro limpo, esterilizado. Havia alguns cientistas circulando por ali, apressados, o som de suas passadas ecoando no espaço.

– Venha por aqui, senhor Langdon, por favor. – A voz soava quase computadorizada. Seu sotaque era rígido e preciso como os traços severos de seu rosto. Kohler tossiu e enxugou a boca em um lenço branco, fixando os olhos cinzentos e mortiços em Langdon. – Por favor, vamos depressa. – A cadeira de rodas parecia saltar sobre as lajotas do chão.

Langdon seguiu-o por incontáveis corredores que se ramificavam a partir do saguão principal. Todos esses corredores fervilhavam de atividade. Os cientistas que cruzavam com Kohler pareciam surpresos e olhavam para Langdon tentando imaginar quem seria ele para estar em tal companhia.

Langdon tentou puxar conversa.

– Confesso que estou encabulado por nunca ter ouvido falar do CERN.

– Não é de espantar – replicou Kohler, a resposta cortante soando áspera e eficiente. – A maioria dos americanos não vê a Europa como líder mundial em pesquisa científica e sim como um pitoresco distrito de compras, nada mais do que isso. O que é estranho, considerando-se as nacionalidades de homens como Einstein, Galileu e Newton.

Langdon ficou sem saber muito bem o que responder. Tirou o fax do bolso.

– Esse homem na fotografia, o senhor poderia…

Kohler interrompeu-o com um gesto.

– Por favor. Aqui, não. Estou levando o senhor até onde ele está agora. – Estendeu a mão. – Talvez seja melhor eu ficar com isso.

Langdon entregou-lhe o fax e continuou a caminhar em silêncio.

Kohler dobrou à esquerda bruscamente e enveredou por um corredor largo em cujas paredes estavam pendurados prêmios e comendas. Uma placa de bronze particularmente grande dominava a entrada. Quando passaram por ela, Langdon diminuiu o ritmo para ler o que estava gravado.

PRÊMIO ARS ELETRÔNICA
Por Inovação Cultural na Era Digital
Concedido a Tim Berners Lee e ao CERN
pela invenção da
WORLDWIDE WEB

Diabo! O sujeito não estava brincando! – pensou Langdon ao ler o texto. Sempre pensara que a Internet fosse uma invenção norte-americana. No entanto, seu conhecimento a respeito limitava-se ao site de seu próprio livro e a uma ocasional exploração do Louvre e do Prado em seu velho Macintosh.

– A Internet começou aqui – disse Kohler, tossindo novamente e enxugando a boca – como uma rede interna de computadores. Permitia a cientistas de diferentes departamentos partilhar as descobertas diárias uns com os outros. É claro, o mundo inteiro imagina que a Internet é tecnologia norte-americana.

Langdon seguia-o pelo corredor.

– Por que não esclarecem essa questão?

Kohler deu de ombros, aparentemente desinteressado.

– Um equívoco insignificante a respeito de uma tecnologia insignificante. O CERN é muito maior do que uma conexão global de computadores. Nossos cientistas produzem milagres quase todos os dias.

Langdon lançou-lhe um olhar interrogador.

– *Milagres?* – A palavra "milagre" não fazia parte do vocabulário dos freqüentadores do Edifício de Ciências Fairchild, em Harvard. *Milagres* eram com a Escola de Teologia.

– O senhor parece cético – disse Kohler. – Pensei que fosse um simbologista religioso. Não acredita em milagres?

– Sou um tanto indeciso quanto a milagres – Langdon respondeu. *Principalmente quanto aos que se realizam em laboratórios científicos.*

– Talvez milagre não seja a palavra certa. Eu estava simplesmente tentando falar a sua língua.

– Minha língua? – Langdon de repente se sentiu incomodado. – Não quero desapontá-lo, senhor, mas estudo *simbologia* religiosa. Sou um acadêmico, não um sacerdote.

Kohler diminuiu a velocidade e se virou, o olhar suavizando-se um pouco.

– É claro. Que tolice a minha. Não é preciso ter câncer para se analisar os sintomas da doença.

Langdon nunca ouvira a questão ser apresentada daquela forma.

Enquanto seguiam pelo corredor, Kohler fez um leve gesto de aceitação com a cabeça.

– Acho que vamos nos entender perfeitamente, senhor Langdon.

De alguma forma, Langdon duvidava disso.

◆◆◆

À medida que os dois avançavam, Langdon começou a perceber um ruído surdo adiante. O barulho foi ficando mais intenso a cada passo, reverberando pelas paredes. Parecia vir do final do corredor em frente a eles.

– O que é isso? – Langdon finalmente perguntou, tendo de gritar. Tinha a impressão de que se aproximavam de um vulcão em erupção.

– Túnel de Queda Livre – respondeu Kohler, a voz oca cortando o ar sem esforço.

Langdon não perguntou mais. Estava exausto e Maximilian Kohler não parecia interessado em ganhar nenhum prêmio de hospitalidade. Langdon procurou lembrar-se do motivo pelo qual estava ali. *Illuminati*. Presumiu que haveria um cadáver em algum ponto daquela organização colossal... um cadáver marcado com um símbolo que ele viajara uns cinco mil quilômetros para ver.

Ao se aproximarem do fim do corredor, o ruído tornou-se quase ensurdecedor, vibrando através das solas dos sapatos de Langdon. Contornaram uma pilastra e uma galeria de observação apareceu à direita. Quatro portais de grossas vidraças haviam sido encaixados em uma parede curva, como janelas de submarino. Langdon parou e espiou por uma das aberturas.

O professor Robert Langdon já vira algumas coisas esquisitas em sua vida, mas aquela era a mais esquisita de todas. Deu umas piscadelas, achando que estivesse tendo alucinações. Encontrava-se diante de uma enorme câmara circular. Dentro da câmara, flutuando como se fossem desprovidas de peso, havia *pessoas*. Três. Uma delas acenou e deu uma cambalhota no ar.

Deus do céu, pensou, *estou na terra de Oz.*

O piso da câmara era feito de uma tela reticulada, como uma gigantesca cerca de galinheiro. Visível sob a tela, o borrão metálico de uma hélice imensa.

– É um túnel de queda livre – disse Kohler, parando para esperar por ele. – É um túnel vertical de vento, um simulador de pára-quedismo para aliviar a tensão.

Langdon olhava, estupefato. Uma das pessoas, uma mulher obesa, manobrou o corpo em direção à janela. Estava sendo fustigada por correntes de ar, mas deu um sorriso e fez um sinal com o polegar para cima. Langdon sorriu amarelo e devolveu o gesto, pensando se ela saberia que aquele era o antigo símbolo fálico de virilidade masculina.

A mulher era a única usando o que aparentava ser um pára-quedas em miniatura. A faixa de tecido ondulava acima dela como se fosse um brinquedo.

– Para que serve o pequeno pára-quedas? – Langdon perguntou a Kohler. – Não deve ter mais de um metro de diâmetro.

– Fricção – Kohler respondeu. – Diminui a aerodinâmica para que o ventilador possa erguer a pessoa. – E voltou a andar pelo corredor. – Um metro quadrado de algo que ofereça resistência ao ar retarda a queda de um corpo em quase 20 por cento.

Langdon assentiu mecanicamente com a cabeça.

Jamais poderia imaginar que mais tarde, na mesma noite, em um país a centenas de quilômetros de distância, aquela informação iria salvar-lhe a vida.

CAPÍTULO 8

Quando Langdon e Kohler saíram pelos fundos do conjunto principal do CERN para a luminosidade crua do sol da Suíça, Langdon sentiu-se como se tivesse sido levado de volta para casa. A cena diante dele era igual à de um campus da Ivy League.

Um gramado em declive estendia-se na direção de uma vasta extensão de terreno plano, com árvores sombreando pátios quadrangulares cercados por prédios de dormitórios e caminhos de pedestres. Pessoas com aparência de universitários, carregadas com pilhas de livros, entravam e saíam dos edifícios. Como para acentuar a atmosfera, dois hippies de cabelos compridos jogavam um *frisbee* para lá e para cá enquanto a Quarta Sinfonia de Mahler soava em alto volume vinda de uma das janelas de um prédio.

– Esses são nossos prédios residenciais – explicou Kohler, acelerando sua cadeira de rodas pelo caminho que ia dar nos edifícios. – Temos mais de três mil físicos aqui. O CERN sozinho emprega mais da metade dos físicos de partículas do mundo, as mentes mais brilhantes do mundo: alemães, japoneses, italianos, holandeses, todos, enfim. Nossos físicos representam mais de quinhentas universidades e sessenta nacionalidades.

Langdon estava impressionado.

– E como se comunicam?

– Em inglês, naturalmente. A língua universal da ciência.

Langdon sempre ouvira dizer que a *matemática* era a língua universal da ciência, mas estava cansado demais para discutir. Seguiu Kohler obedientemente pelo caminho.

Quase chegando na parte de baixo, um rapaz cruzou com eles correndo, fazendo exercício. Na camiseta dele, a mensagem: SEM TOE, SEM GLÓRIA!

Langdon acompanhou-o com o olhar, intrigado.

– Toe?

– *Theory of Everything*, Teoria sobre Tudo – disse Kohler em tom de gracejo.

– Sei – disse Langdon, sem saber coisa alguma.

– Tem alguma noção de Física de Partículas, senhor Langdon?

Langdon encolheu os ombros.

– Tenho noções sobre Física geral, queda dos corpos pesados e coisas assim.

– Sua experiência de mergulho dera-lhe um profundo respeito pelo poder impressionante da aceleração gravitacional. – A Física das Partículas é o estudo dos átomos, não é?

Kohler balançou a cabeça.

– Os átomos parecem planetas se comparados com as coisas com que lidamos. Nosso interesse está no *núcleo* do átomo, apenas dez milionésimos do tamanho do todo. – Tossiu de novo, parecendo adoentado. – Os homens e mulheres do CERN estão aqui para encontrar respostas para as mesmas perguntas que o homem vem fazendo desde o começo dos tempos. De onde viemos? De que somos feitos?

– E as respostas estão em um laboratório de Física?

– O senhor ficou surpreso?

– Fiquei. Essas respostas parecem pertencer mais ao domínio do espiritual.

– Senhor Langdon, todas as perguntas algum dia foram espirituais. Desde o princípio dos tempos, a espiritualidade e a religião preencheram as lacunas que a ciência não compreendia. O nascer e o pôr do Sol eram outrora atribuídos a Helios e sua carruagem de fogo. Terremotos e maremotos deviam-se à ira de Poseidon. A ciência provou que esses deuses eram falsos ídolos. Logo será provado que *todos* os deuses são falsos ídolos. A ciência acabou fornecendo respostas para quase todas as perguntas que o homem pode fazer. Restam apenas algumas poucas, que são as esotéricas. De onde viemos? O que estamos fazendo aqui? Qual o sentido da vida e do universo?

Langdon era só perplexidade.

– E são essas as perguntas que o CERN está tentando responder?

– Corrigindo: são as perguntas que *estamos* respondendo.

Langdon calou-se e os dois continuaram a circular através dos pátios das residências. Enquanto andavam, um *frisbee* veio voando e caiu bem na frente deles. Kohler ignorou-o e prosseguiu.

Uma voz chamou do outro lado do pátio.

– *S'il vous plaît!*

Langdon olhou na direção da voz. Um homem idoso de cabelos brancos, vestido com um agasalho esportivo onde se lia COLLÈGE PARIS, acenou para ele. Langdon pegou o *frisbee* e lançou-o habilmente de volta. O senhor apanhou-o com um dedo e, depois de girá-lo uma ou duas vezes, atirou-o por cima do ombro de volta para seu parceiro.

– *Merci!* – gritou para Langdon.

– Parabéns – disse Kohler, quando Langdon finalmente o alcançou. – O senhor acabou de jogar com um ganhador do Prêmio Nobel, George Charpak, inventor da câmara de múltiplas ligações proporcionais.

Langdon sacudiu a cabeça. *Hoje é meu dia de sorte.*

◆ ◆ ◆

Levaram mais uns três minutos para chegar a seu destino, um grande prédio bem cuidado em meio a um bosque de choupos. Comparada às outras, essa construção era até luxuosa. Em uma placa de pedra em frente ao prédio lia-se, em letras entalhadas: EDIFÍCIO C.

Cheio de imaginação, pensou Langdon.

Apesar do nome inexpressivo, o Edifício C estava bem de acordo com o gosto de Langdon em matéria de estilo de arquitetura: sólido e conservador. A fachada era de tijolo vermelho e o edifício possuía uma balaustrada decorada e era emoldurado por sebes vivas simétricas bem aparadas. Quando os dois homens subiram o caminho de pedra que levava à entrada, passaram por uma estrutura formada por um par de colunas de mármore. Alguém pregara um bilhete adesivo em uma delas.

ESTA COLUNA É IÔNICA

Grafite de físicos? – refletiu Langdon, examinando a coluna e dando uma risadinha baixa.

– É um alívio saber que até os físicos mais brilhantes cometem erros.

Kohler virou a cabeça.

– O que quer dizer?

– Quem escreveu esse bilhete cometeu dois erros: a grafia correta é jônica. E essa coluna é dórica, a equivalente grega. As colunas jônicas são de largura uniforme. Essa é afunilada. Um erro bem comum.

Kohler não sorriu.

– O autor do bilhete estava brincando, senhor Langdon. *Iônico* significa que contém íons, partículas carregadas de eletricidade. A maioria dos objetos os contém.

Langdon virou-se para a coluna lá atrás e resmungou em voz baixa.

◆◆◆

Langdon ainda se sentia um idiota quando saltou do elevador no último andar do Edifício C. Seguiu Kohler por um corredor bem decorado. O estilo da decoração – francês colonial tradicional – surpreendeu-o: um divã cor de cereja, ornamentação em volutas de madeira e um jarrão de porcelana.

– Gostamos de manter com conforto nossos cientistas contratados – Kohler explicou.

Dá para notar, pensou Langdon.

– Então, o homem do fax morava aqui? Era um dos seus funcionários de alto nível?

– Exato – disse Kohler. – Ele não compareceu a uma reunião comigo esta manhã e não respondeu a seu pager. Vim procurá-lo e o encontrei morto no meio da sala.

Langdon sentiu um arrepio súbito quando se deu conta de que ia ver um cadáver. Seu estômago nunca fora muito robusto, uma fraqueza que descobrira quando era estudante de arte ao ouvir de um professor em sala de aula que Leonardo da Vinci adquirira sua experiência sobre as formas humanas exumando corpos e dissecando músculos.

Kohler chegou ao fim do corredor. Havia ali uma única porta.

– Apartamento de cobertura, como vocês chamam – anunciou ele, enxugando uma gota de suor na testa.

Langdon leu a placa na porta de carvalho:

LEONARDO VETRA

– Leonardo Vetra – disse Kohler – iria fazer 58 anos na semana que vem. Era um dos cientistas mais brilhantes de nosso tempo. Sua morte é uma grande perda para a ciência.

Por um instante, Langdon pensou ter visto uma nota de emoção no rosto duro de Kohler. Entretanto, aquilo se foi tão depressa quanto veio. Kohler enfiou a mão no bolso e começou a examinar um grande chaveiro.

Um estranho pensamento passou pela mente de Langdon. O prédio parecia deserto.

– Onde está todo mundo? – perguntou.

A ausência de atividade não era o que ele esperava, considerando-se que estavam prestes a entrar no local de um crime.

– Os residentes estão em seu laboratórios – respondeu Kohler, encontrando a chave certa.

– Estou falando da *polícia* – Langdon esclareceu. – Já foi embora?

Kohler parou, a chave a meio caminho da fechadura.

– A polícia?

– Sim, a polícia. O senhor me mandou um fax sobre um homicídio. Deve ter chamado a polícia.

– Claro que não.

– O quê?

Os olhos cinzentos de Kohler assumiram uma expressão penetrante.

– A situação é complexa, senhor Langdon.

Uma onda de apreensão tomou conta de Langdon.

– Mas... com certeza, alguém mais tem conhecimento do fato!

– Sim. A filha adotiva de Leonardo. Ela também é física aqui no CERN. Divide um laboratório com o pai. Trabalham em parceria. A senhorita Vetra passou esta semana fora fazendo pesquisa de campo. Já lhe comuniquei a morte de seu pai e ela está a caminho, vindo para cá.

– Mas um homem foi assassin...

– Uma investigação formal – interrompeu Kohler com voz firme – será realizada. Entretanto, certamente vai envolver uma busca no laboratório de Vetra, um espaço que ele e a filha consideram altamente privado. Portanto, vou esperar até que a senhorita Vetra chegue. Acho que devo a ela pelo menos essa pequena manifestação de discrição.

E virou a chave na fechadura.

Quando a porta se abriu, uma lufada de ar gélido penetrou no vestíbulo e atingiu direto o rosto de Langdon. Ele recuou, espantado. Encontrava-se no limiar de um mundo desconhecido. O apartamento à sua frente estava imerso em uma névoa branca e espessa. A névoa rodopiava formando espirais em torno dos móveis e envolvia o ambiente em um véu opaco.

– Que diabo...? – gaguejou Langdon.

– Sistema de resfriamento por fréon – Kohler explicou. – Esfriei o apartamento para preservar o corpo.

Langdon abotoou o paletó de tweed para se proteger do frio.

Estou em Oz, pensou. *E esqueci de trazer meus sapatos mágicos.*

CAPÍTULO **9**

O cadáver no chão diante de Langdon era horrendo. O falecido Leonardo Vetra estava deitado de costas, de barriga para cima, despido, a pele de um cinzento-azulado. Os ossos do pescoço projetavam-se para fora no ponto onde tinham sido quebrados e a cabeça fora totalmente virada para trás, apontando para o lado errado. Não se via seu rosto, voltado para o chão. O homem jazia em uma poça congelada da própria urina, os pêlos em torno de seus órgãos genitais enrugados cobertos de gotas geladas.

Reprimindo a náusea, Langdon pousou os olhos no peito da vítima. Embora já tivesse olhado dezenas de vezes para a ferida simétrica no fax, a queimadura era infinitamente mais impressionante na vida real. A carne queimada e inchada fora delineada com perfeição... o símbolo formara-se sem uma falha sequer.

Langdon não sabia se o frio intenso que o acometia era por causa do ar-condicionado ou por sua absoluta perplexidade com o significado do que contemplava naquele momento.

Seu coração batia forte enquanto rodeava o corpo para ler a palavra ao contrário, confirmando a genialidade da simetria. O símbolo parecia ainda mais inconcebível visto de perto.

– Senhor Langdon?

Ele não escutou. Estava em um outro mundo... seu mundo, onde história, mito e fato iam de encontro um ao outro, inundando seus sentidos. As engrenagens entraram em funcionamento.

– Senhor Langdon? – Kohler observava-o, cheio de expectativa.

Langdon não ergueu os olhos, sua atenção agora intensificada, totalmente concentrado.

– O que o senhor já sabe de fato sobre o assunto?

– Só o que li no seu site. A palavra *Illuminati* significa "os esclarecidos". É o nome de uma espécie de confraria antiga.

Langdon concordou.

– Já tinha ouvido esse nome antes?

– Não, até vê-lo marcado no senhor Vetra.

– E então o senhor foi fazer uma busca na Internet para saber o que era?

– Fui.

– E verificou que o nome aparece em centenas de sites, sem dúvida.

– Milhares – disse Kohler. – O seu site, porém, mencionava Harvard, Oxford, uma editora respeitável, bem como trazia uma lista de publicações relacionadas ao assunto. Como cientista, aprendi que a informação só é valiosa se a fonte também é. Suas referências pareciam autênticas.

Os olhos de Langdon ainda estavam fixos no corpo.

Kohler parou de falar. Apenas acompanhava os movimentos de Langdon, aparentemente esperando que ele pudesse produzir algum esclarecimento sobre a cena que se apresentava diante deles.

Langdon levantou a cabeça e correu os olhos pelo apartamento gelado.

– Quem sabe poderíamos falar sobre o assunto em um lugar mais quente?

– Aqui está bom. – Kohler parecia indiferente ao frio. – Vamos conversar aqui mesmo.

Langdon franziu o cenho. A história dos Illuminati não era nada simples. *Vou congelar tentando explicar tudo.* Olhou de novo para a marca, mais uma vez com uma sensação de assombro.

Apesar de existirem relatos lendários sobre o símbolo dos Illuminati na moderna simbologia, nenhum acadêmico jamais o *vira* de fato. Antigos documentos descreviam a insígnia como um *ambigrama* – *ambi*, "ambos" –, significando que seria legível de ambos os lados. E embora os ambigramas fossem comuns na simbologia – suásticas, yin-yang, estrelas-de-davi, cruzes simples –, a idéia de que uma palavra pudesse ser trabalhada para formar um ambigrama parecia totalmente impossível. A maioria dos acadêmicos chegara à conclusão de que a existência do símbolo era um mito.

– Afinal, quem eram os Illuminati? – perguntou Kohler.

Sim, pensou Langdon, *quem seriam realmente?* – e começou seu relato.

◆◆◆

– Desde o começo da história – explicou Langdon –, sempre existiu uma profunda brecha entre ciência e religião. Cientistas como Copérnico, que não tinham papas na língua...

– Foram assassinados – interrompeu Kohler. – Assassinados pela Igreja por revelar verdades científicas. A religião sempre perseguiu a ciência.

– Sim, mas por volta de 1500, um grupo de homens em Roma revidou e lutou contra a Igreja. Alguns dos homens mais esclarecidos da Itália – físicos, matemáticos, astrônomos – começaram a promover encontros secretos para discutir suas preocupações sobre os ensinamentos errados difundidos pela Igreja. Temiam que o monopólio da "verdade" pela Igreja ameaçasse a difusão dos conhecimentos acadêmicos pelo mundo afora. Fundaram o primeiro *think tank* científico do mundo, chamando a si mesmos de "os esclarecidos".

– Os Illuminati.

– Exato – concordou Langdon. – As mentes mais cultas da Europa... dedicadas à busca da verdade científica.

Kohler calou-se.

– Evidentemente, os Illuminati eram caçados impiedosamente pela Igreja Católica. Somente através de ritos extremamente sigilosos é que os cientistas se mantinham seguros. Os rumores se espalharam pelo submundo acadêmico e a fraternidade dos Illuminati cresceu, incluindo cientistas de toda a Europa. Eles encontravam-se regularmente em Roma em um refúgio ultra-secreto a que chamavam de "Igreja da Iluminação".

Kohler tossiu e remexeu-se na cadeira.

– Muitos dos Illuminati – Langdon prosseguiu – queriam combater a tirania da Igreja com atos de violência, mas seu membro mais reverenciado persuadiu-os a não agir assim. Era um pacifista e um dos mais famosos cientistas da História.

Langdon estava certo de que Kohler reconheceria o nome. Até os que não pertenciam ao mundo científico conheciam o malfadado astrônomo que fora preso e quase executado pela Igreja por ter declarado que o *Sol*, e não a Terra, era o centro do sistema solar. Embora seus dados fossem irrefutáveis, o astrônomo fora severamente punido por insinuar que Deus *não* instalara a humanidade no *centro* de seu universo.

– Seu nome era Galileu Galilei – disse Langdon.

– Galileu? – espantou-se Kohler.

– Ele mesmo. Galileu era um Illuminatus. E também um católico fervoroso. Tentou abrandar a posição da Igreja com relação à ciência proclamando que a ciência não prejudicava a noção da existência de Deus mas, ao contrário, *reforçava-a*. Escreveu certa vez que, quando olhava os planetas girando através de seu telescópio, conseguia ouvir a voz de Deus na música das esferas. Sustentava que a ciência e a religião não eram inimigas e sim aliadas, duas linguagens diferentes que contavam a mesma história, uma história de simetria e equilíbrio: céu e inferno, noite e dia, quente e frio, Deus e Satã. Tanto a ciência quanto a religião exultavam com a simetria de Deus, o infindável confronto da luz e das trevas. – Langdon fez uma pausa, batendo com os pés no chão para se aquecer.

Kohler permaneceu sentado em sua cadeira de rodas olhando para ele.

– Infelizmente – Langdon acrescentou –, a unificação da ciência e da religião não era o que a Igreja queria.

– Claro que não – interrompeu Kohler. – A união teria invalidado a pretensão da Igreja de ser o *único* veículo através do qual o homem poderia compreender Deus. Assim, a Igreja acusou Galileu de heresia, condenou-o e colocou-o em prisão domiciliar permanente. Estou bastante a par da história científica, senhor Langdon. Só que isso tudo aconteceu séculos atrás. O que tem a ver com Leonardo Vetra?

A pergunta de um milhão de dólares. Langdon tentou abreviar.

– A prisão de Galileu causou uma convulsão entre os Illuminati. Cometeram alguns erros e a Igreja descobriu as identidades de quatro membros, que foram capturados e interrogados. Mas os quatro cientistas nada revelaram, nem sob tortura.

– Tortura?

Langdon assentiu.

– Foram marcados a fogo. No peito. Com o símbolo da cruz.

Os olhos de Kohler arregalaram-se e ele lançou um rápido olhar para o corpo de Vetra.

– Em seguida, os cientistas foram brutalmente assassinados e seus corpos lançados às ruas de Roma como advertência para os que ainda cogitassem se unir aos Illuminati. Com a Igreja fechando o cerco, os Illuminati que restavam fugiram da Itália.

Langdon fez outra pausa, dessa vez para causar o efeito que desejava. Olhou direto para os olhos sem vida de Kohler.

– Os Illuminati mergulharam fundo na clandestinidade, onde começaram a se misturar a outros grupos que haviam fugido dos expurgos da Igreja Católica: místicos, alquimistas, ocultistas, muçulmanos, judeus. Ao longo dos anos, os Illuminati absorveram novos membros. Surgiu um outro tipo de Illuminati, mais soturno, profundamente anticristão. Tornaram-se muito poderosos, praticando ritos misteriosos, sigilo mortal e jurando um dia se erguerem outra vez e se vingarem da Igreja Católica. Seu poder cresceu a ponto de serem considerados a mais perigosa força anticristã do mundo. O Vaticano acusou publicamente a fraternidade de *Shaitan*.

– *Shaitan*?

– É um termo islâmico. Significa "adversário"… adversário de *Deus*. A Igreja escolheu o nome islâmico porque era uma língua que eles consideravam suja.

– Langdon hesitou. – *Shaitan* é a origem de uma palavra bem conhecida: *Satã*.

Uma expressão de inquietude passou pelo rosto de Kohler.

Langdon falou com voz dura.

– Senhor Kohler, não sei como essa marca apareceu no peito desse homem, nem por que, mas o que o senhor está vendo é o símbolo há muito esquecido do mais antigo e mais poderoso culto satânico do mundo.

CAPÍTULO 10

A viela era estreita e deserta. O Hassassin caminhava depressa, os olhos negros cheios de expectativa. Enquanto percorria o caminho que o aproximava de seu destino, as palavras de despedida de Janus ecoavam em sua mente. *A fase dois vai começar em breve. Procure descansar um pouco.*

O Hassassin deu um sorriso presunçoso. Ficara acordado a noite inteira, mas sono era a última coisa em que pensava. Sono era para os fracos. Ele era um guerreiro como seus ancestrais, e seu povo nunca dormia depois que a batalha começava. Aquela batalha com certeza acabara de começar, e ele tivera a honra de ser o primeiro a derramar sangue. Agora tinha duas horas para comemorar sua glória antes de voltar ao trabalho.

Dormir? Há maneiras muito melhores de relaxar...

Um apetite por prazeres hedonísticos fora algo que herdara de seus ancestrais. Seus antepassados regalavam-se com haxixe, mas ele preferia um tipo diferente de gratificação. Orgulhava-se de seu corpo, máquina bem ajustada e letal que, apesar de sua hereditariedade, ele se recusava a poluir com narcóticos. Desenvolvera um vício mais revigorante do que as drogas, uma recompensa muito mais saudável e satisfatória.

Sentindo crescer dentro de si a ansiedade já familiar, o Hassassin andou com mais rapidez pela rua. Chegou a uma porta comum e tocou a campainha. Uma fenda retangular abriu-se na porta e dois belos olhos castanhos avaliaram-no, fazendo uma estimativa. Então, a porta foi aberta.

– Seja bem-vindo – disse a mulher bem vestida. Levou-o para uma sala de estar impecavelmente mobiliada e com iluminação suave. O ambiente recendia a perfume caro e almíscar.

– Fique à vontade. – Entregou-lhe um álbum de fotografias. – Chame quando tiver escolhido.

E saiu.

O Hassassin sorriu.

Quando se sentou no divã de pelúcia e colocou o álbum no colo, sentiu a fome carnal intensificar-se. Seu povo não comemorava o Natal, mas essa deveria ser a sensação que as crianças cristãs experimentavam diante de uma pilha de presentes, prestes a descobrir os mistérios que continham. Ele abriu o álbum e examinou as fotos. Um mundo de fantasias sexuais oferecia-se a ele.

Marisa. Uma deusa italiana. Ardente. Uma jovem Sophia Loren.

Sachiko. Uma gueixa japonesa. Dócil. Sem dúvida, habilidosa.

Kanara. Uma estonteante visão negra. Musculosa. Exótica.

Viu o álbum duas vezes e fez sua escolha. Apertou o botão na mesa a seu lado. Um minuto depois, a mulher que o recebera reapareceu. Ele apontou a escolhida. Ela sorriu.

– Venha comigo.

Depois de resolver os acertos financeiros, a mulher fez uma discreta ligação telefônica. Esperou alguns minutos e então o conduziu por uma escadaria de mármore em espiral até um luxuoso vestíbulo.

– É a porta dourada no final – disse ela. – O senhor tem gostos caros.

Claro, pensou ele, *sou um connoisseur.*

As passadas do Hassassin pelo corredor pareciam as de uma pantera que aguarda uma refeição atrasada. Ao chegar à porta, sorriu intimamente. A porta já estava entreaberta, convidando-o a entrar. Ele a empurrou e ela se abriu sem ruído.

Quando viu o que escolhera, soube que havia decidido bem. Ela estava exatamente como ele solicitara: nua, deitada de costas, os braços amarrados aos balaústres da cama com grossos cordões de veludo.

Ele atravessou o quarto e correu o dedo escuro pelo abdome claro como marfim. *Matei na noite de ontem,* pensou. *Você é minha recompensa.*

CAPÍTULO **11**

– **Satânico? – Kohler** enxugou a boca e se remexeu, desconfortável, na cadeira. – Esse símbolo é de um culto *satânico?*

Langdon andava de um lado para o outro no aposento gelado para se aquecer.

– Os Illuminati eram satânicos. Mas não no sentido moderno da palavra.

De modo sucinto, Langdon explicou que a maioria das pessoas imaginava que os cultos satânicos fossem rituais de adoração do demônio e, no entanto, os satanistas eram historicamente homens instruídos que assumiam sua posição de adversários da Igreja. *Shaitan*. Os rumores sobre sacrifícios satânicos de animais, magia negra e rituais do pentagrama não passavam de mentiras disseminadas pela Igreja como parte de uma campanha de difamação contra seus inimigos. Ao longo do tempo, outros adversários da Igreja, querendo imitar os Illuminati, começaram a acreditar nessas mentiras e a praticar os supostos rituais. Dessa forma, nasceu o satanismo moderno.

Kohler resmungou abruptamente:

– Isso tudo é história antiga. Quero saber como esse símbolo veio parar *aqui*.

Langdon respirou fundo.

– O símbolo em si foi criado por um artista anônimo do século XVI, um dos Illuminati, como um tributo ao amor pela simetria de Galileu. Uma espécie de logomarca sagrada dos Illuminati. A fraternidade manteve o desenho em segredo, alegando que somente o revelaria quando tivesse reunido poder suficiente para ressurgir e levar adiante seu objetivo final.

Kohler mostrou-se perturbado.

– Quer dizer que esse símbolo significa que a fraternidade dos Illuminati está ressurgindo?

O rosto de Langdon se tornou sombrio.

– Acho impossível. Há um capítulo da história dos Illuminati que ainda não expliquei.

Com intensidade na voz, Kohler disse:

– Então, faça o favor de explicar.

Langdon esfregou as palmas das mãos uma na outra, revendo mentalmente as centenas de documentos que lera ou escrevera sobre os Illuminati.

– Os Illuminati eram sobreviventes. Quando fugiram de Roma, viajaram por toda a Europa procurando um lugar seguro para se reagruparem. Foram acolhidos por uma outra sociedade secreta, uma fraternidade de ricos pedreiros bávaros chamados franco-maçons.

– Os maçons? – espantou-se Kohler.

Langdon concordou, nem um pouco surpreso que Kohler tivesse ouvido falar do grupo. A fraternidade dos maçons tinha mais de cinco milhões de membros no mundo inteiro, sendo que a metade deles nos Estados Unidos e mais de um milhão na Europa.

– Os maçons com toda a certeza não são satânicos – Kohler declarou, de repente parecendo cético.

– Claro que não. Eles foram vítimas de sua própria benevolência. Depois de receberem os cientistas refugiados nos anos 1700, os maçons, sem saber, tornaram-se uma fachada para os Illuminati. Estes cresceram em suas fileiras, assumindo gradualmente posições de poder dentro das lojas. Na surdina, restabeleceram sua fraternidade científica no seio da maçonaria, uma espécie de sociedade secreta dentro de outra sociedade secreta. Em seguida, os Illuminati usaram a rede mundial de lojas maçônicas para espalhar sua influência.

Langdon respirou fundo o ar frio e prosseguiu.

– Eliminar o catolicismo era o compromisso principal dos Illuminati. A fraternidade sustentava que os dogmas supersticiosos impostos pela Igreja eram os maiores inimigos da humanidade. Temia que o progresso científico cessasse de vez caso a Igreja continuasse a promover mitos piedosos como se fossem fatos absolutos, e que dessa forma a humanidade fosse condenada a um futuro sem perspectivas, com guerras santas sem o menor sentido.

– Mais ou menos o que acontece hoje em dia.

Kohler tinha razão. As guerras santas ainda freqüentavam as manchetes dos jornais. *Meu Deus é melhor do que o seu Deus.* Parecia sempre haver uma estreita relação entre crentes fervorosos e altos números de mortos.

– Continue – disse Kohler.

Langdon organizou outra vez seus pensamentos e retomou a narrativa.

– Os Illuminati ficaram mais poderosos na Europa e voltaram a atenção para a América, cujo governo ainda novato tinha maçons como líderes – George Washington, Benjamim Franklin –, homens honestos, tementes a Deus, que ignoravam que a sociedade maçônica era o reduto dos Illuminati. Estes aproveitaram a possibilidade de infiltração e ajudaram a fundar bancos, universidades e indústrias para financiar a realização de seu objetivo máximo. – Langdon fez uma pausa. – A criação de um único estado mundial unificado, uma espécie de Nova Ordem Mundial secular.

Kohler mantinha-se imóvel.

– Uma Nova Ordem Mundial – repetiu Langdon – baseada em conhecimentos científicos, em um novo Iluminismo. Chamavam-na de Doutrina Luciferiana. A Igreja alega que Lúcifer era uma referência ao demônio, mas a fraternidade insistia que sua intenção era o significado literal da palavra, em latim, *aquele que traz a luz.* Ou *Iluminador.*

Kohler suspirou e sua voz de repente ficou solene.

– Senhor Langdon, por favor, sente-se.

Langdon sentou-se como pôde em uma cadeira já esbranquiçada por uma camada de gelo.

Kohler aproximou-se dele em sua cadeira de rodas.

– Não sei se compreendi bem tudo o que o senhor acabou de me contar, mas de uma coisa eu sei. Leonardo Vetra era um dos maiores trunfos do CERN. E era também meu amigo. Preciso que me ajude a localizar os Illuminati.

Langdon não sabia o que responder.

– Localizar os Illuminati? – *Ele só pode estar brincando.* – Receio, senhor Kohler, que isto seja totalmente impossível.

Uma ruga surgiu na testa de Kohler.

– Como assim? O senhor não...

– Senhor Kohler – Langdon inclinou-se na direção dele, sem saber muito bem como fazê-lo compreender o que iria dizer –, não terminei minha história. Apesar das aparências, é bastante improvável que essa marca tenha sido feita pelos Illuminati. Não houve comprovação da existência deles por mais de meio século e a maioria dos estudiosos afirma que a fraternidade dos Illuminati está extinta há muitos anos.

As palavras foram recebidas com silêncio. Kohler olhava através da névoa com uma expressão entre estupefata e enraivecida.

– Que diabos, como pode dizer que esse grupo está extinto quando o nome dele está marcado a fogo no peito daquele homem?

Aquela era a pergunta que Langdon vinha fazendo a si mesmo a manhã inteira. O aparecimento do ambigrama dos Illuminati era espantoso. Os simbologistas de todo o mundo ficariam fascinados. Ainda assim, o acadêmico em Langdon compreendia que a reemergência da marca não provava absolutamente nada sobre os Illuminati.

– Os símbolos de forma alguma confirmam a presença de seus criadores originais.

– O que quer dizer com isso?

– Quando filosofias organizadas como a dos Illuminati deixam de existir, seus símbolos permanecem... prontos para serem adotados por outros grupos. Chama-se a isso de *transferência*. É muito comum em simbologia. Os nazistas tomaram a suástica dos hindus, os cristãos adotaram a cruz dos egípcios, os...

– Esta manhã – provocou Kohler –, quando digitei a palavra "Illuminati" no computador, obtive milhares de referências atuais. Ao que parece, muita gente ainda pensa que o grupo está vivo.

– Mania de conspiração – replicou Langdon.

Sempre o irritara a superabundância de teorias conspiratórias que circulavam na moderna cultura pop. Os meios de comunicação adoravam manchetes apocalípticas, e pessoas que se autoproclamavam "especialistas em cultos" ainda estavam faturando à custa da intensa publicidade em torno da mudança do milênio com histórias sobre os Illuminati estarem vivos, gozando de excelente saúde e organizando sua Nova Ordem Mundial. Recentemente, o *New York Times* publicara matéria sobre laços sinistros com a maçonaria mantidos por inúmeros personagens famosos: sir Arthur Conan Doyle, o duque de Kent, Peter Sellers, Irving Berlin, o príncipe Philip, Louis Armstrong e mais um panteão de conhecidos magnatas, industriais e banqueiros modernos.

Kohler apontou com ar zangado para o corpo de Vetra.

– Considerando-se as evidências, eu diria que talvez as teorias conspiratórias estejam corretas.

– A impressão que se tem é realmente esta – disse Langdon, o mais diplomaticamente possível. – A explicação mais plausível, porém, é que alguma *outra* organização tenha assumido a marca dos Illuminati e a esteja usando para seus próprios objetivos.

– Que objetivos? O que esse assassinato prova?

Boa pergunta, pensou Langdon. Ele também estava intrigado, imaginando onde alguém teria desencavado a marca dos Illuminati depois de 400 anos.

– Só posso lhe dizer que, mesmo que os Illuminati estivessem ativos hoje em dia, e isso eu posso praticamente garantir que não estão, jamais teriam qualquer envolvimento com a morte de Leonardo Vetra.

– Não teriam?

– Não. Os Illuminati podem ter acreditado na abolição do cristianismo, mas exerciam seu poder por meios políticos e financeiros, não através de atos terroristas. Além disso, os Illuminati seguiam um rigoroso código moral com relação ao tipo de pessoas que viam como inimigos. Tinham os homens de ciência na mais alta conta. Não haveria possibilidade de assassinarem um companheiro cientista como Leonardo Vetra.

O rosto de Kohler petrificou-se.

– Talvez eu tenha deixado de mencionar que Leonardo Vetra era mais do que um cientista comum.

Langdon suspirou, paciente.

– Senhor Kohler, estou certo de que Leonardo Vetra era brilhante em muitos aspectos, mas o fato é que...

Sem aviso, Kohler girou a cadeira de rodas e saiu em disparada da sala, deixando atrás de si um rastro de espirais de fria névoa branca ao desaparecer por um corredor.

Pelo amor de Deus..., gemeu Langdon, seguindo-o. Kohler esperava por ele em um pequeno nicho no fim do corredor.

– Aqui era o gabinete de trabalho de Leonardo – disse Kohler, fazendo um gesto em direção a uma porta de correr. – Depois de vê-lo, talvez o senhor compreenda as coisas de outra maneira.

Com um resmungo desajeitado, Kohler deu um empurrão e a porta deslizou, abrindo-se.

Langdon correu os olhos pelo interior do aposento e sentiu sua pele se arrepiar. *Santa Mãe de Deus,* disse para si mesmo.

CAPÍTULO 12

Em um outro país, um jovem guarda estava sentado pacientemente diante de uma ampla bancada de monitores de vídeo. Observava as imagens surgirem uma após a outra, emitidas ao vivo de centenas de videocâmeras sem fio que inspecionavam o extenso conjunto de construções. As imagens sucediam-se numa progressão infindável.

Um corredor decorado. Um escritório particular. Uma cozinha industrial.

À medida que as imagens passavam, o guarda lutava contra os devaneios que o acometiam. Estava próximo o fim de seu plantão e mesmo assim ele ainda estava vigilante. Estar de serviço era uma honra. Algum dia lhe concederiam sua recompensa definitiva.

Com seus pensamentos fluindo, uma imagem à sua frente registrou um alerta. Súbito, com um reflexo brusco com o qual ele mesmo se espantou, sua mão apertou um botão no painel de controle. A imagem imobilizou-se.

Inclinou-se em direção à tela para ver melhor, os nervos tensos. No monitor, leu que a imagem estava sendo transmitida da câmera 86 – uma câmera que deveria estar posicionada para um corredor.

Mas o que via naquele momento decididamente não era um corredor.

CAPÍTULO 13

Langdon olhava atônito para o gabinete de trabalho à sua frente.

– Que lugar é este?

A despeito da bem-vinda lufada de ar quente em seu rosto, um tremor o agitava quando ele passou pela porta.

Kohler seguiu-o sem dizer palavra.

Langdon correu os olhos pelo ambiente sem conseguir entender o que via. O aposento continha a mais peculiar mistura de objetos que jamais encontrara. Na parede do fundo, dominando a decoração, havia um enorme crucifixo de madeira, que Langdon classificou como sendo espanhol, do século XIV. Acima do crucifixo, pendurado no teto, encontrava-se um móbile feito de metal representando os planetas em órbita. À esquerda havia uma pintura a óleo da Virgem Maria e, ao lado desta, uma tabela periódica dos elementos feita de material laminado. Na parede lateral, mais duas cruzes de bronze ladeavam um pôster de Albert Einstein com sua famosa citação: DEUS NÃO JOGA DADOS COM O UNIVERSO.

À medida que andava pelo aposento, mais se surpreendia. Na escrivaninha de Vetra, uma Bíblia de capa de couro fazia companhia a um modelo atômico de Bohr e a uma réplica em miniatura do *Moisés* de Michelangelo.

Isso é que é ser eclético, pensou Langdon. O calor era agradável, mas alguma coisa no ambiente causava mais arrepios em Langdon. Tinha a impressão de estar presenciando o choque de dois titãs filosóficos, uma confusão indistinta de forças opostas. Examinou os títulos dos livros na estante: *A partícula de Deus, O Tao da Física* e *Deus: a prova*.

Em um dos suportes de livros estava escrita a citação:

A VERDADEIRA CIÊNCIA DESCOBRE DEUS
À ESPERA ATRÁS DE CADA PORTA.
– PAPA PIO XII

– Leonardo era um padre católico – disse Kohler.

Langdon virou-se para ele.

– Padre católico? Achei que tivesse dito que ele era físico.

– Era as duas coisas. Há outros precedentes na história de religiosos que eram também homens de ciência. Leonardo era um deles. Considerava a Física "a lei natural de Deus". Alegava que a escrita de Deus era visível na ordem natural de tudo o que nos cerca. Através da ciência, ele esperava provar a existência de Deus para as massas incrédulas. Via a si mesmo como teofísico.

Teofísico? Para Langdon, a expressão parecia um incrível oximoro.

– O campo da Física de Partículas – explicou Kohler – fez algumas descobertas de grande impacto ultimamente, descobertas de implicação muito espiritual. Leonardo foi responsável por muitas delas.

Langdon estudou o diretor do CERN, ainda tentando processar o bizarro ambiente.

– Espiritualidade e física?

Langdon passara sua carreira estudando história religiosa e, se havia um tema recorrente, era o que afirmava que ciência e religião haviam sido desde sempre como o óleo e a água, arquiinimigas, nunca se misturavam.

– Vetra estava na vanguarda da Física de Partículas – acrescentou Kohler. – Estava começando a fundir Física e religião, demonstrando que uma complementava a outra de maneiras jamais previstas. Chamava a esse campo *Nova Física*.

Kohler tirou um livro da prateleira e o entregou a Langdon. Ele examinou a capa e leu o título: *Deus, milagres e a Nova Física*, por Leonardo Vetra.

– O campo é restrito – Kohler prosseguiu –, mas tem trazido novas respostas para algumas velhas perguntas. Sobre a origem do universo e sobre as forças que ligam todos nós. Leonardo acreditava que sua pesquisa tinha potencial para converter milhões de pessoas a uma vida mais espiritual. No ano passado, ele provou categoricamente a existência de uma forma de energia que une todos nós. Demonstrou de fato que estamos todos fisicamente vinculados uns aos outros, que as moléculas de seu corpo estão entrelaçadas às moléculas do meu, que uma única força se move dentro de todas as pessoas.

Langdon ficou desconcertado. *E o poder de Deus unirá todas as gentes.*

– O senhor Vetra realmente descobriu uma forma de *demonstrar* que as partículas estão ligadas?

– Descobriu provas conclusivas. Um artigo recente da *Scientific American* saudou a *Nova Física* como um caminho mais seguro para se chegar a Deus do que a própria religião.

O comentário calou fundo. Langdon de repente se viu pensando nos Illuminati anti-religiosos. Relutantemente, forçou-se a realizar uma momentânea incursão intelectual ao impossível. Se os Illuminati ainda estivessem ativos, teriam matado Leonardo para impedi-lo de levar sua mensagem religiosa às massas? Langdon descartou a idéia. *Absurdo! Os Illuminati são história antiga! Todos os acadêmicos sabem disso!*

– Vetra tinha uma porção de inimigos no mundo científico – continuou Kohler. – Muitos cientistas puristas desprezavam-no. Até aqui, no próprio CERN. Achavam que usar física analítica como apoio para princípios religiosos era trair a ciência.

– Mas não é verdade que os cientistas de hoje estão um pouco menos na defensiva com relação à Igreja?

Kohler resmungou, irritado.

– Que motivos teríamos para isso? A Igreja pode não estar mais queimando cientistas na fogueira, mas, se acha que afrouxaram seu domínio sobre a ciência, por que será que a metade das escolas em seu país não está autorizada a ensinar a evolução? Por que será que a Coalizão Cristã dos EUA é o lobby mais influente contra o progresso científico no mundo? A batalha entre ciência e religião ainda está em andamento, senhor Langdon, só que saiu dos campos de batalha para as salas de reunião das diretorias.

Langdon percebeu que Kohler tinha razão. Na semana anterior, a Escola de Teologia de Harvard fizera uma manifestação de protesto no prédio de Biologia contra a inclusão de engenharia genética no programa de graduação. O diretor do Departamento de Biologia, o famoso ornitólogo Richard Aaronian, defendeu seu currículo pendurando uma enorme faixa na janela de seu escritório. A faixa mostrava um "peixe", o símbolo cristão, modificado, com quatro pequenos pés, um tributo, segundo Aaronian, à evolução dos peixes dipnóicos africanos para a terra firme. Sob os peixes, em vez da palavra "Jesus", a proclamação "DARWIN!".

O som de um bipe agudo cortou o ar e Langdon levantou a cabeça. Kohler voltou a atenção para o equipamento eletrônico em sua cadeira de rodas. Tirou um pequeno aparelho de seu suporte e leu a mensagem que chegara.

– Ótimo. É a filha de Leonardo. A senhorita Vetra está chegando no heliponto neste momento. Vamos ao encontro dela. Acho melhor que ela não venha aqui e veja seu pai nesse estado.

Langdon concordou. Seria um choque que nenhum filho merecia receber.

– Vou pedir à senhorita Vetra que explique o projeto em que ela e seu pai vinham trabalhando, e talvez isso lance alguma luz sobre o motivo por que ele foi morto.

– Acha que mataram Vetra por causa do *trabalho* dele?

– É bem possível. Leonardo contou-me que estava trabalhando em algo pioneiro. Só me disse isso. Andava cheio de segredos sobre o projeto. Tinha um laboratório particular e exigia isolamento, o que eu de bom grado lhe concedi por causa de seu brilhantismo. Seu trabalho ultimamente vinha consumindo uma quantidade enorme de energia elétrica, mas eu me abstive de questioná-lo sobre o assunto. – Kohler girou a cadeira na direção da porta do gabinete. – Há uma coisa, porém, que o senhor precisa saber antes de sair deste apartamento.

Langdon não estava muito certo se queria escutar o que era.

– Algo foi roubado de Vetra por seu assassino.

– Algo?

– Venha comigo.

O diretor dirigiu sua cadeira de volta para a sala enevoada. Langdon foi atrás, sem saber o que esperar. Kohler manobrou até ficar a centímetros do corpo de Vetra e então parou. Fez um sinal para que Langdon se aproximasse. Langdon veio para perto, a bílis subindo-lhe à garganta por causa do cheiro da urina congelada da vítima.

– Olhe o rosto dele – disse Kohler.

Olhar o rosto dele? Langdon não compreendia. *Pensei que alguma coisa tivesse sido roubada.*

Hesitante, Langdon ajoelhou-se. Tentou enxergar o rosto de Vetra, mas a cabeça fora torcida 180 graus para trás e o rosto estava pressionado contra o tapete.

Lutando contra sua deficiência, Kohler inclinou-se e virou com cuidado a cabeça gelada de Vetra. Estalando, o rosto do morto girou e ficou à mostra, contorcido de agonia. Kohler manteve-o naquela posição por um momento.

– Meu Deus! – exclamou Langdon, recuando horrorizado.

O rosto de Vetra estava coberto de sangue. Um único olho castanho devolveu-lhe um olhar sem vida. A outra órbita estava estraçalhada e vazia.

– Roubaram *o olho* dele?

CAPÍTULO **14**

Langdon saiu do Edifício C para o ar livre, contente por estar fora do apartamento de Vetra. O sol ajudou a dissipar a imagem da órbita ocular vazia que ficara gravada em sua mente.

– Por aqui, por favor – Kohler falou, dando uma guinada e enveredando por uma subida íngreme. A cadeira de rodas elétrica acelerava sem esforço. – A senhorita Vetra vai chegar a qualquer momento.

Langdon corria para acompanhá-lo.

– Então – perguntou Kohler –, ainda duvida do envolvimento dos Illuminati?

Langdon não sabia mais coisa alguma. O fato de Vetra ser religioso era inegavelmente perturbador, mas ainda assim Langdon não se convencia a deixar de lado todas as evidências acadêmicas que sempre pesquisara. Além disso, havia o olho...

– Ainda acho – declarou, com mais ênfase do que pretendia – que os Illuminati *não são* responsáveis por esse crime. O olho que falta é uma prova disso.

– O quê?

– Mutilação aleatória – explicou Langdon – é um ato muito *pouco* característico dos Illuminati. Os especialistas em cultos dizem que a desfiguração sem propósito é típica de seitas marginais, de fanáticos que cometem atos de terrorismo ao acaso. Os Illuminati sempre demonstraram mais deliberação.

– Deliberação? Remover cirurgicamente o globo ocular de alguém *não* é demonstrar deliberação?

– Não transmite nenhuma mensagem clara. Não serve a nenhum objetivo maior.

A cadeira de rodas de Kohler parou subitamente no alto da ladeira. Ele se virou.

– Senhor Langdon, acredite, aquele olho que falta serve *realmente* a um objetivo maior, muito maior.

◆◆◆

Quando os dois homens atravessaram a elevação coberta de grama, ouviu-se o ruído das hélices de um helicóptero a oeste. O aparelho apareceu e descreveu um arco no vale aberto, vindo na direção deles. Inclinou-se bastante para um lado e depois diminuiu a velocidade, pairando acima de um heliponto pintado na grama.

Langdon observava, distante, sua mente em um redemoinho como o das hélices, pensando se uma boa noite de sono seria capaz de acabar com aquela desorientação, tornar suas idéias mais claras. De alguma forma, duvidava muito disso.

A aeronave tocou o chão, um piloto saltou e começou a descarregar material. Havia um bocado de bagagem: apetrechos de acampamento, bolsas impermeáveis de vinil, cilindros de oxigênio e engradados que pareciam conter equipamento de alta tecnologia para mergulho.

Langdon ficou confuso.

– Esse é o equipamento da senhorita Vetra? – gritou para Kohler em meio ao ruído dos motores.

Kohler assentiu e gritou de volta:

– Ela estava fazendo pesquisas biológicas no mar Balear.

– Pensei que tivesse dito que ela era física!

– E é. Ela é biofísica de *Quantum Entanglement*, ou emaranhamento quântico. Estuda a interconexão dos sistemas de vida. O trabalho dela está intimamente relacionado com o do pai. Recentemente, ela refutou uma das teorias fundamentais de Einstein usando câmeras atomicamente sincronizadas para observar um cardume de atuns.

Langdon examinou o rosto de seu anfitrião em busca de qualquer vestígio de humor. *Einstein e atuns?* Ele começava a se questionar se o avião espacial X-33 não o teria deixado no planeta errado por engano.

Um momento depois, Vittoria Vetra saiu do helicóptero. Robert Langdon percebeu que aquele seria realmente um dia de intermináveis surpresas. Ao descer da aeronave, de short cáqui e blusa branca sem mangas, Vittoria Vetra em nada se parecia com a cientista circunspecta que ele esperava. Ágil e graciosa, era alta, com pele morena e longos cabelos negros, que o vento dos rotores agitava. Seu rosto era inegavelmente italiano, sem ser bonita demais porém com traços largos e fortes que, mesmo à distância, transpiravam uma sensualidade crua. As lufadas de ar colavam sua roupa ao corpo, acentuando-lhe o torso esbelto e os seios pequenos.

– A senhorita Vetra é uma mulher de tremenda força pessoal – disse Kohler, parecendo notar a fascinação de Langdon. – Passa meses a fio trabalhando em sistemas ecológicos perigosos. É uma vegetariana rigorosa e o guru residente de hata-ioga do CERN.

Hata-ioga? Langdon ponderou. A antiga arte budista de meditação e alongamento parecia uma estranha habilidade para uma física filha de um padre católico.

Langdon observou-a enquanto se aproximava. Obviamente, ela estivera chorando, seus olhos escuros e profundos cheios de emoções que Langdon não saberia identificar. Ainda assim, movia-se em direção a eles com ímpeto e firmeza. Seus braços e pernas eram fortes e de músculos bem trabalhados, irradiando a saudável luminosidade da pele mediterrânea que passara muitas horas ao sol.

– Vittoria – disse-lhe Kohler –, meus sentimentos. É uma perda terrível para a ciência e para todos nós aqui no CERN.

Vittoria agradeceu com um gesto de cabeça. Quando falou, sua voz era macia, com um sotaque gutural.

– Já sabe quem é o responsável?

– Ainda estamos trabalhando nisso.

Ela se voltou para Langdon, estendendo-lhe a mão esguia.

– Meu nome é Vittoria Vetra. O senhor deve ser da Interpol?

Langdon apertou a mão dela, momentaneamente enfeitiçado por seu olhar profundo.

– Robert Langdon – apresentou-se, sem saber o que dizer mais.

– O senhor Langdon não está com as autoridades – explicou Kohler. – Ele é um especialista vindo dos Estados Unidos. Está aqui para nos ajudar a localizar o responsável por esta situação.

Vittoria pareceu meio insegura.

– E a polícia?

Kohler suspirou, mas não disse nada.

– Onde está o corpo? – exigiu ela.

– Sendo cuidado.

A mentira caridosa surpreendeu Langdon.

– Quero vê-lo – disse Vittoria.

– Vittoria – instou Kohler –, seu pai foi brutalmente assassinado. Seria melhor que se lembrasse dele como era.

Ela começou a falar, mas foi interrompida.

– Ei, Vittoria – vozes chamaram de longe. – Seja bem-vinda de volta!

Ela se virou. Um grupo de cientistas que passava perto do heliponto acenou alegremente.

– Desmentiu mais alguma teoria de Einstein? – gritou um deles.

– Seu pai deve estar orgulhoso!

Vittoria acenou, sem jeito, quando eles passaram. Então, voltou-se para Kohler, o rosto com uma expressão confusa.

– Ninguém sabe ainda?!

– Decidi que discrição era fundamental.

– O senhor não contou à equipe que meu pai foi *assassinado?* – Agora havia uma certa raiva no seu tom de voz.

Kohler replicou com dureza:

– Talvez tenha esquecido, senhorita Vetra, que, assim que eu comunicar a morte de seu pai, haverá uma investigação no CERN. Incluindo uma vistoria completa neste laboratório. Sempre procurei respeitar a privacidade de seu pai. Ele me contou apenas duas coisas sobre o seu projeto atual: que tem potencial para trazer milhões de euros para o CERN em contratos de licença na próxima década e que não está pronto para divulgação pública porque ainda é uma tecnologia de risco. Considerando-se esses dois fatos, preferiria não ter gente estranha bisbilhotando o laboratório dele e, quem sabe, roubando o trabalho dele ou morrendo ao fazê-lo e tornando o CERN responsável por isso em seguida. Ficou bem claro?

Vittoria parou, calada. Langdon percebeu nela um respeito e uma aceitação relutantes pela lógica de Kohler.

– Antes de comunicarmos qualquer coisa às autoridades – disse Kohler –, preciso saber em que vocês dois estavam trabalhando. Preciso que nos leve ao seu laboratório.

– O laboratório é irrelevante – disse Vittoria. – Ninguém sabia o que meu pai e eu estávamos fazendo. A experiência não poderia de jeito algum ter a ver com a morte dele.

A respiração de Kohler soou irritada, aflita.

– Não é o que indicam as evidências.

– Evidências? Que evidências?

Langdon fazia-se a mesma pergunta.

Kohler mais uma vez enxugou a boca.

– Por enquanto, vai ter de confiar em mim.

Estava claro, pela intensidade do olhar, que ela não confiava.

CAPÍTULO **15**

Langdon caminhou em silêncio atrás de Vittoria e Kohler na volta para o saguão principal onde sua estranha visita começara. As pernas de Vittoria moviam-se com fluida eficiência – como a de um mergulhador olímpico –, sem dúvida, imaginou Langdon, como resultado da flexibilidade e controle obtidos com a prática da ioga. Notou que ela respirava lenta e deliberadamente, como se tentasse filtrar sua dor.

Langdon queria dizer-lhe alguma coisa, apresentar suas condolências. Ele também já sentira o vazio abrupto de perder um pai inesperadamente. Lembrava-se sobretudo do dia do enterro, cinzento e chuvoso. Dois dias depois de seu aniversário de 12 anos. A casa ficou cheia de homens do escritório, vestidos com ternos escuros, homens que apertavam sua mão com força demais. Todos murmuravam palavras como *cardíaco* e *estresse*. Sua mãe, com os olhos cheios de lágrimas, brincava que conseguia acompanhar o mercado de ações só segurando a mão de seu marido... o pulso dele era sua fita particular do registrador de cotações da bolsa.

Certa vez, quando seu pai era vivo, Robert escutara a mãe pedindo-lhe que "parasse um pouco para sentir o perfume das rosas". Naquele ano, Langdon comprou para o pai no Natal uma pequena rosa de vidro soprado. Era o objeto mais lindo que o menino já vira... encantou-se com a maneira como o sol se refletia nela, lançando um arco-íris de cores na parede. "É linda", dissera o pai ao abrir o presente, beijando a testa de Robert. "Vamos procurar um lugar seguro para ela." Então, seu pai colocou cuidadosamente a rosa em uma prateleira alta e empoeirada no ponto mais escuro da sala de estar. Dias mais tarde, Langdon subiu em um banco, apanhou a rosa e devolveu-a à loja. O pai nunca percebeu que ela não estava mais lá.

O som da campainha do elevador trouxe-o de volta ao presente. Vittoria e Kohler estavam à sua frente, entrando no elevador. Langdon hesitou diante da porta aberta.

– Alguma coisa errada? – perguntou Kohler, mais impaciente do que preocupado.

– Não, nada – disse Langdon, forçando-se a embarcar no cubículo apertado. Só usava elevadores quando absolutamente necessário. Preferia os espaços mais abertos das escadarias.

– O laboratório do doutor Vetra é subterrâneo – esclareceu Kohler.

Maravilha, pensou Langdon ao entrar, sentindo um vento gelado subir das profundezas do poço. As portas se fecharam e o elevador começou a descer.

– Seis andares – disse Kohler inexpressivamente, como uma máquina.

Langdon imaginou a escuridão do poço abaixo deles. Tentou bloquear o pensamento olhando para o painel numerado dos andares. Curiosamente, o painel do elevador só indicava duas paradas. TÉRREO e LHC.

– O que quer dizer LHC? – perguntou Langdon, esforçando-se para não parecer nervoso.

– *Large Hadron Collider*, o Grande Colisor de Hádrons – respondeu Kohler. – Um acelerador de partículas.

Acelerador de partículas? O termo era-lhe vagamente familiar. Ouvira-o pela primeira vez em um jantar com colegas na Dunster House, em Cambridge. Um físico amigo deles, Bob Brownell, chegara enfurecido naquela noite.

– Os malditos imbecis cancelaram tudo! – praguejou Brownell.

– Cancelaram o quê? – perguntaram os outros.

– O SCS!

– O quê?

– O Super Colisor Supercondutor!

Alguém deu de ombros.

– Não sabia que Harvard estava construindo um.

– Não é Harvard! – exclamou. – São os Estados Unidos! Seria o acelerador de partículas mais poderoso do mundo! Um dos mais importantes projetos científicos do século! Puseram dois *bilhões* de dólares nisso e o Senado dispensou o projeto! Aqueles lobistas desgraçados, protestantes fundamentalistas!

Quando Brownell finalmente se acalmou, explicou que um acelerador de partículas é um grande tubo circular dentro do qual partículas subatômicas eram aceleradas. Dentro do túnel, ímãs são ativados e desativados em rápida sucessão para "empurrar" as partículas adiante até que alcancem velocidades. As partículas totalmente aceleradas circulam pelo tubo a quase 300 mil quilômetros por segundo.

– Mas é quase a velocidade da luz – exclamou um dos professores.

– É isso aí – disse Brownell.

E continuou a falar, explicando que, ao acelerar duas partículas em direções opostas à volta do tubo e depois fazê-las colidir, os cientistas podem desintegrar as partículas nas partes em que são constituídas e assim ter uma noção a respeito dos componentes fundamentais da natureza.

– Os aceleradores de partículas – declarou Brownell – são cruciais para o futuro da ciência. A colisão de partículas é a chave para se compreender os blocos de que é formado o universo.

O Poeta Residente de Harvard, um homem sossegado chamado Charles Pratt, não se impressionou muito.

– Para mim, isso parece mais – disse Pratt – uma abordagem científica de Neanderthal... igual a espatifar relógios para conhecer o mecanismo interno deles.

Num rompante, Brownell largou o garfo e saiu da sala pisando duro.

◆◆◆

Quer dizer que o CERN tem um acelerador de partículas? – pensou Langdon, conforme o elevador descia. *Um tubo circular para despedaçar partículas. Gostaria de saber por que era subterrâneo.*

Quando o elevador parou, Langdon ficou feliz em sentir terra firme de novo sob os pés. Assim que as portas se abriram, porém, seu alívio evaporou-se. Encontrava-se outra vez em um mundo totalmente estranho.

O corredor estendia-se indefinidamente em ambas as direções, esquerda e direita. Tratava-se de um túnel revestido de cimento liso, largo o suficiente para permitir a passagem de um caminhão de cinco eixos. Profusamente iluminado no ponto onde estavam, mais adiante o corredor tornava-se negro como breu. Um vento úmido, sussurrando, vinha da escuridão – um lembrete inquietante de que se encontravam agora muitos metros abaixo do solo. Langdon quase sentia o peso da terra e das pedras acima de sua cabeça. Por um instante, voltou a ter nove anos de idade, a escuridão forçando-o a voltar às cinco horas de trevas sufocantes que ainda o assombravam. Cerrando os punhos, lutou contra aquela sensação.

Vittoria manteve-se em silêncio ao sair do elevador e seguir sozinha sem hesitar para o corredor escuro. No teto, conforme ela passava, as luzes fluorescentes iam aos poucos se acendendo para iluminar seu caminho. O efeito era perturbador, como se o corredor estivesse vivo, prevendo cada um dos movimentos dela. Langdon e Kohler seguiam-na a certa distância. As luzes apagavam-se automaticamente atrás deles.

– Esse acelerador de partículas – disse Langdon em voz baixa – está aqui embaixo neste túnel?

– Está ali. – Kohler apontou para a sua esquerda, onde um tubo cromado, polido, corria pela parede interna do túnel.

Langdon olhou para o tubo, perplexo.

– *Isso* é o acelerador?

Não era nem um pouco como ele havia imaginado. Completamente reto, com uns noventa centímetros de diâmetro, estendia-se na horizontal pela extensão visível do túnel até desaparecer na escuridão. *Lembra mais um cano de esgoto high-tech*, pensou Langdon.

– Achei que os aceleradores de partículas fossem *circulares*.

– Este acelerador é circular – disse Kohler. – Parece ser reto, mas isto é uma ilusão de ótica. A circunferência deste túnel é tão grande que a curva é imperceptível. Como a da Terra.

Langdon estava admirado.

– *Isto é um círculo?* Mas então... deve ser imenso!

– O LHC é a maior máquina do mundo.

Langdon olhou de novo o tubo para ter certeza de que não se enganara. Lembrou-se do motorista do CERN comentando sobre uma enorme máquina sob a terra. *No entanto...*

– Tem mais de oito quilômetros de diâmetro e vinte e sete quilômetros de extensão.

Langdon virou rapidamente a cabeça para o diretor, depois para o túnel escuro à sua frente.

– Vinte e sete quilômetros? Este túnel tem vinte e sete quilômetros de comprimento?

Kohler concordou.

– Cavados em um círculo perfeito. Vai até a França e volta para cá. As partículas aceleradas percorrem o tubo mais de dez mil vezes em um único segundo antes de colidirem.

As pernas de Langdon ficaram bambas ao olhar para a abertura negra do túnel.

– Está dizendo que o CERN removeu milhões de toneladas de terra só para espatifar partículas minúsculas?

Kohler ergueu os ombros.

– Às vezes, para encontrar a verdade, é preciso remover montanhas.

CAPÍTULO **16**

A quilômetros do CERN, uma voz soou através de um walkie-talkie.

– OK, estou no corredor.

O técnico que monitorava as telas de vídeo apertou o botão de seu transmissor e disse:

– A câmera que você está procurando é a 86. Deve estar no fim do corredor.

Seguiu-se um longo silêncio no rádio. Um ligeiro suor cobriu o rosto do técnico que esperava. Finalmente, seu rádio deu um estalido.

– A câmera não está no lugar – disse a voz. – Mas dá para ver onde estava instalada. Alguém deve tê-la tirado daqui.

O técnico respirou fundo.

– Obrigado. Espere só mais um segundo, está bem?

Suspirando, voltou a atenção para as telas de vídeo à sua frente. Grande parte do conjunto de prédios era aberta ao público, e câmeras sem fio já haviam sumido antes, em geral roubadas por visitantes engraçadinhos em busca de suvenires. Entretanto, assim que a câmera saía dos prédios e ficava fora de alcance, o sinal se perdia e a tela ficava em branco. Perplexo, o técnico olhava para o monitor. Uma imagem clara como água ainda vinha da câmera 86.

Se a câmera foi roubada, refletia ele, *como ainda estamos recebendo o sinal?* Sabia que só havia uma explicação para isso. A câmera ainda estava dentro dos prédios, alguém apenas a trocara de lugar. *Mas quem? E por quê?*

Estudou o monitor durante algum tempo. Por fim, pegou seu walkie-talkie.

– Há algum armário embutido nesse poço de escada? Algum móvel com portas, algum nicho escuro?

A voz que respondeu parecia um tanto espantada.

– Não. Por quê?

O técnico fez uma cara feia.

– Por nada. Obrigado pela ajuda.

Desligou o walkie-talkie e apertou os lábios.

Considerando-se o tamanho pequeno da câmera de vídeo e o fato de não ter fio, o técnico sabia que a câmera 86 podia estar transmitindo de *qualquer lugar* do fortemente vigiado complexo de construções – um conjunto compacto de 32 prédios independentes em um raio de 800 metros. A única pista é que a câmara parecia ter sido posta em um lugar escuro. Claro que isso não ajudava grande coisa. Havia milhares de lugares escuros ali – armários de manutenção, dutos de aquecimento, galpões de utensílios de jardinagem, armários de quartos de dormir e até um labirinto de túneis subterrâneos. Poderiam levar semanas para encontrar a câmera 86.

Mas esse é o menor dos meus problemas.

Além do dilema da nova localização da câmera, havia outra questão muito mais preocupante a resolver. O técnico levantou o olhar para a imagem que a câmera perdida estava transmitindo. A de um objeto imóvel. Um aparelho moderno que não se parecia com nada que o técnico conhecesse. Ele examinou o mostrador eletrônico que piscava na base do aparelho.

Embora o guarda tivesse passado por um rigoroso treinamento que o preparava para situações de tensão, ainda assim sentia seu pulso acelerando. Disse a si mesmo para não entrar em pânico. Tinha de haver uma explicação. O objeto parecia pequeno demais para oferecer perigo significativo. De qualquer forma, sua presença ali dentro era perturbadora. *Muito* perturbadora, na verdade.

Logo hoje, pensou.

Segurança era sempre uma prioridade para seu empregador, mas *hoje,* mais do que em qualquer outro dia nos últimos 12 anos, segurança era uma questão da maior importância. O técnico observou o objeto durante muito tempo e escutou o ruído de trovoadas de uma tempestade que se aproximava ao longe.

Então, suando, discou para seu superior.

CAPÍTULO **17**

Poucas crianças podem dizer que se lembram do dia em que encontraram seu pai, mas Vittoria Vetra podia. Tinha oito anos e morava no lugar de sempre, o *Orfanotrofio di Siena,* um orfanato católico perto de Florença, abandonada por pais que nunca conhecera. Estava chovendo naquele dia. As freiras já tinham chamado por ela duas vezes para ir jantar, mas ela fingia não ouvir. Continuava lá fora, deitada no pátio, com o rosto voltado para o alto, para as gotas de chuva, sentindo-as bater em seu corpo, tentando adivinhar onde iriam cair em seguida. As freiras chamaram de novo, ameaçando-a de pegar uma pneumonia, o que tornaria aquela criança insuportavelmente cabeça-dura muito menos curiosa sobre a natureza.

Não estou escutando vocês, pensava Vittoria.

Estava encharcada quando o jovem padre saiu para buscá-la. Ele era novo ali. Vittoria esperou que ele viesse arrastá-la para dentro. Mas ele não o fez. Para surpresa dela, deitou-se ao seu lado, molhando a batina em uma poça.

– Disseram que você faz uma porção de perguntas – disse o moço.

Vittoria replicou, mal-humorada:

– E é ruim fazer perguntas?

Ele riu.

– Acho que não.

– O que você está fazendo aqui fora?

– O mesmo que você: pensando por que as gotas de chuva caem.

– Não estou pensando por que elas caem! Eu já sei!

O padre olhou espantado para ela.

– Você *sabe?*

– A irmã Francisca disse que as gotas de chuva são lágrimas dos anjos que caem para lavar nossos pecados.

– Puxa! – ele disse, em um tom admirado. – Então, está explicado.

– Não, não está! – disparou a menina. – As gotas caem porque *tudo* cai! *Tudo!* Não é só a chuva!

O padre coçou a cabeça.

– Sabe, mocinha, você tem razão. Tudo cai *mesmo.* Deve ser a gravidade.

– Deve ser o *quê?*

Ele olhou para ela com ar incrédulo.

– Você nunca ouviu falar da *gravidade?*

– Não.

O padre fez um gesto decepcionado.

– É uma pena. A gravidade responde *a uma porção* de perguntas.

Vittoria sentou-se.

– O que é gravidade? – perguntou, exigente. – Diga para mim!

O padre piscou o olho para ela.

– E se eu explicar a você durante o jantar?

O jovem padre era Leonardo Vetra. Embora tivesse ganho prêmios de Física quando aluno da universidade, ouvira um outro chamado e fora para o seminário. Leonardo e Vittoria tornaram-se grandes amigos, por mais improvável que fosse, naquele mundo solitário de freiras e regulamentos. Vittoria fazia Leonardo rir e ele tomou-a sob sua proteção, ensinando-lhe que belas coisas como o arco-íris e os rios tinham muitas explicações. Falou-lhe sobre a luz, os planetas, as estrelas e toda a natureza, tanto do ponto de vista de Deus quanto do da ciência. O intelecto e a curiosidade inatos de Vittoria faziam dela uma aluna cativante. Leonardo a protegia como a uma filha.

Vittoria também estava feliz. Nunca sentira a alegria de ter um pai. Enquanto todos os outros adultos respondiam às suas perguntas com um ar de repreensão, Leonardo passava horas mostrando-lhe livros. Até perguntava o que *ela* achava, quais eram suas idéias sobre os assuntos. Então, certo dia, seu pior pesadelo virou realidade. Padre Leonardo disse-lhe que iria sair do orfanato.

– Vou me mudar para a Suíça – explicou ele. – Recebi uma subvenção para estudar Física na Universidade de Genebra.

– Física? – exclamou Vittoria. – Pensei que você amasse a *Deus!*

– Eu amo, e muito. Por isso é que quero estudar suas regras divinas. As leis da Física são a tela que Deus estendeu para pintar sua obra-prima.

Vittoria ficou arrasada. Mas o padre Leonardo tinha mais novidades. Disse a Vittoria que conversara com seus superiores e eles haviam concordado que Leonardo a adotasse.

– Você gostaria que eu a adotasse? – perguntou Leonardo.

– O que significa *adotar?* – perguntou Vittoria por sua vez.

O padre Leonardo explicou.

Vittoria abraçou-o durante cinco minutos seguidos, chorando de alegria.

– Ah, eu quero, quero sim!

E ele disse que teria de partir e ficar longe por algum tempo, até instalar seu novo lar na Suíça, mas que mandaria buscá-la dentro de seis meses. Seria a mais longa espera da vida de Vittoria, mas Leonardo manteve a palavra. Cinco dias antes de seu aniversário de nove anos, Vittoria mudou-se para Genebra. Freqüentava a Escola Internacional de Genebra durante o dia e estudava com seu pai à noite.

Três anos depois, Leonardo Vetra foi contratado pelo CERN. Vittoria e Leonardo mudaram-se para um país das maravilhas como jamais a pequena Vittoria pudera imaginar.

◆◆◆

Vittoria Vetra sentia seu corpo entorpecido enquanto percorria o túnel do LHC. Via nele o reflexo de sua imagem silenciosa e percebia a ausência de seu pai. Normalmente, ela vivia em um estado de profunda calma, em harmonia com o mundo à sua volta. Agora, porém, de repente, nada mais fazia sentido. As últimas três horas haviam sido como um borrão indistinto.

Eram dez da manhã quando a chamada de Kohler chegou nas ilhas Baleares. *Seu pai foi assassinado. Volte imediatamente para casa.* A despeito do calor abafado no convés do barco de mergulho, ela gelara até os ossos com aquelas palavras, o tom de voz de Kohler, despojado de qualquer emoção, ferindo-a tanto quanto a notícia.

Agora, ela voltara para casa. *Mas que casa, afinal?* O CERN, seu mundo desde os 12 anos, parecia de repente estrangeiro. Seu pai, o homem que o tornara mágico, estava morto.

Respire fundo, disse a si mesma, mas não conseguia acalmar sua mente. As perguntas sucediam-se uma à outra cada vez mais depressa. Quem matara seu pai? E por quê? Quem era aquele "especialista" americano? Por que Kohler insistia em ver o laboratório?

Kohler dissera que existiam evidências de que o assassinato de seu pai estava relacionado com o projeto em curso. *Que evidências? Ninguém sabia em que estávamos trabalhando! E, mesmo que alguém descobrisse, por que o matariam?*

Andando pelo túnel do LHC a caminho do laboratório de seu pai, Vittoria se deu conta de que estava prestes a revelar o trabalho mais importante de seu pai sem que ele estivesse presente. Imaginara aquele momento de forma muito diferente: seu pai convocando os maiores cientistas do CERN, mostrando-lhes sua descoberta, vendo as expressões de admiração e respeito em seus rostos. Em seguida, radiante de orgulho paterno, ele explicaria a eles como havia sido uma idéia *de Vittoria* que o ajudara a transformar o projeto em realidade... que a participação de *sua filha* havia sido essencial naquele trabalho pioneiro. Vittoria sentiu um nó na garganta. *Meu pai e eu deveríamos estar juntos dividin-*

do este momento. E lá estava ela sozinha. Sem colegas. Sem rostos felizes. Só um americano estranho e Maximilian Kohler.

Maximilian Kohler. Der König.

Mesmo quando criança, Vittoria não simpatizava com ele. Embora tivesse aprendido a respeitar seu intelecto poderoso, aquelas maneiras gélidas sempre lhe pareceram desumanas, a antítese exata do comportamento caloroso de seu pai. Kohler buscava na ciência a lógica imaculada; seu pai, o deslumbramento espiritual. E, no entanto, por estranho que fosse, sempre parecera existir um tácito respeito entre os dois homens. Alguém explicara a ela que *o gênio aceita outro gênio incondicionalmente.*

Gênio, pensou ela. *Meu pai... papai. Morto.*

A entrada para o laboratório de Leonardo Vetra era um comprido e asséptico corredor inteiramente revestido de azulejos brancos. Langdon teve a impressão de estar entrando em uma espécie de asilo de loucos subterrâneo. Alinhadas nas paredes do corredor havia dezenas de imagens em preto-e-branco emolduradas. Langdon construíra sua carreira estudando imagens, mas aquelas lhe eram inteiramente desconhecidas. Pareciam negativos caóticos de riscos e espirais aleatórios. *Arte moderna?* – arriscou ele. *Jackson Pollock depois das anfetaminas?*

– São diagramas de dispersão – disse Vittoria, notando o interesse de Langdon. – Representações em computador da colisão de partículas. Esta é a partícula Z – disse ela, apontando para um leve traço, quase invisível na confusão. – Meu pai descobriu-a faz cinco anos. Pura energia, sem massa nenhuma. Pode muito bem ser o menor bloco estrutural na natureza. A matéria nada mais é do que energia capturada.

Matéria é energia? Langdon inclinou a cabeça para um lado. *Isto soa muito zen.* Examinou o minúsculo traço na fotografia e imaginou o que diriam seus amigos no Departamento de Física de Harvard quando lhes contasse que passara o fim de semana em um grande colisor de hádrons admirando partículas Z.

– Vittoria – falou Kohler quando se aproximaram da imponente porta de aço do laboratório –, tenho de avisá-la que vim aqui esta manhã procurar seu pai.

Vittoria enrubesceu ligeiramente.

– Veio?

– Sim. E fiquei muito surpreso ao ver que ele trocou a fechadura de segurança padronizada do CERN por algo diferente.

Kohler indicou um aparelho eletrônico complicado ao lado da porta.

– Desculpe – disse ela. – Mas sabe como ele se preocupava com a privacidade. Não queria que mais ninguém além de nós dois tivesse acesso ao laboratório.

– Muito bem – disse Kohler. – Abra a porta.

Vittoria ficou parada por algum tempo. Então, respirando fundo, encaminhou-se para o mecanismo instalado na parede.

Langdon não estava preparado para o que aconteceu em seguida.

Vittoria aproximou-se do aparelho e, com cuidado, alinhou seu olho direito com uma lente protuberante que parecia um telescópio. Depois, apertou um botão. Ouviu-se um estalido dentro da máquina. Um facho de luz oscilava de um lado para outro, escaneando o globo ocular dela como se fosse uma máquina copiadora.

– É um scanner de retina – explicou ela. – Segurança infalível. Programado para aceitar apenas dois padrões de retina, o meu e o do meu pai.

Robert Langdon parou, horrorizado com a revelação. A imagem de Leonardo Vetra voltou-lhe à cabeça em detalhes assustadores – o rosto ensangüentado, o único olho castanho fitando-o de volta, a órbita vazia. Tentou recusar a verdade óbvia, mas então viu no chão de azulejos brancos, abaixo do scanner, minúsculas gotas vermelhas. Sangue seco.

Vittoria, ainda bem, nada percebeu.

A porta de aço abriu-se deslizando e ela entrou.

Kohler fixou em Langdon um olhar implacável. A mensagem era clara: *É como eu lhe disse. O olho que falta serve realmente a um objetivo maior.*

CAPÍTULO **18**

As mãos da mulher estavam amarradas, os pulsos agora roxos e inchados por causa do atrito. O Hassassin de pele cor de mogno estava deitado ao lado dela, esgotado, admirando sua presa nua. Pensava se aquele sono leve a que ela estava entregue no momento não seria um truque, uma tentativa patética de evitar prestar-lhe mais serviço.

Ele não se importava. Já se recompensara o suficiente. Saciado, sentou-se na cama.

Em *seu* país, as mulheres eram propriedades, posses. Fracas. Instrumentos de prazer. Escravas para serem negociadas como gado. E sabiam qual era o lugar delas. Mas *ali*, na Europa, elas fingiam ter uma força e uma independência que o divertiam e excitavam ao mesmo tempo. Forçá-las à submissão física era uma gratificação que ele sempre apreciava.

Agora, a despeito do contentamento sexual, o Hassassin percebia que um outro apetite crescia dentro dele. Ele matara na noite anterior, matara e mutilara, e para ele matar era como heroína, cada ocasião satisfazendo-o apenas temporariamente antes de aumentar sua ânsia por mais. A animação da véspera havia passado. O desejo ardente estava de volta.

Analisou a mulher adormecida perto dele. Correndo a palma da mão por seu pescoço, excitou-o saber que poderia acabar com a vida dela em um instante. Que importância isso teria? Ela era subumana, apenas um veículo de prazer e serviços. Seus dedos fortes envolveram a garganta dela, saboreando sua pulsação delicada. Então, lutando contra o desejo, ele retirou a mão. Tinha um trabalho a fazer. Servir a uma causa mais elevada que seu próprio desejo.

Saiu da cama e exultou com a honra da tarefa que o aguardava. Ainda não era capaz de avaliar a influência desse homem chamado Janus e da antiga fraternidade que ele comandava. Maravilhava-se com o fato de ter sido escolhido por essa fraternidade. De alguma forma, conheciam seu ódio e suas habilidades. Como, ele nunca saberia. *Suas raízes estendem-se até muito longe.*

Haviam concedido a ele a honra máxima. Ele seria suas mãos e sua voz. Seu assassino e seu mensageiro. Aquele a que seu povo chamava de *Malak al-haq*, o Anjo da Verdade.

CAPÍTULO **19**

O laboratório de Vetra era extremamente futurístico.

Todo branco e rodeado por todos os lados de computadores e equipamento eletrônico especializado, lembrava uma sala de cirurgia. Langdon perguntava a si mesmo que segredos aquele lugar guardaria que justificassem alguém arrancar o olho de uma pessoa para entrar ali.

Kohler mostrava-se apreensivo, esquadrinhando o ambiente como se procurasse um intruso. Mas o laboratório estava deserto. Vittoria também se movia devagar, parecendo desconhecer o laboratório sem seu pai.

A atenção de Langdon concentrou-se imediatamente no centro do aposento, onde uma série de colunas baixas erguia-se do chão. Como uma miniatura de Stonehenge, umas 10 ou 12 colunas de aço polido formavam um círculo no meio da sala. Tinham cerca de 90 centímetros de altura, semelhantes às que os museus utilizam para expor pedras preciosas. Aquelas colunas, porém, não se destinavam a jóias valiosas. Cada uma servia de apoio a um tubo transparente do tamanho aproximado de uma lata de bolas de tênis. Aparentemente, os tubos estavam vazios.

Kohler olhou para os tubos com um ar de incompreensão. Pareceu ter decidido ignorá-los a princípio. Voltou-se para Vittoria:

– Alguma coisa foi roubada?

– Roubada? *Como?* – argumentou ela. – O scanner de retina só permite a nossa entrada.

– Dê uma olhada.

Vittoria suspirou e correu os olhos pela sala durante uns poucos momentos. Deu de ombros.

– Tudo está como meu pai sempre deixa. Um caos ordenado.

Langdon via que Kohler pesava suas opções, como se avaliasse até que ponto levar Vittoria e o que deveria contar-lhe. E que mais uma vez resolvera adiar a decisão. Moveu sua cadeira de rodas para o centro da sala e examinou o misterioso agrupamento de tubos supostamente vazios.

– Segredos – disse ele finalmente – são um luxo que não podemos mais nos permitir.

Vittoria inclinou a cabeça assentindo, de repente parecendo emocionada, como se estar ali lhe trouxesse um mar de lembranças.

Dê um minuto a ela, pensou Langdon.

Preparando-se para o que ia revelar, Vittoria fechou os olhos e respirou fundo. E respirou fundo mais uma vez. E outra vez...

Langdon observava-a, começando a ficar preocupado. *Será que ela está passando bem?* Relanceou os olhos para Kohler, que se mostrava imperturbável, talvez por já ter presenciado aquele ritual antes. Passaram-se dez segundos até Vittoria reabrir os olhos.

A metamorfose foi incrível. Vittoria Vetra transformara-se. Seus lábios cheios descontraíram-se, os ombros relaxaram-se, o olhar suavizou-se. Tinha-se a impressão de que ela realinhara todos os músculos de seu corpo para aceitar a situação. O clarão de ressentimento e angústia apagara-se de alguma forma sob uma frieza de águas profundas.

– Por onde começar... – disse ela, imperturbável, com seu sotaque.

– Pelo começo – pediu Kohler. – Conte-nos sobre as experiências de seu pai.

– Alinhar a ciência com a religião sempre foi o sonho da vida de meu pai – disse Vittoria. – Ele esperava provar um dia que ciência e religião são dois campos totalmente compatíveis, duas abordagens diferentes para se encontrar a mesma verdade. – Fez uma pausa, como se mal acreditasse no que iria dizer a seguir. – E, recentemente, ele concebeu um modo de fazer isto.

Kohler não fez nenhum comentário.

– Ele arquitetou um invento com que tinha esperanças de resolver um dos conflitos mais amargos da história da ciência e da religião.

Langdon perguntou-se que conflito seria esse. Havia tantos.

– O criacionismo – declarou Vittoria. – A batalha sobre como surgiu o universo.

Ah, pensou Langdon, *o Grande Debate.*

– A Bíblia, é claro, afirma que Deus criou o universo – explicou. – Deus disse: "Faça-se a luz" e tudo o que vemos surgiu de um grande vazio. Infelizmente, uma das leis fundamentais da Física declara que a matéria não pode ser criada do nada.

Langdon já lera sobre esse impasse. A idéia de que Deus supostamente criara "algo do nada" era totalmente contrária às leis aceitas pela Física moderna e, portanto, alegavam os cientistas, o Gênese era cientificamente absurdo.

– Senhor Langdon – disse Vittoria, voltando-se para ele. – Presumo que conheça a Teoria do Big-Bang?

– Mais ou menos.

O que ele sabia sobre o Big-Bang é que era o modelo cientificamente aceito para explicar a criação do universo. Não o compreendia realmente, mas, de acordo com a teoria, um único ponto de energia intensamente concentrada estourava em uma explosão cataclísmica, expandindo-se para formar o universo. Ou algo assim.

Vittoria continuou.

– Quando a Igreja Católica apresentou pela primeira vez a Teoria do Big-Bang em 1927, o…

– Desculpe! – Langdon interrompeu, antes que pudesse se conter. – Disse que o Big-Bang foi uma idéia católica?

A pergunta surpreendeu Vittoria.

– Claro. Apresentada por um monge católico, Georges Lemaître, em 1927.

– Mas eu pensei… – ele hesitou. – A Teoria do Big-Bang não foi apresentada por um astrônomo de Harvard, Edwin Hubble?

Kohler fechou a cara.

– Mais uma vez, a arrogância científica dos norte-americanos. Hubble publicou seu trabalho em 1929, dois anos *depois* de Lemaître.

Langdon zangou-se.

O telescópio chama-se Hubble, senhor, e nunca ouvi falar de nenhum telescópio Lemaître!

– O senhor Kohler tem razão – disse Vittoria –, a idéia pertenceu a Lemaître.

Hubble somente a *comprovou* reunindo as provas de que o Big-Bang era cientificamente provável.

– Ah – disse Langdon, imaginando se os fanáticos por Hubble no Departamento de Astronomia de Harvard alguma vez mencionavam Lemaître em suas palestras.

– Quando Lemaître apresentou pela primeira vez a Teoria do Big-Bang – Vittoria prosseguiu –, os cientistas afirmaram que era absolutamente ridícula. A matéria, dizia a ciência, não podia ser criada a partir do nada. Assim, quando Hubble chocou o mundo provando cientificamente que o Big-Bang era verdade, a Igreja cantou vitória, alardeando isso como *prova* de que a Bíblia era cientificamente correta. A verdade divina.

Langdon balançou a cabeça concordando e agora escutando com toda a atenção.

– É claro que não agradou nada aos cientistas ver suas descobertas usadas pela Igreja para promover a religião, de modo que imediatamente "matematizaram" a Teoria do Big-Bang, removeram-lhe todas as implicações religiosas e tomaram-na para si. Lamentavelmente, para a ciência, suas equações ainda hoje têm uma séria deficiência que a Igreja gosta de apontar.

Kohler resmungou:

– *A singularidade.* – Ele pronunciou a palavra como se aquilo fosse a maldição de sua existência.

– Sim, a singularidade – repetiu Vittoria. – O exato momento da criação. A hora zero. Até hoje, a ciência não conseguiu compreender o momento inicial da criação. Nossas equações explicam o universo *inicial* com bastante eficiência, mas, quando recuamos no tempo e nos aproximamos da hora zero, nossa matemática se desintegra e tudo deixa de ter sentido.

– Correto – disse Kohler, mordaz. – E a Igreja sustenta que essa deficiência é a prova do miraculoso envolvimento de Deus. Vá direto ao ponto.

A expressão de Vittoria ficou distante.

– Meu pai sempre acreditou no envolvimento de Deus no Big-Bang. Embora a ciência fosse incapaz de compreender o divino momento da criação, ele acreditava que *algum dia* isso aconteceria. – Ela se encaminhou para uma frase impressa em papel pregada na parede da área de trabalho de seu pai. – Meu pai costumava abanar este papel diante de meu rosto toda vez que eu tinha dúvidas.

Langdon leu a mensagem:

A CIÊNCIA E A RELIGIÃO NÃO ESTÃO EM DESACORDO.
É QUE A CIÊNCIA AINDA É MUITO JOVEM PARA COMPREENDER.

– Meu pai queria levar a ciência a um nível mais elevado, um nível em que a ciência corroborasse o conceito de Deus. – Ela passou a mão pelo cabelo comprido com ar melancólico. – Resolveu dedicar-se a algo que nenhum cientista jamais pensara em realizar. E que ninguém até então tivera *tecnologia* para realizar. – Fez uma pausa, sem saber muito bem como pronunciar as palavras seguintes. – Ele criou uma experiência para provar que o Gênese era possível.

Provar o Gênese?, pensou Langdon. *Que se faça a luz? Matéria a partir do nada?*

O olhar mortiço de Kohler cruzou a sala.

– Como disse?

– Meu pai criou um universo… a partir do nada.

Kohler virou a cabeça em todas as direções.

– O quê?

– Ou melhor, ele recriou o Big-Bang.

Kohler parecia prestes a ficar de pé.

Langdon estava oficialmente perdido. *Criar um universo? Recriar o Big-Bang?*

– Foi feito em muito menor escala, evidentemente – disse Vittoria, agora falando mais depressa. – O processo era extremamente simples. Ele acelerou dois feixes de partículas ultrafinas em direções opostas no tubo acelerador. Os dois feixes colidiram de frente a uma extraordinária velocidade, entrando um pelo outro e comprimindo toda a sua energia em um único ponto. Assim, ele conseguiu obter densidades extremas de energia.

Ela começou a citar uma longa sucessão de unidades e os olhos do diretor se arregalaram.

Langdon esforçava-se para acompanhar o assunto.

Quer dizer que Leonardo Vetra estava simulando o ponto comprimido de energia a partir do qual o universo supostamente nasceu.

– O resultado – disse Vittoria – foi nada mais nada menos do que maravilhoso. Quando for publicado, vai abalar a própria estrutura da Física moderna. – Ela passou a falar devagar, saboreando a dimensão daquilo que estava revelando. – De repente, dentro do tubo do acelerador, desse ponto de energia altamente concentrada, partículas de matéria começaram a aparecer do nada.

Kohler não esboçava qualquer reação, olhava para ela estático.

– *Matéria* – repetiu Vittoria. – Brotando do nada. Um incrível espetáculo de fogos de artifício subatômicos. Um universo em miniatura desabrochando para a vida. Meu pai não só provou que a matéria *pode* ser criada do nada, como demonstrou que o Big-Bang e o Gênese podem ser explicados se simplesmente aceitarmos a presença de uma imensa fonte de energia.

– Você quer dizer *Deus*? – perguntou Kohler.

– Deus, Buda, A Força, Iavé, a singularidade, o ponto de unicidade, chame como quiser, o resultado é o mesmo. Ciência e religião apóiam a mesma verdade: a *energia* pura é a mãe da criação.

Quando Kohler finalmente falou, sua voz era soturna.

– Vittoria, você me deixou perdido. Será que está mesmo me dizendo que seu pai criou *matéria*... a partir do nada?

– Estou. – Vittoria apontou para os tubos. – A prova está ali. Naqueles tubos há espécimes da matéria que ele criou.

Kohler tossiu e dirigiu-se para os tubos como um animal desconfiado rodeando alguma coisa que, por instinto, pressente não ser boa.

– Eu devo ter perdido alguma parte da sua explicação – disse ele. – Como quer que eu acredite que esses tubos contêm partículas de matéria *criada* por seu pai? Poderiam ser partículas vindas de qualquer lugar.

– Na verdade – disse Vittoria, confiante –, não poderiam. Essas partículas são únicas. São um tipo de matéria que não existe em nenhum lugar da Terra, portanto, só poderiam ter sido criadas.

O rosto de Kohler tornou-se sombrio.

– Vittoria, o que quer dizer com "um *tipo* de matéria"? Só existe *um* tipo, e... – Kohler parou de falar.

Vittoria tinha uma expressão triunfante no rosto.

– O senhor mesmo falou sobre o assunto em suas palestras, diretor. O universo contém *dois* tipos de matéria. É um fato científico. – Vittoria voltou-se para Langdon. – Senhor Langdon, o que a Bíblia diz sobre a criação? O que Deus criou?

Langdon ficou embaraçado, sem saber o que aquilo tinha a ver com a questão.

– Humm, Deus criou... luz e trevas, céu e inferno...

– Exato – interrompeu Vittoria. Deus criou tudo em opostos. Em simetria. Em perfeito equilíbrio. – Voltou-se novamente para Kohler. – Diretor, a ciência afirma o mesmo que a religião, que o Big-Bang criou tudo no universo com um oposto.

– Inclusive a própria matéria – Kohler murmurou, como se falasse para si mesmo.

Vittoria balançou a cabeça.

– E quando meu pai realizou essa experiência, indiscutivelmente, *dois* tipos de matéria apareceram.

Langdon especulava o que isso significaria. *Leonardo Vetra criou o oposto da matéria?*

Kohler parecia zangado.

– A substância a que você se refere só existe *em algum outro lugar* do universo. Certamente não na Terra. E possivelmente nem na nossa galáxia!

– Exatamente – replicou Vittoria. – O que prova que as partículas que estão nesses tubos *teriam de ser criadas.*

O rosto de Kohler endureceu.

– Vittoria, você não pode estar dizendo que esses tubos contêm espécimes de verdade?

– Estou – e ela olhou com orgulho para os tubos. – Diretor, o senhor está diante dos primeiros espécimes do mundo de *antimatéria.*

CAPÍTULO **20**

Fase dois, pensou o Hassassin, caminhando a passos largos pelo túnel escuro.

A tocha na mão dele era um exagero, ele sabia. Mas servia para causar efeito. Efeito era tudo. O medo, aprendera, era seu aliado. *O medo mutila mais depressa do que qualquer implemento de guerra.*

Não havia nenhum espelho no caminho para ele apreciar seu disfarce, mas, pela sombra ondulante do manto, dava para perceber que estava perfeito. Misturar-se às pessoas fazia parte do plano, parte da depravação da intriga. Em seus sonhos mais loucos, jamais imaginara desempenhar aquele papel.

Duas semanas antes, teria considerado a tarefa que o esperava no final daquele túnel como sendo impossível. Uma missão suicida. Entrar desarmado no covil do leão. Mas Janus transformara a definição de impossível.

Os segredos que Janus partilhara com o Hassassin nas duas últimas semanas haviam sido muitos – aquele túnel era um deles. Antigo, mas ainda perfeitamente usável.

À medida que se aproximava de seu inimigo, o Hassassin ponderava se o que o esperava lá dentro seria mesmo tão fácil quanto Janus prometera. Janus garantira que alguém no interior faria os arranjos necessários. *Alguém no interior. Incrível.* Quanto mais refletia, mais chegava à conclusão de que seria brincadeira de criança.

Wahad... tintain... thalatha... arbaa, disse para si mesmo em árabe ao se aproximar do final. *Um... dois... três... quatro...*

CAPÍTULO **21**

– **Imagino que já tenha ouvido** falar de antimatéria, não é, senhor Langdon? – Vittoria estudava-o, sua pele morena contrastando nitidamente com a brancura do laboratório.

Langdon levantou a cabeça. Estava bastante zonzo.

– Sim, isto é, mais ou menos.

Um ligeiro sorriso aflorou-lhe aos lábios.

– O senhor vê *Jornada nas Estrelas*.

Langdon enrubesceu.

– Bem, meus alunos gostam... – Ele franziu a testa. – Antimatéria é o combustível da *Enterprise*?

Ela concordou com um gesto.

– A boa ficção científica tem suas raízes na boa ciência.

– Quer dizer que existe antimatéria?

– Um fato da natureza. Tudo tem seu oposto. Os prótons têm os elétrons. Os *up-quarks* têm os *down-quarks*. Há uma simetria cósmica no nível subatômico. A antimatéria é o yin do yang da matéria. Equilibra a equação física.

Langdon lembrou Galileu e sua crença na dualidade.

– Os cientistas sabem desde 1918 – explicou ela – que *dois* tipos de matéria foram criados no Big-Bang. Um deles é o que vemos aqui na Terra, formando rochas, árvores, pessoas. O outro é o inverso, idêntico à matéria em todos os sentidos, exceto que as cargas de suas partículas são invertidas.

Kohler falou como se emergisse de um nevoeiro, a voz instável.

– Existem enormes barreiras tecnológicas para se *armazenar* antimatéria. E quanto à neutralização?

– Meu pai criou um vácuo de polaridade inversa para puxar os pósitrons de antimatéria para fora do acelerador antes que se desintegrassem.

Kohler objetou.

– Mas o vácuo também puxaria a *matéria* para fora. Não haveria como separar as partículas.

– Ele aplicou um campo magnético. A matéria arqueia-se para a direita, a antimatéria, para a esquerda. Têm polaridades opostas.

Naquele instante, abriu-se uma brecha na muralha de dúvidas de Kohler. Ele levantou os olhos para Vittoria claramente espantado e, em seguida, foi tomado por um acesso de tosse.

– Ina... credi...tável – disse, enxugando a boca. – No entanto... – parecia que sua lógica ainda resistia –, mesmo que o vácuo *funcionasse*, esses tubos são feitos de matéria. A antimatéria não pode ser armazenada dentro de tubos feitos de *matéria*. A antimatéria reagiria de imediato com...

– O espécime não está tocando o tubo – disse Vittoria, que já devia esperar a pergunta. – A antimatéria está suspensa. Os tubos são chamados de "armadilhas de antimatéria" porque literalmente prendem a antimatéria no centro do tubo, suspendendo-a a uma distância segura das laterais e do fundo.

– Suspensa? Mas... *como*?

– Na interseção de dois campos magnéticos. Venha, dê uma olhada aqui.

Vittoria atravessou a sala e apanhou um grande aparelho eletrônico. Lembrou a Langdon uma espécie de pistola luminosa para projetar desenhos animados: um cano largo parecido com o de um canhão, um visor no topo e um emaranhado de dispositivos eletrônicos pendurado atrás. Vittoria alinhou o visor com um dos tubos, olhou pela lente e calibrou alguns botões. Depois, afastou-se para Kohler poder olhar. Este perguntou, pasmo:

– Vocês coletaram porções *visíveis*?

– Cinco mil nanogramas – respondeu Vittoria. – Plasma líquido contendo milhões de pósitrons.

– Milhões? Mas umas poucas *partículas* foi tudo o que já se detectou... *em qualquer lugar*.

– Xenônio – disse Vittoria, categórica. – Ele acelerou um feixe de partículas através de um jato de xenônio, separando os elétrons. Insistia em manter em segredo o procedimento exato, mas este implicava injetar simultaneamente elétrons puros no acelerador.

Langdon estava perdido, tinha a impressão de que não falavam mais a mesma língua.

Kohler parou, as linhas de sua testa aprofundando-se. Súbito, prendeu rapidamente a respiração e seus ombros se curvaram, como se tivesse sido atingido por uma bala.

– Tecnicamente, isso deixaria...

Vittoria sacudiu a cabeça.

– É. Um *bocado*.

Kohler voltou a atenção para o tubo diante dele. Vacilante, ergueu o corpo na cadeira e colocou um olho no visor. Ficou olhando durante muito tempo sem dizer palavra. Quando afinal se sentou, sua testa estava coberta de suor. As linhas em seu rosto haviam desaparecido. Sua voz era um sussurro.

– Meu Deus... Você conseguiu mesmo.

Vittoria corrigiu-o.

– *Meu pai* conseguiu.

– Nem sei o que dizer.

Vittoria virou-se para Langdon.

– Gostaria de dar uma espiada? – E fez um gesto para o aparelho.

Sem saber o que tinha pela frente, Langdon aproximou-se. A dois passos de distância, o tubo parecia vazio. O que quer que houvesse lá dentro, era diminuto. Ele encostou o olho no visor. Levou um instante até a imagem entrar em foco.

Então, ele viu. O objeto não estava no fundo do recipiente como ele esperava, mas flutuando no meio, suspenso no ar, um glóbulo tremeluzente de um líquido parecido com mercúrio. Pairando como em um passe de mágica, o líquido agitava-se no espaço. Pequenas ondulações metálicas percorriam a superfície da gotícula. O fluido em suspensão trouxe à mente de Langdon um vídeo em que vira uma gota de água em gravidade zero. Mesmo sabendo que o glóbulo era microscópico, podia acompanhar cada mudança de forma à medida que a bola de plasma ia se movimentando vagarosamente.

– Está flutuando – disse.

– É bom que esteja – replicou Vittoria. – A antimatéria é altamente instável. Do ponto de vista energético, a antimatéria é a imagem espelhada da matéria, de modo que as duas instantaneamente se cancelam uma à outra se entram em contato. Manter a antimatéria isolada da matéria é sem dúvida um desafio, porque *tudo* na Terra é feito de matéria. As amostras têm de ser guardadas sem jamais tocarem qualquer coisa, até o ar.

Langdon estava admirado. *Imagine trabalhar no vácuo.*

– Esses recipientes da antimatéria – interrompeu Kohler, deslizando um dedo pálido em volta de uma das bases –, foi seu pai quem os projetou?

– Não, na verdade, fui eu.

Kohler encarou-a.

A voz dela soava despretensiosa.

– Meu pai produziu as primeiras partículas de antimatéria, mas viu-se em apuros para armazená-las. Eu sugeri esses recipientes. Cápsulas herméticas nanocompósitas com eletromagnetos opostos em cada extremidade.

– Parece que a genialidade de seu pai passou para você.

– Na verdade, não. Tirei a idéia da natureza. As caravelas, ou águas-vivas, capturam peixes entre seus tentáculos usando cargas de líquido urticante de nematocistos. Temos o mesmo princípio aqui. Cada tubo tem dois eletroímãs, um em cada extremidade. Seus campos magnéticos opostos cruzam-se no centro do tubo e mantêm a antimatéria ali, suspensa no vácuo.

Langdon voltou-se mais uma vez para o tubo. Antimatéria flutuando no vácuo, sem tocar coisa alguma. Kohler tinha razão. Era genial.

– Onde está a fonte de energia para os ímãs? – perguntou Kohler.

Vittoria apontou.

– Na coluna que fica embaixo de cada tubo. Os tubos são aparafusados em módulos de acoplamento que os recarregam continuamente, de modo que os magnetos nunca param de funcionar.

– E se o campo magnético parar de funcionar?

– Acontece o óbvio. A antimatéria cai, atinge o fundo do tubo e dá-se um aniquilamento.

Langdon apurou os ouvidos e repetiu:

– Aniquilamento? – A palavra não lhe soava nada bem.

Vittoria não demonstrava preocupação.

– Sim. Se a antimatéria e a matéria entram em contato uma com a outra, ambas são destruídas instantaneamente. Os físicos chamam a esse processo de aniquilamento, ou desmaterialização.

– Ah.

– É a reação mais simples da natureza, uma partícula de matéria e uma partícula de antimatéria combinam-se para liberar duas *novas* partículas, chamadas fótons. Um fóton é na verdade uma diminuta chispa de luz.

Langdon já lera sobre fótons – partículas de luz –, a mais pura forma de energia. Resolveu não perguntar sobre o uso de torpedos de fótons pelo capitão Kirk contra os Klingons.

– Então, se a antimatéria cair, vemos uma minúscula centelha de luz?

– Depende do que chama de minúscula. Veja, vou mostrar como é.

E ela começou a desatarrachar um dos tubos da coluna condutora de eletricidade que o mantinha carregado.

Kohler deu um grito apavorado e atirou-se para a frente, empurrando as mãos dela.

– Vittoria! Você enlouqueceu?!

CAPÍTULO **22**

Kohler, por incrível que pudesse parecer, ficou de pé por um momento, cambaleando nas duas pernas atrofiadas. Seu rosto estava branco de medo.

– Vittoria! Você não pode tirar esse tubo daí!

O pânico repentino do diretor assustou Langdon.

– Quinhentos nanogramas! – exclamou Kohler. – Se você interromper o campo magnético...

– Diretor – Vittoria tranqüilizou-o –, é totalmente seguro. Cada tubo tem um dispositivo de segurança, uma bateria própria para o caso de ser removido de seu recarregador. O espécime continua em suspensão mesmo que eu tire o tubo da coluna.

Kohler não parecia muito convencido. Depois, hesitante, instalou-se de volta na cadeira.

– As baterias são ativadas automaticamente – continuou Vittoria – quando o tubo é retirado do recarregador. Funcionam durante 24 horas. Como um tanque de reserva de gasolina. – Ela se virou para Langdon, percebendo sua preocupação. – A antimatéria tem algumas características surpreendentes, senhor Langdon, que a tornam um bocado perigosa. Calcula-se que uma amostra de dez miligramas, do tamanho de um grão de areia, contenha tanta energia quanto umas 200 toneladas de combustível comum de foguetes.

A cabeça de Langdon estava girando outra vez.

– É a fonte de energia do futuro. Mil vezes mais poderosa do que a energia nuclear. Cem por cento eficiente. Sem produzir derivados, subprodutos. Sem produzir radiação. Sem produzir poluição. Alguns gramas bastariam para suprir de energia uma grande cidade durante uma semana.

Gramas? Langdon recuou alguns passos, inquieto.

– Não se preocupe – repetiu Vittoria. – Essas amostras são frações minúsculas de um grama, *milionésimos*. Relativamente inofensivas. – Ela estendeu a mão novamente para o tubo e desencaixou-o de sua plataforma de recarregamento.

Kohler estremeceu ligeiramente, mas não interferiu. Quando o tubo foi solto, ouviu-se um bipe agudo e acendeu-se um pequeno mostrador luminoso perto da sua base. Os dígitos vermelhos piscavam, em uma contagem regressiva de 24 horas.

24:00:00...

23:59:59...

23:59:58...

Inquietante como uma bomba-relógio, pensou Langdon, acompanhando a seqüência descendente dos números.

– A bateria – explicou Vittoria – vai funcionar durante 24 horas completas antes de acabar. Para recarregá-la, basta colocar o tubo de volta no lugar. Foi projetada como medida de segurança, mas também é conveniente para transporte.

– Transporte? – Kohler parecia ter sido fulminado por um raio. – Você leva isso para fora do laboratório?

– Claro que não – disse Vittoria. – Mas a mobilidade nos permite estudá-lo.

Vittoria levou os dois para a extremidade da sala, puxou uma cortina atrás da qual havia uma janela, que por sua vez revelou um amplo quarto. As paredes, o piso e o teto haviam sido inteiramente revestidos de aço. Langdon lembrou-se do tanque de um petroleiro em que viajara para Papua, Nova Guiné, para estudar a pintura corporal Hanta.

– É um tanque de aniquilamento – declarou Vittoria.

Kohler levantou a cabeça.

– Você consegue *observar de fato os* aniquilamentos?

– Meu pai era fascinado pela física do Big-Bang. Uma enorme quantidade de energia vinda de minúsculos grãos de matéria. – Vittoria puxou uma gaveta de aço embutida sob a janela. Colocou o tubo dentro dela e fechou-a. Em seguida, moveu uma alavanca ao lado da gaveta. Logo depois, o tubo apareceu do outro lado do vidro, deslizando suavemente em um amplo movimento circular pelo chão de metal até parar perto do centro do aposento.

Vittoria deu um sorriso tenso.

– Vocês estão prestes a assistir a seu primeiro aniquilamento matéria-antimatéria. Alguns milionésimos de grama. Uma amostra relativamente minúscula.

Langdon olhou para o tubo de antimatéria pousado no chão do enorme tanque. Kohler também se virou para a janela, com ar de incerteza.

– Normalmente – explicou Vittoria –, teríamos de esperar as 24 horas completas até a bateria acabar, mas esta câmara tem ímãs sob o piso que podem anular o efeito da bateria, fazendo a antimatéria sair do estado de suspensão. E, quando matéria e antimatéria se tocam...

– Aniquilamento – murmurou Kohler.

– Mais uma coisa – disse ela. – A antimatéria libera energia pura. É 100 por cento de conversão de massa em fótons. Por isso, não olhem diretamente para a amostra. Protejam os olhos.

Langdon costumava ser cuidadoso, mas achou que Vittoria estava sendo teatral demais. *Não olhem direto para a amostra!* O tubo encontrava-se a mais de 30 metros de distância, atrás de uma parede de plexiglas fumê. Além do mais, a partícula nem se enxergava dentro do tubo, invisível, microscópica. *Proteger meus olhos? O quanto de energia aquele grãozinho poderia...*

Vittoria apertou um botão.

E a claridade cegou Langdon instantaneamente. Um ponto brilhante de luz cintilou no tubo e depois explodiu para fora em uma onda de choque de luz que se irradiou em todas as direções, indo de encontro à janela diante dele com uma força tremenda. Ele recuou quando a detonação sacudiu a câmara. A luz ofuscou por um momento, incandescente, cortante, e depois se recolheu depressa, absorvendo-se em si mesma e transformando-se em um cisco diminuto que desapareceu, virou um nada. Langdon piscou, com dor, aos poucos recuperando a visão. Apertou os olhos. O tubo que estivera no chão desaparecera completamente. Evaporara-se. Não havia sequer vestígio dele.

Boquiaberto, ele exclamou:

– D... Deus!

Vittoria balançou tristemente a cabeça.

– Era exatamente o que meu pai dizia.

CAPÍTULO **23**

Kohler estava voltado para a câmara de aniquilamento, completamente embasbacado com o espetáculo que acabara de presenciar. Ao lado dele, Robert Langdon parecia ainda mais estupefato.

– Quero ver meu pai – exigiu Vittoria. – Já lhe mostrei o laboratório. Agora, quero ver meu pai.

Kohler virou-se devagar, aparentemente não a escutando.

– Por que esperaram tanto, Vittoria? Você e seu pai deveriam ter-me contado logo sobre essa descoberta.

Vittoria encarou-o. *Quantas razões quer que eu apresente?*

– Diretor, podemos falar sobre isso mais tarde. Neste momento, quero ver meu pai.

– Sabe o que essa tecnologia implica?

– Claro – respondeu ela, ríspida. – Dinheiro para o CERN. Muito. Agora, quero...

– Foi por isso que mantiveram segredo? – perguntou Kohler, claramente tentando fazê-la engolir a isca. – Porque temiam que o conselho e eu votássemos para que fosse licenciada?

– *Deveria* ser licenciada – Vittoria disparou de volta, sentindo-se obrigada a discutir. – A antimatéria é uma tecnologia importante. Mas também é perigosa. Meu pai e eu queríamos tempo para aperfeiçoar os procedimentos e torná-la segura.

– Ou seja, vocês não confiaram que o conselho de diretores colocasse a ciência prudente antes da ganância financeira.

Vittoria surpreendeu-se com a indiferença no tom de voz dele.

– Havia ainda outras questões a considerar – disse ela. – Meu pai e eu queríamos apresentar a antimatéria sob uma luz adequada.

– O que quer dizer, exatamente...?

O que ele acha que quero dizer?

– Matéria vinda da energia? Algo vindo do nada? É praticamente uma prova de que o Gênese é uma possibilidade científica.

– Então, seu pai não queria que as implicações da descoberta se perdessem em uma investida furiosa de comercialismo?

– De certa forma, é isso mesmo.

– E você?

As preocupações dela, ironicamente, eram um tanto contrárias. O comercialismo era crucial para o sucesso de qualquer nova fonte de energia. Embora a antimatéria tivesse um tremendo potencial como fonte de energia eficiente e não-poluente, se fosse divulgada prematuramente corria o risco de ser difamada pelos políticos e sofrer os mesmos fracassos de relações públicas que haviam arrasado com as energias nuclear e solar. A energia nuclear proliferara antes de se tornar segura, e tinham acontecido acidentes. A energia solar proliferara antes de se tornar eficiente e muita gente perdera dinheiro. As duas tecnologias haviam adquirido má reputação e murchado antes de serem colhidas.

– Meus interesses – disse Vittoria – eram um pouco menos elevados do que o de unir ciência e religião.

– O meio ambiente – sugeriu Kohler, confiante.

– Energia ilimitada. O fim da mineração de carvão de superfície. O fim da poluição. Da radiação. A tecnologia da antimatéria poderia salvar o planeta.

– Ou destruí-lo – objetou Kohler, sarcástico. – Dependendo de quem o usasse e para quê. – Uma frieza emanava das formas aleijadas de Kohler. – Quem mais sabia disso? – perguntou ele.

– Ninguém – Vittoria responde. – Já lhe disse.

– Então, por que acha que mataram seu pai?

Os músculos de Vittoria se retesaram.

– Não tenho a menor idéia. Ele tinha inimigos aqui no CERN, como sabe, mas não poderia haver nenhuma ligação com a antimatéria. Juramos um ao outro manter sigilo durante mais alguns meses até estarmos devidamente preparados.

– E você tem certeza de que seu pai manteve esse voto de silêncio?

Vittoria zangou-se.

– Meu pai soube manter votos mais difíceis do que esse!

– E *você* não contou a ninguém?

– Claro que não!

Kohler deixou escapar um suspiro. Fez uma pausa, como se tivesse escolhendo as palavras seguintes com cuidado.

– Vamos supor que alguém tenha descoberto. E que tenha conseguido entrar no laboratório. O que você imagina que essa pessoa poderia querer? Seu pai guardava anotações aqui embaixo? Alguma documentação sobre o processo criativo?

– Diretor, fui muito paciente. Preciso de algumas respostas agora. O senhor continua falando sobre uma invasão do laboratório mesmo tendo visto o scanner de retina. Meu pai era muito atento à segurança e ao sigilo.

– Seja um pouco mais tolerante comigo – replicou Kohler, espantando-a. – O que poderia estar faltando?

– Não tenho noção. – Irritada, Vittoria correu os olhos pelo laboratório. Conferiu todas as amostras de antimatéria. A área de trabalho de seu pai parecia em ordem. – Ninguém entrou aqui – declarou ela. – Tudo aqui em cima parece estar bem.

Kohler ficou surpreso.

– *Aqui em cima?*

Vittoria falara sem pensar.

– É, aqui no laboratório de cima.

– Vocês estão usando o laboratório de baixo também?

– Para armazenamento.

Kohler deslizou sua cadeira na direção dela, tossindo outra vez.

– Você está usando a câmara Haz-Mat para armazenamento? Armazenamento de *quê?*

Material perigoso, ora essa! Vittoria estava perdendo a paciência.

– Antimatéria.

Kohler ergueu o corpo apoiando-se nos braços de sua cadeira.

– Existem *outros* espécimes? Por que diabos não me disse?

– Estou dizendo agora – rebateu ela. – E o senhor mal me deu uma oportunidade!

– Temos de verificar esses espécimes – disse Kohler. – Agora.

– *Esse* espécime – corrigiu Vittoria. – No singular. E o espécime está bem guardado. Ninguém jamais poderia...

– Só um? – Kohler hesitou. – E por que não está aqui em cima?

– Meu pai queria que ficasse sob o leito de rocha como precaução. É maior do que os outros.

Os olhares alarmados que Langdon e Kohler trocaram não passaram despercebidos por Vittoria. Kohler aproximou-se novamente dela:

– Vocês criaram um espécime maior do que o de quinhentos nanogramas?

– Foi necessário – justificou Vittoria. – Tínhamos de provar que o limiar de subsídio/rendimento poderia ser cruzado com segurança.

Segundo ela, a questão principal relacionada a novas fontes de combustível era sempre a de subsídio versus rendimento, ou seja, quanto dinheiro era preciso gastar para obter o combustível. Instalar uma perfuratriz de petróleo para produzir um único barril seria um empreendimento perdido. Entretanto, se essa mesma perfuratriz, com um acréscimo mínimo de despesa, conseguisse produzir milhões de barris, então o negócio valeria a pena. O mesmo se aplicava à antimatéria. Ativar 25 quilômetros de eletromagnetos para criar um espécime diminuto de antimatéria gastava mais energia do que a antimatéria produzida continha. Para provar que a antimatéria era eficiente e viável, fora necessário criar espécimes de tamanho maior.

O pai de Vittoria relutara em criar um grande espécime, mas ela insistira muito que o fizesse. Argumentava que, para a antimatéria ser levada a sério, eles teriam de provar duas coisas: que era possível produzir quantidades que tornariam o custo compensador e que os espécimes poderiam ser armazenados com segurança. No final, ela vencera e o pai concordara a contragosto. Entretanto, não sem determinar algumas diretrizes firmes com relação a sigilo e acesso. A antimatéria, seu pai fizera questão, ficaria guardada em Haz-Mat – uma pequena cavidade de granito localizada a uns 30 metros mais abaixo do solo. Aquele espécime seria seu segredo particular. E só os dois teriam acesso a ele.

– Vittoria? – insistiu Kohler, a voz tensa. – De que tamanho é esse espécime que você e seu pai criaram?

Vittoria sentiu um estranho prazer. Sabia que a quantidade iria chocar até mesmo o grande Maximilian Kohler. Visualizou a antimatéria lá embaixo. Uma imagem incrível. Suspensa dentro do tubo, perfeitamente visível a olho nu, dançava uma diminuta esfera de antimatéria. Não se tratava dessa vez de um grão microscópico. Era uma gotícula do tamanho de uma bateria BB.

Vittoria respirou fundo.

– Tem 250 miligramas.

O sangue fugiu do rosto de Kohler.

– O quê! – Ele teve um acesso de tosse. – Duzentos e cinqüenta miligramas? Isso se converte em... quase cinco quilotons!

Quilotons. Vittoria detestava aquela palavra. Ela e o pai nunca a usavam. Um quiloton era igual a 1.000 toneladas de TNT. Quilotons eram para armas.

Mísseis. Poder destrutivo. Vittoria e seu pai só falavam de elétron-volts e joules, produção construtiva de energia.

– Essa quantidade de antimatéria pode literalmente liquidar tudo em um raio de quase um quilômetro! – exclamou Kohler.

– Sim, se for aniquilada toda de uma vez – revidou Vittoria –, o que ninguém jamais fará!

– Exceto quem não tenha conhecimento disso! Ou se as suas baterias falharem! Kohler já se dirigia para o elevador.

– Razão por que meu pai a mantinha em Haz-Mat com dispositivos de energia à prova de falhas e um sistema de segurança a mais.

Kohler virou-se, esperançoso.

– Vocês têm segurança adicional em Haz-Mat?

– Sim, um segundo scanner de retina.

Kohler só pronunciou três palavras.

– Vamos descer. Agora.

◆◆◆

O elevador de carga despencou como uma pedra mais trinta metros para dentro da terra.

Vittoria percebeu que havia medo nos dois homens à medida que o elevador descia. O rosto habitualmente impassível de Kohler estava retesado. *Eu sei que o espécime é enorme*, pensou ela, *mas as precauções que tomamos são...*

Chegaram ao fundo.

O elevador se abriu e Vittoria saiu na frente pelo corredor mal iluminado. Adiante, o corredor terminava em uma grande porta de aço. Haz-Mat. O scanner de retina era idêntico ao do andar de cima. Ela se aproximou. Com cuidado, alinhou seu olho com a lente.

E recuou. Algo estava errado. A lente em geral imaculada estava respingada, manchada com alguma coisa que se parecia com... *sangue?* Confusa, ela se virou para os dois homens e deu com seus rostos cor de cera. Tanto Kohler quanto Langdon estavam pálidos, os olhos fixos no chão perto dos pés dela.

Vittoria acompanhou a direção do olhar deles...

– Não! – gritou Langdon, inclinando-se para ela. Mas era tarde demais.

A visão de Vittoria ficou presa ao objeto no chão. Era-lhe ao mesmo tempo totalmente estranho e intimamente familiar.

Levou apenas um instante.

Então, com uma sensação vertiginosa de horror, ela soube o que era.

Olhando-a do chão, atirado ali como se fosse lixo, havia um globo ocular. Ela teria reconhecido aquele tom de castanho em qualquer lugar.

CAPÍTULO **24**

O técnico de segurança prendeu a respiração quando seu chefe se inclinou por cima de seu ombro, examinando a bancada de monitores de vigilância diante dos dois. Passou-se um minuto.

O silêncio do chefe era de se esperar, disse o técnico para si mesmo. O chefe era um homem que seguia rigidamente o protocolo. Não chegara ao comando de uma das forças de segurança de elite do mundo por falar primeiro e pensar depois.

Mas o que ele estaria pensando?

O objeto que eles observavam no monitor era um tipo de tubo, um cilindro com laterais transparentes. Até aí, era fácil. O resto é que era difícil.

Dentro do recipiente, como se por algum efeito especial, uma pequena gota de líquido metálico parecia flutuar no vazio. A gotícula aparecia e desaparecia com o piscar da luz vermelha robótica de um mostrador digital marcando uma contagem resolutamente descendente, o que fazia o técnico se arrepiar todo.

– Dá para clarear o contraste? – perguntou o comandante, fazendo o técnico sobressaltar-se.

O técnico seguiu a instrução e a imagem clareou um pouco. O comandante curvou-se para a frente, fixando os olhos em algo que acabara de se tornar visível na base do recipiente.

O técnico acompanhou o olhar de seu chefe. Quase indistinto, impresso ao lado do mostrador, havia um acrônimo. Quatro letras maiúsculas brilhavam nos fachos intermitentes de luz.

– Fique aqui – determinou o comandante. – Não diga nada a ninguém. Eu cuido disso.

CAPÍTULO 25

Haz-Mat. Cinqüenta metros abaixo do solo.

Vittoria Vetra cambaleou para a frente, quase indo de encontro ao scanner. Percebeu que o americano se precipitava para ajudá-la, para ampará-la. No chão a seus pés, o globo ocular de seu pai estava voltado para cima. Ela sentiu a pressão nos pulmões, o ar escapando. *Arrancaram o olho dele!* Seu mundo girava em um redemoinho. Kohler falava perto dela, pressionando-a. Langdon guiava-a. Como em um sonho, viu-se olhando no scanner de retina. O mecanismo emitiu um bipe.

A porta deslizou e se abriu.

Mesmo com o terror do olho do pai assombrando sua alma, Vittoria pressentiu que um outro motivo de terror a esperava lá dentro. Quando ergueu o olhar anuviado para o interior do aposento, confirmou-se o capítulo seguinte do pesadelo. A solitária coluna de recarga encontrava-se vazia.

O tubo que ficava acoplado à coluna se fora. Haviam cortado o olho de seu pai para roubá-lo. As implicações vieram depressa demais para que ela as compreendesse por completo. Tudo resultara contrário ao esperado. O espécime destinado a provar que a antimatéria era uma fonte de energia segura e viável havia sido roubado. *Mas ninguém sequer sabia que esse espécime existia!* A verdade, contudo, era irrefutável. Alguém descobrira. Ela não conseguia imaginar quem poderia ser. Até Kohler, que, dizia-se, sabia de tudo no CERN, claramente desconhecia a existência do projeto.

Seu pai estava morto. Assassinado por ser um gênio.

Enquanto a dor apertava seu coração, uma nova emoção tomava forma na consciência de Vittoria. Muito pior. Esmagadora. Mortificando-a. Essa emoção era a culpa. Culpa incontrolável, implacável. Havia sido *ela* quem convencera o pai a criar o espécime. A contragosto. E ele morrera por causa disso.

Um quarto de grama...

Como qualquer tecnologia – o fogo, a pólvora, o motor de combustão –, nas mãos erradas, a antimatéria podia ser nefasta. Muito nefasta. A antimatéria era uma arma letal. Potente e incontrolável. Uma vez removida de sua plataforma de recarga no CERN, começaria a inexorável marcação regressiva no contador. Seria como um trem desgovernado.

E quando o tempo se esgotasse...

Uma luz cegante. O rugido de um trovão. Incineração espontânea. Apenas o clarão... e uma cratera vazia. Uma *imensa* cratera vazia.

A imagem da serena genialidade de seu pai sendo usada como ferramenta de destruição era como um veneno em seu sangue. A antimatéria era a arma terrorista por excelência. Não possuía peças de metal a serem identificadas por detetores de metal, não continha elementos químicos que pudessem ser rastreados por cães, não tinha detonador a ser desativado se as autoridades localizassem o recipiente. A contagem regressiva começara.

◆◆◆

Langdon não sabia mais o que fazer. Pegou seu lenço e cobriu com ele o olho de Leonardo Vetra no chão. Vittoria parara na entrada da câmara Haz-Mat, no rosto uma mistura de sofrimento e pânico. Langdon dirigiu-se instintivamente para ela outra vez, mas Kohler interveio.

– Senhor Langdon? – disse ele, a face inexpressiva. Fez sinal para que Langdon se afastasse para não serem ouvidos. O outro seguiu-o relutante, deixando Vittoria entregue a si mesma. – O senhor é o especialista – disse Kohler, em um sussurro enfático. – Quero saber o que esses desgraçados desses Illuminati pretendem fazer com a antimatéria.

Langdon tentou se concentrar. A despeito de toda a loucura a seu redor, sua primeira reação foi lógica. Rejeição acadêmica. Kohler ainda estava fazendo suposições, suposições impossíveis.

– Os Illuminati estão extintos, senhor Kohler, eu lhe garanto. Esse crime poderia ter qualquer explicação, talvez um outro funcionário do CERN tenha descoberto algo sobre o trabalho do senhor Vetra e achado que o projeto seria perigoso demais para prosseguir.

Kohler admirou-se.

– O senhor acredita que esse seja um crime de *consciência*, senhor Langdon? Absurdo. Quem matou Leonardo Vetra queria apenas uma coisa: a amostra de antimatéria. E sem dúvida tem planos de usá-la.

– Quer dizer, terrorismo.

– Com certeza.

– Mas os Illuminati não eram terroristas.

– Diga isso a Leonardo Vetra.

Havia um fundo de verdade na afirmação. Leonardo Vetra fora de fato marcado a ferro em brasa com o símbolo dos Illuminati. De onde viera aquilo? A marca sagrada seria uma mistificação difícil demais para ser usada por alguém que quisesse despistar lançando as suspeitas em outro lugar. Deveria haver uma outra explicação.

Mais uma vez, Langdon se viu forçado a considerar o implausível. *Se os Illuminati ainda estivessem ativos e se tivessem roubado a antimatéria, qual seria a sua intenção? Qual seria o seu alvo?* A resposta que sua mente forneceu foi instantânea. Langdon descartou-a igualmente depressa. É verdade que os Illuminati tinham um inimigo óbvio, mas um ataque terrorista em larga escala a esse inimigo era inconcebível. E em total desacordo com o caráter da fraternidade. Sim, os Illuminati haviam matado pessoas, mas *indivíduos*, alvos cuidadosamente escolhidos. Destruição em massa, de certa forma, era algo mais grosseiro. Langdon fez uma pausa. Entretanto, refletiu, haveria uma eloqüência majestosa naquilo, a antimatéria, proeza científica definitiva, sendo usada para fazer desaparecer...

Recusava-se a aceitar aquele pensamento absurdo. E disse subitamente:

– Existe uma explicação lógica além do terrorismo.

Kohler esperou que ele continuasse.

Langdon procurou pôr em ordem o raciocínio. Os Illuminati sempre haviam exercido um poder extraordinário utilizando-se de recursos *financeiros*. Eles controlavam bancos. Guardavam lingotes de ouro e prata. Dizia-se inclusive que possuíam a pedra preciosa mais valiosa do mundo, o Diamante Illuminati, um diamante de grandes proporções, absolutamente perfeito.

– Dinheiro – disse Langdon. – A antimatéria pode ter sido roubada para a obtenção de ganho financeiro.

Kohler demonstrou incredulidade.

– Ganho financeiro? Onde se pode vender uma gotícula de antimatéria?

– Não a amostra – rebateu Langdon. – A tecnologia. A tecnologia da antimatéria deve valer uma fábula. Talvez alguém a tenha roubado para analisá-la e fazer P&D – Pesquisa e Desenvolvimento.

– Espionagem industrial? Aquele tubo vai durar só 24 horas até as baterias acabarem. Os pesquisadores explodiriam antes de conseguirem descobrir qualquer coisa.

– Poderiam recarregá-las antes que explodissem. Poderiam construir uma plataforma compatível de recarregamento, igual às daqui do CERN.

– Em 24 horas? – desafiou Kohler. – Mesmo que roubassem o projeto, um recarregador como aquele levaria *meses* para ser construído, não horas!

– Ele tem razão – disse Vittoria, a voz fraca.

Os dois homens se viraram. Vittoria aproximava-se, os passos tão trêmulos quanto suas palavras.

– Ele tem razão. Ninguém conseguiria projetar e construir um recarregador como aquele a tempo. Só a interface levaria semanas. Filtros de fluxo, sistemas de servocontrole das bobinas, ligas condicionadoras de força, todos calibrados para o grau de energia específico da peça.

Langdon franziu o cenho. Não havia mais o que discutir. A peça que continha a antimatéria não podia ser simplesmente ligada a uma tomada na parede. Uma vez removido do CERN, o tubo especial iniciava uma viagem de ida sem volta, uma viagem de 24 horas rumo ao fim, ao esquecimento.

O que deixava apenas uma conclusão muito perturbadora.

◆◆◆

– Precisamos chamar a Interpol – disse Vittoria. Até para si mesma, sua voz soava distante. – Temos de chamar as autoridades competentes. Agora, já.

Kohler meneou a cabeça.

– De jeito nenhum.

Essas palavras atordoaram-na.

– Por que não?

– Você e seu pai puseram-me em uma situação muito difícil.

– Diretor, precisamos de ajuda. Temos de encontrar aquele tubo e trazê-lo de volta para cá antes que alguém se machuque. É nossa responsabilidade!

– Temos a responsabilidade de *pensar* – disse Kohler, com dureza na voz. – Esta situação pode ter repercussões muito, muito sérias para o CERN.

– Está preocupado com a *reputação* do CERN? Sabe o que aquele material poderia fazer com uma área urbana? Tem um raio de explosão de oitocentos metros! Nove quarteirões!

– Talvez você e seu pai devessem ter levado isso em consideração antes de criarem o espécime.

Vittoria teve a sensação de estar sendo apunhalada.

– Mas... nós tomamos todas as precauções.

– Ao que tudo indica, não foram suficientes.

– E ninguém sabia da existência da antimatéria.

Ela se deu conta, evidentemente, de que aquele argumento era absurdo. Claro que alguém soubera. Alguém descobrira.

Vittoria não contara a ninguém. Restavam então apenas duas explicações. Ou seu pai fizera confidências a alguém sem dizer nada a ela, o que não fazia sentido porque havia sido *ele* quem exigira que jurassem segredo, ou ela e o pai haviam sido monitorados. Quem sabe, pelo telefone celular? Eles haviam falado um com o outro algumas vezes enquanto Vittoria estava viajando. Teriam falado demais? Era possível. Havia também os e-mails de ambos. Mas eles haviam sido discretos, não é? O sistema de segurança do CERN? Teriam sido monitorados sem que soubessem?

Nada daquilo importava mais. O que fora feito estava feito. *Meu pai está morto.*

O pensamento incitou-a a agir. Tirou o telefone celular do bolso do short.

Kohler acelerou a cadeira em sua direção, tossindo violentamente, os olhos faiscando de raiva.

– Quem você está chamando?

– A mesa telefônica do CERN. Eles podem nos ligar com a Interpol.

– Pense! – Kohler esgasgou-se, a cadeira freando com um guincho na frente dela. – Será que é assim tão ingênua? Aquele tubo pode estar em qualquer lugar do mundo agora! Nenhum serviço secreto vai ser capaz de se mobilizar para encontrá-lo a tempo.

– Então não fazemos *nada?* – Vittoria sentia remorsos por desafiar um homem de saúde tão frágil, mas o diretor estava de tal maneira fora dos eixos que ela não o reconhecia mais.

– Fazemos o que é mais *inteligente* – disse Kohler. – Não colocamos a reputação do CERN em risco envolvendo autoridades que de qualquer modo não podem ajudar. Ainda não. Não sem antes pensar.

Vittoria admitia que havia uma certa lógica na argumentação dele, mas sabia que a lógica, por definição, era destituída de responsabilidade moral. Seu pai *vivera* pela responsabilidade moral: ciência cautelosa, compromisso de prestar contas, fé na bondade inerente do homem. Vittoria também acreditava nestas coisas, mas as via em termos de carma. Afastou-se de Kohler e abriu o telefone com um gesto rápido.

– Você não pode fazer isso – ele disse.

– Tente me impedir.

Ele não saiu do lugar.

No instante seguinte, Vittoria percebeu por quê. Àquela profundidade, o celular não tinha sinal.

Furiosa, ela seguiu para o elevador.

CAPÍTULO **26**

O Hassassin encontrava-se no fim do túnel de pedra. Sua tocha ainda ardia, a fumaça misturando-se com o cheiro de musgo e de ar parado. O silêncio o rodeava. A porta de ferro que lhe fechava o caminho parecia tão velha quanto o próprio túnel, enferrujada mas ainda firme. Ele esperou na penumbra, confiante.

Estava quase na hora.

Janus prometera que alguém lá de dentro abriria a porta. O Hassassin estava encantado com aquela traição. Teria esperado a noite inteira diante da porta para realizar sua tarefa, mas pressentia que isso não seria necessário. Estava trabalhando para homens determinados.

Minutos depois, precisamente à hora combinada, ouviu o ruído alto de chaves pesadas entrechocando-se do outro lado. O atrito do metal contra o metal à medida que múltiplas fechaduras se desencaixavam. Uma a uma, três imensas cavilhas rangeram, abrindo-se. As dobradiças estalavam, pois não tinham sido usadas durante séculos. Por fim, tudo foi destrancado.

Então, fez-se silêncio.

O Hassassin esperou, paciente, os cinco minutos, exatamente como lhe haviam dito que fizesse. Depois, com eletricidade correndo-lhe no sangue, ele deu um empurrão. A grande porta se abriu.

CAPÍTULO **27**

– Vittoria, não vou permitir! – Kohler respirava com dificuldade e foi piorando enquanto o elevador subia.

Vittoria isolou-se dele. Ansiava por um refúgio, por algo familiar naquele local que não se parecia mais com sua casa. Sabia que não poderia ser. Naquele momento, precisava engolir a tristeza e agir. *Procure um telefone.*

Robert Langdon encontrava-se a seu lado, silencioso como sempre. Vittoria desistira de tentar adivinhar quem seria ele. *Um especialista?* Kohler não poderia ter sido menos preciso. *O senhor Langdon pode nos ajudar a encontrar o assassino de seu pai.* Langdon não estava ajudando em nada. Sua cordialidade e bondade pareciam bastante genuínas, mas era evidente que estava escondendo alguma coisa. Os dois homens estavam.

Kohler investiu contra ela outra vez.

– Como diretor do CERN, tenho responsabilidades com o futuro da ciência. Se você ampliar isto, transformar a situação em um incidente internacional e o CERN for afetado...

– Futuro da ciência? – Vittoria voltou-se para ele. – O senhor realmente planeja deixar de prestar contas e não admitir que a antimatéria saiu do CERN? Pretende ignorar a vida das pessoas que pusemos em perigo?

– *Nós* não pusemos – contra-atacou Kohler. – *Você*, você e seu pai, sim.

Vittoria virou o rosto para o lado.

– E no que se refere a vidas em perigo – completou Kohler –, a própria *vida* é que está em questão. Você sabe que a tecnologia da antimatéria tem enormes implicações para a vida neste planeta. Se o CERN falir, destruído por um escândalo, *todos* saem perdendo. O futuro do homem está nas mãos de organizações como o CERN, de cientistas como você e seu pai, que trabalham para resolver os problemas do amanhã.

Vittoria já escutara antes as teorias de Kohler a respeito de Deus e a Ciência, e nunca as engolira. A *própria ciência* causava a metade dos problemas que tentava resolver. O "Progresso" era a derradeira doença maligna da Mãe Terra.

– O avanço científico traz riscos – argumentava Kohler. – Sempre trouxe. Programas espaciais, pesquisa genética, medicina, todos cometem erros. A ciência precisa sobreviver a seus próprios enganos e a qualquer custo. Para o bem de *todos*.

Vittoria constatou a notável capacidade de Kohler para ponderar questões morais com imparcialidade científica. O intelecto dele parecia ser o produto de um gélido divórcio com seu próprio espírito interior.

– O senhor acredita que o CERN seja tão crucial para o futuro da Terra que deva ficar imune a responsabilidades morais?

– Não me venha falar de *moral*. Você passou dos limites quando criou aquele espécime e botou todas as nossas instalações em risco. Estou tentando proteger não só os empregos dos três mil cientistas que trabalham aqui, como também a reputação de seu pai. Pense *nele*. Um homem como seu pai não merece ser lembrado como o criador de uma arma de destruição em massa.

Ele atingira o alvo certo. *Fui eu quem convenceu meu pai a criar aquele espécime. A culpa de tudo isso é minha!*

◆◆◆

Quando a porta se abriu, Kohler ainda estava falando. Vittoria saiu do elevador, pegou seu telefone e tentou de novo.

Nada de sinal. *Droga!* Ela se encaminhou para a porta.

– Vittoria, pare. – A respiração do diretor soava mais asmática enquanto ele acelerava sua cadeira atrás da moça. – Vá mais devagar. Precisamos falar.

– *Basta di parlare!*

– Pense em seu pai – insistiu Kohler. – O que ele faria?

Ela continuou andando.

– Vittoria, não fui totalmente sincero com você.

Ela diminuiu o ritmo.

– Não sei o que eu estava pensando – disse Kohler –, só queria proteger você. Diga o que quer. Temos de trabalhar juntos nesta questão.

Vittoria parou perto do laboratório mas não se virou.

– Quero encontrar a antimatéria. E quero saber quem matou meu pai.

Ela ficou esperando. Kohler suspirou.

– Nós já sabemos quem matou seu pai. Sinto muito.

Surpresa, ela se virou para ele.

– Vocês o quê?

– Eu não sabia como contar a você. É difícil...

– Vocês *sabem* quem matou meu pai?

– Temos uma noção, sim. O assassino deixou uma espécie de cartão de visitas. Foi por isso que chamei o senhor Langdon. O grupo que assumiu a autoria do crime é a especialidade dele.

– O grupo? Um grupo terrorista?

– Vittoria, eles roubaram *duzentos e cinqüenta miligramas* de antimatéria.

Vittoria olhou para Robert Langdon ali perto, parado. Tudo começou a se encaixar. *Isto explica o sigilo.* Como não lhe ocorrera antes? Kohler então havia chamado as autoridades, afinal. As autoridades. Agora, parecia óbvio. Robert Langdon era norte-americano, de boa aparência, conservador, provavelmente muito sagaz. Quem mais ele poderia ser? Ela deveria ter adivinhado desde o começo. Sentiu uma renovada esperança ao se dirigir a ele.

– Senhor Langdon, quero saber quem matou meu pai. E também se sua agência pode encontrar a antimatéria.

Langdon ficou embaraçado.

– Minha agência?

– O senhor é do serviço secreto americano, suponho.

– Na realidade... não, não sou.

Kohler interveio.

– O senhor Langdon é professor de História da Arte na Universidade de Harvard.

A informação caiu como um balde de água fria em Vittoria.

– Professor de Arte?

– Ele é especialista em simbologia de cultos – suspirou Kohler. – Vittoria, acreditamos que a morte de seu pai foi parte de um culto satânico.

As palavras ecoaram na mente dela sem serem assimiladas. *Um culto satânico.*

– O grupo que assumiu a autoria chama-se Illuminati.

Vittoria olhou de um para outro, imaginando se seria uma brincadeira de mau gosto.

– Os Illuminati? – perguntou ela. – Como os *Illuminati Bávaros?*

– Você já ouviu falar deles? — perguntou Kohler, admirado.

Ela sentiu as lágrimas de frustração se formando.

– *Os Illuminati Bávaros: a Nova Ordem Mundial.* Um jogo de computador. Metade dos fanáticos por informática daqui joga isso na Internet. – A voz dela falhou. – Mas não entendo...

Langdon concordou.

– É um jogo bem popular. Uma antiga fraternidade toma conta do mundo. É semi-histórico. Não sabia que estava na Europa também.

– De que está falando? – disse Vittoria, exaltada. – Os Illuminati? Mas se trata de um jogo de computador!

– Vittoria – disse Kohler –, os Illuminati são o grupo que alega responsabilidade pela morte de seu pai.

Ela reuniu toda a coragem que pôde encontrar para lutar contra as lágrimas. Fez força para se controlar e avaliar a situação com lógica. Porém, quanto mais se concentrava, menos compreendia. Seu pai fora assassinado. Ocorrera uma grave falha de segurança no CERN. Havia uma bomba em contagem regressiva em algum lugar e *ela* era responsável por isso. E o diretor chamara um professor de História da Arte para ajudá-los a encontrar uma fraternidade mística de satanistas.

Sentiu-se repentinamente muito só. Virou-se para ir embora, mas Kohler postou-se à sua frente. Tirou algo do bolso, um papel de fax amassado, e entregou-o a ela.

Ela cambaleou, horrorizada, ao ver a imagem.

– Eles o marcaram a fogo – disse Kohler. – Os desgraçados marcaram o peito dele a fogo.

CAPÍTULO **28**

A secretária Sylvie Baudeloque estava em pânico. Andava de um lado para outro diante da porta da sala vazia do diretor. *Onde diabos andará ele? O que faço agora?*

Havia sido um dia esquisito. Claro, todos os dias de trabalho com Maximilian Kohler tinham potencial para serem estranhos, mas o homem estivera em grande forma naquele.

– Encontre Leonardo Vetra! – ordenara ele quando Sylvie chegou naquela manhã.

Obedientemente, Sylvie enviara mensagem pelo pager, telefonara e mandara e-mails para Leonardo Vetra.

E nada.

Então, Kohler saíra mal-humorado, tudo indicava que para procurar Vetra ele próprio. Quando surgiu de volta algumas horas mais tarde, Kohler decididamente não parecia bem... não que ele alguma vez de fato parecesse *bem*, mas parecia pior do que de costume. Trancou-se no escritório e ela o ouviu telefonar, falar, usar o computador, o fax. Depois, saiu de novo. E ainda não tinha voltado desde então.

Sylvie decidira ignorar as extravagâncias de mais um melodrama kohleriano, mas ficou preocupada quando ele não apareceu na hora certa de suas injeções diárias. O estado de saúde do diretor exigia um tratamento regular e, quando ele decidia abusar, os resultados nunca eram agradáveis: choque respiratório, acessos de tosse e uma correria danada para o pessoal da enfermaria. Às vezes, Sylvie achava que Maximilian Kohler tinha um desejo inconsciente de morrer.

Ela considerou a possibilidade de mandar-lhe uma mensagem pelo pager para lembrar as injeções, mas havia aprendido que o orgulho de Kohler não tolerava aquele tipo de gesto. Na semana anterior, ele havia ficado tão enfurecido com um cientista visitante que demonstrara pena dele a ponto de se equilibrar nas pernas e atirar uma pasta na cabeça do homem. O rei Kohler ficava surpreendentemente ágil quando estava *pissé*.

No momento, todavia, a preocupação de Sylvie pela saúde do diretor deixara de ser prioridade e fora substituída por um dilema bem mais urgente. A telefonista do CERN ligara cinco minutos antes, frenética, para dizer que tinha uma chamada importantíssima para o diretor.

– Ele não está aqui, não pode atender agora – dissera Sylvie.

Então, a telefonista lhe disse quem estava chamando.

Sylvie deu uma risada alta.

– Está brincando, não é?

Escutou o que a outra dizia, incrédula.

– E a identificação dessa pessoa confirma... – Sylvie estava intrigada. – Está bem. Será que você pode perguntar ao... – Ela suspirou. – Não. Está certo. Peça a ele para esperar. Vou localizar o diretor agora mesmo. Sei, já entendi. Vou fazer isso agora.

Mas Sylvie não conseguira encontrar o diretor. Ligara três vezes para o seu celular e todas as vezes ouvira a mesma mensagem: "A linha está fora de área ou desligada." *Fora de área? Até onde ele poderia ter ido?* Então, Sylvie ligara para o bipe dele. Duas vezes. Sem resposta. Muito esquisito, ele não costumava agir assim. Chegara até a mandar um e-mail para o computador portátil dele. Nada. Como se o homem tivesse desaparecido da face da Terra.

E agora, o que faço? – pensava, aflita.

Além de sair ela própria procurando pelo CERN inteiro, Sylvie sabia que havia somente uma outra maneira de chamar a atenção do diretor. Ele não ia ficar nada satisfeito, mas o homem ao telefone não era alguém que o diretor pudesse deixar esperando. E também parecia que a pessoa não estava muito disposta a ouvir que o diretor não fora encontrado.

Impressionada com a própria audácia, Sylvie tomou a decisão. Entrou na sala de Kohler e se dirigiu para a caixa de metal na parede atrás da escrivaninha dele. Abriu a portinhola, examinou os controles e encontrou o botão certo.

Em seguida, respirou fundo e apanhou o microfone.

CAPÍTULO **29**

Vittoria não se lembrava como eles haviam chegado ao elevador principal, mas lá estavam eles. Subindo. Kohler encontrava-se atrás dela, a respiração ruidosa e difícil. O olhar preocupado de Langdon passava por ela como se atravessasse um fantasma. Ele lhe tirara o fax da mão e enfiara-o no bolso de seu paletó, longe de sua vista, mas a imagem ainda lhe queimava a memória.

Enquanto o elevador se deslocava, o mundo de Vittoria mergulhava na escuridão. *Papa!* Em sua mente, ela ia ao encontro dele. Por um momento, no oásis de sua memória, Vittoria estava com ele. Tinha nove anos de idade, correndo por colinas cheias de edelvais, o céu da Suíça acima de suas cabeças.

Papa! Papa!

Leonardo Vetra estava rindo ao lado dela, radiante.

– O que é, meu anjo?

– Papa! – ela ria, aconchegando-se a ele. – Faça uma pergunta sobre a matéria!

– Sobre qual matéria, filha, como posso saber? É alguma coisa nova que aprendeu na escola?

E ela imediatamente caiu na gargalhada.

– Ora, papai, pergunte sobre pedras, árvores, átomos, qualquer coisa! Porque *tudo* é matéria! Ah, agora enganei você!

Ele riu com ela.

– Você inventou isso sozinha?

– Fui bem esperta, não fui?

– Minha pequena Einstein!

Ela fez cara feia.

– Ele tem um cabelo horrível. Vi um retrato dele.

– Mas tem uma boa cabeça. Já contei a você o que ele provou?

Os olhos dela se arregalaram, como se estivesse assustada.

– Papai! Você prometeu!

– E=MC2! – E fez cócegas nela. – E=MC2!

– Matemática, não! Eu já disse! Detesto matemática!

– Ainda bem que você detesta, porque as meninas *não têm permissão* para aprender matemática.

Ela parou na mesma hora.

– Não?!

– Claro que não. Qualquer pessoa sabe disso. Meninas brincam com bonecas. Meninos estudam matemática. Nada de matemática para as meninas. Não tenho autorização *nem para falar* sobre matemática com as meninas.

– O quê? Mas isso não é justo!

– Regras são regras. Absolutamente nada de matemática para as meninas.

Vittoria ficou horrorizada.

– Mas brincar de bonecas é muito chato!

– Sinto muito – disse seu pai. – Eu poderia falar sobre matemática com você, mas se descobrirem... – E ele inspecionou as colinas desertas fingindo um ar aflito.

Vittoria acompanhou o olhar dele.

– Está bem – ela cochichou. – Então fale bem baixinho.

◆◆◆

Vittoria sobressaltou-se com o movimento do elevador. Abriu os olhos. O pai se fora.

A realidade abateu-se sobre ela, envolvendo-a com suas garras geladas. Olhou para Langdon. A expressão de sincera preocupação que ele tinha no rosto aqueceu seu coração como a presença de um anjo da guarda, sobretudo em contraste com a frieza de Kohler.

Um único pensamento nitidamente consciente começou a atormentar Vittoria com uma força implacável.

Onde está a antimatéria?

A terrível resposta viria minutos depois.

CAPÍTULO 30

Maximilian Kohler. Por gentileza, entre em contato com seu escritório imediatamente.

Raios de sol resplandecentes ofuscaram a visão de Langdon quando as portas do elevador se abriram no saguão principal. Antes que se dissipasse o eco do aviso no sistema de comunicação interna, todos os aparelhos eletrônicos na cadeira de rodas de Kohler começaram a apitar e zumbir simultaneamente. Seu pager. Seu telefone. Seu e-mail. Kohler ficou meio tonto diante das luzes que piscavam. O diretor voltara à superfície e estava de novo ao alcance.

Diretor Kohler. Por favor, ligue para seu escritório.

O som de seu nome nas caixas de som pareceu espantar Kohler.

Ele levantou a cabeça com ar zangado que, quase de imediato, se tornou preocupado. Os três se entreolharam. Ficaram imóveis por alguns segundos, como se toda a tensão entre eles se apagasse e fosse substituída por um só pressentimento a uni-los.

Kohler tirou o telefone encaixado no apoio de braço de sua cadeira. Discou um ramal e esforçou-se para conter um novo ataque de tosse. Vittoria e Langdon esperaram.

– Aqui é o diretor Kohler – disse ele, a respiração saindo com um chiado. – Sim? Eu estava no subterrâneo, fora de alcance. – Ele escutou, arregalando os olhos cinzentos. – *Quem?* Sim, transfira a ligação para mim. – Houve uma pausa. – Alô? Aqui é Maximilian Kohler. Sou o diretor do CERN. Com quem estou falando?

Os outros dois observavam em silêncio enquanto ele escutava seu interlocutor.

– Não acho prudente – Kohler disse finalmente – falar sobre isso ao telefone. Vou para aí imediatamente. – Começou a tossir outra vez. – Encontre-me no Aeroporto Leonardo Da Vinci. Dentro de 40 minutos. – Já lhe faltava a respiração. Foi acometido por um ataque de tosse e, sufocando, mal conseguiu pronunciar as palavras. – Localizem o tubo depressa... estou indo. – E desligou o telefone.

Vittoria correu para perto de Kohler, mas ele não conseguia mais falar. Ela pegou seu próprio telefone e chamou a enfermaria do CERN. Langdon sentia-se como um navio na periferia de uma tempestade, abalado mas distante.

Encontre-me no Aeroporto Leonardo Da Vinci, ecoaram as palavras de Kohler.

Em um instante, as sombras incertas que haviam nublado a mente de Langdon durante toda a manhã consolidaram-se em uma imagem vívida. No meio daquela confusão, ele sentiu uma porta se abrir dentro de si, como se algum limiar místico fosse ultrapassado. *O ambigrama. O padre-cientista morto. A antimatéria. E agora, o alvo.* A menção ao Aeroporto Leonardo Da Vinci só poderia significar uma coisa. Em um lampejo de absoluta conscientização, ele soube que acabara de cruzar aquele limiar. Agora, acreditava.

Cinco quilotons. Que se faça a luz.

Dois paramédicos apareceram correndo pelo saguão vestidos de branco. Ajoelharam-se ao lado de Kohler e colocaram uma máscara de oxigênio em seu rosto. Cientistas que circulavam pelo local pararam e postaram-se à distância, observando.

Kohler respirou fundo duas vezes, puxou a máscara para o lado e, ainda lutando para respirar, dirigiu-se a Vittoria e Langdon:

– Roma.

– Roma? – perguntou Vittoria. – A antimatéria está em Roma? Quem telefonou?

O rosto de Kohler contorceu-se, os olhos cinzentos marejados.

– A... Suíça.

Ele engasgou ao falar e os paramédicos puseram a máscara de volta em seu rosto. Quando se preparavam para levá-lo, Kohler estendeu a mão e agarrou o braço de Langdon.

Langdon fez um gesto com a cabeça. Ele sabia.

– Vá... – sussurrou Kohler sob a máscara. – Vá... Ligue para mim.

E os paramédicos saíram às pressas, empurrando-o.

Vittoria permaneceu estática, vendo-o afastar-se. Então, voltou-se para Langdon.

– Roma? O que ele quis dizer com a *Suíça?*

Langdon pousou a mão no braço dela e disse em voz muito baixa:

– A Guarda Suíça. As sentinelas juradas da Cidade do Vaticano.

C A P Í T U L O **31**

O avião espacial X-33 decolou com um ruído estrondoso, inclinando-se para o sul em direção a Roma. A bordo, Langdon ia sentado em silêncio.
Os últimos 15 minutos haviam sido como um borrão. Agora que acabara de
resumir para Vittoria a história dos Illuminati e de seu pacto contra o Vaticano,
começava a se dar conta do alcance da situação.

Que diabos estou fazendo?, ponderava ele. *Deveria ter ido para casa quando
ainda era possível!* No fundo, porém, sabia que de fato não fora possível em
nenhum momento.

Seu bom senso recomendara em voz bem alta que voltasse para Boston.
Ainda assim, a curiosidade acadêmica de alguma forma vetara a prudência.
Tudo em que ele sempre acreditara sobre a extinção dos Illuminati assemelhava-se de uma hora para outra a uma brilhante impostura. Um dos lados de sua
cabeça ansiava por obter provas, confirmação. Havia também uma questão de
consciência. Com Kohler doente e Vittoria sozinha, Langdon sabia que, caso os
seus conhecimentos sobre os Illuminati pudessem ser de alguma ajuda, ele
tinha a obrigação moral de estar ali.

E havia mais a considerar. Embora tivesse vergonha de admitir, o horror inicial que sentira ao saber onde estava a antimatéria referia-se não só ao perigo
para as vidas humanas na Cidade do Vaticano, mas também para algo mais.

A arte.

A maior coleção de arte do mundo encontrava-se naquele instante em cima
de uma bomba-relógio. O Museu do Vaticano abrigava mais de 60 mil peças de
valor incalculável em 1.407 salas: Michelangelo, Da Vinci, Bernini, Botticelli.
Langdon ponderava sobre a possibilidade de tirar as peças de lá se fosse necessário. Mas sabia que seria impossível. Muitas eram esculturas que pesavam
toneladas. Sem falar que alguns dos maiores tesouros eram arquiteturais, como
a Capela Sistina, a Basílica de São Pedro, a famosa escadaria em espiral de

Michelangelo que levava ao Museu Vaticano, testemunhos inestimáveis do gênio criativo do homem. Langdon tentou calcular quanto tempo restaria ao tubo de antimatéria.

– Obrigada por ter vindo – disse Vittoria em voz baixa.

Langdon emergiu de seu devaneio e virou o rosto para ela. Vittoria estava sentada na poltrona do outro lado do corredor. Mesmo à luz fluorescente da cabine, havia uma aura de serenidade e domínio de si em torno dela, uma irradiação quase magnética de inteireza. Sua respiração tornara-se mais profunda, como se um lampejo de autopreservação se acendesse dentro dela... um desejo de justiça e de desforra, despertado por seu amor de filha.

Ela não tivera tempo de trocar seu short e sua blusa sem mangas, e as pernas queimadas de sol estavam arrepiadas com o frio da cabine. Instintivamente, Langdon tirou o paletó e ofereceu-o a ela.

– Cavalheirismo americano? – Ela aceitou, agradecendo silenciosamente com o olhar.

O avião balançou com um pouco de turbulência e Langdon teve uma sensação de perigo. A cabine sem janelas pareceu-lhe apertada outra vez e ele tentou imaginar-se em um campo aberto. A idéia, percebia, era irônica. Fora em um campo aberto que tudo acontecera. *A escuridão esmagadora.* Afastou a lembrança de sua mente. *Velha história.*

Vittoria o observava.

– Acredita em Deus, senhor Langdon?

Ele não esperava aquele tipo de pergunta. A seriedade na voz de Vittoria era ainda mais desconcertante do que a indagação. *Se eu acredito em Deus?* Esperava que pudessem conversar sobre um assunto mais leve para o tempo da viagem passar mais depressa.

Um enigma espiritual, pensou Langdon. *É assim que meus amigos me chamam.* Apesar de ter estudado religião durante anos, não era um homem religioso. Respeitava o poder da fé, a bondade das igrejas, a força que a religião dava a tantas pessoas. Entretanto, para ele, a suspensão intelectual da descrença que era imperativa se alguém verdadeiramente desejava "crer" havia sido sempre um obstáculo grande demais para sua mente acadêmica.

– Quero acreditar – ouviu-se dizendo.

O tom da réplica de Vittoria não dava a entender que ela estivesse fazendo qualquer julgamento ou desafio.

– E por que não acredita?

Ele deu uma risadinha.

– Bem, não é assim tão fácil. Ter fé requer entrega, aceitação cerebral de milagres, como a imaculada conceição e a intervenção divina. E existem ainda os códigos de conduta. A Bíblia, o Corão, as escrituras budistas, em todos há exigências semelhantes e penalidades semelhantes. Determinam que se eu não viver de acordo com certo código, irei para o inferno. Não consigo imaginar um Deus que governe desta maneira.

– Espero que não deixe seus alunos se esquivarem de perguntas assim com tanta desfaçatez.

O comentário pegou-o desprevenido.

– O quê?

– Senhor Langdon, não perguntei se acredita no que o *homem* diz sobre Deus. Perguntei se acredita em Deus. Existe uma diferença. As escrituras sagradas são histórias... lendas e a história da busca do homem para compreender sua própria necessidade de significado. Não pedi que desse sua opinião sobre literatura. Estou perguntando se acredita *em Deus*. Quando se deita sob as estrelas, não sente a presença do divino? Não sente em seu íntimo que está diante da obra de Deus?

Langdon refletiu um instante.

– Estou me intrometendo – desculpou-se ela.

– Não, é que...

– O senhor com certeza deve debater assuntos de fé com seus alunos.

– Sem parar.

– E imagino que deva fazer sempre o papel do advogado do diabo. Sempre estimulando as discussões.

Langdon sorriu.

– Também deve ser professora.

– Não, mas aprendi com um mestre. Meu pai era capaz de discutir os dois lados de uma Faixa de Möbius.

Langdon riu, visualizando a engenhosa Faixa de Möbius, um anel torcido de papel que tecnicamente possui apenas *um* lado. Langdon vira aquela forma pela primeira vez nos trabalhos do artista M. C. Escher.

– Posso lhe fazer uma pergunta, senhorita Vetra?

– Prefiro que me chame de Vittoria. "Senhorita" Vetra faz com que me sinta velha.

Ele suspirou intimamente, de repente se dando conta de sua própria idade.

– Vittoria, e eu sou Robert.

– Você ia fazer uma pergunta.

– Certo. Como cientista e filha de um padre católico, o que você pensa da religião?

Ela fez uma pausa, afastando uma mecha de cabelo dos olhos.

– Religião é como um traje ou uma língua. Gravitamos em torno das práticas com as quais fomos criados. No final, porém, todos proclamamos a mesma coisa. Que a vida tem um sentido. Que somos gratos ao poder que nos criou.

A resposta intrigou Langdon.

– Então, está dizendo que ser cristão ou muçulmano depende do lugar onde se nasceu?

– Não é óbvio? Veja a difusão da religião pelo mundo afora.

– Quer dizer que a fé é aleatória?

– Dificilmente. A fé é universal. Nossos métodos específicos para compreendê-la são arbitrários. Algumas pessoas rezam para Jesus, outras vão a Meca, outras estudam partículas subatômicas. No final, estamos todos apenas buscando a verdade, aquela que é maior do que nós mesmos.

Langdon desejou que seus alunos fossem capazes de se expressar com tanta clareza. *Ele próprio* gostaria de saber se expressar com aquela clareza!

– E Deus? – ele perguntou. – Você acredita em Deus?

Vittoria ficou calada por um longo tempo.

– A ciência me diz que Deus tem de existir. Minha mente me diz que nunca vou compreender Deus. E meu coração me diz que não fui feita para isto.

Isto é que é concisão, pensou ele.

– Então, acredita que Deus é fato mas que nunca o compreenderemos.

– A compreenderemos – corrigiu ela, com um sorriso. – Seus índios nativos tinham razão.

Langdon deu uma risadinha.

– A Mãe Terra.

– *Gaea.* O planeta é um organismo. Todos nós somos células com diferentes finalidades. No entanto, somos entrelaçados. Servindo uns aos outros. Servindo ao todo.

Ouvindo-a falar, Langdon sentiu despertar dentro de si algo que não sentia há muito tempo. Havia uma limpidez cativante em seus olhos... uma pureza em sua voz. Ele se sentiu atraído.

– Senhor Langdon, deixe que eu lhe faça uma outra pergunta.

– Robert – corrigiu ele. *Senhor Langdon faz com que me sinta velho. Eu sou velho!*

– Se não se importa, gostaria de saber como se envolveu com os Illuminati.

Langdon pensou um pouco.

– Na verdade, foi por causa de dinheiro.

Vittoria pareceu desapontada.

– Dinheiro? Consultoria, não é?

Ele riu, percebendo como sua resposta fora interpretada.

– Não, dinheiro como *moeda de um país*. – Enfiou a mão no bolso da calça e tirou algumas notas. Encontrou uma de um dólar. – Fiquei fascinado com o culto quando soube que o dinheiro norte-americano traz um elemento da simbologia dos Illuminati.

Vittoria semicerrou os olhos, sem saber se o levava a sério ou não.

Langdon passou-lhe a nota.

– Olhe o verso. Está vendo o sinete oficial à esquerda?

Ela virou a nota.

– A pirâmide?

– É, a pirâmide. Sabe o que as pirâmides têm a ver com a história dos Estados Unidos?

Vittoria deu de ombros.

– Exato – disse Langdon. – Absolutamente *nada*.

– E por que é o símbolo central do seu sinete oficial?

– É uma história estranha – disse Langdon. – A pirâmide é um símbolo secreto que representa a convergência para cima, para a extrema fonte de Iluminação. Está vendo o que aparece em cima dela?

Vittoria examinou a nota.

– Um olho dentro de um triângulo.

– Chama-se *trinacria*. Já viu esse olho dentro do triângulo em algum outro lugar?

Ela ficou em silêncio um instante.

– Na realidade já vi, mas não sei muito bem onde.

– Na fachada de lojas maçônicas do mundo inteiro.

– O símbolo é maçônico?

– Na verdade, não, é dos Illuminati. Eles o chamavam de seu "delta brilhante". Um chamado para a mudança esclarecida. O olho significa a habilidade dos Illuminati de se infiltrarem e verem todas as coisas. O triângulo reluzente simboliza o esclarecimento, a instrução. E o triângulo é também a letra grega delta, que é o símbolo matemático de...

– Mudança. Transição.

Langdon sorriu.

– Esqueci que estava falando com uma cientista.

– Então, está dizendo que o sinete oficial norte-americano é um chamado para a mudança esclarecida, que tudo vê?

– Que alguns chamam de Nova Ordem Mundial.

Vittoria estava espantada. Examinou a nota mais uma vez.

– A inscrição sob a pirâmide diz *Novus... Ordo...*

– *Novus Ordo Seculorum* – completou Langdon. – Nova Ordem Secular.

– Secular, querendo dizer não-religiosa?

– É, não-religiosa. A frase não só enuncia claramente o objetivo dos Illuminati como contradiz flagrantemente a frase que está ao lado. Em Deus Confiamos.

Aquelas informações eram perturbadoras.

– Como se explica que toda essa simbologia tenha ido parar na moeda mais poderosa do mundo?

– Muitos acadêmicos acham que foi através do vice-presidente Henry Wallace. Ele era um maçom dos altos escalões e certamente tinha ligações com os Illuminati. Se era um membro ou estava inocentemente sob a influência deles, não se sabe. Mas foi Wallace quem vendeu o desenho do sinete oficial para o presidente.

– Como? Por que o presidente teria concordado em...

– O presidente era Franklin D. Roosevelt. Wallace simplesmente lhe disse que *Novus Ordo Seculorum* significava *New Deal*.

Vittoria mostrou-se cética.

– E Roosevelt não tinha ninguém *mais* que examinasse o símbolo antes de mandar o Tesouro imprimi-lo?

– Não foi preciso. Ele e Wallace eram como irmãos.

– Irmãos?

– Dê uma conferida em seus livros de História – disse Langdon com um sorriso. – Franklin D. Roosevelt era um maçom conhecido.

CAPÍTULO **32**

Langdon prendeu a respiração enquanto o X-33 fazia uma descida em espiral na direção do Aeroporto Internacional Leonardo Da Vinci. Vittoria, sentada à sua frente, fechou os olhos, como se procurasse submeter a situação ao seu controle. A aeronave tocou o solo e taxiou para um hangar particular.

– Desculpem o vôo lento – desculpou-se o piloto, saindo da cabine de comando. – Tive de segurá-lo por causa dos regulamentos sobre ruído em áreas povoadas.

Langdon verificou o relógio. O vôo tinha levado 37 minutos.

O piloto abriu a porta externa.

– Alguém pode me dizer o que está acontecendo?

Nenhum dos dois respondeu.

– Ótimo – disse ele, alongando-se. – Vou esperar na cabine de comando com o ar condicionado e minha música. Só eu e Garth.

◆◆◆

Fora do hangar, o sol do fim de tarde ardia, intenso. Langdon carregava seu paletó de tweed pendurado no ombro. Vittoria levantou o rosto para o sol e respirou fundo, como se a luz solar de alguma forma transferisse para ela uma energia revigorante e mística.

Povos mediterrâneos... observou Langdon para si mesmo, já suando.

– Você está um pouco velho para desenhos animados, não acha? – perguntou Vittoria, sem abrir os olhos.

– Como disse?

– Seu relógio de pulso. Vi lá dentro do avião.

Langdon enrubesceu um pouco. Estava acostumado a ter de defender seu relógio. Era uma peça de coleção, um relógio do Mickey Mouse que lhe fora dado de presente na infância por seus pais. Apesar do ridículo dos braços esticados do Mickey indicando a hora, fora o único relógio de pulso que Langdon usara em toda a sua vida. À prova d'água e com um mostrador que brilhava no escuro, era perfeito para nadar e para andar à noite pelos caminhos sem iluminação da universidade. Quando seus alunos questionavam seu conceito de moda, ele respondia que usava aquele relógio para se lembrar diariamente que queria manter seu espírito jovem.

– São seis horas – disse.

Vittoria balançou a cabeça, os olhos ainda fechados.

– Acho que nossa carona chegou.

Langdon ouviu o zumbido distante e olhou para cima, com o coração apertado. Vindo do norte, um helicóptero se aproximava, voando baixo acima da pista de pouso. Langdon andara de helicóptero uma vez no vale Palpa andino para ver os desenhos de areia *Nazca* e não gostara nem um pouco. *Uma caixa de sapatos voadora.* Depois de passar a manhã voando em um avião espacial, contava que o Vaticano enviasse um carro para buscá-los.

Tudo indicava que não seria o caso.

O helicóptero reduziu a velocidade, pairou um instante e desceu na pista de pouso diante deles. Era branco e trazia na lateral um brasão pintado – duas chaves mestras cruzadas sobre um escudo encimado pela mitra papal. Ele conhecia bem aquele símbolo. Era o brasão tradicional do Vaticano, o símbolo sagrado da *Santa Sé,* ou "santa sede" do governo, literalmente o antigo trono de São Pedro.

O Santo Helicóptero, resmungou Langdon, acompanhando o pouso. Esquecera-se de que o Vaticano possuía um, usado para transportar o Papa para o aeroporto, para reuniões ou para seu castelo de verão em Gandolfo. Langdon decididamente teria preferido um carro.

O piloto saltou e caminhou na direção deles pela pista.

Agora era Vittoria que parecia apreensiva.

– *Esse* é o nosso piloto?

Langdon também ficou preocupado.

– Voar ou não voar, eis a questão.

O piloto parecia estar vestido para um melodrama shakespeariano. Sua túnica bufante era listrada verticalmente de azul-vivo e dourado. Usava calças e polainas combinando. Estava calçado com sapatos rasos pretos que pareciam chinelos. Na cabeça, trazia uma boina preta de feltro.

– O uniforme tradicional da Guarda Suíça – explicou Langdon. – Desenhado pelo próprio Michelangelo. – Quando o homem se aproximou mais, Langdon estremeceu. – E, admito, não foi um dos melhores trabalhos dele.

A despeito do traje extravagante do homem, Langdon viu logo que ele não estava brincando. Movia-se ao encontro deles com a mesma rigidez e dignidade de um fuzileiro naval norte-americano. Langdon lera muitas vezes sobre as rigorosas exigências para se fazer parte da elitista Guarda Suíça. Recrutados em um dos quatro cantões católicos da Suíça, os candidatos tinham de ser rapazes suíços natos com idade entre 19 e 30 anos, pelo menos 1,74 m de altura, solteiros e treinados pelo exército suíço. Esse soberbo corpo militar era invejado por governos de todo o mundo por ser a mais fiel e mortífera força de segurança que existe.

– Vocês são do CERN? – perguntou o guarda, ao chegar diante deles. Sua voz era dura como aço.

– Sim, senhor – respondeu Langdon.

– Fizeram um tempo notável – disse ele, lançando um olhar intrigado para o X-33. Virou-se para Vittoria. – A senhora tem outra roupa para vestir?

– Como disse?

Ele apontou para as pernas dela.

– Não é permitido entrar de calças curtas no Vaticano.

Langdon olhou para as pernas de Vittoria e fez uma careta. Esquecera daquilo. Na Cidade do Vaticano era rigorosamente proibido ter as pernas à mostra acima do joelho, tanto para as mulheres quanto para os homens. A norma era uma forma de mostrar respeito pela santidade da cidade de Deus.

– Só tenho esta – ela disse. – Saímos de lá com muita pressa.

O guarda sacudiu a cabeça, aborrecido. Em seguida, dirigiu-se a Langdon.

– O senhor está carregando alguma arma?

Arma? pensou Langdon. *Eu não trouxe nem uma muda de roupa de baixo!* E negou com um gesto de cabeça.

O oficial agachou-se aos pés de Langdon e começou a apalpá-lo por baixo, começando pelas meias. *Rapaz confiante*, pensou Langdon. As mãos fortes do guarda subiram pelas pernas de Langdon chegando desconfortavelmente perto de sua virilha. Por fim, deslocaram-se para seu peito e ombros. Aparentemente satisfeito por nada ter encontrado, o guarda virou-se para Vittoria. Correu os olhos pelo tronco e pelas pernas dela.

Ela lhe lançou um olhar feroz.

– Nem pense nisso.

O guarda encarou-a com uma expressão que claramente pretendia intimidá-la. Ela não cedeu.

– O que é isso? – disse o guarda, apontando para uma leve protuberância quadrada no bolso da frente do short dela.

Vittoria tirou do bolso um telefone celular ultrafino. O guarda pegou-o, ligou-o, aguardou o sinal de linha e, tendo verificado que o aparelho não passava realmente de um telefone, devolveu-o a ela.

– Dê uma volta, por favor – disse o guarda.

Vittoria obedeceu, levantando os braços e girando o corpo 360 graus.

O guarda examinou-a com cuidado. Langdon já observara que a blusa e o short justos de Vittoria não mostravam nenhuma saliência onde não deveriam. Parecia que o guarda chegara à mesma conclusão.

– Obrigado. Venham, por favor.

◆◆◆

O helicóptero da Guarda Suíça funcionava em ponto morto quando Vittoria e Langdon se aproximaram dele. Vittoria embarcou primeiro, como uma freqüentadora habitual, mal se curvando ao passar por baixo das pás em movimento. Langdon parou um instante.

– Nenhuma possibilidade de irmos de carro? – gritou, meio brincando, para o guarda suíço, que se acomodava no banco do piloto.

O homem nem respondeu.

Com os motoristas loucos de Roma, Langdon sabia que, de qualquer maneira, voar seria provavelmente mais seguro. Respirou fundo e embarcou, depois de ter o cuidado de se abaixar bem para passar sob os rotores.

Enquanto o guarda preparava a decolagem, Vittoria perguntou:

– Já localizaram o tubo?

O guarda olhou para ela por cima do ombro, sem compreender.

– O quê?

– O tubo. Vocês não telefonaram para o CERN por causa de um tubo?

O homem deu de ombros.

– Não sei sobre o que está falando. Estivemos muito ocupados hoje. Meu comandante mandou que eu viesse buscá-los. É tudo o que sei.

Vittoria virou-se para Langdon com o rosto inquieto.

– Coloquem os cintos, por favor – disse o piloto quando aumentou a velocidade do motor.

Langdon procurou seu cinto de segurança e afivelou-o. Tinha a impressão de que a fuselagem diminuta encolhia à sua volta. Então, com um ronco, a aeronave subiu e inclinou-se abruptamente para o lado, descrevendo uma curva para o norte na direção de Roma.

Roma... o caput mundi, onde César um dia reinou, onde São Pedro foi crucificado. O berço da civilização moderna. E em seu âmago... o tique-taque de uma bomba.

CAPÍTULO **33**

Roma vista de cima é um labirinto – um emaranhado indecifrável de antigas estradas serpenteando em volta de prédios, fontes e ruínas.

O helicóptero do Vaticano voava baixo no céu rumo a noroeste através da camada permanente de fumaça produzida pelos congestionamentos da cidade. Langdon via as bicicletas motorizadas, os ônibus de turismo e o enxame de miniaturas de Fiats sedã contornando apressados os entroncamentos rotatórios e espalhando-se em todas as direções. *Koyaanisqatsi*, pensou ele, lembrando o termo hopi que significa "vida desequilibrada".

Vittoria mantinha-se em silenciosa determinação no assento ao lado dele.

O helicóptero inclinou-se fortemente para o lado.

Com um vazio no estômago, Langdon procurou fixar os olhos em pontos mais distantes. E encontrou as ruínas do Coliseu romano. Ele sempre considerara o Coliseu uma das maiores ironias da História. Hoje um símbolo consagrado do desenvolvimento da cultura e da civilização humana, o estádio fora construído para exibir séculos de eventos bárbaros – leões famintos despedaçando prisioneiros, exércitos de escravos combatendo-se até a morte, estupros coletivos de mulheres exóticas capturadas em terras remotas, assim como decapitações e castrações públicas. Era também irônico, na opinião dele, ou talvez apropriado, que a estrutura arquitetônica do Coliseu tivesse servido de modelo para o Soldier Field de Harvard, o estádio de futebol onde as antigas tradições de selvageria eram reencenadas todos os outonos, com fãs enlouquecidos clamando por sangue quando Harvard enfrentava Yale.

Olhando para o norte, Langdon avistou o Fórum romano, o coração da Roma pré-cristã. As colunas em ruínas pareciam lápides de túmulos caídas em um cemitério que de alguma forma conseguira não ser engolido pela metrópole que o rodeava.

A oeste, a ampla bacia do rio Tibre desenhava enormes arcos através da cidade. Mesmo de cima, dava para notar que o rio era fundo. As torrentes revoltas eram escuras, cheias de sedimentos e espuma causados por fortes chuvas.

– Bem à nossa frente – disse o piloto, subindo mais.

Langdon e Vittoria olharam para fora e viram. Como uma montanha rompendo a bruma, o domo colossal erguia-se diante deles: a Basílica de São Pedro.

– *Nisso aí*, por exemplo – disse Langdon para Vittoria –, Michelangelo saiu-se muito bem.

Langdon nunca vira a basílica de cima. A fachada de mármore resplandecia ao sol da tarde. Adornado com 140 estátuas de santos, mártires e anjos, o hercúleo edifício tinha a mesma largura de dois campos de futebol e o comprimento assombroso de seis. O descomunal interior da basílica tinha capacidade para abrigar mais de 60 mil devotos, cem vezes mais que a população da Cidade do Vaticano, o menor país do mundo.

Por inacreditável que fosse, nem mesmo uma cidadela dessa magnitude conseguia fazer a *piazza* à sua frente parecer menor. Uma vastidão de granito, a Praça de São Pedro era um extenso espaço aberto no congestionamento de Roma, como um Central Park clássico. Diante da basílica, contornando o grande espaço aberto, 284 colunas espalhavam-se em quatro arcos concêntricos cujos tamanhos iam diminuindo... um *trompe l'œil arquitetural* utilizado para intensificar a impressão de grandiosidade da *piazza*.

Contemplando aquele magnífico santuário, Langdon imaginou o que São Pedro pensaria se estivesse ali. O santo morrera de modo horripilante, crucificado de cabeça para baixo naquele mesmo local. Hoje, repousava na mais sagrada das tumbas, muitos metros abaixo do solo, diretamente sob a cúpula central da basílica.

– A Cidade do Vaticano – disse o piloto, num tom de voz que poderia ser tudo, menos hospitaleiro.

Altos bastiões de pedra elevavam-se adiante – fortificações impenetráveis cercando o complexo de construções, uma estranha defesa terrena para um mundo espiritual de segredos, poder e mistério.

– Veja! – disse Vittoria de repente, agarrando o braço de Langdon. Ela apontou, veemente, para a Praça de São Pedro logo abaixo deles. Langdon aproximou o rosto da janela para enxergar melhor.

– Ali adiante – indicou ela.

A parte de trás da *piazza* parecia um estacionamento, lotada com uns dez trailers. No teto dos trailers, imensas antenas parabólicas estavam viradas para o céu, todas elas exibindo nomes conhecidos:

TELEVISOR EUROPEA
VIDEO ITALIA
BBC
UNITED PRESS INTERNATIONAL

Ocorreu a Langdon que a notícia sobre a antimatéria já pudesse ter vazado. Vittoria ficou tensa.

– Por que a imprensa está aqui? O que está havendo?

O piloto virou a cabeça e lançou-lhe um olhar estranho.

– O que está havendo? Então, não sabe?

– Não – ela respondeu depressa, o sotaque soando rouco e forte.

– *Il Conclavo* – disse. – As portas vão ser lacradas dentro de uma hora. O mundo inteiro está acompanhando.

◆◆◆

Il Conclavo.

A palavra reverberou por um longo instante nos ouvidos de Langdon antes da sensação de ter um tijolo caindo na boca de seu estômago. *Il Conclavo*. O Conclave do Vaticano. Como esquecera daquilo? A notícia estivera nos jornais recentemente.

Quinze dias antes, o Papa falecera, depois de um pontificado tremendamente popular de doze anos. Todos os jornais do mundo haviam contado a história do derrame fatal que acometera o Papa durante o sono – morte repentina e inesperada que muitos consideravam suspeita. Agora, porém, mantendo a tradição sagrada, 15 dias depois da morte de um Papa, o Vaticano realizava *Il Conclavo:* a cerimônia em que os 165 cardeais do mundo, os homens mais poderosos da cristandade, reuniam-se na Cidade do Vaticano para eleger o novo pontífice.

Todos os cardeais do planeta estão aqui hoje, Langdon refletiu enquanto o helicóptero passava por cima da Basílica de São Pedro. O vasto mundo interior da Cidade do Vaticano estendia-se abaixo deles. *Toda a estrutura de poder da Igreja Católica Romana está em cima de uma bomba-relógio.*

CAPÍTULO **34**

O cardeal Mortati levantou o olhar para o teto exuberante da Capela Sistina e procurou recolher-se em um momento de quieta reflexão. Nas paredes cobertas de afrescos ecoavam as vozes de cardeais de todas as nações do globo. Os homens acotovelavam-se no santuário iluminado pela luz de velas, cochichando alvoroçados e trocando opiniões em diversas línguas, as universais sendo o inglês, o italiano e o espanhol.

A luz na capela era geralmente sublime – longos raios coloridos de sol cortando a escuridão como se viessem direto do Paraíso –, mas não hoje. Como era o costume, todas as janelas da capela haviam sido cobertas de veludo negro em função do sigilo. Assim, ninguém lá dentro podia mandar sinais ou comunicar-se de que maneira fosse com o mundo exterior. O resultado era uma profunda escuridão iluminada apenas por velas e uma luminosidade difusa que parecia purificar todos os que tocava, tornando-os imateriais, como santos.

Que privilégio, pensou Mortati, *eu ser o supervisor deste acontecimento santificado.*

Os cardeais acima de oitenta anos eram considerados velhos demais para se candidatarem à eleição e não participavam do conclave, mas, aos 79 anos, Mortati era o mais velho de todos e fora designado para dirigir os procedimentos.

Seguindo a tradição, os cardeais reuniam-se ali duas horas antes do conclave para reatarem o contato com os amigos e debaterem questões de última hora. Às sete da noite, o camarista do último Papa chegava, fazia a oração de entrada e depois ia embora. Em seguida, a Guarda Suíça lacrava as portas, trancando todos os cardeais dentro da capela. Então, tinha início o ritual político mais secreto do mundo. Os cardeais só podiam sair depois de decidirem quem entre eles seria o novo Papa.

Conclave. Até o nome sugeria segredo. *Con clave* significava literalmente "trancado à chave". Os cardeais não podiam ter qualquer contato com o mundo exterior. Nada de ligações telefônicas, nada de mensagens, nada de sussurros através de portas. O conclave era um vácuo, não podia ser influenciado por nada que viesse de fora. Para garantir que os cardeais tivessem *Solum Deum prae oculis* – somente Deus diante dos olhos.

Do lado de fora da capela, naturalmente, a mídia observava e esperava, especulando qual dos cardeais seria o líder de um bilhão de católicos em todo o mundo. Os conclaves criavam uma atmosfera intensa, politicamente carregada e, ao longo dos séculos, haviam-se tornado às vezes fatais: envenenamentos, lutas corporais e até assassinatos já haviam irrompido entre as paredes sagradas. *História antiga*, pensou Mortati. *O conclave daquela noite seria marcado pela união, pela bem-aventurança e, acima de tudo, seria breve.*

Pelo menos, fora o que pensara.

Agora, todavia, surgira um transtorno inesperado. Inexplicavelmente, quatro cardeais estavam ausentes da capela. Mortati sabia que todas as saídas da Cidade do Vaticano estavam guardadas e que os cardeais que faltavam não poderiam estar longe. Ainda assim, a menos de uma hora da prece de abertura, ele se sentia desconcertado. Afinal de contas, os quatro homens não eram cardeais comuns. Eram *os* cardeais.

Os quatro escolhidos.

Como supervisor do conclave, Mortati já mandara avisar a Guarda Suíça através dos canais competentes, alertando-a para a ausência deles. Ainda não tivera nenhuma resposta. Outros cardeais já haviam notado a incompreensível ausência. Haviam começado os cochichos ansiosos. De todos, *aqueles quatro* eram os que deveriam ter sido *mais* pontuais! O cardeal Mortati começava a recear que a noite pudesse ser longa, afinal.

Ele nem imaginava quanto.

CAPÍTULO **35**

O heliponto do Vaticano, por questões de segurança ou de controle de ruído, localiza-se na extremidade nordeste da Cidade do Vaticano, tão longe da Basílica de São Pedro quanto possível.

– *Terra firma* – anunciou o piloto quando pousaram. Ele saiu e abriu a porta de correr para Vittoria e Langdon.

Langdon desceu e virou-se para ajudar Vittoria, mas ela já tinha saltado com facilidade. Todos os músculos do corpo dela pareciam estar afinados para um único objetivo: encontrar a antimatéria antes que esta deixasse um terrível legado.

Depois de estender um painel refletor para proteger o vidro da cabine de comando contra o sol, o piloto conduziu-os para um carrinho elétrico de golfe que aguardava ali perto. O carrinho, silencioso e rápido, levou-os ao longo da fronteira oeste do Vaticano – um baluarte de cimento de 15 metros de altura, grosso o bastante para resistir até mesmo à investida de tanques. Enfileirados na parte interna do muro, postados a intervalos de 50 metros, os guardas suíços mantinham-se atentos, vigilantes. O carrinho dobrou à direita e saiu na Via dell'Osservatorio. Havia placas de sinalização apontando para todas as direções:

PALAZZO GOVERNATORIO
COLLEGIO ETHIOPIANA
BASILICA SAN PIETRO
CAPELLA SISTINA

Aceleraram pela rua bem cuidada e passaram por uma construção atarracada onde havia uma placa com os dizeres: RADIO VATICANA. Langdon deu-se conta de que dali vinha a programação de rádio mais ouvida do planeta, a que espalhava a palavra de Deus para milhões de ouvintes no mundo inteiro.

– *Attenzione* – disse o piloto, dobrando abruptamente em um entroncamento rotatório.

Enquanto o carro circulava, Langdon mal podia crer na vista que se apresentava diante deles. *Giardini Vaticani*, pensou. O coração da Cidade do Vaticano. Bem à frente, encontrava-se a parte dos fundos da Basílica de São Pedro, que muita gente jamais vira. À direita erguia-se o Palácio do Tribunal, a opulenta residência papal cuja decoração barroca rivalizava apenas com

Versailles. O prédio do *Governatorato*, de aparência severa, estava agora atrás deles e abrigava a adminstração da Cidade do Vaticano. E, mais além, à esquerda, estava o maciço edifício retangular do Museu Vaticano. Langdon sabia que não haveria tempo para visitar nenhum museu naquela viagem.

– Onde estão todos? – perguntou Vittoria, observando os gramados e calçadas desertos.

O guarda conferiu seu cronógrafo preto, de estilo militar – um curioso anacronismo sob sua manga bufante.

– Os cardeais estão reunidos na Capela Sistina. O conclave começa em menos de uma hora.

Langdon balançou a cabeça, lembrando-se vagamente que, antes do conclave, os cardeais passavam duas horas dentro da Capela Sistina em tranqüila reflexão e estabelecendo contato com seus companheiros do resto do mundo. O período de tempo tinha como finalidade renovar velhas amizades e fazer com que o processo eleitoral fosse menos acalorado.

– E o resto dos residentes e funcionários?

– Proibidos de entrar na cidade para garantir que haja sigilo e segurança até que o Conclave termine.

– E quando termina?

O guarda deu de ombros.

– Só Deus sabe.

As palavras soaram estranhamente literais.

◆ ◆ ◆

Depois de estacionar o carrinho no vasto gramado logo atrás da Basílica de São Pedro, o guarda escoltou Vittoria e Langdon por uma rampa de pedra que dava acesso a uma esplanada junto aos fundos da basílica. Atravessaram a esplanada, aproximaram-se da basílica e contornaram-na passando por um pátio triangular, cruzando a Via Belvedere e um conjunto de edifícios muito próximos uns dos outros. As aulas de História da Arte de Langdon haviam-lhe permitido que aprendesse italiano o suficiente para identificar ali a Gráfica do Vaticano, o Laboratório de Restauração de Tapeçarias, a Administração do Correio e a Igreja de Santa Ana. Atravessaram mais uma pequena praça e chegaram a seu destino.

O Escritório da Guarda Suíça fica ao lado de *Il Corpo di Vigilanza,* a nordeste da basílica, em uma construção robusta, de pedra. De cada lado da entrada, como duas rígidas estátuas, havia um guarda.

Langdon teve de admitir que esses guardas não pareciam tão cômicos. Também usavam o uniforme azul e dourado, mas seguravam a tradicional "espada longa do Vaticano", uma lança de dois metros e meio de comprimento com uma ponta falciforme, afiada como uma navalha, que teria sido usada para decapitar inúmeros muçulmanos na defesa dos cruzados cristãos no século XV.

Quando Langdon e Vittoria se aproximaram, os dois guardas deram um passo à frente e cruzaram suas longas espadas, bloqueando a entrada. Um deles olhou para o piloto, confuso.

– *I pantaloni* – disse, indicando o short de Vittoria.

O piloto fez um gesto para que os deixasse passar.

– *Il comandante vuole vederli subito.*

Os guardas fizeram cara feia. Relutantes, afastaram-se para o lado.

◆◆◆

Dentro, o ar estava frio. Não se parecia em nada com a sede administrativa de um serviço de segurança que Langdon teria imaginado. Decorados e impecavelmente mobiliados, os corredores continham quadros que qualquer museu ficaria contente em expor em sua sala principal.

O piloto apontou para uma escadaria íngreme.

– Vamos descer, por favor.

Langdon e Vittoria desceram os degraus de mármore entre uma fileira de estátuas masculinas nuas. Todas elas usavam folhas de parreira de um material de tonalidade mais clara que o do resto do corpo.

A Grande Castração, pensou Langdon.

Foi uma das piores tragédias da arte da Renascença. Em 1857, o Papa Pio IX decidiu que a representação exata do corpo masculino poderia incitar à luxúria. Então, pegou um cinzel e um malho e decepou a genitália de todas as estátuas masculinas da Cidade do Vaticano. Desfigurou obras de Michelangelo, Bramante e Bernini. Folhas de parreira feitas de gesso serviram de remendo para o estrago. Langdon muitas vezes imaginara se não haveria um enorme caixote cheio de pênis em algum lugar.

– Aqui – anunciou o guarda.

Haviam chegado ao pé da escada, que só dava acesso a uma pesada porta de aço. O guarda digitou um código de entrada e a porta correu, abrindo-se. Os dois entraram.

Lá dentro reinava o caos absoluto.

C A P Í T U L O **36**

O Escritório da Guarda Suíça.

Langdon parou na porta, observando a colisão de séculos à sua frente. *Multimídia*, pensou. A sala era uma biblioteca renascentista suntuosamente decorada, com estantes de madeira marchetada, tapetes orientais e tapeçarias coloridas. Entretanto, fervilhava de equipamentos eletrônicos de última geração – computadores, faxes, mapas eletrônicos do conjunto de construções do Vaticano e televisões ligadas na CNN. Homens de calças bufantes coloridas digitavam febrilmente nos teclados dos computadores e escutavam atentos seus fones de ouvido futurísticos.

– Esperem aqui – disse o guarda.

Os dois viram-no cruzar a sala e aproximar-se de um homem excepcionalmente alto e magro, vestido com um uniforme militar azul. Ele falava ao telefone celular e mantinha-se tão ereto que quase se curvava para trás. O guarda disse-lhe algo e o homem lançou um olhar para Langdon e Vittoria. Cumprimentou-os com um gesto de cabeça, depois se virou de costas para eles e continuou a falar ao telefone.

O guarda voltou.

– O comandante Olivetti vai estar com os senhores em um minuto.

– Obrigado.

O guarda saiu e subiu as escadas de volta.

Langdon analisou o comandante Olivetti através da sala, dando-se conta de que ele era na realidade o comandante-em-chefe das forças armadas de um país inteiro. Enquanto esperavam, Vittoria e Langdon observavam a movimentação ao seu redor. Guardas vestidos de cores vivas andavam apressados de um lado para outro gritando ordens em italiano.

– *Continua cercando!* – um deles exclamou ao telefone.

– *Probasti il museo?* – perguntava outro.

Langdon não precisava falar italiano fluente para verificar que o centro de segurança estava naquele momento intensamente empenhado em procurar alguma coisa. Essa era a boa notícia. A má era que obviamente ainda não haviam encontrado a antimatéria.

– Você está bem? – ele perguntou a Vittoria.

Ela deu de ombros, com um sorriso cansado.

Quando o comandante finalmente desligou o telefone e veio na direção deles, deu a impressão de crescer a cada passo. O próprio Langdon era alto e não estava acostumado a levantar a cabeça para falar com as pessoas, mas a estatura do comandante Olivetti exigia isso. Langdon percebeu de imediato que aquele homem já passara por várias tempestades, por seu rosto duro e vigoroso. Tinha o cabelo escuro em um corte rente de estilo militar e seus olhos ardiam com a rígida determinação que só se adquire depois de anos de muito treinamento. Movimentava-se com uma precisão enérgica, um pequeno fone discretamente colocado atrás da orelha fazendo com que se parecesse mais com um membro do serviço secreto norte-americano do que da Guarda Suíça.

Falou-lhes em inglês com sotaque. A voz era espantosamente baixa para um homem tão grande – ele quase sussurrava. Mas era cortante, e ele falava com uma contida eficiência militar.

– Boa tarde – disse. – Sou o comandante Olivetti, *Comandante Principale* da Guarda Suíça. Fui eu quem telefonou para seu diretor.

– Obrigada por nos receber, senhor – disse Vittoria, o rosto levantado para ele.

O comandante não disse mais nada. Fez sinal para que o seguissem e conduziu-os através do labirinto de máquinas para uma porta na parede lateral da sala.

– Entrem – disse, segurando a porta para eles.

Os dois entraram e viram-se na penumbra de uma sala de controle, onde, em uma parede cheia de monitores de vídeo, sucediam-se devagar imagens em preto-e-branco do conjunto de edifícios. Um jovem guarda estava sentado observando as imagens com atenção.

– *Fuori* – disse Olivetti.

O guarda pegou suas coisas e saiu.

Olivetti encaminhou-se para uma das telas e apontou para ela. Depois, virou-se para seus visitantes.

– Esta imagem é de uma câmera remota escondida em algum ponto da Cidade do Vaticano. Gostaria de uma explicação.

Langdon e Vittoria prenderam a respiração ao mesmo tempo. A imagem era categórica. Não havia qualquer dúvida. Tratava-se do tubo de antimatéria do CERN. Dentro dele, a ameaça de uma reluzente gotícula suspensa no ar, iluminada pelo piscar ritmado do mostrador eletrônico do relógio digital. De modo sinistro, a área em torno do tubo estava quase por completo às escuras, como se a antimatéria estivesse dentro de um armário ou de um quarto sem iluminação. No alto da tela aparecia um texto: AO VIVO – CÂMERA 86.

Vittoria verificou o tempo restante no indicador do tubo.

– Menos de seis horas – murmurou para Langdon, o rosto tenso.

Langdon olhou para o relógio.

– Então, temos até... – ele parou de falar, um nó apertando-lhe o estômago.

– Meia-noite – completou Vittoria, com um ar abatido.

Meia-noite, pensou Langdon. *Um toque dramático*. Pelo jeito, quem roubara o tubo na noite anterior calculara o tempo com perfeição. Veio-lhe um mau pressentimento ao lembrar que estava exatamente na área de explosão de uma bomba.

O cochichar de Olivetti soava agora mais como o sibilar de uma cobra.

– Esse objeto pertence à sua empresa?

Vittoria concordou com um gesto.

– Sim, senhor. Foi roubado de lá. Contém uma substância extremamente combustível chamada antimatéria.

Olivetti não se mostrou abalado.

– Estou bem familiarizado com materiais incendiários, senhorita. Nunca ouvi falar de antimatéria.

– É uma nova tecnologia. Precisamos localizá-la imediatamente ou evacuar a Cidade do Vaticano.

Olivetti fechou os olhos devagar e reabriu-os, como se focalizando-os de novo em Vittoria pudesse mudar o que acabara de ouvir.

– Evacuar? Tem noção do que está havendo aqui esta noite?

– Sim, senhor. E as vidas de seus cardeais estão em perigo. Temos cerca de seis horas. Já obteve algum progresso na localização do tubo?

Olivetti sacudiu a cabeça.

– Nem começamos a procurar.

Vittoria quase engasgou.

– O quê? Mas escutamos nitidamente seus guardas falando sobre procurar o...

– Sobre procurar, *sim* – interrompeu Olivetti –, mas não o seu tubo. Meus homens estão procurando outra coisa que não lhes diz respeito.

A voz de Vittoria chegou a falhar.

– Vocês *ainda nem começaram* a procurar esse tubo?

As pupilas de Olivetti pareceram recuar para dentro de sua cabeça. Ficou com a aparência impassível de um inseto.

– Senhorita Vetra, não é? Deixe-me explicar-lhe algo. O diretor de sua empresa recusou-se a me fornecer qualquer detalhe ao telefone sobre esse objeto, a não ser para me dizer que eu precisava encontrá-lo imediatamente. Estamos bastante ocupados aqui e não posso me dar ao luxo de destacar efetivo para uma situação sem apurar alguns fatos.

– Só existe um fato relevante neste momento, senhor – disse Vittoria.

– Dentro de seis horas aquele aparelho vai desintegrar todos estes prédios.

Olivetti ficou imóvel.

– Senhorita Vetra, há uma coisa que precisa saber – disse ele, num tom de voz meio condescendente. – Apesar da aparência arcaica da Cidade do Vaticano, cada uma das entradas, tanto as públicas como as particulares, está equipada com os sensores mais avançados que se conhece. Se alguém tentar entrar com qualquer tipo de dispositivo incendiário, isto será detectado no mesmo instante. Temos scanners de isótopos radioativos, filtros olfatórios projetados pelo DEA (Drug Enforcement Administration), a agência norte-americana de combate ao narcotráfico, para detectar o mais tênue vestígio químico de combustíveis e toxinas. Também usamos os mais avançados detectores de metais e scanners de raios X disponíveis.

– Excelente – disse Vittoria, com a mesma frieza de Olivetti. – Infelizmente, a antimatéria não é radioativa, sua assinatura química é a de hidrogênio puro e o tubo é feito de plástico. Nenhum desses aparelhos a teria detectado.

– Mas o dispositivo tem uma fonte de energia – disse Olivetti, apontando para o mostrador luminoso que piscava. – O menor vestígio de níquel-cádmio seria identificado como...

– As baterias também são de plástico.

Via-se claramente que a paciência de Olivetti estava a ponto de terminar.

– Baterias de plástico?

– Eletrólito de gel-polímero com teflon.

Olivetti inclinou-se para ela, como se quisesse acentuar a diferença de altura entre ambos.

– *Signorina*, o Vaticano é alvo de dezenas de ameaças de bomba por mês. Sou eu pessoalmente quem treina toda a Guarda Suíça em moderna tecnologia de explosivos. Sei muito bem que não existe substância neste mundo tão poderosa assim para fazer o que está dizendo, a não ser que esteja se referindo a uma ogiva nuclear com um núcleo de combustível do tamanho de uma bola de beisebol.

Vittoria fulminou-o com o olhar.

– A natureza tem muitos mistérios ainda por revelar.

Olivetti inclinou-se mais para ela.

– Posso perguntar *quem exatamente é* a senhorita? Qual é a sua função no CERN?

– Sou membro sênior da equipe de pesquisas e fui designada para ser o contato com o Vaticano nesta crise.

– Desculpe-me a indelicadeza, mas, se esta é de fato uma crise, por que estou lidando *com a senhorita* e não com seu diretor? E o que pretende com o desrespeito de entrar no Vaticano com *essa roupa*?

Langdon deu um gemido. Não podia acreditar que, naquelas circunstâncias, o homem estivesse preocupado com trajes. Contudo, refletiu, se pênis de pedra podiam despertar pensamentos lascivos nos moradores do Vaticano, Vittoria Vetra de short certamente seria uma ameaça à segurança nacional.

– Comandante Olivetti – intrometeu-se Langdon, tentando desarmar o que parecia ser uma segunda bomba prestes a explodir –, meu nome é Robert Langdon. Sou professor de estudos religiosos nos Estados Unidos e sem vínculos com o CERN. Assisti a uma demonstração dos efeitos da antimatéria e posso confirmar a afirmação da senhorita Vetra de que se trata de uma substância excepcionalmente perigosa. Temos motivos para crer que foi colocada dentro do Vaticano por representantes de um culto anti-religioso com a intenção de destruir o conclave.

Olivetti virou-se, olhando Langdon de cima.

– Tenho aqui uma mulher de short me dizendo que uma gotinha de líquido vai explodir o Vaticano e um professor americano me dizendo que somos o alvo de um culto anti-religioso. O que afinal querem que eu faça?

– Encontre o tubo – disse Vittoria. – Agora mesmo.

– Impossível. Pode estar em qualquer lugar. A Cidade do Vaticano é enorme.

– Suas câmaras não têm localizadores GPS?

– Não costumam ser roubadas. Levaríamos dias para localizar essa câmara.

– Não temos *dias* – replicou Vittoria, inflexível. – Temos seis horas.

– Seis horas para que, senhorita Vetra? – A voz de Olivetti ficou alta de repente. Apontou para a imagem na tela. – Até que essa contagem chegue a zero? Até que a Cidade do Vaticano desapareça? Acredite, não gosto nem um pouco que alguém venha burlar meu sistema de segurança. Nem me agrada que uma geringonça dessas apareça misteriosamente dentro dos meus edifícios. Eu *estou* preocupado. *É minha obrigação* estar preocupado. Mas o que me contou é inaceitável.

Langdon não se conteve:

– O senhor já ouviu falar dos Illuminati?

A atitude glacial do comandante rompeu-se. Seus olhos ficaram brancos, como os de um tubarão pronto para atacar.

– Estou avisando a vocês. Não tenho tempo para isso.

– Então, quer dizer que o senhor *já* ouviu falar dos Illuminati?

Os olhos de Olivetti pareciam perfurar como golpes de baioneta.

– Sou um defensor jurado da Igreja Católica. *Claro* que já ouvi falar dos Illuminati. Estão mortos há décadas.

Langdon enfiou a mão no bolso e tirou o fax com a imagem do corpo marcado a fogo de Leonardo Vetra. Estendeu-o para Olivetti.

– Sou um estudioso dos Illuminati – disse Langdon, enquanto Olivetti examinava o papel. – Estou tendo grande dificuldade em aceitar que os Illuminati ainda estejam em atividade, mas a aparência dessa marca combinada com o fato de que os Illuminati têm um conhecido pacto contra o Vaticano me fizeram mudar de idéia.

– Uma fraude produzida por computador. – Olivetti devolveu o fax a Langdon. Este exclamou, incrédulo:

– Fraude? Veja a simetria! O senhor melhor do que ninguém deveria reconhecer a autenticidade de...

– Autenticidade é exatamente o que falta a vocês. A senhorita Vetra talvez não tenha lhe informado, mas os cientistas do CERN vêm criticando as políticas do Vaticano há anos. Eles regularmente nos encaminham pedidos de retratação da teoria criacionista, de desculpas formais a Galileu e Copérnico e repelem nossas críticas a pesquisas perigosas ou imorais. O que parece mais provável aos senhores: que um culto satânico de quatrocentos anos tenha ressurgido com uma arma avançada de destruição em massa ou que algum engraçadinho no CERN esteja tentando acabar com um evento sagrado do Vaticano lançando mão de uma fraude bem executada?

– Aquela foto – disse Vittoria, a voz igual a lava incandescente – é do meu pai. *Assassinado*. Acha que eu iria brincar com uma coisa dessas?

– Não sei, senhorita Vetra. O que sei é que, até conseguir algumas respostas que façam sentido, não vou acionar qualquer tipo de alarme. Vigilância e discrição são meu dever para que as questões espirituais possam ter lugar aqui com clareza de mente. Hoje mais do que nunca.

Langdon disse:

– Ao menos, então, adie o evento.

– Adiar? – o queixo de Olivetti caiu. – Que arrogância! Um conclave não é um jogo qualquer de beisebol que se pode transferir por causa da chuva! É um evento sagrado com um código e um processo rigorosos. Não faz mal que um bilhão de católicos estejam esperando por um líder! Não faz mal que a imprensa mundial esteja lá fora! O protocolo deste evento é *sagrado*, não está sujeito a modificações. Desde 1179, os conclaves sobreviveram a terremotos, fome e até à peste. Acreditem, não vai ser cancelado por causa de um cientista morto e de uma gotinha de sabe-se lá o quê.

– Leve-me à pessoa encarregada – exigiu Vittoria.

Olivetti lançou-lhe um olhar furibundo.

– Está diante dela.

– Não – disse ela –, alguém do *clero*.

As veias na testa de Olivetti começaram a crescer.

– O clero se foi. Com exceção da Guarda Suíça, só quem está presente no momento é o Colégio dos Cardeais. E eles estão no interior da Capela Sistina.

– E quanto ao *camarista* do Papa? – perguntou Langdon, incisivo.

– Quem?

– O camarista do último Papa. – Ele repetiu a palavra, seguro de si, rezando para que a memória o tivesse ajudado. Lembrou-se de ter lido certa vez sobre a curiosa delegação de autoridade que se seguia à morte de um Papa. Se estivesse correto, no período entre Papas, o poder autônomo completo transferia-se temporariamente para o assistente pessoal do Papa anterior, seu camarista ou camareiro, um secretário que supervisionava o conclave até que os cardeais escolhessem o novo Santo Padre. – Creio que o *camarista* é a pessoa encarregada no momento.

– *Il camerlengo?*– disse Olivetti. – O camerlengo é só um padre aqui. Nem cônego ele é. Era o criado do último Papa.

– Mas ele está aqui. E o senhor responde a ele.

Olivetti cruzou os braços.

– Senhor Langdon, é verdade que as regras do Vaticano determinam que o camerlengo assuma a superintendência durante o conclave, mas é apenas porque a sua inelegibilidade para o papado garante uma eleição imparcial. É como se o seu presidente morresse e um de seus assistentes temporariamente se sentasse na Sala Oval. O camerlengo é jovem e seus conhecimentos sobre segurança, ou qualquer coisa relacionada a isso, são extremamente limitados. Para todos os efeitos, o responsável aqui sou eu.

– Leve-nos até ele – pediu Vittoria.

– Impossível. O conclave começa dentro de 40 minutos. O camerlengo está no escritório do Papa, preparando tudo. Não pretendo incomodá-lo com assuntos de segurança.

Vittoria abriu a boca para responder, mas foi interrompida por uma batida na porta. Olivetti abriu-a.

Um guarda em traje de gala estava do lado de fora, apontando para o relógio.

– *È l'ora, comandante.*

Olivetti verificou seu próprio relógio e sacudiu a cabeça, concordando. Virou-se para Langdon e Vittoria como um juiz que decidisse o destino deles.

– Sigam-me.

Saiu com eles da sala de monitoramento, cruzando o centro de segurança até um cubículo claro junto à parede do fundo.

– Meu escritório.

Olivetti fez com que entrassem. A sala não tinha nada de especial: uma escrivaninha cheia de coisas, além de arquivos, cadeiras dobráveis e um refrigerador.

– Volto em dez minutos. Sugiro que aproveitem o tempo para decidir como querem agir.

Vittoria girou nos calcanhares.

– Não pode sair assim! Aquele tubo é...

– Não tenho tempo para isso agora – Olivetti estava agitado. – Talvez tenha de prendê-los até depois do conclave, quando *terei* tempo.

– *Signore* – insistiu o guarda, apontando de novo para o relógio. – *Spazzare di capella.*

Olivetti sacudiu a cabeça e dirigiu-se para a porta.

– *Spazzare di capella?* – perguntou Vittoria. – Estão saindo para *varrer* a capela?

Olivetti virou-se com um olhar penetrante.

– Vamos fazer uma varredura, procurar grampos, escuta eletrônica, senhorita Vetra. Por uma questão de *discrição*. – E ele fez um gesto para as pernas dela. – Embora eu não espere que a senhorita compreenda o que quer dizer isto.

E bateu a porta, sacudindo o vidro pesado. Com um movimento ligeiro, fez aparecer uma chave, colocou-a na fechadura e girou-a. Uma tranca pesada encaixou-se no lugar.

– *Idiota!* – gritou Vittoria. – Não pode nos prender aqui!

Através do vidro, Langdon viu Olivetti dizer alguma coisa para um guarda. A sentinela concordou. Quando Olivetti saiu da sala, o guarda veio e ficou de frente para eles do outro lado do vidro, os braços cruzados, uma arma pendurada no quadril, bem à vista.

Perfeito, pensou Langdon, *simplesmente perfeito.*

CAPÍTULO **37**

Vittoria fulminou com o olhar o guarda suíço do outro lado da porta trancada do escritório de Olivetti. O guarda devolveu-lhe o olhar fulminante, o uniforme colorido em desacordo com seu ar ameaçador.

Che fiasco, pensou Vittoria. *Mantida presa por um homem armado vestido de pijamas.*

Langdon calara-se e Vittoria esperava que ele estivesse usando seu cérebro de Harvard para achar um jeito de escapulirem dali. Pela cara dele, porém, tinha a impressão de que estava mais em estado de choque do que entregue a pensamentos. Lamentava tê-lo envolvido naquela situação.

O primeiro instinto de Vittoria havia sido pegar o telefone celular e ligar para Kohler, mas sabia que teria sido inútil. Primeiro, o guarda provavelmente entraria e tomaria seu telefone. Segundo, se aquele episódio de Kohler tivesse seguido o curso habitual, ele provavelmente ainda estaria incapacitado. Não que fizesse diferença... Olivetti não parecia inclinado a acreditar na palavra de quem quer que fosse naquele momento.

Lembre-se!, disse a si mesma. *Lembre-se da solução para este problema!*

A lembrança era um truque filosófico budista. Em vez de pedir à sua mente para procurar uma solução para um desafio potencialmente impossível, Vittoria pedia-lhe que apenas se lembrasse da solução. O pressuposto de que *sabia* a resposta criava a disposição mental de que a resposta *deveria* existir, eliminando assim o conceito paralisante de desesperança. Vittoria costumava utilizar aquele processo para resolver incertezas científicas, aquelas que a maioria das pessoas achava não terem solução.

Naquela hora, todavia, o truque da lembrança só produzia um grande branco. Portanto, ela avaliou suas opções, suas necessidades. Precisava avisar alguém. Alguém no Vaticano precisava levá-la a sério. Mas quem? O camerlengo? Como? Ela estava dentro de uma caixa de vidro com uma única porta de saída.

Ferramentas, disse consigo. *Sempre existem ferramentas. Reavalie seu ambiente.*

Instintivamente, ela abaixou os ombros, relaxou o rosto e respirou fundo três vezes. Sentiu seu ritmo cardíaco diminuir e seus músculos se descontraírem. O pânico caótico em sua mente dissipou-se. *Muito bem*, pensou, *deixe a mente livre. O que há de positivo nesta situação? Quais são minhas vantagens?*

A mente analítica de Vittoria Vetra, tendo se acalmado, tornava-se uma força poderosa. Em segundos, ela verificou que o fato de estarem encarcerados constituía na verdade a chave de sua fuga daquele lugar.

— Vou dar um telefonema — anunciou, de súbito, a Langdon.

— Eu já ia sugerir que ligasse para Kohler, mas...

— Kohler, não. Outra pessoa.

— Quem?

— O camerlengo.

— Você vai ligar para o camerlengo? Como?

— Olivetti disse que o camerlengo estava no escritório do Papa.

— Certo. E você sabe o número do telefone do Papa?

– Não. Mas não é do *meu* telefone que vou ligar. – E fez um sinal na direção de um sofisticado sistema de telefonia na mesa de Olivetti. Havia uma porção de botões de discagem direta. – O chefe da segurança deve ter uma linha direta para o escritório do Papa.

– E também temos um halterofilista com uma arma plantado a dois metros daqui.

– E nós estamos trancados aqui dentro.

– Eu já tinha notado.

– Quero dizer é que *o guarda* não pode entrar. Este é o escritório particular de Olivetti. Duvido que alguém mais tenha a chave.

Langdon deu uma espiada no guarda.

– O vidro é bem fino e a arma é bem grande.

– E o que ele vai fazer, atirar em mim porque estou usando o telefone?

– Sabe-se lá! Este lugar é bem esquisito, e do jeito que as coisas vão...

– Ou isso – disse Vittoria – ou podemos passar as próximas cinco horas e quarenta e oito minutos na prisão do Vaticano. Pelo menos, vamos assistir de camarote quando a antimatéria explodir.

Langdon empalideceu.

– O guarda vai chamar Olivetti assim que você pegar aquele telefone. Além disso, há uns 20 botões ali. E não estou vendo nenhuma identificação. Vai tentar todos eles e torcer para acertar de primeira?

– Não – disse ela, dirigindo-se para o telefone. – Só vou tentar um. – Vittoria pegou o fone e apertou o primeiro botão. – Número um. Aposto um daqueles dólares dos Illuminati que você tem no bolso que este é o botão do escritório do Papa. O que mais teria importância prioritária para um comandante da Guarda Suíça?

Langdon não teve tempo de responder. O guarda lá fora começou a bater no vidro com a coronha de sua arma. Fazia sinal para que ela largasse o telefone.

Vittoria piscou para ele. O guarda pareceu inflar de tanta raiva.

Langdon afastou-se da porta e falou com Vittoria.

– É bom você estar certa, porque esse sujeito não está muito satisfeito.

– Droga! – disse ela, escutando. – Uma gravação!

– Gravação? – perguntou Langdon. – O Papa tem secretária eletrônica?

– Não era o escritório do Papa – disse Vittoria, desligando. – Era o maldito cardápio semanal da intendência do Vaticano.

Langdon deu um sorriso amarelo para o guarda lá fora, que agora estava com uma cara furiosa, comunicando-se com Olivetti pelo walkie-talkie.

CAPÍTULO **38**

A mesa telefônica do Vaticano localiza-se no *Ufficio di Communicazione*, atrás do Correio do Vaticano. Fica em uma sala relativamente pequena contendo um equipamento Corelco 141 de oito linhas. O departamento atende a 2.000 ligações por dia, a maioria encaminhada automaticamente para o sistema gravado de informações. Naquela noite, o único telefonista de plantão estava sentado sossegadamente tomando sua xícara de chá. Sentia-se orgulhoso por ser um dos poucos funcionários autorizados a permanecer dentro do Vaticano durante o conclave.

É claro que a honra ficava de certa forma abalada pela presença dos guardas suíços rondando sua porta. *Uma escolta para ir ao banheiro,* pensou ele. *Ah, as indignidades que somos obrigados a aturar em nome do Santo Conclave!*

Felizmente, as chamadas até então haviam sido poucas. O que talvez não fosse tão bom assim. O interesse mundial pelos negócios do Vaticano diminuíra nos últimos anos. O número de ligações da imprensa fora menor e até os malucos não ligavam mais com tanta freqüência. A secretaria de imprensa esperava que houvesse um alvoroço mais festivo em torno do acontecimento da noite. Entretanto, lamentavelmente, embora a Praça de São Pedro estivesse cheia de carros de reportagem, aparentemente a maioria dos furgões pertencia à imprensa italiana ou européia. Só um pequeno número de redes internacionais estava presente... e sem dúvida haviam enviado apenas seus *giornalisti secundari.*

O telefonista pegou sua caneca e conjeturou se a noite seria longa. *Até meia-noite, mais ou menos,* calculou ele. Hoje em dia, muita gente bem informada já sabia quem era o favorito para se tornar Papa muito antes de o conclave se reunir, de modo que o processo acabava sendo mais um ritual de três ou quatro horas do que propriamente uma eleição. Claro que dissensões de última hora podiam prolongar a cerimônia pela madrugada afora... ou além. O conclave de 1831 durara 54 dias. *Mas não o de hoje,* disse consigo. Falava-se que este conclave seria uma "vigília de fumaça".

Os pensamentos do telefonista evaporaram-se com o zumbido de uma linha interna em seu painel. Olhou para a luz vermelha piscando e coçou a cabeça. *Que coisa estranha,* pensou. *A linha zero. Quem será que está ligando daqui de dentro para o telefonista de informações? E quem é que ainda está aqui dentro, afinal?*

– *Città del Vaticano, prego?* – disse ele, atendendo.

A voz que estava na linha falava um italiano rápido. O telefonista reconheceu vagamente o sotaque como sendo o que era comum aos guardas suíços, italiano fluente com leve influência franco-suíça. Aquela pessoa, porém, decididamente não pertencia à Guarda Suíça.

Ao ouvir a voz da mulher, o telefonista levantou-se de um pulo, quase derramando seu chá. Verificou o painel outra vez. Não se enganara. *Era uma extensão interna*. A ligação vinha de dentro. *Não era possível, algo estava errado! Uma mulher dentro da Cidade do Vaticano? Hoje?*

A mulher falava depressa e furiosamente. O telefonista passara tempo suficiente naquele trabalho para saber quando estava lidando com um *pazzo*. Aquela mulher não parecia maluca. Seu tom era urgente mas racional. Calmo e eficiente. Ele escutou o pedido dela, aturdido.

– *Il camerlengo?* – disse o telefonista, ainda tentando descobrir de onde estaria vindo a ligação. – Não posso completar... sim, sei que ele está no escritório do Papa mas... quem é a senhora, mesmo? E quer avisar a ele que... – O homem escutava, cada vez mais desconcertado. *Todos em perigo? Como? E de onde está chamando?* – Talvez seja melhor entrar em contato com a Guarda Su... – O telefonista parou no meio da frase. – Onde é que a senhora está? *Onde?*

Ele escutou, atônito, depois tomou uma decisão.

– Aguarde um pouco, por favor – disse, colocando a mulher na espera antes que ela pudesse responder. Em seguida, ligou para a linha direta do comandante Olivetti. *Não é possível que a mulher esteja realmente...*

A ligação foi atendida de imediato.

– *Per l'amore di Dio!* – a voz feminina conhecida gritou. – Faça a bendita ligação!

◆◆◆

A porta do centro de segurança da Guarda Suíça abriu-se com um silvo. Os guardas abriram caminho quando o comandante Olivetti entrou na sala como um foguete. Chegando à porta de seu escritório, constatou o que o guarda no walkie-talkie acabara de lhe contar: Vittoria Vetra estava de pé diante da mesa dele falando em seu telefone particular.

Che coglioni che ha questa!, pensou ele.

Lívido, aproximou-se, enfiou a chave na fechadura e abriu a porta, perguntando:

– O que está fazendo?

Vittoria ignorou-o.

– Sim – dizia ela ao telefone. – E tenho de prevenir...

Olivetti arrancou o telefone da mão dela e colocou-o no próprio ouvido.

– Quem diabos está falando?

Em uma fração de segundo, a postura rígida de Olivetti desfez-se repentinamente.

– Sim, camerlengo… – disse ele. – Correto, *signore*… mas questões de segurança exigem… claro que não… estou mantendo-a aqui por… com certeza, mas… – Ele escutou. – Sim, senhor – disse, afinal. – Vou subir com eles imediatamente.

CAPÍTULO **39**

O Palácio Apostólico consiste em um aglomerado de prédios situados perto da Capela Sistina, no ângulo nordeste da Cidade do Vaticano. Com uma ampla vista da Praça de São Pedro, o palácio abriga não só os apartamentos papais como o escritório do Papa.

Vittoria e Langdon seguiram calados o comandante Olivetti por um longo corredor rococó, os músculos do pescoço dele pulsando de raiva. Depois de subir três lances de escada, entraram em um grande vestíbulo meio imerso na penumbra.

Langdon mal acreditava nas obras de arte que via nas paredes: bustos, tapeçarias e baixos-relevos em perfeito estado de conservação, obras que valiam centenas de milhares de dólares. Ao cruzarem o vestíbulo, passaram por uma fonte de alabastro. Olivetti dobrou à esquerda e, em um vão, deram com uma das maiores portas que Langdon já vira.

– *Ufficio di Papa* – declarou o comandante, com um olhar corrosivo para Vittoria.

Ela não hesitou, adiantou-se e bateu com força na porta.

O escritório do Papa, Langdon repetiu mentalmente, com dificuldade para se conscientizar de que estava à porta de uma das salas mais sagradas da religião mundial.

– *Avanti!* – alguém disse lá dentro.

Quando a porta se abriu, Langdon teve de proteger os olhos com as mãos. A luminosidade do sol era ofuscante. Devagar, a imagem à sua frente entrou em foco.

O escritório do Papa lembrava mais um salão de baile. O piso de mármore vermelho estendia-se até as paredes enfeitadas com afrescos de cores vivas. Um lustre colossal pendia do teto e uma série de janelas em arco oferecia um panorama deslumbrante da Praça de São Pedro banhada de sol.

Meu Deus, pensou ele. *Isto é que é um quarto com vista.*

Na extremidade oposta do aposento, em uma escrivaninha de madeira entalhada, um homem estava sentado escrevendo energicamente.

– *Avanti* – repetiu ele, pousando a caneta e fazendo sinal para que se aproximassem.

Olivetti foi na frente, com seu passo militar.

– *Signore* – disse ele, desculpando-se –, *no ho potuto...*

O homem interrompeu-o. Levantou-se e estudou os dois visitantes.

O camerlengo não tinha nada da imagem dos frágeis e beatíficos homens idosos que Langdon costumava imaginar circulando pelo Vaticano. Não trazia rosários ou pingentes. Nem usava uma daquelas túnicas pesadas. Estava vestido com uma batina preta simples que ampliava a solidez de sua substancial constituição física. Deveria estar com quase quarenta anos, uma criança para os padrões do Vaticano. Seu rosto era surpreendentemente bonito, com bastos cabelos revoltos e olhos verdes quase radiantes que brilhavam como se fossem acesos e movidos pelos mistérios do universo. Mais de perto, porém, Langdon viu naqueles olhos uma profunda exaustão, como a de uma pessoa que tivesse acabado de viver os dias mais difíceis de sua vida.

– Sou Carlo Ventresca – disse, em inglês perfeito. – O camerlengo do último Papa.
– Sua voz era despretensiosa e amável, com apenas um ligeiro sotaque italiano.

– Vittoria Vetra – disse ela, dando um passo à frente e estendendo-lhe a mão.
– Obrigada por nos receber.

O rosto de Olivetti crispou-se quando o camerlengo apertou a mão de Vittoria.

– Este é Robert Langdon – disse Vittoria –, um historiador de religiões da Universidade de Harvard.

– *Padre* – disse Langdon, pronunciando o melhor possível o seu italiano. E curvou a cabeça ao estender a mão.

– Não, não – insistiu o camerlengo, fazendo Langdon levantar o corpo. – O escritório de Sua Santidade não me torna santo. Sou apenas um padre, um camarista servindo em uma hora de necessidade.

Langdon endireitou o corpo.

– Por favor – disse o camerlengo –, sentem-se todos.

Dispôs algumas cadeiras em torno de sua mesa. Langdon e Vittoria sentaram-se, Olivetti preferiu ficar de pé.

O camerlengo sentou-se em sua cadeira diante da escrivaninha, entrelaçou as mãos, suspirou e olhou para seus visitantes.

– *Signore* – disse Olivetti –, o traje da moça é culpa minha. Eu...

– A roupa dela *não* é o que me preocupa – replicou o camerlengo, a voz revelando que estava fatigado demais para ser incomodado. – Quando o telefonista do Vaticano liga para mim meia hora antes do início do conclave e diz que uma mulher está telefonando da *sua sala particular* para me alertar sobre uma grande ameaça à segurança sobre a qual não fui informado, *isso sim* me preocupa.

Olivetti permaneceu rígido, as costas arqueadas como se fosse um soldado passando por intensa inspeção.

Langdon estava hipnotizado pela presença do camerlengo. Mesmo sendo moço e estando tão cansado, o padre tinha um quê de herói mítico, irradiando carisma e autoridade.

– *Signore* – falou Olivetti, em tom de desculpas mas ainda inflexível –, não devia se preocupar com questões de segurança. O senhor tem outras responsabilidades.

– Sei muito bem de minhas outras responsabilidades. Também sei que, como *direttore intermediario*, sou responsável pela segurança e bem-estar de todos os que participam deste conclave. O que está havendo aqui?

– A situação está sob controle.

– Não parece.

– Padre – interrompeu Langdon, tirando do bolso o fax amassado e estendendo-o para o camerlengo –, por favor.

O comandante Olivetti adiantou-se, tentando intervir.

– Padre, por favor, não perturbe seus pensamentos com...

O camerlengo pegou o fax, ignorando Olivetti por alguns momentos. Olhou a imagem de Leonardo Vetra morto e prendeu a respiração, estupefato.

– O que é isto?

– É meu pai – disse Vittoria, a voz trêmula. – Era um padre e um homem de ciência. Foi assassinado na noite passada.

O rosto do camerlengo suavizou-se no mesmo instante. Levantou os olhos para ela.

– Minha filha, sinto muito. – Fez o sinal-da-cruz e olhou de novo para o fax, sua expressão revelando ondas sucessivas de repulsa. – Quem faria... e essa queimadura no... – o camerlengo parou de falar, apertando os olhos para enxergar a imagem mais de perto.

– Está escrito *Illuminati* – disse Langdon. – O senhor decerto conhece o nome.

Uma estranha sombra passou pelo rosto do camerlengo.

– Já ouvi o nome, sim, mas...

– Os Illuminati mataram Leonardo Vetra para roubar uma nova tecnologia que ele estava...

– *Signore* – aparteou Olivetti. – Isso é um absurdo. Os Illuminati? É evidente que se trata de alguma fraude sofisticada.

O camerlengo pareceu ponderar as palavras do comandante. Depois, virou-se e contemplou Langdon com tanta intensidade que ele sentiu o ar lhe fugir dos pulmões.

– Senhor Langdon, passei toda a minha vida na Igreja Católica. Conheço bem as histórias dos Illuminati e a lenda das marcações a fogo. Ainda assim, devo preveni-lo de que sou um homem do presente. O cristianismo já tem inimigos demais, não precisamos ressuscitar os fantasmas.

– O símbolo é autêntico – afirmou Langdon, de modo um pouco mais defensivo do que pensou. Inclinou-se para a mesa e girou o papel.

O camerlengo ficou calado quando viu a simetria.

– Nem os computadores modernos – acrescentou Langdon – conseguiram criar um ambigrama simétrico dessa palavra.

O camerlengo cruzou as mãos e não disse nada por alguns instantes.

– Os Illuminati estão mortos – disse finalmente. – Há muito tempo. É fato histórico.

Langdon assentiu.

– Ontem, eu teria concordado com o senhor.

– Ontem?

– Antes da série de acontecimentos de hoje. Acredito que os Illuminati tenham ressurgido para cumprir um antigo pacto.

– Perdoe-me, meus conhecimentos de história estão enferrujados. Que antigo pacto é esse?

Langdon respirou fundo.

– A destruição da Cidade do Vaticano.

– *A destruição* do Vaticano? – o camerlengo estava mais confuso do que assustado. – Mas isto seria impossível.

Vittoria sacudiu a cabeça.

– Sinto muito, mas ainda não acabamos de lhe dar as más notícias.

CAPÍTULO 40

– **Isso é verdade?** – indagou o camerlengo, olhando espantado de Vittoria para Olivetti.

– *Signore* – garantiu Olivetti –, admito que haja um certo dispositivo aqui no

Vaticano. Está visível em um de nossos monitores de segurança, mas, quanto ao poder que a senhorita Vetra afirma que essa substância tem, não posso de maneira alguma...

– Espere aí – disse o camerlengo. – Vocês conseguem ver essa coisa?

– Sim, *signore*. Na câmera sem fio 86.

– E por que não foram buscá-la? – o camerlengo agora falava zangado.

– Muito difícil, *signore* – Olivetti explicou a situação, muito empinado.

O camerlengo escutava e Vittoria notou a sua preocupação crescente.

– Tem certeza de que está dentro do Vaticano? – perguntou ele. – Alguém pode ter levado a câmera para fora e estar transmitindo de outro lugar.

– Impossível – disse Olivetti. – Nossos muros externos são blindados eletronicamente para proteger nossas comunicações internas. Esse sinal só pode estar vindo de dentro, ou não o estaríamos recebendo.

– E suponho – continuou o camerlengo – que vocês estejam procurando essa câmera perdida com todos os recursos disponíveis?

Olivetti sacudiu a cabeça.

– Não, *signore*. Localizar aquela câmera poderia levar centenas de homens-hora. Temos várias outras preocupações de segurança no momento e, com todo o respeito à senhorita Vetra, essa gotícula de que ela fala é muito pequena. Não pode ser tão explosiva quanto ela alega.

A paciência de Vittoria evaporou-se.

– Aquela gotícula é suficiente para arrasar a Cidade do Vaticano! Será que não escutou nenhuma palavra do que eu disse?

– Minha senhora – disse Olivetti, a voz dura como aço –, tenho vasta experiência em explosivos.

– Sua experiência está obsoleta – revidou ela, igualmente dura. – Apesar da minha roupa, que vejo que o senhor acha inconveniente, sou uma física de nível sênior na instituição de pesquisas subatômicas mais avançada do mundo. Fui eu quem projetou pessoalmente o recipiente da antimatéria que impede o aniquilamento imediato daquela amostra. E estou avisando ao senhor que, a menos que encontre aquele tubo nas próximas seis horas, seus guardas não terão nada para proteger no próximo século a não ser um grande buraco no chão.

Olivetti girou nos calcanhares e encarou o camerlengo, seus olhos de inseto fuzilando de raiva.

– *Signore*, não posso, em sã consciência, permitir que isto se prolongue. Seu tempo está sendo desperdiçado por impostores. Os Illuminati? Uma gotinha que vai destruir tudo?

– *Basta* – declarou o camerlengo. Pronunciou a palavra em voz baixa e no entanto ela pareceu ecoar pelo aposento. Depois, ficou em silêncio. E então continuou, em um sussurro. – Perigoso ou não, Illuminati ou não, o que quer que seja, este objeto não deveria estar dentro do Vaticano. Muito menos na véspera do conclave. Quero que seja encontrado e retirado daqui. Organize uma busca imediatamente.

Olivetti não desistiu.

– *Signore*, mesmo que utilizemos todos os guardas para fazer uma busca geral em todos os prédios, levaria dias para encontrarmos essa câmera. Além disso, depois de falar com a senhorita Vetra, mandei um dos meus guardas procurar em nosso mais avançado guia de balística qualquer referência a essa substância chamada antimatéria. E ele não encontrou nada, nem uma citação sequer. Nada.

Idiota arrogante, pensou Vittoria. *Um guia de balística? Que tal uma enciclopédia? Na letra A!*

Olivetti continuava falando.

– *Signore*, se está sugerindo uma busca a olho nu na Cidade do Vaticano inteira, então preciso protestar.

– Comandante – a voz do camerlengo fervia de irritação. – Tenho de lembrar-lhe que, quando se dirige a mim, está se dirigindo a este cargo. Percebo que o senhor não está levando a sério a minha posição. Mesmo assim, pela lei, sou eu quem decide. Se não me engano, os cardeais encontram-se agora seguros dentro da Capela Sistina e as suas preocupações com a segurança são mínimas até o encerramento do conclave. Não compreendo por que reluta em procurar esse objeto. Se não o conhecesse, diria que está submetendo este conclave a um perigo internacional.

Olivetti respondeu com desdém.

– Como ousa! Servi seu Papa durante 12 anos! E o Papa antes dele durante 14 anos! Desde 1438, a Guarda Suíça…

O walkie-talkie no cinto de Olivetti emitiu um chamado alto, interrompendo-o.

– Comandante?

Olivetti agarrou-o e apertou o botão do transmissor.

– *Sto ocupato! Cosa voi?!!!*

– *Scusi* – disse o guarda suíço ao rádio. – Aqui é do setor de Comunicações. Achei que o senhor gostaria de ser informado de que recebemos uma ameaça de bomba.

Olivetti não demonstrou qualquer interesse.

– Então, resolvam isso! Sigam os procedimentos de sempre e façam o relatório!

– Foi o que fizemos, senhor, mas o homem que ligou... – o guarda fez uma pausa. – Eu não queria incomodá-lo, comandante, mas ele mencionou a substância que o senhor me pediu para pesquisar. *Antimatéria*.

Todos na sala se entreolharam.

– Ele mencionou o quê? – gaguejou Olivetti.

– Antimatéria, senhor. Enquanto seguíamos a rotina, fiz mais umas pesquisas a respeito. As informações sobre a antimatéria são... bem, para falar a verdade, são bem preocupantes.

– Mas você disse que não havia nenhuma referência a ela no guia de balística.

– Encontrei referências na Internet.

Aleluia, pensou Vittoria.

– A substância parece ser bastante explosiva – disse o guarda. – É difícil de acreditar que esta informação é correta, mas aqui diz que a antimatéria carrega aproximadamente cem vezes mais carga útil do que uma ogiva nuclear.

Olivetti curvou os ombros. Era como assistir a uma montanha desmoronando. A sensação de triunfo de Vittoria dissipou-se ao ver a expressão de horror no rosto do camerlengo.

– Vocês rastrearam a chamada? – disse Olivetti, a voz trêmula.

– Não conseguimos. Veio de um celular criptografado. As linhas estão embaralhadas, portanto a triangulação é impossível. A assinatura digital indica que ele está em algum ponto de Roma, mas não há realmente nenhuma forma de rastreá-lo.

– Ele fez alguma exigência? – disse Olivetti, em voz baixa.

– Não, senhor. Só avisou que há antimatéria escondida dentro dos prédios do Vaticano. Pareceu surpreso por não sabermos. Perguntou se eu ainda não a tinha visto. O senhor perguntou sobre a antimatéria, por isso decidi comunicar-lhe.

– Fez muito bem – disse Olivetti. – Vou descer em um minuto. Avise imediatamente se ele ligar de novo.

Houve um momento de silêncio no walkie-talkie.

– A pessoa ainda está na linha, senhor.

Olivetti ficou com a aparência de alguém que acabou de ser eletrocutado.

– O quê? A linha está aberta?

– Sim, senhor. Faz dez minutos que estamos tentando rastreá-la sem conseguir. Ele deve saber que não podemos encontrá-lo porque se recusa a desligar enquanto não falar com o camerlengo.

– Transfira a ligação para cá – ordenou o camerlengo. – Agora!

Olivetti virou-se para ele.

– Padre, não. Um guarda suíço seria muito mais indicado como negociador para lidar com isso.

– *Agora!*

Olivetti deu a ordem.

Logo depois, o telefone na mesa do camerlengo Ventresca começou a tocar. O religioso apertou o botão do viva-voz.

– Quem, em nome de Deus, você pensa que é?

CAPÍTULO 41

A voz que emanava do aparelho na mesa do camerlengo era metálica e fria, com traços de arrogância. Todos na sala a escutavam.

Langdon tentou localizar o sotaque. *Oriente Médio, talvez?*

– Sou o mensageiro de uma antiga fraternidade – a voz anunciou, com uma cadência estrangeira. – Uma fraternidade que vocês ultrajaram durante séculos. Sou um mensageiro dos Illuminati.

Langdon sentiu seus músculos se retesarem, os últimos vestígios de dúvida se esvaírem. Por um segundo experimentou a mistura conhecida de emoção, privilégio e medo mortal que tomara conta dele naquela manhã ao ver o ambigrama pela primeira vez.

– O que você quer? – perguntou o camerlengo.

– Represento os homens de ciência. Homens que, como vocês, procuram respostas. Respostas sobre o destino do homem, seu propósito, seu criador.

– Quem quer que você seja – disse o camerlengo – eu...

– *Silenzio.* É melhor escutar. Durante dois milênios, sua igreja dominou a busca da verdade. Vocês esmagaram seus oponentes com mentiras e profecias de condenação. Manipularam a verdade para servir às suas necessidades, matando aqueles cujas descobertas não prestavam serviço às suas políticas. Estão espantados por serem alvo de homens esclarecidos de todo o mundo?

– Homens esclarecidos não recorrem a chantagem para promover suas causas.

– Chantagem? – o homem riu. – Isto não é chantagem. Não temos exigências a fazer. A extinção do Vaticano não é negociável. Esperamos 400 anos por este dia. À meia-noite sua cidade será destruída. Não há nada que possam fazer.

Olivetti vociferou para o aparelho:

– É impossível ter acesso a esta cidade! Vocês não podem de modo algum ter plantado explosivos aqui!

– Você fala com a devoção ignorante de um guarda suíço. Talvez seja até um oficial. Com certeza, deve saber que, durante séculos, os Illuminati se infiltraram em organizações de elite do mundo inteiro. Acha que só o Vaticano iria ficar imune a isto?

Jesus, pensou Langdon, *eles têm gente aqui dentro*. Não era nenhum mistério a tática da infiltração ser a marca registrada do poder dos Illuminati. Haviam-se infiltrado entre os maçons, nas grandes redes de bancos, organismos dos governos. Churchill, certa vez, chegara a dizer a jornalistas que, se os espiões ingleses tivessem se infiltrado entre os nazistas da mesma forma que os Illuminati tinham se infiltrado no Parlamento inglês, a guerra teria terminado em um mês.

– Um blefe mais do que evidente – disse Olivetti, áspero. – Não é possível que a sua influência se estenda tanto assim.

– Por quê? Porque seus guardas suíços estão vigilantes? Porque eles tomam conta de cada pedacinho de seu mundo particular? E que tal os próprios guardas suíços? Não são homens? Acredita mesmo que arriscariam suas vidas pela fábula de um homem que anda sobre a água? Pergunte a si mesmo de que outra maneira a antimatéria poderia ter entrado em sua cidade. Ou como quatro de seus mais preciosos ativos poderiam ter desaparecido esta tarde.

– Nossos ativos? – Olivetti franziu o cenho. – O que quer dizer com isso?

– Um, dois, três, quatro. Até agora não deram falta deles?

– De que diabos está falan... – Olivetti parou de falar, os olhos arregalados como se tivesse levado um soco no estômago.

– A luz se faz – disse o homem. – Quer que eu diga os nomes?

– O que está havendo? – perguntou o camerlengo atordoado.

O homem deu uma risada.

– Seu oficial ainda não lhe informou? Que pecado! Não me surpreende com tanta vaidade. Imagine a desmoralização, contar a verdade, que quatro cardeais que ele jurou proteger desapareceram...

Olivetti explodiu.

– Onde conseguiu essa informação?

– Camerlengo – tripudiou o homem –, pergunte ao seu comandante se *todos* os cardeais estão presentes na Capela Sistina.

O camerlengo voltou-se para Olivetti, os olhos verdes exigindo uma explicação.

– *Signore* – Olivetti sussurrou no ouvido do camerlengo –, é verdade que quatro de nossos cardeais ainda não se apresentaram na Capela Sistina, mas não há motivo para alarme. Todos eles tiveram a entrada registrada no edifício residencial esta manhã, portanto sabemos que estão em segurança dentro da Cidade do Vaticano. O senhor mesmo tomou chá com eles há poucas horas. Devem ter apenas se atrasado para a reunião que precede o conclave. Estamos procurando, mas tenho certeza de que somente perderam a hora e ainda estão por aí apreciando as belezas do lugar.

– Apreciando as belezas do lugar? – A calma abandonou a voz do camerlengo. – Eles deveriam estar na capela há mais de uma hora!

Langdon olhou assombrado para Vittoria. *Cardeais desaparecidos? Então eram eles que estavam sendo procurados lá embaixo?*

– Eis nossa lista – disse o homem –, que vocês vão achar bem convincente. Há o cardeal Lamassé, de Paris, o cardeal Guidera, de Barcelona, o cardeal Ebner, de Frankfurt...

Olivetti parecia encolher um pouco a cada nome citado.

O homem fez uma pausa, como se saboreasse com prazer especial o último nome.

– E, da Itália..., o cardeal Baggia.

O camerlengo bambeou, como um alto veleiro cujas velas acabassem de perder o vento em uma calmaria. Sua batina ondulou e ele se deixou cair em sua cadeira.

– *I preferiti* – murmurou. – Os quatro favoritos... inclusive Baggia, o mais provável sucessor do Sumo Pontífice... Como é possível?

Langdon já lera bastante sobre as modernas eleições papais e compreendia o desespero no rosto do camerlengo. Embora tecnicamente todo cardeal com menos de oitenta anos pudesse tornar-se Papa, apenas uns poucos possuíam a capacidade necessária de infundir respeito para obter uma maioria de dois terços no processo de votação intensamente partidário. Eram conhecidos como os *preferiti*. E todos haviam sumido.

O suor escorria na testa do camerlengo.

– O que pretende com esses homens?

– O que acha que pretendo? Sou descendente dos Hassassin.

Langdon sentiu um calafrio. Conhecia bem aquele nome. A Igreja fizera alguns inimigos mortais através dos anos – os Hassassin, os Cavaleiros Templários, exércitos que haviam sido perseguidos ou traídos pelo Vaticano.

– Liberte os cardeais – disse o camerlengo. – Já não basta a ameaça de destruir a cidade de Deus?

– Esqueça seus quatro cardeais. Eles já estão perdidos para você. Mas fique certo de que suas mortes serão lembradas por milhões de pessoas. É o sonho de todo mártir. Farei deles luminares da mídia. Um a um. Até a meia-noite, os Illuminati vão atrair a atenção de todos. Para que mudar o mundo se o mundo não estiver assistindo? Os assassinatos públicos têm um certo horror inebriante, não é verdade? Vocês provaram isto há muito tempo com a Inquisição, a tortura dos Templários, as Cruzadas. – Ele fez uma pausa. – E, é claro, *la purga.*

O camerlengo ficou calado.

– Não se lembra de *la purga?* – perguntou o homem. – Claro que não, você é uma criança. Os padres não são bons historiadores. Talvez porque sua história os envergonhe?

– *La purga* – Langdon ouviu-se dizer. – 1668. A Igreja marcou a fogo quatro cientistas Illuminati com o símbolo da cruz. Para purgar seus pecados.

– Quem está falando? – perguntou a voz, num tom mais intrigado do que preocupado. – Quem está aí?

Langdon estremeceu.

– Meu nome não é importante – disse ele, tentando manter sua voz firme. Falar com um Illuminati vivo desorientava-o. Tanto quanto se estivesse falando com George Washington. – Sou um acadêmico que estudou a história de sua fraternidade.

– Excelente – replicou a voz. – Estou satisfeito por saber que ainda há gente que conhece os crimes que foram cometidos contra nós.

– A maioria dos estudiosos pensa que vocês morreram todos.

– Um equívoco que a fraternidade trabalhou muito para promover. O que mais sabe sobre *la purga?*

Langdon hesitou. *O que mais eu sei? Que esta situação é insana, é o que sei!*

– Depois de serem marcados a fogo, os cientistas foram assassinados e seus corpos foram deixados em locais públicos em torno de Roma como advertência a outros cientistas para que não se juntassem aos Illuminati.

– Sim, é isso. Portanto, vamos fazer o mesmo. *Quid pro quo.* Considerem o gesto como represália por nossos irmãos assassinados. Seus quatro cardeais vão morrer, um a cada hora, começando às oito. À meia-noite teremos a atenção do mundo inteiro.

Langdon foi para perto do fone.

– Vocês pretendem mesmo marcar a fogo e matar esses quatro homens?

– A história se repete, não é? Claro que vamos ser mais elegantes e audaciosos do que a Igreja foi. Eles mataram em particular, abandonando os corpos quando ninguém estava olhando. Uma atitude tão covarde!

– O que está dizendo? Que vai marcar e matar esses homens *em público?*

– Muito bem! Embora isso dependa do que você considera público. Noto que não há mais tanta gente assim indo à igreja.

Langdon arriscou mais uma vez.

– Vai matá-los *dentro de igrejas?*

– Um gesto de bondade. Permitir que Deus convoque as suas almas ao Paraíso com maior presteza. Nada mais justo. Evidentemente, a imprensa também vai adorar, penso eu.

– Você está blefando – disse Olivetti, a frieza de volta na voz. – Não pode matar um homem dentro de uma igreja e achar que pode escapar impune.

– Blefando? Nós nos movimentamos entre os seus guardas suíços como se fôssemos fantasmas, tiramos quatro de seus cardeais de dentro de suas paredes, plantamos um explosivo mortal no meio de seu santuário mais sagrado e você acha que estou blefando? À medida que as mortes se sucederem e as vítimas forem encontradas, todos os meios de comunicação vão acorrer como um verdadeiro enxame para cá. À meia-noite o mundo vai tomar conhecimento da causa dos Illuminati.

– E se colocarmos guardas em cada igreja? – disse Olivetti.

O homem riu.

– Receio que a natureza prolífica de sua religião torne essa tarefa difícil. Tem feito contas ultimamente? Há mais de quatrocentas igrejas católicas em Roma. Catedrais, capelas, tabernáculos, abadias, monastérios, conventos, escolas paroquiais...

O rosto de Olivetti continuou impassível.

– Em noventa minutos, vou começar – disse o homem, conclusivo. – Um por hora. Em uma progressão matemática e mortal. Agora, preciso ir.

– Espere! – pediu Langdon. – Fale-me das marcas que pretende usar nesses homens.

O matador pareceu divertir-se.

– Desconfio que já saiba quais serão as marcas. Ou será que você é um cético? Vai vê-las logo, logo. Vão provar que as lendas antigas são verdade.

A cabeça de Langdon girou. Sabia exatamente o que o outro estava dizendo. Lembrou a marca no peito de Leonardo Vetra. O folclore dos Illuminati mencionava cinco marcas ao todo. *Restam quatro marcas e faltam quatro cardeais.*

– Fiz o juramento – disse o camerlengo – de eleger um novo Papa esta noite. Jurei a Deus.

– Camerlengo – disse o homem –, o mundo não precisa de um novo Papa. Depois da meia-noite ele terá apenas um monte de entulho para governar. A Igreja Católica está acabada. Seu reino na Terra terminou.

Fez-se um silêncio pesado.

O camerlengo parecia sinceramente triste.

– Você está enganado. Uma igreja é muito mais do que pedra e cimento. Não pode simplesmente apagar dois mil anos de fé, de qualquer fé, seja ela qual for. Não pode destruir a fé apenas removendo suas manifestações terrenas. A Igreja Católica vai continuar com ou sem a Cidade do Vaticano.

– Uma nobre mentira. Mas ainda assim uma mentira. Ambos sabemos qual é a verdade. Diga, por que o Vaticano é uma cidade murada?

– Os homens de Deus vivem em um mundo perigoso – disse o camerlengo.

– Quantos anos você tem? O Vaticano é uma fortaleza porque a Igreja Católica mantém metade de seu patrimônio *dentro* desses muros – pinturas e esculturas raras, jóias de valor incalculável, livros preciosos... e ouro em barras e títulos imobiliários nos cofres do Banco do Vaticano. Estima-se que o valor bruto da Cidade do Vaticano seja de 48,5 bilhões de dólares. Um pé-de-meia bastante razoável. Amanhã, será um monte de pó. Ativos liquidados, para dizer a verdade. Vocês estarão falidos. Nem os homens do clero podem trabalhar de graça.

A exatidão das afirmativas refletia-se na expressão de Olivetti e do camerlengo, a de pessoas em estado de choque. Langdon não sabia o que era mais impressionante: a Igreja Católica· ter todo aquele dinheiro ou os Illuminati terem conhecimento dele.

O camerlengo suspirou pesadamente.

– É a fé, não o dinheiro, que constitui a espinha dorsal da Igreja.

– Mais mentiras – disse o homem. – No ano passado, vocês gastaram 183 milhões de dólares tentando apoiar suas dioceses em dificuldades pelo mundo afora. O comparecimento às igrejas teve a maior queda de todos os tempos – menos 46 por cento na última década. As doações caíram à metade do que eram há apenas sete anos. Cada vez menos homens entram para os seminários. Embora vocês não admitam, sua igreja está morrendo. Considerem isto como uma chance de acabar bem.

Olivetti deu um passo à frente. Mostrava-se menos combativo agora, como se tomasse consciência da realidade a enfrentar. Era um homem procurando uma saída. Qualquer uma.

– E se um pouco daquele ouro passasse a financiar a *sua* causa?

– Não nos insulte a ambos.

– Temos dinheiro.

– Nós também. Mais do que pode calcular.

Em um lampejo, Langdon relembrou as supostas fortunas dos Illuminati, as antigas riquezas dos pedreiros bávaros, os Rothschilds, os Bilderbergers, o lendário diamante Illuminati.

– *I preferiti* – disse o camerlengo, mudando de assunto. Sua voz suplicava.
– Poupe-os. São velhos. Eles...

– Serão sacrifícios de virgens – o homem riu. – Diga, acredita *mesmo* que eles sejam virgens? Será que os carneirinhos vão balir ao morrer? *Sacrifici vergini nell'altare di scienza.*

O camerlengo ficou em silêncio um longo tempo.

– São homens de fé – disse afinal. – Não temem a morte.

O homem escarneceu.

– Leonardo Vetra era um homem de fé e contudo vi medo em seus olhos na noite passada. Um medo que eliminei.

Vittoria, até então calada, de repente deu um salto, o corpo retesado de ódio, e exclamou.

– *Assassino!* Ele era meu pai!

Uma gargalhada ecoou do outro lado do telefone.

– Seu pai? Que história é essa? Vetra tinha uma filha? Você tem de saber que seu pai choramingou como uma criança no final. De dar pena, realmente. Um homem patético.

Vittoria cambaleou como se tivesse sido agredida fisicamente pelas palavras dele. Langdon correu para ampará-la, mas ela recuperou o equilíbrio e fixou os olhos escuros no aparelho.

– Juro pela minha vida que antes que esta noite acabe vou encontrar você.
– A voz dela saiu cortante como um laser. – E quando isto acontecer...

O homem riu de modo grosseiro.

– Uma mulher de fibra. Estou excitado. Talvez, antes que esta noite acabe, *eu* encontre você. E quando isto acontecer...

As palavras pairaram como uma lâmina no ar. Ele se fora.

CAPÍTULO **42**

O cardeal Mortati agora suava dentro de sua batina preta. Não só a Capela Sistina começava a se parecer com uma sauna, como o conclave estava programado para começar daí a 20 minutos e ainda não se tinha notícia dos quatro cardeais que faltavam. Com a ausência deles, os iniciais cochichos de perplexidade dos outros cardeais haviam se transformado em ansiedade declarada.

Mortati não podia imaginar onde estariam os ausentes. *Com o camerlengo, quem sabe?* Sabia que o camerlengo realizara o tradicional chá particular para os quatro *preferiti* mais cedo naquela tarde, mas aquilo fora horas atrás. *Será que estavam passando mal? Com algo que tivessem comido?* Mortati duvidava. Mesmo à beira da morte, os *preferiti* estariam ali. Só uma vez na vida, geralmente *nunca*, um cardeal tinha a oportunidade de ser eleito Sumo Pontífice e, pela Lei Vaticana, esse cardeal tinha de estar *dentro* da Capela Sistina quando a votação se realizasse. Caso contrário, ele seria inelegível.

Apesar de haver quatro *preferiti*, poucos cardeais tinham qualquer dúvida sobre quem seria o próximo Papa. Nos últimos 15 dias, inúmeros faxes e telefonemas haviam sido trocados para discutir os candidatos em potencial. Como era o costume, quatro nomes haviam sido selecionados como *preferiti*, cada um deles preenchendo os requisitos tácitos para se tornar Papa: *fluente em italiano, espanhol e inglês; sem qualquer mancha em seu passado; ter entre 65 e 80 anos de idade.*

Como sempre, um dos *preferiti* destacara-se como o homem que o Colégio se propunha a eleger. Naquela noite, tratava-se do cardeal Aldo Baggia, de Milão. O histórico impecável de Baggia, combinado com excepcionais habilidades lingüísticas e a capacidade de transmitir a essência da espiritualidade, haviam feito dele o indiscutível favorito.

E onde será que ele se meteu?, cismava Mortati.

Mortati estava particularmente irritado com os cardeais faltosos porque a tarefa de supervisionar o conclave coubera a ele. Uma semana antes, o Colégio dos Cardeais escolhera unanimemente Mortati para o cargo conhecido como *O Grande Eleitor*, o mestre-de-cerimônias interno do conclave. Ainda que o camerlengo fosse o funcionário mais graduado da Igreja, era apenas um padre e pouco familiarizado com o complexo processo eleitoral, de modo que um cardeal era selecionado para dirigir a cerimônia de dentro da Capela Sistina.

Os cardeais costumavam brincar que ser indicado como Grande Eleitor era a honra mais cruel da cristandade. A indicação tornava a pessoa *inelegível*, além de exigir que passasse muitos dias antes do conclave debruçada sobre as páginas do *Universi Dominici Gregis* reestudando as sutilezas dos misteriosos rituais do conclave para garantir que a eleição fosse administrada convenientemente.

Mortati não se ressentia por isso, todavia. Sabia que era a escolha lógica. Não só por ser o cardeal mais velho, como por ter sido confidente do último Papa, um fato que aumentava o apreço por sua pessoa. Embora ainda estivesse tecnicamente dentro da faixa etária legal para a eleição, já estava um pouco velho para ser um candidato de peso. Com 79 anos, já ultrapassara o limiar não expresso em palavras além do qual o Colégio não mais confiava na saúde da pessoa para agüentar a rigorosa programação do papado. Um Papa geralmente trabalhava 14 horas por dia, sete dias por semana e morria de exaustão em uma média de 6,3 anos.

A piada que circulava internamente dizia que aceitar o papado era "o caminho mais curto para o Céu" para um cardeal.

Mortati, muitos acreditavam, poderia ter sido Papa quando mais moço se não fosse tão liberal. Quando se tratava de alcançar o papado, havia uma Santíssima Trindade a considerar: Conservadorismo, Conservadorismo e Conservadorismo.

Mortati sempre se divertira muito com a ironia de o último Papa – que Deus guardasse a sua alma – ter-se revelado surpreendentemente liberal assim que assumiu o cargo. Talvez por perceber que o mundo moderno progredia afastando-se da Igreja, o Papa promovera aberturas, suavizando a posição da Igreja com relação às ciências e até fazendo doações em dinheiro para causas científicas selecionadas. Lamentavelmente, aquilo acabara se constituindo em suicídio político. Os católicos conservadores declararam que o Papa estava "senil" e os puristas científicos acusaram-no de tentar disseminar a influência da Igreja onde não era chamado.

– Então, onde estão eles?

Mortati virou-se.

Um dos cardeais batia nervosamente no ombro dele.

– Sabe onde eles estão, não sabe?

Mortati procurou não demonstrar muita preocupação.

– Talvez ainda com o camerlengo.

– A esta hora? Isto estaria altamente em desacordo com as regras! – O rosto do cardeal ensombreceu-se, desconfiado. – Talvez o camerlengo tenha perdido a noção da hora?

Mortati duvidava muito disso, mas nada disse. Estava bem consciente de que a maioria dos cardeais não simpatizava muito com o camerlengo, achando-o muito moço para servir ao Papa tão de perto. Mortati suspeitava de que grande parte dessa animosidade fosse de fato causada por ciúme, e ele próprio admirava muito o jovem padre, tendo aplaudido em segredo o gesto do último Papa quando este o escolhera para seu camarista. Mortati só via convicção nos olhos do camerlengo e, ao contrário de muitos cardeais, o camerlengo colocava a Igreja e a fé antes da política trivial. Ele era verdadeiramente um homem de Deus.

Durante todo o tempo em que desempenhou suas funções, a inabalável devoção do camerlengo tornara-se lendária. Muitos a atribuíam a um acontecimento milagroso na sua infância, que teria deixado uma impressão permanente no coração de qualquer pessoa. *O milagre e a sensação do maravilhoso*, pensou Mortati, que algumas vezes desejara que sua infância lhe tivesse proporcionado um acontecimento capaz de despertar uma fé sem dúvidas como aquela.

Infelizmente para a Igreja, Mortati sabia, o camerlengo nunca se tornaria Papa quando fosse mais maduro. Chegar ao papado requeria uma certa quantidade de ambição política, algo que parecia faltar ao jovem padre. Ele recusara várias ofertas do Papa para ocupar posições mais elevadas, dizendo que preferia servir à Igreja como um simples homem.

– E então? – o cardeal bateu no ombro de Mortati, esperando.

Mortati ergueu os olhos para ele.

– Como assim?

– Eles estão atrasados! O que vamos fazer?

– O que *podemos* fazer? – retrucou Mortati. – Esperar. E ter fé.

Nem um pouco satisfeito com a resposta de Mortati, o cardeal desapareceu nas sombras outra vez.

Mortati ficou parado um momento, dando pancadinhas nas têmporas e tentando clarear sua mente.

De fato, o que vamos fazer? Olhou, além do altar, para o afresco restaurado de Michelangelo, *O Último Julgamento*. A pintura não acalmou sua ansiedade. Era uma apavorante representação de mais de 15 metros de altura de Jesus Cristo separando a humanidade entre virtuosos e pecadores, e lançando os pecadores no inferno. Havia carne viva exposta, corpos queimando e até um dos rivais de Michelangelo usando orelhas de burro sentado no inferno. Guy de Maupassant escrevera certa vez que aquela pintura parecia ter sido criada para uma barraca de lutas de parque de diversões por um carvoeiro ignorante.

O cardeal Mortati tinha de concordar.

CAPÍTULO **43**

Langdon ficou parado, imóvel, diante da janela à prova de bala do escritório do Papa, olhando para baixo, para o alvoroço dos trailers da imprensa na Praça de São Pedro. A sinistra conversa telefônica o deixara confuso, aturdido. Não parecia ele mesmo.

Os Illuminati, como uma serpente saída das profundezas esquecidas da História, haviam surgido e se enrolado em torno de um antigo adversário. Nenhuma exigência. Sem negociações. Só retaliação. Demoniacamente simples. Exercendo pressão. Uma vingança preparada durante 400 anos. Ao que parecia, depois de séculos de perseguição, a ciência revidava.

O camerlengo estava de pé diante da escrivaninha, olhando para o telefone com um ar parado. Olivetti foi o primeiro a quebrar o silêncio.

– Carlo – disse, usando o primeiro nome do camerlengo e parecendo mais um amigo fatigado do que um oficial. – Há 26 anos, jurei dar a minha vida para proteger esta função. Acho que hoje perdi minha honra.

O camerlengo balançou a cabeça.

– Você e eu servimos a Deus de formas diferentes, mas este serviço sempre traz honra.

– Estes acontecimentos... não posso imaginar como... esta situação...

Olivetti estava arrasado.

– Temos somente uma atitude possível a tomar. Sou responsável pela segurança do Colégio dos Cardeais.

– Acho que esta responsabilidade era minha, *signore*.

– Então, seus homens vão cuidar da evacuação imediata.

– *Signore?*

– Mais tarde podemos nos ocupar das outras opções, como procurar o aparelho, promover a busca dos cardeais desaparecidos e de seus captores. Mas, primeiro, os cardeais devem ser levados para um local seguro. A santidade da vida humana está acima de tudo. Esses homens são a base desta Igreja.

– O senhor está sugerindo que cancelemos o conclave de imediato?

– Que outra escolha tenho?

– E quanto à sua tarefa de fazer eleger um novo Papa?

O camarista suspirou e voltou-se para a janela, o olhar se desviando para Roma, que se estendia lá embaixo.

– Sua Santidade me disse certa vez que o Papa é um homem dividido entre dois mundos, o mundo verdadeiro e o divino. E que a igreja que ignorasse a realidade não sobreviveria para desfrutar do divino. – Sua voz soava de repente mais madura do que a de alguém de sua idade. – O mundo real está diante de nós esta noite. Seria uma ilusão ignorá-lo. Orgulho e precedência não podem obscurecer a razão.

Olivetti concordou com um gesto de cabeça, impressionado.

– Eu o subestimei, senhor.

O camerlengo não pareceu ouvir. Seu olhar estava distante, voltado para a janela.

– Vou falar abertamente, *signore*. O mundo real é o *meu* mundo. Mergulho todos os dias em sua feiúra para que outros fiquem livres dessa incumbência e possam buscar algo mais puro. Permita que o aconselhe na presente situação. É para isso que sou treinado. Seu instinto, cujo valor ainda assim reconheço, pode ter conseqüências desastrosas.

O camerlengo voltou-se para ele.

Olivetti suspirou.

– Tirar o Colégio dos Cardeais da Capela Sistina é a pior coisa que se poderia fazer neste momento.

O camerlengo não se mostrou indignado com a sugestão, apenas desnorteado.

– O que sugere, então?

– Não diga nada aos cardeais. Sele o conclave. Vai nos dar tempo para tentar outras alternativas.

O camerlengo ficou perturbado.

– Está sugerindo que eu tranque o Colégio dos Cardeais inteiro em cima de uma bomba-relógio?

– Sim, *signore*. Por ora. Mais tarde, se for necessário, podemos providenciar a evacuação.

O camerlengo sacudiu a cabeça.

– Adiar a cerimônia antes que comece já é razão suficiente para um inquérito, mas depois que as portas são lacradas, nada mais pode interferir com o processo. Os procedimentos do conclave exigem...

– O mundo *real*, *signore*. O senhor está nele esta noite. Preste atenção. – Olivetti falava agora com a animação de um oficial de campo. – Deslocar 165 cardeais despreparados e desprotegidos para Roma seria uma imprudência. Causaria pânico e confusão em alguns homens muito idosos e, francamente, um derrame fatal este mês já foi o bastante.

Um derrame fatal. As palavras do comandante fizeram Langdon lembrar as manchetes que lera durante o jantar com alunos no Harvard Commons: PAPA SOFRE DERRAME E MORRE DORMINDO.

– Além do mais – continuou Olivetti –, a Capela Sistina é uma fortaleza. Apesar de não alardearmos o fato, a estrutura é altamente reforçada e pode resistir a qualquer agressão, exceto de mísseis. Um de nossos preparativos foi examinar cada centímetro da capela esta tarde. Fizemos uma varredura completa procurando grampos e outros equipamentos de escuta. A capela está limpa, é um abrigo seguro e tenho certeza de que a antimatéria não está lá dentro. Não existe lugar mais seguro onde esses homens possam ficar neste momento. E podemos sempre discutir uma evacuação de emergência mais tarde, se for o caso.

Langdon ficou impressionado. A lógica fria e inteligente de Olivetti lembrava-o de Kohler.

– Comandante – disse Vittoria, a voz tensa –, há outras questões a considerar. Nunca se criou uma quantidade tão grande de antimatéria. Só posso fazer uma estimativa de qual seria exatamente o raio de explosão. É possível que uma parte dos arredores de Roma também corra perigo. Se o material estiver dentro de um de seus edifícios centrais ou no subsolo, o efeito fora destes muros pode ser mínimo, mas se estiver perto do perímetro, *neste* prédio, por exemplo... – e ela lançou um olhar cauteloso para fora da janela, para a multidão na Praça de São Pedro.

– Tenho plena consciência das minhas responsabilidades para com o mundo exterior – replicou Olivetti –, que não tornam menos grave esta situação. A proteção deste santuário foi minha única incumbência por mais de 20 anos. Não tenho qualquer intenção de permitir que essa arma detone.

– Acha que pode encontrá-la? – perguntou o camerlengo.

– Deixe que eu discuta nossas opções com alguns dos meus especialistas em vigilância. Existe a possibilidade, se cortarmos a energia elétrica da Cidade do Vaticano, de eliminarmos o fundo de radiofreqüência e criarmos um ambiente limpo o suficiente para conseguir uma leitura do campo magnético daquele tubo.

Vittoria ficou surpresa e depois impressionada.

– O senhor quer *apagar* a Cidade do Vaticano inteira?

– Talvez. Ainda não sei se é possível, mas é uma opção que quero explorar.

– Os cardeais decerto ficariam imaginando o que teria acontecido – observou Vittoria.

Olivetti fez que não com a cabeça.

– Os conclaves são realizados à luz de velas. Os cardeais jamais saberiam. Depois que o conclave fosse selado, poderia convocar todos os meus guardas, com exceção de alguns poucos do perímetro, e iniciar uma busca. Cem homens poderiam fazer uma boa varredura em cinco horas.

– Quatro horas – corrigiu Vittoria. – Tenho de levar o tubo de volta para o CERN. A detonação será inevitável se as baterias não forem carregadas.

– Existe alguma forma de recarregá-las aqui?

Vittoria sacudiu a cabeça.

– A interface é muito complexa. Teria trazido tudo se fosse possível.

– *Quatro* horas, então – assentiu Olivetti, de cara fechada. – Ainda temos bastante tempo. Não adianta entrar em pânico. *Signore*, tem dez minutos. Vá para a capela e sele o conclave. Dê a meus homens um pouco de tempo para que façam o trabalho deles. À medida que nos aproximarmos da hora crítica, tomaremos as decisões críticas.

Langdon conjeturou até que ponto de proximidade da "hora crítica" Olivetti deixaria as coisas chegarem.

O camerlengo estava inquieto.

– Mas o Colégio vai perguntar pelos *preferiti*... principalmente por Baggia, vai querer saber onde eles estão.

– Vai ter de pensar em alguma coisa, *signore*. Diga que serviu alguma coisa durante o chá aos quatro cardeais que não lhes caiu bem.

O camerlengo irritou-se.

– Subir ao altar da Capela Sistina e mentir para o Colégio dos Cardeais?

– Para a própria segurança deles. *Una bugia veniale*. Uma mentira inocente. Sua tarefa será a de manter a paz. – Olivetti encaminhou-se para a porta. – Agora, se me permitem, preciso agir.

– Comandante – instou o camerlengo –, não podemos simplesmente dar as costas aos cardeais desaparecidos.

Olivetti parou à porta.

– Baggia e os outros estão fora de nossa esfera de influência neste momento. Temos de deixá-los de lado para o bem da maioria. Os militares chamam a isso de *triagem*.

– Não seria *abandono*?

Sua voz endureceu.

– Se houvesse *alguma* forma, *signore*, qualquer uma neste mundo, de localizar esses quatro cardeais, eu daria a minha vida para fazer isso. Entretanto... – e ele apontou para a janela do outro lado da sala, de onde se via o mar infinito de telhados romanos reluzindo ao sol do fim da tarde –, não está ao meu alcance fazer uma busca em uma cidade de cinco milhões de habitantes. Não vou gastar um precioso tempo acalmando minha consciência em um esforço inútil. Sinto muito.

Vittoria fez um aparte inesperado.

– Mas, se nós pegássemos o assassino, o senhor não o faria falar?

Olivetti respondeu, sério.

– Soldados não podem se dar ao luxo de serem santos, senhorita Vetra. Acredite, simpatizo com sua motivação pessoal para pegar esse homem.

– Não é somente pessoal – explicou ela. – O assassino *sabe* onde está a antimatéria... *e* os quatro cardeais. Se conseguíssemos encontrá-lo...

– E fazer o jogo deles? – disse Olivetti. – Afastar toda a proteção do Vaticano para correr centenas de igrejas é o que os Illuminati *esperam* que façamos, desperdiçando tempo e potencial humano quando deveríamos estar procurando... ou, pior ainda, deixando o Banco do Vaticano totalmente desprotegido. Sem falar nos outros cardeais.

Era um argumento irrefutável.

– E a polícia de Roma? – perguntou o camerlengo. – Poderíamos alertar toda a cidade pedindo reforços para a crise. Solicitar a ajuda deles para encontrar o raptor dos cardeais.

– Seria outro erro – disse Olivetti. – O senhor sabe o que os *carabinieri* romanos acham de nós. Teríamos uma colaboração sem muito empenho de uns poucos homens e, em contrapartida, eles divulgariam a nossa crise para a imprensa mundial. Exatamente o que querem nossos inimigos. Vamos ter de lidar com a imprensa muito breve, de qualquer modo.

Farei de seus cardeais luminares da mídia, foram as palavras do matador. *O corpo do primeiro cardeal vai aparecer às oito. Depois aparecerá um a cada hora. A imprensa vai adorar.*

O camerlengo falou novamente, um traço de indignação em sua voz.

– Comandante, não podemos em sã consciência deixar de fazer *alguma coisa* pelos cardeais desaparecidos!

Olivetti encarou o camerlengo com firmeza.

– A oração de São Francisco, *signore*. Lembra-se dela?

O jovem padre pronunciou uma única frase com um tom dolorido.

– "Deus, dê-me forças para aceitar as coisas que não posso mudar."

– Acredite em mim – concluiu Olivetti –, *esta* é uma dessas coisas.

E saiu.

CAPÍTULO **44**

O escritório central da BBC – British Broadcast Corporation – fica em Londres, a oeste de Picadilly Circus. A linha telefônica externa tocou e uma jovem editora atendeu.

– BBC – disse ela, apagando seu cigarro Dunhill.

A voz ao telefone era áspera, com um sotaque do Oriente Médio.

– Tenho uma história sensacional em primeira mão que deve interessar à sua emissora.

A editora pegou uma caneta e papel.

– A respeito de quê?

– Da eleição do Papa.

Ela fez uma careta, enfastiada. A BBC divulgara na véspera uma história sobre o mesmo assunto e tivera uma audiência medíocre. O público, aparentemente, não estava muito interessado na Cidade do Vaticano.

– Sob que aspecto?

– Vocês têm um repórter de TV em Roma cobrindo a eleição?

– Acho que sim.

– Preciso falar diretamente com essa pessoa.

– Sinto muito, mas não posso lhe dar o número dele sem ter uma idéia...

– O conclave está ameaçado. É tudo o que posso adiantar.

A editora tomou notas.

– Seu nome, por favor?

– Meu nome não tem importância.

– E o senhor tem como provar o que alega?

– Tenho.

– Gostaria muito de receber a informação, mas não é nossa política dar os números de telefones de nossos repórteres, a não ser que...

– Compreendo. Vou entrar em contato com outra emissora. Obrigado por sua atenção. Até lo...

– Um momento – disse ela. – Pode aguardar um pouco?

A moça pôs a ligação na espera e alongou o pescoço. A arte de identificar as potenciais chamadas de pessoas excêntricas ou malucas não era de modo algum uma ciência perfeita, mas aquele homem acabara de passar pelos dois testes de autenticidade de uma fonte telefônica. Recusara-se a dar seu nome e mostrara-se impaciente para desligar. Charlatães e maníacos por um pouco de fama em geral ficavam se lamentando e fazendo pedidos insistentes.

Para sorte dela, os repórteres viviam com medo de perder uma boa história e por isso raramente se queixavam por ela lhes passar os ocasionais psicóticos que os decepcionavam. Desperdiçar cinco minutos do tempo de um repórter era perdoável. Perder uma boa manchete, não.

Bocejando, ela olhou para o seu computador e digitou as palavras "Cidade do Vaticano". Quando viu o nome do repórter que estava cobrindo a eleição papal, deu uma risadinha. Era um funcionário novo que a BBC acabara de trazer de um tablóide londrino de má qualidade para fazer a cobertura mais rotineira. Os chefes obviamente o tinham feito começar pelo degrau mais baixo.

Ele estaria provavelmente morto de tédio, esperando a noite inteira para gravar sua matéria de dez segundos ao vivo. Ficaria talvez até agradecido por uma interrupção da monotonia.

A editora da BBC anotou o número do celular via satélite do repórter na

Cidade do Vaticano. Depois, acendendo outro cigarro, deu o número ao interlocutor anônimo.

C A P Í T U L O 45

– Não vai funcionar – disse Vittoria, andando de um lado para outro no escritório do Papa. Ela se dirigiu ao camerlengo.

– Mesmo que uma equipe da Guarda Suíça consiga filtrar a interferência eletrônica, terão de estar praticamente *em cima* do tubo de antimatéria para detectar um sinal qualquer. E isto se o tubo estiver em local acessível e não existirem outras barreiras a isolá-lo. E se estiver enterrado dentro de uma caixa de metal em algum ponto do terreno? Ou dentro de um duto de ventilação feito de metal? Não haverá meio de rastreá-lo. E se houver *mesmo* espiões na Guarda Suíça? Quem garante que a busca será confiável?

O camerlengo tinha uma expressão esgotada no rosto.

– O que propõe, senhorita Vetra?

Vittoria agitou-se. *Não é evidente?*

– Proponho, senhor, que tome outras precauções *imediatamente*. Podemos torcer, contra todas as probabilidades, que a busca do comandante seja bem-sucedida. Ao mesmo tempo, olhe lá para fora, pela janela. Está vendo toda aquela gente? Aqueles prédios do outro lado da *piazza*? Os carros da imprensa? Os turistas? Estão todos provavelmente dentro do raio da explosão. O senhor tem de agir *agora*.

O camerlengo concordou, apático.

Vitória ficou frustrada. Olivetti convencera a todos de que havia tempo de sobra. Mas Vittoria sabia que, se a notícia do problema no Vaticano vazasse, toda a área estaria cheia de espectadores em questão de minutos. Ela presenciara uma cena assim certa vez do lado de fora do prédio do parlamento suíço. Durante um incidente envolvendo reféns e uma bomba, milhares de pessoas haviam se reunido diante do prédio para assistir ao desenlace da situação. Apesar dos avisos da polícia de que era perigoso permanecer ali, a multidão aglomerava-se cada vez mais perto do edifício. Nada desperta mais o interesse humano do que a tragédia.

– *Signore*, o homem que matou meu pai está à solta por aí. Cada célula do meu corpo deseja sair daqui correndo para caçá-lo. Mas estou aqui no seu escritório porque me sinto responsável pelo senhor. Pelo senhor e pelos outros. Há vidas em perigo, *signore*. Está me ouvindo?

O camerlengo não respondeu.

Vittoria escutava seu próprio coração em disparada. *Por que a Guarda Suíça não conseguira rastrear a maldita ligação? O assassino Illuminati é a chave de tudo! Ele sabe onde está a antimatéria e, diabos, também sabe onde estão os cardeais! É só pegar o assassino e tudo se resolve.*

Vittoria percebeu que estava começando a se sentir desestabilizada, um tipo estranho de angústia dos tempos da infância de que se lembrava apenas vagamente, dos anos de orfanato, da falta de instrumentos para lidar com a frustração. *Agora você tem os instrumentos*, disse a si mesma, *sempre tem*. Não adiantava, porém. Seus pensamentos interferiam, estrangulando-a. Ela era uma pesquisadora, uma pessoa cuja função era resolver problemas. Mas aquele problema não tinha solução. *Quais os dados de que precisa?* Disse a si mesma para respirar fundo e, pela primeira vez na vida, não conseguiu. Estava sufocada.

◆◆◆

A cabeça de Langdon doía, ele tinha a sensação de estar somente no limiar da racionalidade. Observava Vittoria e o camerlengo, mas sua visão estava nublada por imagens horrendas: explosões, o alvoroço da imprensa, o espoucar dos *flashes* das máquinas fotográficas, quatro corpos marcados a fogo.

Shaitan... Lúcifer... Aquele que traz a luz... Satan...

Afastou as imagens demoníacas de sua mente. *Terrorismo calculado*, lembrou a si mesmo, agarrando-se à realidade. *Caos planejado.* Recordou-se de um seminário em Radcliffe de que participara como ouvinte quando estava pesquisando o simbolismo pretoriano. Desde então, modificara sua maneira de ver os terroristas.

– O terrorismo – começara o professor – tem um objetivo em especial. Qual é?

– Matar pessoas inocentes? – arriscou um aluno.

– Incorreto. A morte é apenas um subproduto do terrorismo.

– Uma exibição de força?

– Não. Não existe forma mais fraca de persuasão.

– Causar terror?

– Sendo muito conciso, sim. Simplesmente, o objetivo do terrorismo é criar terror e medo. O medo abala a confiança nas instituições. Enfraquece o inimigo de dentro para fora, causa inquietação nas massas. Escrevam isto: o terrorismo *não* é uma expressão de raiva. O terrorismo é uma arma política. Quando se acaba com a fachada de infalibilidade de um governo, acaba-se com a fé do povo.

Perda de fé...

Seria esta a questão? Langdon imaginava como os cristãos de todo o mundo reagiriam quando soubessem que quatro cardeais haviam sido sacrificados como se fossem cães mutilados. Se a fé de um religioso consagrado não era capaz de protegê-lo das maldades de Satã, que esperança restava para nós? A cabeça de Langdon latejava mais agora, ouvindo vozes ao longe sobrepondo-se umas às outras...

A fé não protege ninguém. Remédios e air-bags é que protegem as pessoas. Deus não protege ninguém. A inteligência, sim. Esclarecimento. Tenha fé somente em algo com resultados tangíveis. Há quanto tempo não se ouve falar que alguém andou sobre a água? Os milagres modernos são realizados pela ciência... computadores, vacinas, estações espaciais... até o milagre divino da criação. A matéria vinda do nada... em um laboratório. Quem precisa de Deus? Não! A ciência é Deus.

A voz do assassino ressoava na mente de Langdon. *Meia-noite...* progressão matemática da morte... *sacrifici vergini nell'altare di scienza.*

Então, de súbito, como uma multidão que se dispersa ao ouvir um tiro, as vozes se foram.

Robert Langdon levantou-se num pulo. Sua cadeira caiu para trás, batendo com força no chão de mármore.

Vittoria e o camerlengo tiveram um sobressalto.

– Deixei escapar... – Langdon murmurava, como se estivesse enfeitiçado. – Estava bem na minha frente.

– Deixou escapar o quê? – perguntou Vittoria.

Langdon dirigiu-se para o padre.

– Padre, durante três anos requeri acesso aos Arquivos do Vaticano. O acesso me foi negado sete vezes.

– Senhor Langdon, sinto muito, mas este não é o momento apropriado para fazer queixas como essa.

– Preciso ter acesso imediatamente. Os quatro cardeais desaparecidos. Talvez eu consiga descobrir onde eles vão ser mortos.

Vittoria olhava fixo para ele, certa de não ter compreendido bem.

O camerlengo tinha a expressão perturbada de alguém que está sendo vítima de uma brincadeira cruel.

– Espera que eu acredite que essa informação *está em nossos arquivos?*

– Não posso prometer localizá-la a tempo, mas, se me deixar entrar...

– Senhor Langdon, tenho de estar na Capela Sistina dentro de quatro minutos. Os arquivos estão do outro lado da cidade.

– Você está falando sério, não está? – interrompeu Vittoria, encarando Langdon, parecendo entender a intensidade de seu empenho.

– Não é hora para brincadeiras – respondeu Langdon.

– Padre – disse Vittoria, dirigindo-se ao camerlengo –, se houver uma chance, por menor que seja, de sabermos onde essas mortes vão ocorrer, poderíamos cercar os locais e...

– Mas, e os arquivos? – insistiu o camerlengo. – Como é possível que contenham alguma pista?

– Se eu fosse explicar – disse Langdon –, gastaria um tempo que o senhor não tem. Mas, se eu estiver certo, podemos usar as informações para pegar o Hassassin.

O camerlengo esforçava-se para acreditar, mas não conseguia.

– Os códices mais sagrados da cristandade encontram-se naquele arquivo. Tesouros que eu próprio não tive o privilégio de ver.

– Estou ciente disso.

– O acesso só é autorizado por decreto do curador e do Conselho dos Bibliotecários Vaticanos.

– *Ou* – completou Langdon – por mandado *papal*. Está escrito em todas as cartas de recusa que seu curador me mandou.

O camerlengo concordou.

– Não quero ser indelicado – insistiu Langdon –, mas, se não me engano, o mandado papal sai *deste* escritório. Que eu saiba, hoje é o senhor quem está incumbido dessa função. Considerando-se as circunstâncias...

O camerlengo tirou um relógio de bolso de sua batina e consultou-o.

– Senhor Langdon, estou preparado para dar minha vida, literalmente, para salvar a Igreja esta noite.

Langdon viu apenas a verdade refletida no olhar do padre.

– Esse documento – disse o camerlengo –, o senhor acredita realmente que está aqui? E que pode nos ajudar a localizar as quatro igrejas?

– Eu não teria feito inúmeras solicitações de acesso se não estivesse convencido disso. A Itália é um tanto longe demais para se vir ao acaso quando se vive de um salário de professor. O documento é um antigo...

– Por favor – o camerlengo interrompeu-o. – Perdoe-me. Minha cabeça não consegue processar nenhum detalhe a mais neste momento. O senhor sabe onde os arquivos secretos estão?

Langdon sentiu uma onda de excitação.

– Atrás do Portão de Sant'Ana.

– Estou impressionado. A maioria dos estudiosos pensa que se chega lá por uma porta secreta atrás do Trono de São Pedro.

– Não. Ali fica o *Archivio della Reverenda di Fabbrica di S. Pietro*. Um engano comum.

– Um bibliotecário docente acompanha todos os que entram em todas as ocasiões. Esta noite, não há nenhum docente, todos saíram do Vaticano. O que me pede é um acesso com carta branca. Nem os nossos cardeais entram lá sozinhos.

– Vou tratar os seus tesouros com o maior respeito e cuidado. Seus bibliotecários não vão encontrar qualquer vestígio da minha presença.

Os sinos de São Pedro começaram a tocar. O camerlengo verificou a hora em seu relógio.

– Preciso ir – fez uma pausa tensa e olhou para Langdon. – Vou mandar um guarda suíço encontrá-lo no local dos arquivos. Senhor Langdon, estou depositando minha confiança no senhor. Agora, vá.

Langdon não encontrou palavras.

O jovem padre parecia agora ter um porte e uma presença quase sobrenaturais. Estendeu a mão e apertou o ombro de Langdon com uma força surpreendente.

– Quero que encontre o que vai procurar. E depressa.

CAPÍTULO 46

Os Arquivos Secretos do Vaticano estão situados na extremidade do Pátio Bórgia, em uma elevação a que se chega pelo Portão de Sant'Ana. Contêm mais de 20.000 volumes e, dizem, guarda tesouros como os diários perdidos de Leonardo da Vinci e até livros não publicados da Bíblia Sagrada.

Langdon atravessou com passadas vigorosas a deserta Via della Fondamenta rumo aos arquivos, mal acreditando que lhe fora concedido o acesso tão ambicionado. Vittoria seguia a seu lado, acompanhando-o sem o menor esforço. O cabelo dela ondulava levemente à brisa e Langdon aspirava seu perfume de amêndoa. Sentiu seus pensamentos se dispersarem e fez um esforço para se concentrar.

Vittoria disse:

– Vai me contar o que vamos procurar?

– Um livrinho escrito por um sujeito chamado Galileu.

– Você não perde tempo – comentou ela, surpresa. – O que há nele?

– Supõe-se que contenha algo chamado *il segno*.

– A indicação, a senha?

– Pista, sinal... depende da sua tradução.

– Indicação para quê?

Langdon apertou o passo.

– Para um local secreto. Os Illuminati do tempo de Galileu precisavam se proteger do Vaticano e por isso criaram um local de reuniões ultra-secreto aqui em Roma, a que chamaram de Igreja da Iluminação.

– Muita audácia chamar de *igreja* um antro satânico.

Langdon abanou a cabeça.

– Os Illuminati de Galileu não eram nem um pouco satânicos. Eram cientistas que reverenciavam o conhecimento, as luzes. Seu ponto de encontro era apenas o lugar onde podiam se encontrar em segurança e discutir tópicos proibidos pelo Vaticano. Embora se saiba que esse lugar existiu, até agora ninguém jamais o localizou.

– Quer dizer que os Illuminati sabiam manter segredo.

– Sem dúvida. Na realidade, eles nunca revelaram a localização de seu esconderijo para ninguém mais fora da fraternidade. Esse segredo protegia-os, mas, ao mesmo tempo, criava um problema quando se tratava de recrutar novos membros.

– Não poderiam crescer se não fizessem propaganda – disse Vittoria, as pernas e o raciocínio acompanhando-o perfeitamente.

– Exato. Rumores sobre a fraternidade de Galileu começaram a correr por volta de 1630, e cientistas de todo o mundo fizeram peregrinações secretas a Roma na esperança de se juntar aos Illuminati, ávidos por uma oportunidade de olhar através do telescópio de Galileu e ouvir as idéias do mestre. Infelizmente, porém, por causa do sigilo mantido pelos Illuminati, os cientistas que chegavam em Roma nunca sabiam aonde ir para assistir às reuniões ou a quem se dirigir com segurança. Os Illuminati queriam sangue novo, mas não podiam se arriscar divulgando seu paradeiro.

– Era então uma *situazione senza soluzione* – comentou Vittoria.

– Pois é. Um beco sem saída, como se diz.

– E o que eles fizeram?

– Eram cientistas, portanto examinaram o problema e encontraram uma solução. Uma solução brilhante, para ser franco. Os Illuminati criaram uma espécie de *mapa* engenhoso que orientava os cientistas para seu refúgio.

Vittoria diminuiu o passo, cética.

– Um mapa? Meio imprudente. Se uma cópia caísse nas mãos erradas...

– Não havia possibilidade – disse Langdon. – Não existiam cópias em lugar algum. Não era o tipo de mapa que cabe em uma folha de papel. Era enorme. Uma trilha marcada de várias maneiras através da cidade.

Vittoria diminuiu ainda mais o passo.

– Setas pintadas nas calçadas?

– De certo modo, sim, mas com mais sutileza. O mapa consistia em uma série de marcos simbólicos disfarçados cuidadosamente em locais públicos pela cidade afora. Um marco levava ao outro, e assim por diante, formando uma trilha que acabava levando ao refúgio dos Illuminati.

Vittoria olhou-o de soslaio.

– Parece mais uma caça ao tesouro.

Langdon sorriu timidamente.

– E realmente não deixa de ser. Os Illuminati chamavam a sua seqüência de marcos de "Caminho da Iluminação". E quem quer que desejasse fazer parte da fraternidade tinha de segui-la toda até o fim. Uma espécie de teste.

– Mas, se o Vaticano quisesse encontrar os Illuminati – argumentou Vittoria –, bastaria que também seguisse os marcos.

– Não. O caminho estava oculto. Era um quebra-cabeça, construído de tal forma que apenas determinadas pessoas teriam a capacidade de encontrar os marcos e adivinhar onde estava escondida a igreja dos Illuminati. Os Illuminati pretendiam que fosse uma espécie de iniciação, funcionando não apenas como medida de segurança mas também como um processo de seleção em que somente os cientistas mais brilhantes chegassem à sua porta.

– Não pode ser. No século XVII, os homens do clero estavam entre os mais instruídos do mundo. Se esses marcos ficavam em lugares públicos, com certeza existiriam homens do Vaticano capazes de encontrá-los.

– Sem dúvida – disse Langdon –, se eles *soubessem* dos marcos. Mas não sabiam. E nunca perceberam a existência dos marcos porque os Illuminati os prepararam de uma forma que os clérigos jamais suspeitariam que fossem o que eram. Utilizaram um método que em simbologia é chamado de *dissimulação*.

– Camuflagem.

Langdon surpreendeu-se.

– Você conhece o termo.

– *Dissimulacione* – disse ela. – A melhor forma de defesa da natureza. Experimente achar um peixe-trombeta flutuando verticalmente no meio da vegetação marinha.

– Pois é. Os Illuminati empregaram o mesmo conceito. Criaram marcos que desapareciam contra o pano de fundo da antiga Roma. Não podiam usar ambigramas nem simbologia científica porque seria um recurso visível demais, de modo que convocaram um artista Illuminatus, o mesmo prodígio anônimo que criara seu símbolo ambigramático "Illuminati", e encomendaram-lhe quatro esculturas.

– *Esculturas* Illuminati?

– Sim, esculturas que deveriam seguir duas rigorosas diretrizes. Primeiro, serem parecidas com o resto das obras de arte de Roma, serem obras de arte que o Vaticano nunca desconfiasse que pertenciam aos Illuminati.

– Arte *religiosa*.

Langdon concordou, animado, falando agora mais depressa.

– E a segunda diretriz eram os temas das quatro esculturas, que tinham de ser muito específicos. Cada uma delas teria de ser um tributo sutil a um dos elementos da ciência.

– *Quatro* elementos? – disse Vittoria. – Há mais de cem.

– Não no século XVII – lembrou Langdon. – Todos os alquimistas acreditavam que o universo se constituía de apenas quatro substâncias: Terra, Ar, Fogo e Água.

A cruz primitiva, Langdon sabia, era o símbolo mais comum dos quatro elementos – quatro braços representando Terra, Ar, Fogo e Água. Além disso, entretanto, existiam literalmente dezenas de ocorrências simbólicas de Terra, Ar, Fogo e Água através da História – os ciclos da vida pitagóricos, o *Hong-Fan* chinês, os rudimentos junguianos do feminino e do masculino, os quadrantes do zodíaco. Até os muçulmanos reverenciavam os quatro elementos, embora no Islã fossem conhecidos como "quadrados, nuvens, raios e ondas". Para Langdon, porém, era um uso mais moderno que sempre lhe dava arrepios – os quatro graus místicos de Iniciação Absoluta dos maçons: Terra, Ar, Fogo e Água.

Vittoria estava um pouco zonza.

– Quer dizer que esse artista Illuminati criou quatro obras de arte que *pareciam* religiosas, mas eram na realidade tributos à Terra, ao Ar, ao Fogo e à Água?

– Exatamente – disse Langdon, dobrando na Via Sentinel em direção aos Arquivos. – As peças misturaram-se ao mar de arte religiosa espalhado por Roma. Doando essas obras anonimamente para igrejas específicas e usando sua influência política, a fraternidade instalou as quatro peças em igrejas criteriosamente escolhidas em Roma. Cada uma delas, é claro, era um marco apontando sutilmente para a igreja seguinte onde estava o próximo marco. Funcionava como uma trilha de pistas disfarçada de arte religiosa. Se um candidato a Illuminati encontrasse a primeira igreja e o marco que correspondia à

Terra, podia seguir para o do Ar, depois para o do Fogo, o da Água e, por fim, para a Igreja da Iluminação.

Vittoria achava a explicação cada vez menos clara.

– E tudo isso tem alguma coisa a ver com pegarmos o assassino Illuminati?

Langdon riu e deu a última cartada.

– Ah, claro. Os Illuminati tinham uma denominação muito especial para essas quatro igrejas. *Os Altares da Ciência.*

Vittoria franziu a testa.

– Desculpe, mas isso não signif… – ela parou de falar. – *L'altare di scienza!* – exclamou. – O assassino Illuminati. Ele disse que os cardeais seriam sacrifícios de virgens nos altares da ciência!

Langdon sorriu para ela.

– Quatro cardeais, quatro igrejas. Os quatro altares da ciência.

Ela estava assombrada.

– Quer dizer que as quatro igrejas onde os cardeais vão ser sacrificados são *as mesmas* que marcam o antigo Caminho da Iluminação?

– Acredito que sim.

– Mas por que o assassino nos daria essa pista?

– Por que não? Poucos historiadores sabem sobre essas esculturas. Ainda por cima, pouquíssimos acreditam que existam. E sua localização permaneceu secreta por 400 anos. Decerto os Illuminati confiavam que o segredo fosse mantido por mais cinco horas. Além disso, eles não precisam mais do Caminho da Iluminação. Seu refúgio secreto provavelmente já desapareceu faz tempo. Vivem no mundo moderno. Encontram-se em salas de reuniões da presidência de bancos, em restaurantes de clubes e campos de golfe particulares. Esta noite, *querem* tornar públicos seus segredos. É o seu grande momento. A grande revelação.

Langdon temia que a grande revelação dos Illuminati viesse acompanhada de mais uma característica paralela que ele ainda não mencionara. *As quatro marcas a fogo.* O assassino declarara que cada cardeal seria marcado com um símbolo diferente. *Para provar que as lendas antigas são verdade,* dissera ele. A lenda das quatro marcas ambigramáticas era tão antiga quanto os próprios Illuminati: terra, ar, fogo, água – quatro palavras trabalhadas em perfeita simetria. Como a palavra Illuminati. Cada cardeal deveria ser marcado com um dos antigos elementos da ciência. O boato de que as quatro marcas eram em *inglês* e não em italiano ainda servia de tema de discussão entre os historiadores. O inglês parecia ser um desvio fortuito da sua língua natural… e os Illuminati não faziam nada ao acaso.

Langdon enveredou pelo caminho revestido de tijolos diante do prédio dos arquivos. Imagens horripilantes agitavam sua mente. O plano geral dos Illuminati começava a revelar sua paciente grandiosidade. A fraternidade jurara manter-se na surdina por quanto tempo fosse necessário, acumulando influência e poder suficientes para que pudesse reemergir sem medo, declarar sua posição e lutar por sua causa em plena luz do dia. Sem se esconder mais. Alardeando seu poder, confirmando os mitos conspiratórios. Aquela noite seria uma façanha publicitária mundial.

Vittoria anunciou:

– Lá vem nosso acompanhante.

Langdon levantou a cabeça e viu um guarda suíço atravessando às pressas um gramado adjacente em direção à porta da frente.

Quando o guarda avistou os dois, parou. Olhou para eles como se estivesse tendo uma alucinação. Sem dizer palavra, virou-se de costas e pegou seu walkie-talkie. Aparentemente sem acreditar no que lhe haviam mandado fazer, o guarda falou em tom urgente com a pessoa do outro lado. Langdon não conseguiu decifrar a vociferação que o rapaz ouviu de volta, mas a mensagem era bem clara. O guarda se encolheu, guardou o walkie-talkie e virou-se para eles com uma cara aborrecida.

Mudo, conduziu-os para o interior do prédio. Passaram por quatro portas de aço, duas entradas fechadas com chave privativa, desceram uma comprida escadaria que dava em um saguão com duas fechaduras digitais. Atravessaram uma série de portões eletrônicos e chegaram à extremidade de um longo corredor, diante de largas portas duplas de carvalho. O guarda parou, examinou-os de alto a baixo outra vez e, resmungando, encaminhou-se para uma caixa metálica presa na parede. Destrancou-a e digitou um código. As portas emitiram um zumbido e a cavilha se abriu.

O guarda voltou-se, falando com eles pela primeira vez.

– Os arquivos estão atrás daquelas portas. Recebi instruções para acompanhá-los até este ponto e voltar para cumprir outras ordens.

– Vai embora? – perguntou Vittoria.

– A Guarda Suíça não tem acesso aos Arquivos Secretos. Os senhores estão aqui somente porque meu comandante recebeu uma ordem direta do camerlengo.

– Mas como vamos sair?

– Segurança monodirecional. Não terão dificuldade alguma.

Sendo aquilo tudo o que tinha para dizer, o guarda girou nos calcanhares e marchou para a saída.

Vittoria fez um comentário qualquer, mas Langdon não a escutou. Sua mente estava concentrada nas portas duplas à sua frente, conjeturando que mistérios guardariam.

CAPÍTULO **47**

Apesar de saber que estava em cima da hora, o camerlengo Carlo Ventresca ia andando devagar. Precisava de um tempo a sós para ordenar seus pensamentos antes de fazer a prece de abertura. Tanta coisa estava acontecendo. Seguindo pela Ala Norte, imerso em sombria solidão, o desafio dos últimos 15 dias pesava em cada um de seus ossos.

Cumprira seus santos deveres ao pé da letra.

Como determinava a tradição do Vaticano, logo depois da morte do Papa o camerlengo constatara pessoalmente o óbito pousando os dedos na artéria carótida do pontífice, escutara se ainda respirava e em seguida chamara-o pelo nome três vezes. Por lei, não havia autópsia. Então, ele selara o quarto de dormir do Papa, destruíra o Anel do Pescador e o sinete usado para fazer os selos de chumbo e tomara as providências necessárias para as exéquias. Tendo terminado, iniciara os prepararativos para o conclave.

Conclave, pensou. *A barreira final a ultrapassar*. Era uma das mais antigas tradições da cristandade. Hoje em dia, pelo fato de em geral o resultado do conclave já ser conhecido antes do seu começo, o processo era criticado, considerado obsoleto – visto mais como uma paródia do que uma eleição. O camerlengo sabia, porém, que isso se devia a uma falta de compreensão. O conclave não era uma eleição. Era uma antiga e mística transferência de poder. A tradição não tinha idade... o segredo, as tiras de papel dobradas, a queima das cédulas, a mistura de antigos produtos químicos, os sinais de fumaça.

À medida que o camerlengo se aproximava através das Loggias de Gregório XIII, pensava se o cardeal Mortati já estaria em pânico àquela altura. Mortati com certeza já percebera a ausência dos *preferiti*. Sem eles, a votação entraria pela noite adentro. A indicação de Mortati para Grande Eleitor, o camerlengo se tranqüilizava, fora uma boa escolha. O homem era um livre-pensador e podia falar com franqueza. O conclave daquela noite precisaria mais do que nunca de um líder.

Quando chegou ao topo da Escadaria Real, teve a sensação de que se encontrava no precipício de sua vida. Dali já se ouvia o rumor de atividade na Capela Sistina, lá embaixo – o burburinho inquieto de 165 cardeais.

Cento e sessenta e um cardeais, corrigiu-se.

Por um instante, o camerlengo estava caindo, mergulhando no inferno, com pessoas gritando, labaredas envolvendo-o, pedras e sangue caindo do céu como chuva.

E, depois, o silêncio.

◆◆◆

Quando a criança acordou, estava no céu. Tudo em torno dela era branco. A luz era ofuscante e pura. Havia gente que dizia que um menino de dez anos não seria capaz de compreender o céu, mas o jovem Carlo Ventresca sabia muito bem o que era o céu. Estava no céu naquele momento. Onde mais poderia estar? Na sua breve década de existência na Terra, Carlo sentira a majestade de Deus – o som atroador do órgão, os domos grandiosos, as vozes elevando-se em cânticos, os vitrais, o reluzir do bronze e do ouro. Maria, a mãe de Carlo, levava-o à missa todos os dias.

– Por que vamos à missa todos os dias? – perguntava ele, não que se importasse.

– Porque prometi a Deus – ela respondia. – E uma promessa que se faz a Deus é a mais importante de todas. Jamais quebre uma promessa a Deus.

Carlo prometeu a ela que nunca o faria. Amava sua mãe mais do que tudo no mundo. Ela era seu santo anjo. Às vezes, chamava-a de *Maria Benedetta* – Maria Bendita –, embora ela não gostasse nem um pouco disso. Ajoelhava junto dela para rezar, sentindo o doce perfume de seu corpo e escutando o murmúrio da sua voz passando as contas do rosário. *Santa Maria, Mãe de Deus... rogai por nós, pecadores... agora e na hora de nossa morte.*

– Onde está meu pai? – Carlo perguntava, já sabendo que seu pai morrera antes de seu nascimento.

– Deus é seu pai agora – era a resposta de sempre. – Você é um filho da Igreja.

Carlo adorava aquilo.

– Sempre que sentir medo – ela explicava –, lembre-se que agora Deus é seu pai. Ele vai tomar conta de você e protegê-lo para sempre. Deus tem *grandes planos* para você, Carlo.

O menino sabia que ela tinha razão. Já era capaz de sentir Deus em seu sangue.

Sangue...

Sangue caindo do céu como chuva!

Silêncio. E o céu depois.

O céu de Carlo – o menino aprendeu quando as luzes ofuscantes foram desligadas – era na realidade a Unidade de Terapia Intensiva do Hospital Santa Clara, nos arredores de Palermo. Carlo fora o único sobrevivente de um atentado terrorista a bomba que demolira a capela onde ele e a mãe estavam assistindo à missa durante o período de férias. Os jornais chamaram a sobrevivência de Carlo de *Milagre de São Francisco*. Por alguma razão desconhecida, Carlo afastara-se da mãe minutos antes da explosão e entrara em uma alcova protegida para apreciar uma tapeçaria que representava a história de São Francisco.

Deus me chamou ali, concluiu ele. *Queria me salvar.*

Carlo delirava de dor. Ainda via sua mãe, ajoelhada no banco da igreja, soprando-lhe um beijo e, em seguida, com um estrondo, seu corpo docemente perfumado despedaçar-se. Ainda sentia na boca o gosto da maldade humana. Choveu sangue. O sangue de sua mãe! Maria Bendita!

Deus vai tomar conta de você e protegê-lo para sempre, dissera sua mãe.

Mas onde estava Deus agora?

Então, como uma manifestação mundana da verdade de sua mãe, um sacerdote foi ao hospital. Não era um sacerdote qualquer. Era um bispo. Rezou junto à cama de Carlo. O Milagre de São Francisco. Quando Carlo se recuperou, o bispo providenciou para que ele fosse morar em um pequeno monastério ligado à catedral onde o bispo exercia sua jurisdição. Carlo vivia ali e ali tinha aulas com os monges. Chegou a ser coroinha de seu novo protetor. O bispo sugeriu que Carlo fosse para uma escola secundária, mas o menino não quis. Não podia estar mais feliz em seu novo lar. Agora vivia de fato na casa de Deus.

Toda noite, Carlo rezava por sua mãe.

Deus me salvou por alguma razão, pensava. *Que razão?*

Quando completou dezesseis anos, de acordo com a lei italiana, foi obrigado a prestar dois anos de serviço militar. O bispo disse a Carlo que ele seria dispensado desse dever se entrasse para o seminário. Carlo respondeu que planejava entrar para o seminário, mas que primeiro precisava entender a *maldade*.

O bispo não compreendeu.

Carlo explicou que, se ia passar a vida na Igreja lutando contra a maldade, primeiro precisava entendê-la. Não imaginava lugar melhor para entender a maldade do que no exército. O exército usava armas e bombas. *Uma bomba matou minha mãe Bendita!*

O bispo tentou dissuadi-lo, mas Carlo já se decidira.

– Tenha cuidado, filho – dissera-lhe o bispo. – E lembre-se de que a Igreja o aguarda quando voltar.

Os dois anos do serviço militar de Carlo foram terríveis. A juventude dele se passara em silêncio e reflexão. No exército, porém, não havia sossego para se refletir. O barulho era incessante. Máquinas enormes por toda parte. Nem um momento sequer de paz. Apesar de os soldados irem à missa uma vez por semana no quartel, Carlo não sentia a presença de Deus nos seus companheiros. O caos enchia demais as mentes deles para que vissem Deus.

Carlo detestava sua nova vida e ansiava por voltar para casa. Mas estava determinado a perseverar. Ainda não entendia a maldade. Recusava-se a dar um tiro, e assim os militares ensinaram-no a pilotar um helicóptero do serviço médico. Carlo não gostava do ruído nem do cheiro do helicóptero, mas ao menos o deixavam voar pelo céu e ficar mais próximo de sua mãe. Ao ser informado de que seu treinamento de piloto incluía aprender a saltar de pára-quedas, o rapaz ficou apavorado. Não tinha opção, porém.

Deus vai me proteger, disse a si mesmo.

Seu primeiro salto de pára-quedas foi a mais estimulante experiência física de sua vida. Era como voar com Deus. Depois, ele jamais se cansava daquilo... o silêncio... a sensação de flutuar... enxergar o rosto de sua mãe nas nuvens brancas ondulantes enquanto ele pairava na descida à terra. *Deus tem planos para você, Carlo*. Assim que saiu do exército, Carlo entrou para o seminário.

Tudo acontecera vinte e três anos antes.

◆◆◆

Agora, enquanto descia a Escadaria Real, o camerlengo Carlo Ventresca tentava compreender a cadeia de acontecimentos que o fizera chegar àquela extraordinária encruzilhada.

Abandone todo medo, disse a si próprio, *e entregue esta noite a Deus*.

Avistava a grande porta de bronze da Capela Sistina devidamente protegida por quatro guardas suíços. Os guardas destrancaram a porta e abriram-na. Lá dentro, todas as cabeças se viraram para a porta. O camerlengo passou os olhos pelos homens diante dele, vestidos de batinas negras e faixas vermelhas na cintura. Compreendeu quais eram os planos que Deus lhe reservara. O destino da Igreja fora colocado em suas mãos.

Ele fez o sinal-da-cruz e entrou na capela.

CAPÍTULO **48**

Gunther Glick, jornalista da BBC, estava suando, sentado dentro do furgão da emissora que fora estacionado na extremidade leste da Praça de São Pedro, e amaldiçoando seu editor. Embora a primeira matéria mensal de Glick tivesse voltado da mesa do editor coberta de elogios – engenhoso, perspicaz, confiável –, cá estava ele na Cidade do Vaticano fazendo o "Plantão do Papa". Procurava convencer-se de que trabalhar para a BBC dava muito mais credibilidade do que ficar inventando um monte de lixo para o *British Tattler*, mas ainda assim aquilo não era propriamente a idéia que ele fazia de ser repórter.

A tarefa de Glick era simples. Chegava a ser um insulto, de tão simples. Tinha de ficar sentado esperando um bando de velhos gagás elegerem seu próximo chefe, depois sair do carro e gravar uma reportagem de 15 segundos "ao vivo" com o Vaticano ao fundo.

Genial.

Glick mal acreditava que a BBC ainda deslocasse repórteres para cobrir aquela baboseira. *Não há nenhuma rede de notícias norte-americana aqui esta noite. Claro que não!* Porque os garotões de lá sabiam como fazer as coisas. Eles assistiam à CNN, faziam uma sinopse e depois filmavam sua reportagem "ao vivo" diante de uma tela azul, superpondo vídeos de arquivo para obter um pano de fundo realista. A MSNBC usava até máquinas de vento e chuva de estúdio para maior autenticidade. Os espectadores não queriam mais a verdade, queriam diversão.

Glick olhou através do pára-brisa e sentiu-se cada vez mais deprimido. A montanha grandiosa da Cidade do Vaticano erguia-se à sua frente como um melancólico lembrete das coisas que os homens podiam realizar quando se empenhavam por elas.

– O que realizei de bom na minha vida? – refletiu em voz alta. – Nada.

– Então, desista – disse uma voz feminina atrás dele.

Glick deu um pulo. Quase se esquecera de que não estava sozinho. Virou-se para o banco de trás, onde a operadora de câmera Chinita Macri estava sentada polindo suas lentes. Ela estava sempre polindo as lentes. Chinita era negra, embora preferisse ser chamada de afro-americana, e também um tanto rude e danada de esperta. Não deixava passar nada. Era meio estranha, mas Glick gostava dela. E ele com certeza estava precisando de companhia naquele momento.

– Qual é o problema, Gunth? – perguntou Chinita.

– O que estamos fazendo aqui?

Ela continuou a polir as lentes.

– Presenciando um acontecimento empolgante.

– Uma porção de velhos trancados no escuro é empolgante?

– Você sabe que vai direto para o inferno, não sabe?

– Já estou nele.

– Conte por que está tão aborrecido.

Parecia a mãe dele falando.

– Eu só queria me distinguir de alguma forma no meu trabalho.

– Você escreveu para o *British Tattler*.

– É, mas nada que tivesse impacto.

– Ah, deixe disso, soube que você escreveu um artigo sensacional sobre a vida sexual secreta da rainha com extraterrestres.

– Obrigado.

– Ei, as coisas estão melhorando, hoje você vai fazer seus primeiros 15 segundos da história da TV.

Glick resmungou. Já conseguia até ouvir as palavras do âncora: "Obrigado Gunther, grande reportagem." E o âncora passaria para a meteorologia.

– Devia ter tentado conseguir um lugar de âncora.

Macri riu.

– Sem experiência? E com essa barba? Nem pensar!

Glick correu os dedos pelo tufo avermelhado de cabelo em seu queixo.

– A barba me faz parecer mais inteligente.

Ainda bem que o telefone celular do furgão tocou, interrompendo mais um comentário sobre os fracassos de Glick.

– Talvez seja a editoria – disse ele, de repente esperançoso. – Será que vão querer as últimas notícias ao vivo?

– *Dessa* história? – riu Macri. – Você continua sonhando, hein?

Glick atendeu ao telefone com sua melhor voz de âncora.

– Gunther Glick, BBC. Cobertura ao vivo da Cidade do Vaticano.

O homem do outro lado tinha um sotaque árabe carregado.

– Escute com atenção o que tenho para dizer – disse o homem. – Daqui a pouco, vou fazer a sua vida inteira mudar.

CAPÍTULO **49**

Langdon e Vittoria ficaram sozinhos diante das portas duplas que levavam ao santuário dos Arquivos Secretos. A decoração do lugar onde estavam era uma mistura incongruente de tapetes sobre pisos de mármore e câmeras de segurança instaladas ao lado de querubins esculpidos no teto. Langdon apelidou-a de *Estéril Renascença*. Ao lado da entrada em arco havia uma pequena placa de bronze.

ARCHIVIO VATICANO
Curatore, Padre Jaqui Tomaso

Padre Jaqui Tomaso. Langdon reconheceu o nome do curador, que vinha nas cartas de recusa empilhadas em cima de sua escrivaninha, em casa. *Caro senhor Langdon, lamento informar que...*

"Lamento." *Pois sim.* Desde que começara o reinado de Jaqui Tomaso, Langdon jamais encontrara um único acadêmico americano não-católico que tivesse recebido autorização para visitar os Arquivos Secretos do Vaticano. *Il guardiano*, chamavam-no os historiadores. Jaqui Tomaso era o bibliotecário mais severo do mundo.

Ao abrir as portas e entrar no recinto, Langdon quase esperava encontrar o padre Jaqui envergando uniforme militar e capacete, montando guarda com uma bazuca na mão. O espaço, porém, estava deserto.

Silêncio. Luz suave.

Archivio Vaticano. Um dos sonhos de sua vida.

Quando correu os olhos pelo aposento sagrado, sua primeira reação foi de vergonha. Percebeu que romântico empedernido ele era. A imagem que fizera durante tantos anos daquele lugar não poderia ser mais inexata. Imaginara estantes empoeiradas até o alto cheias de livros esfrangalhados, padres catalogando os volumes à luz de velas e de janelas com vitrais, monges examinando rolos de pergaminhos.

A realidade nem chegava perto.

À primeira vista, a sala parecia um hangar escuro de companhia aérea no qual alguém tivesse construído umas 12 quadras independentes de squash. Langdon evidentemente sabia para que serviam os recintos de paredes de vidro. Não se surpreendeu ao encontrá-los: a umidade e o calor deterioravam antigos velinos e pergaminhos e a conservação adequada exigia câmaras herméticas como aquelas – cubículos vedados que impediam a penetração da umidade e dos ácidos naturais do ar. Langdon já estivera dentro de câmaras herméticas muitas vezes, mas sempre haviam sido experiências perturbadoras... mais ou menos como entrar em um contêiner fechado onde o oxigênio fosse controlado por um bibliotecário.

As câmaras eram escuras, espectrais mesmo, vagamente delineadas por pequenas luminárias em forma de cúpula na extremidade de cada conjunto de estantes. Em meio às trevas daquelas células, Langdon percebia a presença dos gigantes fantasmagóricos, fila após fila de imensas estantes carregadas de história. Era uma coleção e tanto.

Vittoria também parecia deslumbrada. Ao lado dele, contemplava em silêncio os gigantescos cubos transparentes.

Tinham pouco tempo e por isso Langdon não o desperdiçou nem um pouco vasculhando a sala mal iluminada em busca de um catálogo – uma enciclopédia encadernada onde estivesse catalogada a coleção da biblioteca. Tudo o que viu foi o brilho de uma porção de terminais de computador espalhados pela sala.

– Parece que eles têm o Biblion. O índice é computadorizado.

Vittoria ficou esperançosa.

– O que deve acelerar as coisas.

Langdon gostaria de sentir o mesmo entusiasmo, mas tinha a impressão de que a notícia não era tão boa assim. Dirigiu-se a um terminal e começou a digitar. Seus temores confirmaram-se instantaneamente.

– O método antigo teria sido melhor.

– Por quê?

Ele se afastou do monitor.

– Porque livros de verdade não são protegidos por senhas. Será que os físicos são também hackers por natureza?

Vittoria sacudiu a cabeça.

– Só sei abrir ostras.

Langdon respirou fundo e virou-se para o fantástico conjunto de câmaras diáfanas. Aproximou-se da que estava mais perto e tentou enxergar o sombrio interior. Por trás das paredes de vidro havia formas pouco definidas que Langdon identificou como as habituais prateleiras de livros, caixas de pergaminhos e mesas de leitura. Olhou para as etiquetas brilhando no alto de cada conjunto de estantes. Como em todas as bibliotecas, as etiquetas indicavam o assunto dos livros daquelas estantes. Foi lendo os dizeres e andando ao longo da barreira transparente.

PIETRO IL ERIMITO... LE CROCIATE... URBANO II... LEVANTE...

– Estão etiquetadas – disse ele, ainda caminhando. – Mas não em ordem alfabética por autor.

Não se surpreendeu. Arquivos antigos em geral não eram catalogados em ordem alfabética porque incluíam muitos autores desconhecidos. Também não os catalogavam pelos títulos porque muitos documentos históricos eram cartas sem título e fragmentos de pergaminhos. A maior parte da catalogação seguia a ordem cronológica. O que era desconcertante, no entanto, é que *aquela* arrumação também parecia não ser cronológica.

Estavam perdendo um tempo precioso.

– Tenho a impressão de que o Vaticano tem seu próprio sistema de catalogação.

– Que surpresa...

Ele examinou as etiquetas outra vez. Os documentos eram originários de muitos séculos, mas todas as palavras-chave, notou Langdon, estavam relacionadas entre si.

– Acho que a classificação é temática.

– Temática? – desaprovou a cientista Vittoria. – Não deve ser eficiente.

Na realidade, refletiu Langdon, examinando-a mais de perto, *talvez essa seja a forma mais inteligente de catalogação que já vi*. Sempre insistira com seus alunos que procurassem compreender o tom e os temas predominantes de um período em vez de se prenderem a minúcias como datas e obras específicas. Os Arquivos Vaticanos, ao que parecia, haviam sido catalogados de acordo com uma filosofia semelhante. *Grandes temas...*

– Tudo o que está nesta câmara – disse Langdon, mais confiante –, séculos de material, tem a ver com as Cruzadas. É o tema desta câmara em especial. – Estava tudo ali, ele se deu conta. *Relatos históricos, cartas, arte, dados sociopolíticos, análises modernas. Tudo junto para incentivar a compreensão mais profunda de um tópico. Brilhante.*

Vittoria franziu o cenho.

– Mas os dados podem estar relacionados a *múltiplos* temas simultaneamente.

– É por isso que foi feita a remissão recíproca com marcadores especiais. – Langdon apontou, através do vidro, para os marcadores de plástico colorido inseridos entre documentos. – Esses marcadores indicam documentos secundários localizados em outro lugar junto com seus assuntos principais.

– Certo – disse ela, aparentemente abandonando o assunto. Pôs as mãos na cintura e correu o olhar pelo imenso espaço. Depois, dirigiu-se a Langdon. – Então, professor, como é mesmo o nome dessa obra de Galileu que estamos procurando?

Langdon não pôde deixar de sorrir. Ainda não acreditava muito que estava ali, naquele lugar. *Está aqui*, pensou. *Em algum ponto dessa escuridão, está à espera.*

– Venha atrás de mim – disse ele. Começou a percorrer com andar rápido a primeira passagem entre as câmaras lendo a etiqueta de identificação de cada uma delas. – Lembra o que lhe contei sobre o Caminho da Iluminação? Como os Illuminati recrutavam novos membros usando um teste complexo?

– A caça ao tesouro – disse Vittoria, seguindo-o.

– O desafio para os Illuminati, depois de terem instalado os marcos, foi achar uma forma de dizer à comunidade científica que o caminho existia.

– Lógico – comentou Vittoria. – Senão, ninguém saberia que era necessário procurá-lo.

– Sim, e mesmo que *soubessem* que existia, os cientistas não teriam como descobrir onde o caminho começava. Roma é enorme.

– É.

Langdon passou para o corredor seguinte, examinando as etiquetas enquanto falava.

– Há uns 15 anos, alguns historiadores da Sorbonne e eu descobrimos uma série de cartas dos Illuminati cheias de referências ao *segno*.

– O sinal. O aviso sobre o caminho e onde ele começava.

– Isso. E, desde então, vários acadêmicos que estudam os Illuminati, inclusive eu, descobriram outras referências ao *segno*. Hoje em dia, é uma teoria aceita que a pista de fato existe e que Galileu a distribuiu profusamente pela comunidade científica sem que o Vaticano jamais soubesse.

– De que maneira?

– Não se sabe ao certo, mas o mais provável é que tenha sido através de publicações impressas. Ele publicou muitos livros e boletins ao longo dos anos.

– De que o Vaticano sem dúvida teve conhecimento. Coisa perigosa.

– É verdade. Mesmo assim, o *segno* foi distribuído.

– E ninguém jamais o encontrou?

– Jamais. O mais estranho é que, sempre que aparecem alusões ao *segno*, seja em diários maçônicos, antigas revistas científicas, cartas dos Illuminati ou outras fontes, ele costuma vir representado por um número.

– 666?

Ele sorriu.

– Não, 503.

– Que significa o quê?

– Nenhum de nós foi capaz de descobrir. Fiquei fascinado com o número 503, tentando de tudo para encontrar seu significado: numerologia, referências cartográficas, latitudes. – Langdon chegou ao fim daquela passagem, dobrou para um lado e continuou examinando rapidamente a fila seguinte de etiquetas e falando ao mesmo tempo. – Durante muitos anos, o único indício possível que se tinha era o fato de 503 começar com o número cinco, um dos dígitos sagrados dos Illuminati. – Ele fez uma pausa.

– Algo me diz que você recentemente encontrou a resposta e que é por isso que estamos aqui.

– Correto – disse Langdon, permitindo-se um raro momento de orgulho por seu trabalho. – Conhece um livro de Galileu chamado *Diàlogo?*

– Claro. Famoso entre os cientistas como a suprema traição científica.

Traição não era bem a palavra que Langdon teria usado, mas compreendia o que Vittoria queria dizer. No início da década de 1630, Galileu quis publicar um livro endossando o modelo heliocêntrico do sistema solar formulado por Copérnico. O Vaticano, porém, só permitiria que o livro fosse lançado se Galileu incluísse nele provas igualmente convincentes do modelo geocêntrico adotado pela Igreja, um modelo que Galileu sabia estar completamente errado. Galileu não teve escolha senão ceder à exigência da Igreja e publicou um livro que dava o mesmo espaço para os dois modelos, o certo e o errado.

– Como deve saber – prosseguiu Langdon –, apesar da concessão de Galileu, o *Diàlogo* ainda foi considerado herético e o Vaticano colocou o cientista em prisão domiciliar.

– Nenhuma boa ação passa sem punição.

Langdon achou graça.

– É mesmo. Entretanto, Galileu era persistente. Enquanto estava preso em casa, escreveu secretamente um manuscrito menos conhecido que alguns estudiosos às vezes confundem com o *Diàlogo*. Esse livro se chama *Discorsi*.

Vittoria concordou.

– Sei qual é. *Discursos sobre as Marés.*

Langdon parou, admirado por ela conhecer a obscura publicação sobre os movimentos dos planetas e seu efeito sobre as marés.

– Não se esqueça de que está falando com uma física italiana cujo pai idolatrava Galileu.

Não eram os *Discorsi*, porém, que estavam procurando. Langdon explicou que aquele livro não fora o único trabalho de Galileu durante o seu confinamento. Os historiadores acreditavam que ele também escrevera um livreto pouco conhecido chamado *Diagramma*.

– *Diagramma della Veritá* – citou. – *Diagrama da Verdade.*

– Nunca ouvi falar deste.

– Não me espanta. *Diagramma* foi o livro mais secreto de Galileu, supostamente uma espécie de tratado sobre fatos científicos que ele considerava verdadeiros, mas que não estava autorizado a divulgar. Como alguns dos seus manuscritos anteriores, *Diagramma* foi contrabandeado para fora de Roma por um amigo e discretamente publicado na Holanda. O livrinho tornou-se muito popular no submundo científico europeu. Até que o Vaticano tomou conhecimento dele e iniciou uma campanha de queima de livros.

Vittoria agora estava intrigada.

– E você acha que *Diagramma* continha a pista? O *segno?* A informação sobre o Caminho da Iluminação?

– *Diagramma* foi como Galileu fez a notícia correr. Disto estou certo.

Langdon enveredou pela terceira fileira de câmaras de vidro e continuou examinando as etiquetas de identificação.

– Os arquivistas vêm procurando um exemplar do *Diagramma* há anos. No entanto, com as queimas de livros promovidas pelo Vaticano e o baixo coeficiente de permanência do livro, este desapareceu da face da Terra.

– Coeficiente de permanência?

– A durabilidade. Os arquivistas classificam os documentos de um a dez segundo sua integridade estrutural. *Diagramma* foi impresso em uma variedade muito frágil de papiro. Parece o material dos nossos lenços de papel modernos. Vida útil de pouco mais de um século.

– Por que não se usou um material mais forte?

– Foi uma determinação de Galileu para proteger seus seguidores. Dessa forma, qualquer cientista que fosse apanhado com um exemplar poderia simplesmente jogá-lo na água e o livro se dissolveria. Era um meio excelente de destruir uma prova, mas foi terrível para os arquivistas. Acredita-se que apenas *um* exemplar do *Diagramma* tenha subsistido além do século XVIII.

– Um? – uma expressão encantada passou pelo rosto de Vittoria enquanto ela corria os olhos pela sala. – E está *aqui?*

– Confiscado pelo Vaticano na Holanda logo depois da morte de Galileu. Venho solicitando permissão para vê-lo há anos. Desde que percebi o que havia nele.

Como se lesse a mente de Langdon, Vittoria deslocou-se para o outro lado e começou a examinar a fileira seguinte, dobrando o ritmo da busca.

– Obrigado – disse ele. – Procure etiquetas de referência que tenham alguma coisa a ver com Galileu, ciência, cientistas. Vai saber quando encontrar uma.

– Está bem, mas ainda não me contou como descobriu que a pista estava no *Diagramma*. Teve alguma relação com o número que vocês sempre viam nas cartas dos Illuminati? 503?

Por um instante, Langdon reviveu o momento da revelação inesperada: 16 de agosto. Dois anos atrás. Ele estava à margem de um lago, na festa de casamento do filho de um colega. O som de gaitas de fole repercutiu sobre as águas quando os noivos e acompanhantes fizeram sua entrada espetacular através do lago em uma barcaça. A embarcação fora decorada com flores e guirlandas. No casco, ostentava um número pintado em algarismos romanos: DCII.

Curioso com o número, Langdon perguntou ao pai da noiva:

– Por que o número 602?

– 602?

Langdon apontou para a barcaça.

– DCII é 602 em algarismos romanos.

O homem deu uma risada.

– Não são algarismos romanos. É o nome da barcaça.

– O DCII?

O homem assentiu.

– O *Dick* e *Connie II*.

Langdon ficou encabulado. Dick e Connie eram os noivos. A barcaça evidentemente recebera aquele nome em homenagem a eles.

– O que aconteceu com o *DCI?*

O homem fez uma careta.

– Afundou ontem durante o almoço do ensaio do casamento.

Langdon achou engraçado, mas disse assim mesmo:

– Que pena.

E olhou novamente para a barcaça. A *DCII*, pensou. *Como se fosse um QEII em miniatura.* Um segundo depois, tudo ficou claro em sua cabeça.

E Langdon continuou a contar a Vittoria:

– Como já disse, 503 é um código. Um estratagema dos Illuminati para esconder o que na realidade era um algarismo romano. O número 503 em algarismos romanos é...

– DIII.

– Rápida, hein? Não me diga que é uma Illuminata.

Ela riu.

– Uso algarismos romanos para codificar estratos pelágicos.

Claro, pensou Langdon. *Quem não o faz?*

– E qual é afinal o significado de DIII?

– DI, DII e DIII são abreviaturas muito antigas. Os cientistas da antiguidade usavam-nas para fazer distinção entre os três documentos de Galileu que mais eram confundidos.

Vittoria quase perdeu o fôlego ao dizer:

– *Diàlogo... Discorsi... Diagramma.*

– D-um, D-dois, D-três. Todos eles científicos. Todos, motivo de controvérsia. 503 é DIII. *Diagramma.* O terceiro dos livros de Galileu.

Vittoria estava sob o impacto da revelação.

– Mas uma coisa ainda não faz sentido. Se esse *segno*, essa pista, essa mensagem sobre o Caminho da Iluminação estava realmente no *Diagramma* de Galileu, como o Vaticano não descobriu nada quando se apossou de todos os exemplares?

– Podem ter visto e não ter percebido o que viam. Lembra-se dos marcos dos Illuminati? A habilidade para esconder o que está à vista? A dissimulação? Tudo indica que o *segno* estava oculto da mesma maneira, bem à vista. Invisível para aqueles que não o estavam procurando. Também invisível para os que não o *compreendiam.*

– Como assim?

– Galileu escondeu-o muito bem. De acordo com os registros históricos, o *segno* foi revelado de uma forma que os Illuminati chamavam de *lingua pura.*

– A linguagem pura?

– Sim.

– Matemática?

– É a minha opinião. Parece bastante óbvio. Galileu era um cientista, afinal de contas, e estava escrevendo *para* cientistas. A matemática seria a linguagem lógica para elaborar a pista. O livreto chama-se *Diagramma* e, assim, diagramas matemáticos poderiam fazer parte do código.

A réplica de Vittoria soou apenas ligeiramente mais esperançosa.

– Galileu poderia ter criado algum tipo de código matemático que passasse despercebido ao clero.

– Tenho a impressão de que você não ficou muito convencida – disse Langdon, prosseguindo em seu caminho.

– Não fiquei. Talvez porque *você* mesmo não esteja. Se tinha tanta certeza sobre o DIII, por que não publicou nada a respeito? Então, alguém que tivesse acesso aos Arquivos Vaticanos poderia ter vindo aqui e analisado o *Diagramma* há muito tempo.

– Eu não *quis* publicar nada – respondeu Langdon. – Trabalhei tanto para conseguir a informação que... – ele se calou, constrangido.

– Também queria a *glória* – completou ela.

Langdon sentiu seu rosto corar.

– De certa forma, sim. É que...

– Não fique tão encabulado. Está falando com uma cientista. Publicar ou perecer. No CERN, chamamos a isso de "comprovar ou sufocar".

– Não se tratava só de ser o primeiro. Receava que as pessoas erradas encontrassem a informação no *Diagramma* e sumissem com ela.

– As pessoas erradas seriam do Vaticano?

– Não que sejam erradas por si, mas a Igreja sempre fez pouco caso da ameaça dos Illuminati. No princípio da década de 1900, o Vaticano chegou ao cúmulo de afirmar que os Illuminati eram uma fantasia criada por imaginações exaltadas. O clero achou, e talvez com certa razão, que a última coisa que os cristãos precisavam saber era que existia um poderoso movimento anticristão se infiltrando em seus bancos, sua política e suas universidades. – *O verbo é no tempo presente, Robert*, lembrou a si mesmo. *EXISTE uma poderosa força anticristã se infiltrando em seus bancos, sua política e suas universidades.*

– Portanto, você acha que o Vaticano teria ocultado qualquer prova que comprovasse a ameaça dos Illuminati?

– É muito possível. Qualquer ameaça, seja ela real ou imaginária, enfraquece a confiança no poder da Igreja.

– Mais uma pergunta. – Vittoria parou e encarou-o como se ele fosse um extraterrestre. – Está falando sério?

Langdon parou também.

– O que quer dizer com isso?

– É esse *mesmo* o seu plano para salvar a situação?

Ele não teve certeza se o que viu nos olhos dela era pena misturada com diversão ou puro terror.

– Você diz, encontrar o *Diagramma?*

– Não, quero dizer encontrar o *Diagramma*, localizar um *segno* de 400 anos de idade, decifrar um código matemático e seguir uma antiga trilha de obras de arte que somente os cientistas mais brilhantes da História conseguiram seguir... tudo isso nas próximas quatro horas.

Ele encolheu os ombros.

– Estou aberto a outras sugestões.

CAPÍTULO **50**

Robert Langdon estava do lado de fora do Arquivo Câmara 9 lendo as etiquetas nas estantes: BRAHE... CLAVIUS... COPÉRNICO... KEPLER... NEWTON...

Leu os nomes outra vez e ficou apreensivo. *Cá estão os cientistas, mas onde está Galileu?*

Dirigiu-se a Vittoria, que verificava os assuntos de uma câmara próxima.

– Encontrei o assunto certo, mas está faltando Galileu.

– Não está, não – disse ela, séria, ao passar para a câmara seguinte. – Ele está aqui. Mas espero que você tenha trazido seus óculos de leitura, porque *esta câmara inteira* é dedicada a ele.

Langdon correu para lá. Vittoria tinha razão. Todas as etiquetas de identificação da Câmara 10 tinham a mesma palavra-chave.

IL PROCESO GALILEANO

Langdon deixou escapar um assobio baixo ao ver que Galileu tinha sua própria câmara.

– O Caso Galileu – maravilhou-se, espiando através do vidro os contornos escuros das estantes. – O mais longo e dispendioso processo da história do Vaticano. Quatorze anos e 600 milhões de euros. Tudo aqui.

– Tem uma certa quantidade de documentos legais.

– Acho que os advogados não mudaram muito no decorrer dos séculos.

– Nem os tubarões.

Langdon encaminhou-se para um grande botão amarelo ao lado da câmara. Apertou-o e uma série de luzes acendeu-se lá dentro no teto. Eram luzes vermelhas, escuras, e transformaram o cubo em uma reluzente célula rubra contendo um labirinto de estantes muito altas.

– Meu Deus – disse Vittoria, assombrada. – Vamos trabalhar ou nos bronzear?

– O pergaminho e o velino desbotam, por isso a iluminação das câmaras é sempre feita com luzes escuras.

– Dá para se enlouquecer ali dentro.

Ou pior, pensou Langdon, encaminhando-se para a única entrada da câmara.

– Uma palavrinha de aviso. O oxigênio é oxidante e, por isso, as câmaras herméticas contêm muito pouco dele. Aí dentro é um vácuo parcial. Você vai precisar fazer esforço para respirar.

– Ora, se os velhos cardeais conseguem sobreviver a isto...

Verdade, concordou Langdon. *Tomara que tenhamos a mesma sorte.*

A entrada da câmara era por uma única porta giratória eletrônica. Langdon observou o arranjo habitual de quatro botões de acesso no vestíbulo interno da porta, um botão para cada compartimento. Quando se pressionava um deles, a porta motorizada era acionada, fazia a meia rotação convencional e então parava – o procedimento-padrão para preservar a integridade da atmosfera interna.

– Depois que eu entrar – explicou Langdon –, basta apertar o botão e vir atrás de mim. Há somente oito por cento de umidade lá dentro, de modo que se prepare para sentir a boca seca.

Langdon entrou no compartimento rotativo e apertou o botão. A porta soltou um zumbido alto e começou a girar. Enquanto acompanhava o movimento dela, Langdon preparou seu corpo para o choque físico que sempre acompanhava os primeiros segundos em uma câmara hermética. Entrar em um arquivo destes era como estar no nível do mar e ir a seis mil metros de profundidade em um instante. Náusea e tonteira eram comuns. *Visão dupla, dobre o corpo,* lembrou ele, repetindo o mantra dos arquivistas. Seus ouvidos pipocaram. Ouviu-se um silvo de ar e a porta parou.

Ele entrara na câmara.

O que notou em primeiro lugar foi o ar do interior, mais rarefeito do que previra. O Vaticano, aparentemente, levava seus arquivos um pouco mais a sério do que a maioria dos seus congêneres. Langdon lutou contra o reflexo da náusea e relaxou o peito enquanto seus capilares pulmonares se dilatavam. A sensação de aperto passou depressa. *O golfinho em ação,* refletiu, satisfeito que suas 50 voltas por dia na piscina servissem para alguma coisa. Respirando mais normalmente, olhou em volta. Apesar das paredes transparentes, sentiu a ansiedade conhecida. *Estou dentro de uma caixa,* pensou. *Uma caixa vermelha como sangue.*

A porta zumbiu atrás dele e ele se virou para ver Vittoria entrar. Quando ela chegou, seus olhos imediatamente começaram a lacrimejar e sua respiração ficou pesada.

– Espere um minuto – disse ele. – Se ficar tonta, abaixe a cabeça.

– Sinto... – Vittoria engasgou – como se estivesse... mergulhando com um cilindro de mergulho... com a mistura errada.

Langdon esperou que ela se ambientasse. Sabia que ficaria bem. Vittoria Vetra estava em excelente forma, ao contrário das trêmulas ex-alunas de Radcliffe que Langdon certa vez acompanhara em uma visita à câmara hermética da Biblioteca

Widener. O passeio terminara com Langdon fazendo respiração boca a boca em uma senhora idosa que quase aspirara a própria dentadura.

– Está melhor? – perguntou.

Vittoria sacudiu a cabeça.

– Viajei no seu maldito avião espacial, então achei que você me devia essa.

Ela sorriu.

– *Touché.*

Langdon estendeu a mão para uma caixa ao lado da porta e tirou de lá luvas brancas de algodão.

– Vai ser uma ocasião formal? – brincou ela.

– O ácido dos dedos. Não podemos manusear os documentos sem elas. Vai precisar usá-las.

Vittoria colocou as luvas.

– De quanto tempo dispomos?

Langdon verificou seu relógio de Mickey Mouse.

– São pouco mais de sete horas.

– Temos de encontrar essa coisa em menos de uma hora.

– Na realidade – disse Langdon –, não temos esse tempo todo. – E apontou para um duto gradeado de entrada de ar. – Normalmente, o curador deve ligar um sistema de reoxigenação quando alguém está dentro da câmara, o que não está ocorrendo hoje. Em 20 minutos, ficaremos sem ar.

Vittoria empalideceu visivelmente apesar da luminosidade avermelhada.

Langdon sorriu e alisou suas luvas.

– Comprovar ou sufocar, senhorita Vetra. Mickey está em movimento.

CAPÍTULO **51**

Gunther Glick, o repórter da BBC, ficou uns dez segundos parado com o celular na mão antes de afinal desligá-lo.

Chinita Macri observava-o do banco de trás do furgão.

– O que aconteceu? Quem era?

Glick sentia-se como uma criança que ganhou um presente de Natal e tem medo de que o presente não seja realmente para ela.

– Acabei de receber uma dica. Algo está acontecendo dentro do Vaticano.

– Chama-se conclave. Grande dica essa.

– Não, não é isso. *Uma coisa importante.* – Ponderou se a história que o homem lhe contara poderia ser verdadeira. Glick sentiu uma ponta de vergonha quando percebeu que estava rezando para que fosse. – E se eu lhe contasse que quatro cardeais foram seqüestrados e vão ser assassinados, um de cada vez, em quatro igrejas diferentes esta noite?

– Eu diria que alguém no escritório com um senso de humor doentio está passando um trote em você.

– E se eu lhe disser que ele vai nos dar antes da hora a localização exata do primeiro assassinato?

– Só queria saber quem foi o louco com quem você acabou de falar.

– Ele não disse o nome.

– Talvez porque estivesse doidão?

Glick já esperava a reação sarcástica de Macri, mas ela estava esquecendo que ele lidara com mentirosos e lunáticos por mais de dez anos no *British Tattler.* Aquele homem não era uma coisa nem outra. Falara de modo frio e racional. Lógico. *Vou telefonar novamente para você um pouco antes das oito,* dissera o homem, para avisar onde vai acontecer o primeiro assassinato. *As imagens que você vai gravar vão torná-lo famoso.* Quando Glick perguntou por que estava recebendo aquelas informações, a resposta veio gélida como o sotaque oriental do homem. *A mídia é o braço direito da anarquia.*

– Ele me disse mais uma coisa – disse Glick.

– O quê? Que Elvis Presley acabou de ser eleito Papa?

– Acesse o banco de dados da BBC, por favor. – A adrenalina de Glick estava aumentando. – Quero ver que outras histórias já publicamos sobre esses caras.

– Que caras?

– Faça o que estou pedindo, está bem?

Macri suspirou e acessou o banco de dados da BBC.

– Só mais um minuto.

A cabeça de Glick dava voltas.

– O homem fez muita questão de saber se eu tinha um cinegrafista para gravar as imagens.

– Você tem *uma* cinegrafista.

– E se tínhamos condições de transmitir ao vivo.

– Um ponto cinco três sete megahertz. Qual é o assunto? – Ouviu-se um bipe: o banco de dados estava disponível. – Pronto, estamos conectados. O que você quer procurar?

Glick deu-lhe a palavra-chave.

Macri encarou-o, séria.

— Tomara que você esteja mesmo brincando.

C A P Í T U L O **52**

A organização interna da Câmara 10 não era tão intuitiva quanto Langdon esperava, e o manuscrito do *Diagramma* aparentemente não estava junto com outras publicações semelhantes de Galileu. Sem ter acesso ao Biblion e a um localizador computadorizado de referências, Langdon e Vittoria não tinham como prosseguir.

— Tem certeza de que o *Diagramma* está aqui? — perguntou Vittoria.

— Absoluta. Consta da listagem tanto do *Ufficio della Propaganda della Fede* quanto do...

— Ótimo. Contanto que você tenha certeza...

Ela foi para a direita e ele, para a esquerda. Langdon começou a busca manual. Precisava apelar para todo o seu autocontrole para não parar e ler cada tesouro pelo qual passava. A coleção era maravilhosa. *O Experimentador, O Mensageiro das Estrelas, História e Demonstração sobre as Manchas Solares, Carta à Grã-Duquesa Cristina, Apologia Pró-Galileu*... E assim por diante.

Foi Vittoria quem finalmente tirou a sorte grande do outro lado da câmara. Sua voz rouca soou alta:

— *Diagramma della Verità!*

Langdon correu ao encontro dela através da névoa avermelhada.

— Onde?

Vittoria apontou e ele percebeu de imediato por que não o haviam encontrado antes. O manuscrito estava em uma caixa especial para in-fólios, não nas prateleiras. Essas caixas eram um recurso comum para se guardar páginas soltas. A etiqueta colocada na frente do recipiente não deixava qualquer dúvida sobre seu conteúdo.

DIAGRAMMA DELLA VERITÀ
Galileo Galilei, 1639

Langdon caiu de joelhos, o coração batendo acelerado.

– *Diagramma*. – Deu um sorriso largo para ela. – Bom trabalho. Agora me ajude a tirar essa caixa daí.

Vittoria ajoelhou-se ao lado dele e os dois puxaram a caixa. A bandeja de metal sobre a qual estava colocada deslizou, movida por rodízios, e deixou à mostra a parte superior da caixa.

– Sem cadeado? – disse Vittoria, surpresa por só haver um fecho simples.

– Nunca. Às vezes existe a necessidade de se remover os documentos com rapidez, como no caso de incêndios ou enchentes.

– Então, abra-o.

Langdon não precisou de uma segunda ordem. Com o sonho de sua vida acadêmica bem ali na frente e o ar da câmara cada vez mais rarefeito, ele não titubeou. Abriu o fecho e levantou a tampa. Dentro, no fundo, havia uma bolsa de pano preto. A capacidade de ventilação do tecido da bolsa era crucial para a preservação de seu conteúdo. Estendendo as duas mãos e mantendo a bolsa na horizontal, Langdon tirou-a de dentro da caixa.

– Pensei que fôssemos encontrar um baú do tesouro – disse Vittoria –, mas isso aí parece mais uma fronha.

– Venha comigo – disse ele.

Segurando a bolsa com os braços estendidos como se fosse uma oferenda sagrada, Langdon se encaminhou para o centro da câmara, onde encontrou a costumeira mesa de tampo de vidro especial para examinar documentos. A localização central da mesa tinha como objetivo diminuir ao máximo o deslocamento dos documentos, mas os pesquisadores gostavam da privacidade proporcionada pelas estantes ao redor. Nas câmaras mais importantes do mundo faziam-se descobertas que definiam carreiras, e os pesquisadores não gostavam que os rivais bisbilhotassem através do vidro enquanto eles trabalhavam.

Langdon pousou a bolsa de pano na mesa e desabotoou-a. Vittoria postou-se de pé a seu lado. Remexendo em uma bandeja que continha instrumentos de arquivista, Langdon pegou uma tenaz com as pontas revestidas de feltro, grandes pinças com discos achatados no final de cada haste. À medida que sua excitação aumentava, receava acordar a qualquer momento em Cambridge diante de uma pilha de provas para corrigir. Respirando fundo, abriu a bolsa de pano. Com os dedos trêmulos nas luvas de algodão, introduziu a pinça na bolsa.

– Relaxe – disse Vittoria. – Não é plutônio, é papel.

Langdon fez as hastes da pinça deslizarem em torno da pilha de documentos dentro da bolsa e teve o cuidado de aplicar pressão idêntica nos dois lados. Em seguida, ao invés de puxar o documento, ele o manteve no lugar e puxou a bolsa – um procedimento empregado pelos arquivistas para reduzir ao mínimo a força de torção sobre o material. Só depois de remover a bolsa e acender a luz especial de exame sob a mesa é que ele voltou a respirar normalmente.

Vittoria parecia um espectro, iluminada de baixo para cima pela luz da mesa de vidro.

– Folhas pequenas – disse ela, a voz reverente.

Langdon concordou com um gesto de cabeça. A pilha de fólios diante deles era como as páginas soltas de um pequeno livro de bolso. A primeira folha era uma capa desenhada a bico-de-pena com o título, a data e o nome de Galileu escritos de próprio punho.

Naquele instante, Langdon esqueceu o espaço exíguo, esqueceu sua exaustão e a situação horrível que o levara até ali. Apenas contemplou o livro, extasiado. O contato direto com a História sempre deixava Langdon entorpecido de tanta reverência, era como estar vendo de perto as pinceladas na Mona Lisa.

O papiro esmaecido, amarelado, não deixava em Langdon qualquer dúvida quanto à sua idade e autenticidade, mas, exceto pelo inevitável desbotamento, estava em excelente estado. *Pigmento ligeiramente descolorido. Pequenas falhas na coesão do papiro. Mas, de modo geral, em ótimas condições.* Ele examinou o desenho decorativo da capa, feito à mão, sua vista já se embaçando por causa da falta de umidade. Vittoria mantinha-se em silêncio.

– Passe-me a espátula, por favor – Langdon apontou para uma bandeja ao lado de Vittoria, cheia de instrumentos em aço inoxidável especiais para uso em arquivos. Ela entregou-lhe a espátula. Langdon pegou-a e viu que era uma espátula de boa qualidade. Correu os dedos pela lâmina para remover qualquer estática possível e, em seguida, com o maior cuidado, fez a lâmina deslizar sob a capa. Levantou a espátula e abriu o livro.

A primeira página era escrita à mão com uma caligrafia minúscula, estiliza-da, quase impossível de ler. Langdon logo percebeu que não havia diagramas nem números na página. Tratava-se de um ensaio.

– Sistema heliocêntrico – disse Vittoria, traduzindo o cabeçalho no Fólio 1. Ela correu os olhos pelo texto. – Parece que Galileu está renunciando ao mode-lo geocêntrico de uma vez por todas. Mas é italiano antigo, portanto não posso garantir nada sobre a tradução.

– Esqueça – disse Langdon. – Estamos procurando matemática. A linguagem pura.

E usou a espátula para virar a página seguinte. Outro ensaio. Nada de mate-mática ou diagramas. As mãos de Langdon começaram a suar dentro das luvas.

– Movimento dos Planetas – disse Vittoria, traduzindo o título.

Langdon fechou a cara. Em qualquer outra ocasião, teria ficado fascinado com aquela leitura. Por incrível que pareça, o modelo atual da NASA de órbitas planetárias, observado através de telescópios de última geração, era quase idêntico ao das previsões originais de Galileu.

– Nada de matemática – declarou Vittoria. – Ele está falando aqui sobre movimentos retrógrados e órbitas elípticas, ou algo assim.

Órbitas elípticas. Langdon lembrou que grande parte dos problemas de Galileu com a Justiça começaram quando ele afirmou que o movimento dos planetas era *elíptico*. O Vaticano exaltava a perfeição do *círculo* e insistia que o movimento celeste deveria ser somente circular. Os Illuminati de Galileu, entretanto, também viam perfeição na elipse, reverenciando a dualidade matemática de seus dois focos iguais. No mundo atual, a elipse dos Illuminati ainda era encontrável nas modernas pranchetas de desenho dos maçons e nos projetos dos alicerces dos seus prédios.

– Próxima – disse Vittoria. – Langdon virou a página.

– Fases lunares e movimentos das marés – disse ela. – Não tem números nem diagramas.

Ele virou mais uma página. Nada. Continuou virando páginas, umas dez ou mais. Nada. Nada. Nada.

– Pensei que ele fosse matemático – disse Vittoria. – Aqui só tem texto.

Langdon sentiu o ar em seus pulmões começando a rarear. Suas esperanças também estavam menos densas. A pilha de folhas diminuía.

– Nada aqui – disse Vittoria. – Matemática nenhuma. Umas poucas datas, um ou outro número-padrão, mas nada que pudesse ser uma pista.

Langdon virou o último conjunto de folhas e suspirou. Era também um ensaio.

– Livro pequeno – disse Vittoria, de cara fechada.

Langdon fez que sim com a cabeça.

– *Merda*, como se diz em Roma.

É mesmo uma merda, pensou Langdon. Seu reflexo no vidro parecia zombar dele, como a imagem de si mesmo que vira na janela de sua casa naquela manhã. *Um fantasma envelhecido.*

– *Tem de haver* alguma coisa – disse ele, o desespero rouco em sua voz espantando-o. – O *segno* está aí em algum lugar. Tenho certeza!

– Quem sabe você se enganou sobre o DIII?

Langdon lançou-lhe um olhar duro.

– Tudo bem – concordou ela. – DIII faz sentido. Mas e se a pista não for matemática?

– *Lingua pura*. O que mais poderia ser?

– Arte?

– Não há diagramas nem ilustrações no livro. Tudo o que sei é que *lingua pura* se refere a algo que não é italiano. Matemática seria a resposta lógica.

– Também acho.

Langdon recusava-se a admitir a derrota tão depressa.

– Os números podem estar escritos por extenso. A matemática deve estar em palavras em vez de em equações.

– Vai levar algum tempo ler todas as páginas.

– Não temos tempo. Vamos ter de dividir o trabalho. – Langdon virou a pilha de folhas e voltou para a primeira página. – Sei italiano o suficiente para localizar números. – Usando a espátula, dividiu a pilha como se fosse um baralho de cartas e depositou as primeiras seis diante de Vittoria. – Está aí, tenho certeza.

Vittoria estendeu a mão e virou a primeira página com a mão.

– Espátula! – exclamou Langdon, pegando uma outra ferramenta na bandeja. – Use a espátula.

– Estou usando luvas – resmungou ela. – Que estrago poderia fazer?

– Não discuta, use a espátula.

Vittoria obedeceu.

– Está sentindo o mesmo que eu?

– Tensão?

– Não, falta de ar.

Langdon também sentia, inegavelmente. O ar ia ficando muito rarefeito mais depressa do que ele imaginara. Sabia que tinham de se apressar. Tentar desvendar enigmas dentro de arquivos não era novidade para ele, mas em geral tinha mais do que uns poucos minutos para trabalhar neles. Sem falar, inclinou a cabeça e começou a traduzir a primeira página de sua pilha.

Apareça, droga! Apareça!

CAPÍTULO **53**

Em algum ponto de Roma, uma figura sombria esgueirou-se por uma rampa de pedra para o túnel subterrâneo. O antigo corredor estava iluminado apenas por tochas acesas, o que tornava o ar pesado e quente. Ao longe, vozes assustadas de homens chamavam em vão, ecoando nos espaços fechados.

Ao dobrar uma esquina ele os viu, exatamente como os havia deixado – quatro velhos apavorados atrás das barras de ferro enferrujado de um cubículo de pedra.

– *Qui êtez-vous?* – perguntou um dos homens, em francês. – O que quer de nós?

– *Hilfe!* – disse outro, em alemão. – Deixe-nos ir embora!

– Tem noção de quem somos nós? – perguntou outro ainda, em inglês com sotaque espanhol.

– Silêncio – ordenou a voz áspera. Havia um tom de inevitabilidade na palavra.

O quarto prisioneiro, um italiano calado e pensativo, vislumbrou o vazio negro do olhar de seu captor. Seria capaz de jurar que enxergou o inferno lá dentro. *Que Deus nos ajude*, pensou.

O matador olhou o relógio e depois voltou-se para os prisioneiros.

– E agora – disse ele –, quem vai ser o primeiro?

CAPÍTULO **54**

Nos Arquivos do Vaticano, dentro da Câmara 10, Robert Langdon recitava números em italiano enquanto examinava superficialmente o manuscrito diante de si. *Mille, centi, uno, duo, ter, cincuanta. Preciso de uma referência numérica! Qualquer uma, droga!*

Quando chegou ao final do fólio que estava lendo, apanhou a espátula para virar as páginas. Ao alinhar a lâmina com a página seguinte, fez um movimento desajeitado, encontrando dificuldade para segurar a espátula com firmeza. Minutos depois, percebeu que abandonara a espátula e estava virando as páginas com a mão. *Opa*, disse para si mesmo, sentindo-se quase um criminoso. A falta de oxigênio estava afetando suas inibições. *Pelo jeito, vou acabar queimando no inferno dos arquivistas.*

– Até que enfim – disse Vittoria, meio sufocada, vendo-o virar as páginas com a mão. Largou a espátula e imitou-o.

– Encontrou alguma coisa?

Vittoria sacudiu a cabeça.

– Nada que seja puramente matemático. Estou lendo por alto, mas não vejo nada que pareça uma pista.

Langdon continuou traduzindo seus fólios com dificuldade cada vez maior.

Seus conhecimentos de italiano eram, na melhor das hipóteses, apenas claudicantes, e a letra miúda e a linguagem arcaica o faziam avançar lentamente. Vittoria chegou antes dele ao fim de sua pilha e, desanimada, folheou as páginas outra vez. Debruçou-se sobre elas para uma inspeção mais intensa.

Quando Langdon terminou, praguejou em voz baixa e olhou para Vittoria. Ela estava curvada tentando enxergar melhor algo em um de seus fólios.

– O que é? – perguntou.

Ela não levantou a cabeça.

– Suas páginas tinham alguma nota de rodapé?

– Não que eu percebesse. Por quê?

– Esta página tem uma. Está meio escondida em uma ruga do papel.

Langdon tentou ver o que ela estava examinando, mas só conseguiu distinguir um número de página no alto da margem direita da folha. Fólio 5. Levou um momento para registrar a coincidência e, mesmo assim, a associação de idéias lhe parecia vaga. *Fólio 5. Cinco, Pitágoras, pentagramas, Illuminati.* Langdon especulava se os Illuminati teriam escolhido a página cinco para esconder sua pista. Através da névoa avermelhada que os envolvia, ele vislumbrou um pequenino raio de esperança.

– A nota de rodapé tem alguma relação com matemática?

Vittoria fez que não com a cabeça.

– Texto. Uma linha só. Letra muito pequena, quase ilegível.

As esperanças dele se esvaíram.

– Deveria ser matemática. *Lingua pura.*

– É, eu sei – ela hesitou. – Mas acho que você vai querer ouvir·isto.

Havia uma certa excitação na voz dela.

– Diga logo.

Apertando os olhos junto ao fólio, Vittoria leu a frase.

– "O caminho da luz está preparado, o teste sagrado."

As palavras não eram o que Langdon tinha imaginado.

– O que foi que disse?

Vittoria repetiu.

– "O caminho da luz está preparado, o teste sagrado."

– Caminho da luz? – Langdon sentiu suas costas se endireitarem.

– É o que está escrito aqui. Caminho da luz.

À medida que ele assimilava as palavras, um lampejo de clareza penetrava o seu delírio. *O caminho da luz está preparado, o teste sagrado.* Não tinha idéia de como a frase podia ajudá-los, mas o fato é que era uma referência mais do que direta ao Caminho da Iluminação. *O caminho da luz. O teste sagrado.* A cabeça dele fazia um esforço semelhante ao de um motor alimentado com gasolina de má qualidade e que está tentando pegar.

– Tem certeza de que a tradução está correta?

Ela ficou indecisa.

– Na verdade – ela lhe lançou um olhar estranho –, não é tecnicamente uma tradução. A frase está escrita *em inglês*.

Por um instante, ele pensou que a acústica da câmara tivesse afetado sua audição.

– *Em inglês?!*

Vittoria empurrou o documento para ele e Langdon leu as letrinhas diminutas no pé da página:

– *The path of light is laid, the sacred test.* Em inglês! Por que em inglês em um livro italiano?

Vittoria deu de ombros. Ela também parecia um tanto embriagada.

– Quem sabe é o que eles chamavam de *lingua pura*? É considerada a língua internacional da ciência. Só falamos inglês no CERN.

– Mas isso foi em 1600 – argumentou Langdon. – Ninguém falava inglês na Itália, nem o… – ele parou, percebendo o que ia dizer. – Nem o *clero*. – A mente acadêmica de Langdon funcionava agora a todo vapor. – No século XVII – continuou ele, falando agora mais depressa –, o inglês era uma língua que o Vaticano ainda não adotava. Eles usavam o italiano, o latim, o alemão, até o espanhol e o francês, mas o inglês era uma língua totalmente estrangeira dentro do Vaticano. Consideravam-na uma língua corrompida de livres-pensadores, que servia para profanos como Chaucer e Shakespeare. – Ocorreu-lhe de repente a questão das marcas a fogo dos Illuminati, Terra, Ar, Fogo e Água. A lenda de que as marcas eram em inglês agora fazia sentido, um sentido bizarro.

– Quer dizer que talvez Galileu considerasse o inglês *la lingua pura* porque era a única língua que o Vaticano não controlava?

– É isso mesmo. Ou, talvez, ao redigir a pista em inglês, Galileu estivesse sutilmente restringindo a leitura, excluindo o Vaticano.

– Mas nem chega a ser uma pista – objetou ela. – *O caminho da luz está preparado, o teste sagrado?* Que diabos quer dizer isto?

Ela tem razão, pensou Langdon. A frase não ajudava nada. No entanto, repetindo-a em sua mente, um estranho fato ocorreu-lhe. *Ora, não é interessante? Será que existe alguma possibilidade aí?*

– Temos de sair daqui – disse Vittoria, a voz enrouquecida.

Langdon não escutou. *The path of light is laid, the sacred test.*

– É um pentâmetro iâmbico! – exclamou, contando as sílabas outra vez. – Cinco dísticos de sílabas agudas e breves alternadas.

Vittoria parecia perdida.

– Pentâmetro o quê?

E súbito Langdon estava de volta à Academia Phillips Exeter, em uma aula de inglês de um sábado de manhã. *Um verdadeiro inferno na Terra.* A estrela do beisebol da escola, Peter Greer, estava tendo dificuldades para lembrar o número de dísticos de um verso pentâmetro iâmbico de Shakespeare. O professor, um animado mestre chamado Bissell, pulou para cima da mesa e berrou:

– *Pentâ*-metro, Greer! Lembre de *pentá*-gono! Cinco lados! Penta! Penta! Penta! Deeeus do cééu!

Cinco dísticos, pensou Langdon. Cada dístico tendo, por definição, *duas* sílabas. Mal podia crer que em toda a sua carreira jamais fizera aquela associação. O pentâmetro iâmbico era uma métrica com simetria que se baseava nos dois números sagrados dos Illuminati, 5 e 2!

Você está exagerando! Ele disse para si mesmo, tentando afastar o pensamento de sua mente. *É uma coincidência sem sentido!* Mas a idéia não lhe saía da cabeça. *Cinco... para Pitágoras e o pentagrama. Dois para a dualidade de todas as coisas.*

No momento seguinte, uma outra descoberta fez suas pernas bambearem. O pentâmetro iâmbico, por sua simplicidade, era muitas vezes chamado de "puro verso", ou "pura métrica". *La lingua pura?* Seria essa a língua pura a que os Illuminati se referiam? *The path of light is laid, the sacred test...*

– Oh-oh – disse Vittoria.

Langdon viu Vittoria virar o fólio de cabeça para baixo. Sentiu um aperto no estômago. *De novo, não...*

– Não há possibilidade de essa frase ser um ambigrama!

– Não, não é um ambigrama, mas é... – e ela continuou a virar o documento 90 graus de cada vez.

– É o quê?

Vittoria encarou-o.

– Aquela não é a única frase.

– Existe outra?

– Há uma em cada margem. Na de cima, na de baixo, na da esquerda e na da direita. Acho que é um poema.

– Quatro versos? – Langdon arrepiou-se de excitação. *Galileu era poeta?*

– Deixa eu ver!

Vittoria não largou a página. Continuava virando-a para ler o que estava escrito nas quatro margens.

– Não vi antes os versos porque estão nas margens. – Ela inclinou a cabeça para ler a última. – Humm... Sabe de uma coisa? Nem foi Galileu quem escreveu isto.

– O quê?

– O poema está assinado por John Milton.

– John *Milton*?

O influente poeta inglês que escreveu *Paraíso Perdido* era contemporâneo de Galileu e um sábio que os aficionados por conspirações colocavam no topo da lista de suspeitos de serem Illuminati. A suposta afiliação de Milton à confraria dos Illuminati de Galileu era uma lenda que Langdon acreditava ser verdadeira. Não só Milton fizera uma bem-documentada peregrinação a Roma em 1638 para "comungar com os homens esclarecidos", como tivera encontros com o cientista durante sua prisão domiciliar, encontros estes retratados em muitas pinturas renascentistas, entre elas a famosa tela de Annibale Gatti, *Galileu e Milton*, hoje exposta no Instituto e Museu da História da Ciência, em Florença.

– Milton conhecia Galileu, não é? – disse Vittoria, empurrando finalmente o in-fólio para Langdon. – Quem sabe ele escreveu o poema como um favor?

Langdon cerrou os dentes ao pegar o documento com seu invólucro. Deixando-o aberto sobre a mesa, leu a frase no alto. Depois, girou a página 90 graus e leu a frase da margem direita. Girou outra vez e leu a de baixo. Mais um giro final para ler a última e completar o movimento circular. Havia ao todo quatro frases. A que Vittoria encontrara primeiro era na realidade o terceiro verso do poema. Completamente boquiaberto, ele leu os quatro versos de novo na seqüência certa: alto, direita, rodapé, esquerda. Quando terminou, soprou o ar dos pulmões com vontade. Não tinha mais nenhuma dúvida.

– Muito bem, senhorita Vetra, você encontrou.

Ela sorriu com os lábios apertados.

– Ótimo, agora podemos dar o fora daqui?

– Tenho de copiar esses versos. Preciso encontrar lápis e papel.

Vittoria sacudiu a cabeça.

– Esqueça, professor. Nada de bancar o escriba, não temos tempo para isso. Mickey está andando. – Ela tirou o documento da mão dele e se encaminhou para a porta.

Langdon levantou-se.

– Não pode levar isso para fora! É um...

Mas Vittoria já estava longe.

CAPÍTULO **55**

Langdon e Vittoria irromperam às pressas pelo pátio do lado de fora dos Arquivos Secretos. O ar fresco fluiu para os pulmões de Langdon como se fosse uma droga inebriante. Os pontos vermelhos em sua vista sumiram rapidamente. A culpa, todavia, não sumiu. Ele acabara de se tornar cúmplice do roubo de uma preciosa relíquia pertencente ao arquivo mais protegido do mundo. O camerlengo dissera: *Estou depositando minha confiança no senhor.*

– Depressa – disse Vittoria, ainda segurando o fólio e atravessando a Via Borgia na direção do escritório de Olivetti quase em passo de corrida.

– Se cair água nesse papiro...

– Calma, quando decifrarmos essa coisa, vamos devolver o bendito Fólio 5.

Langdon acelerou o passo para acompanhá-la. Além de se sentir um criminoso, ainda estava sob o impacto das fascinantes implicações do documento. *John Milton era um Illuminatus. Compôs o poema para Galileu publicar no Fólio 5, longe dos olhos do Vaticano.*

Ao saírem do pátio, Vittoria entregou o fólio a Langdon.

– Acha que pode decifrar isso? Ou perdemos todas aquelas células cerebrais à toa?

Langdon segurou o documento com todo o cuidado. Sem titubear, enfiou-o em um dos bolsos internos de seu paletó de tweed para protegê-lo da luz do sol e dos perigos da umidade.

– Já o decifrei faz tempo.

Vittoria estacou.

– Você *o quê?*

Langdon continuou a andar.

Vittoria foi atrás dele.

– Você só o leu *uma vez!* Pensei que fosse muito difícil!

Langdon sabia que ela estava certa e, no entanto, ele decifrara o *segno* com uma única leitura. Uma estrofe perfeita de pentâmetros iâmbicos e o primeiro altar da ciência revelara-se com uma clareza impecável. Tinha de confessar que a facilidade com que realizara a tarefa deixara-o bastante inquieto. Ele era um produto da ética puritana do trabalho. Ainda era capaz de ouvir a voz de seu pai repetindo o velho aforismo da Nova Inglaterra: *Se não foi penoso e difícil, é porque você fez errado.* Langdon torcia para que o ditado não fosse verdade.

– Já decifrei – disse, andando mais depressa. – Sei onde vai acontecer o primeiro assassinato. Temos de avisar Olivetti.

Vittoria aproximou-se dele.

– Como é que você pode já ter descoberto? Deixe eu ver isso outra vez.

Com o jogo de corpo de um pugilista, ela enfiou a mão com grande agilidade no bolso dele e tirou de lá o fólio.

– Cuidado! – exclamou Langdon. – Não pode...

Vittoria não lhe deu atenção. Com o fólio na mão, ela flutuava ao lado dele, segurando o documento com o braço levantado para enxergar à luz do fim do dia, examinando as margens. Ela começou a ler em voz alta e Langdon fez um movimento para recuperar o fólio mas, sem querer, viu-se enfeitiçado pela voz de contralto e pelo sotaque de Vittoria, que dizia os versos no mesmo ritmo de seus passos.

Por um momento, ao ouvir os versos, Langdon sentiu-se transportado no tempo, como se fosse um dos contemporâneos de Galileu que os escutasse pela primeira vez sabendo que eram um teste, um mapa, uma pista para desvendar os quatro altares da ciência, os quatro marcos que abriam um caminho secreto através de Roma. Os versos fluíam dos lábios de Vittoria como uma canção.

From Santi's earthly tomb with demon's hole,
'Cross Rome the mystic elements unfold.
The path of light is laid, the sacred test,
Let angels guide you on your lofty quest.

Da tumba terrena de Santi com a cova do demônio
Através de Roma se estendem os místicos elementos.
O caminho da luz está preparado, o teste sagrado,
Que os anjos o guiem em sua busca sublime.

Vittoria leu duas vezes e depois se calou, deixando as palavras antigas ressoarem sozinhas.

Da tumba terrena de Santi, Langdon repetiu em sua mente. O poema era claro como água neste ponto. O Caminho da Iluminação começava na tumba de Santi. A partir dali, através de Roma, os marcos assinalavam o percurso.

Da tumba terrena de Santi com a cova do demônio
Através de Roma se estendem os místicos elementos.

Os místicos elementos. Também estava claro. *Terra, Ar, Fogo e Água.* Os elementos da ciência, os quatro marcos dos Illuminati disfarçados de esculturas religiosas.

– O primeiro marco – disse Vittoria – parece ser na tumba de Santi.

Langdon sorriu.

– Eu disse que não era tão difícil assim.

– E quem é Santi? – perguntou ela, de repente cheia de entusiasmo. – E onde é a tumba dele?

Langdon dissimulou o riso. Impressionante como poucas pessoas sabiam que *Santi* era o sobrenome de um dos mais famosos artistas da Renascença. Seu primeiro nome o mundo inteiro conhecia: o menino-prodígio que com 25 anos já realizava trabalhos encomendados pelo Papa Júlio II e que, ao morrer, com apenas 38 anos, deixou a maior coleção de afrescos que o mundo jamais conheceu. Santi era um dos monstros sagrados do mundo da arte, e ser conhecido apenas pelo primeiro nome era atingir um nível de fama a que só uma elite restrita tinha acesso, pessoas como Napoleão, Galileu, Jesus e, claro, os semideuses de quem agora Langdon ouvia os clamores vindos dos quartos nos prédios residenciais da Universidade de Harvard: Sting, Madonna, Jewel e o artista antes conhecido como Prince, que agora mudara seu nome para o símbolo ⚥, o que fizera Langdon apelidá-lo de "Cruz Tau Cortada por Ankh Hermafrodita".

– Santi – explicou Langdon – é o sobrenome do grande mestre da Renascença, Rafael.

Vittoria espantou-se.

– Rafael? *O* Rafael?

– O próprio – respondeu, continuando a andar em passo acelerado para o escritório da Guarda Suíça.

– Então, o caminho começa na tumba de Rafael?

– O que na verdade faz bastante sentido – comentou Langdon, enquanto caminhavam. – Os Illuminati costumavam considerar os grandes artistas e escultores como irmãos honorários nas luzes do conhecimento. Podem ter escolhido a tumba de Rafael como uma espécie de homenagem. – Langdon também sabia que, provavelmente, como muitos outros artistas religiosos, Rafael era um ateu não declarado.

Vittoria colocou o fólio de volta no bolso de Langdon com todo o cuidado.

– E onde ele está enterrado?

Langdon respirou fundo.

– Acredite se quiser, Rafael está enterrado no Panteão.

– No Panteão?

– No Panteão.

Langdon tinha de admitir que o Panteão não era o lugar que esperara para o primeiro marco. Imaginara o primeiro altar da ciência em alguma igreja sossegada, meio afastada, algo mais discreto. Já no século XVII, o Panteão, com seu domo colossal, era um dos locais mais conhecidos de Roma.

– O Panteão é uma igreja? – perguntou Vittoria.

– A mais antiga igreja católica de Roma.

Vittoria fez um gesto de descrença.

– Acha mesmo que o primeiro cardeal poderia ser morto no Panteão? Deve ser um dos pontos turísticos mais movimentados de Roma.

Ele deu de ombros.

– Os Illuminati disseram que queriam o mundo inteiro assistindo. Matar um cardeal no Panteão com certeza deve chamar a atenção de muita gente.

– Como é que esse sujeito acha que vai matar alguém no Panteão e sair de lá sem ser notado? Seria impossível.

– Tão impossível quanto seqüestrar quatro cardeais dentro da Cidade do Vaticano? O poema é bem preciso.

– E você tem certeza de que Rafael está enterrado no Panteão?

– Já vi a tumba dele muitas vezes.

Vittoria ainda parecia preocupada, mas balançou a cabeça.

– Que horas são?

Langdon conferiu o relógio.

– Sete e meia.

– O Panteão é muito longe?

– Mais ou menos um quilômetro. Temos tempo.

– O poema falava da tumba *terrena* de Santi. Acha que significa alguma coisa?

Langdon atravessou na diagonal o pátio da sentinela.

– Terrena? É provável que não haja lugar mais terreno em Roma do que o Panteão. Seu nome vem da religião originalmente praticada ali, o panteísmo, a adoração de todos os deuses, especificamente os deuses pagãos da Mãe Terra.

Quando estudante de arquitetura, Langdon ficara admirado ao aprender que as dimensões da câmara principal do Panteão eram um tributo a Gaea, a deusa da Terra. E que as proporções eram tão exatas que um gigantesco globo caberia perfeitamente dentro da construção com uma folga de menos de um milímetro.

– Está bem – disse Vittoria, mais convencida. – E a cova do demônio? *Da tumba terrena de Santi com a cova do demônio?*

Langdon não tinha muita certeza quanto a isso.

– A *cova do demônio* deve ser o *óculo* – respondeu, tentando adivinhar pela lógica. – A famosa abertura circular no teto do Panteão.

– Mas trata-se de uma *igreja* – objetou Vittoria, andando sem esforço ao lado dele. – Por que chamariam a abertura de cova do *demônio?*

Na realidade, Langdon vinha se perguntando a mesma coisa. Nunca ouvira a expressão "cova do demônio", mas lembrava-se de uma célebre crítica feita ao Panteão no século VI cujas palavras pareciam estranhamente apropriadas agora. O Venerável Bede escrevera que a abertura no teto do Panteão fora feita por demônios que tentavam escapar do prédio quando este foi consagrado pelo Papa Bonifácio IV.

– E por que – acrescentou Vittoria quando entraram em um pátio menor – os Illuminati usariam o nome Santi se ele era de fato conhecido como Rafael?

– Você faz um bocado de perguntas.

– Meu pai costumava dizer o mesmo.

– Duas razões possíveis. Uma, a palavra *Rafael* tem sílabas demais. Teria destruído o pentâmetro iâmbico do poema.

– Uma interpretação meio forçada, convenhamos.

Langdon concordou com ela.

– Talvez, então, usar "Santi" tornasse a pista mais obscura e só homens muitos esclarecidos reconheceriam a referência a Rafael.

A explicação também não satisfez Vittoria por completo.

– Acredito que o sobrenome de Rafael devia ser muito conhecido na sua época.

– Por incrível que pareça, não. O reconhecimento de alguém por um único nome era símbolo de status. Rafael evitava usar seu sobrenome, do mesmo jeito que algumas estrelas populares fazem hoje em dia. Como Madonna, por exemplo. Ela nunca usa seu sobrenome, Ciccone.

Vittoria achou graça.

– Você sabe o sobrenome de Madonna?

Langdon arrependeu-se de ter dado aquele exemplo. Impressionante as bobagens que se aprendem convivendo com dez mil adolescentes.

Ao passarem pelo último portão para chegarem ao escritório da Guarda Suíça, Vittoria e Langdon foram inesperadamente obrigados a parar.

– *Para!* – bradou uma voz atrás deles.

Os dois se viraram e deram com o cano de um fuzil.

– *Attento!* – exclamou Vittoria, recuando de um salto. – Cuidado com...

– *Non sportarti!* – disse o guarda, ríspido, engatilhando a arma.

– *Soldato!* – chamou alguém do lado oposto do pátio. Olivetti estava saindo do centro de segurança. – Deixe-os passar!

O guarda, desconcertado, objetou:

– *Ma, signore, è una donna...*

– Para dentro! – ele gritou para o guarda.

– *Signore, non posso...*

– Já! Suas ordens são outras agora. O capitão Rocher vai transmitir novas instruções para a Guarda em dois minutos. Vamos organizar uma busca.

Aturdido, o guarda entrou correndo no centro de segurança. Olivetti veio ao encontro de Langdon, rígido e furioso.

– Nossos arquivos mais secretos? Vou querer uma explicação.

– Temos boas novas – disse Langdon.

Os olhos de Olivetti estreitaram-se.

– É melhor que sejam *muito* boas.

CAPÍTULO **56**

Os quatro carros Alfa Romeo 155 T-Sparks sem identificação dispararam pela Via dei Coronari como caças decolando em uma pista de aviação. Os veículos levavam 12 guardas suíços à paisana armados com semi-automáticas Cherchi-Pardini, bombas de gás asfixiante e cassetetes de alta-voltagem de longo alcance. Os três atiradores de elite seguravam fuzis de mira a laser.

Sentado ao lado do motorista no primeiro carro, Olivetti dirigiu-se a Langdon e a Vittoria, que estavam no banco de trás. Seu rosto tinha uma expressão de raiva.

– Vocês garantiram que me dariam uma explicação plausível e *isso* é tudo o que têm a dizer?

Langdon estava apertado no pequeno carro.

– Compreendo sua...

– Não, não compreende nada! – Olivetti nunca levantava a voz, mas a sua intensidade triplicou. – Acabei de tirar 12 dos meus melhores homens da Cidade do Vaticano na véspera de um conclave. E o fiz para vasculhar o Panteão baseado no testemunho de um americano que nunca vi antes e que acabou de interpretar um poema escrito há 400 anos. Também acabei de deixar nas mãos de oficiais subalternos a responsabilidade pela busca dessa arma de antimatéria.

Langdon resistiu à vontade de puxar o Fólio 5 de dentro do bolso e sacudi-lo diante do nariz de Olivetti.

– Tudo o que sei é que a informação que encontramos se refere à tumba de Rafael e que essa tumba fica dentro do Panteão.

O oficial que dirigia o carro confirmou.

– Ele tem razão, comandante, minha mulher e eu...

– Dirija – ordenou Olivetti. E voltou-se outra vez para Langdon. – Como alguém poderia cometer um assassinato em um lugar tão movimentado e escapar sem ser visto?

– Não sei – respondeu Langdon. – Mas os Illuminati sem dúvida têm muitos meios. Invadiram o CERN e a Cidade do Vaticano. Foi pura sorte termos conseguido saber onde vai ocorrer a primeira morte. O Panteão é a sua única chance de pegar esse sujeito.

– Mais contradições – reclamou Olivetti. – *Única* chance? O senhor não disse que havia uma espécie de trilha? Uma série de marcos? Se o Panteão for o lugar certo, podemos seguir a trilha para os outros marcos. Teremos *quatro* chances de pegar o assassino.

– Era o que eu esperava – disse Langdon. – *Teríamos* quatro chances, um século atrás.

Descobrir que o Panteão era o primeiro altar da ciência havia sido para Langdon um momento de prazer com um travo amargo. A História de vez em quando prega peças cruéis naqueles que a perseguem. Seria querer demais que o Caminho da Iluminação estivesse intacto depois de tanto tempo, com todas as suas estátuas no mesmo lugar, mas uma parte da cabeça de Langdon acalentara a fantasia de seguir o caminho até o fim e encontrar o refúgio sagrado dos Illuminati. Admitia, com muita pena, que isto não seria possível.

– O Vaticano removeu e destruiu todas as estátuas do Panteão no final do século XIX.

– Por quê? – perguntou Vittoria, chocada.

– Eram estátuas pagãs, deuses do Olimpo. Infelizmente, isto significa que o primeiro marco se foi e, com ele...

– Qualquer esperança de encontrar o Caminho da Iluminação e os outros marcos?

– Isso. Temos *uma* chance, o Panteão. Depois, a trilha desaparece.

Olivetti olhou fixo para ambos durante um longo momento e depois voltou a olhar para a frente.

– Encoste – rosnou para o motorista.

O motorista deu uma guinada para junto do meio-fio e enfiou o pé no freio.

Três outros Alfa Romeos derraparam atrás dele. O comboio da Guarda Suíça parou cantando os pneus.

– O que está fazendo?! – exclamou Vittoria.

– Meu trabalho – disse Olivetti, ajeitando-se no assento, a voz dura como pedra. – Senhor Langdon, quando falou que explicaria a situação a caminho, presumi que chegaríamos ao Panteão com uma idéia clara da razão por que meus homens estavam ali. Não é o caso. Como estou abandonando obrigações de importância vital pelo fato de estar aqui e, além disso, como acho que não faz muito sentido essa sua teoria de sacrifícios de virgens e poesia antiga, não posso em sã consciência continuar. Estou cancelando esta missão agora mesmo.

Ele pegou seu walkie-talkie e ligou-o.

Vittoria inclinou-se para a frente e agarrou o braço dele.

– Não pode fazer isso!

Olivetti bateu com o aparelho no banco do carro e lançou-lhe um olhar furioso.

– Já esteve no Panteão, senhorita Vetra?

– Não, mas...

– Deixe que lhe explique como é o lugar. O Panteão consiste em um único ambiente. Uma construção circular feita de pedra e cimento. Tem *uma* entrada. Não tem janelas. A entrada é *estreita*. É guardada o tempo todo por nada menos do que quatro policiais romanos armados que protegem o santuário contra destruidores de obras de arte, terroristas anticristãos e golpes de falsos turistas.

– Aonde quer chegar? – disse ela com frieza.

– Aonde quero chegar? – Os dedos de Olivetti agarravam com força o encosto do banco do carro. – O que acabaram de me contar é totalmente impossível! Será que são capazes de me apresentar uma descrição plausível de como alguém poderia matar um cardeal *dentro* do Panteão? Antes de mais nada, como é que alguém passaria com um refém qualquer pelos guardas que ficam na entrada? E ainda por cima o mataria e fugiria em seguida? – Olivetti debruçou-se no encosto, seu hálito cheirando a café no rosto de Langdon. – Como, senhor Langdon? Vamos lá, só *uma* descrição plausível.

Langdon sentia-se como se o pequenino carro tivesse encolhido em volta dele. *Não tenho a menor idéia! Não sou um assassino! Não sei como ele vai agir! Só sei...*

– *Uma* descrição? – repetiu Vittoria com sarcasmo na voz, imperturbável. – Que tal o assassino vir em um helicóptero e deixar cair um cardeal marcado a fogo e aos gritos pela abertura do teto, o cardeal bater no piso de mármore e morrer?

A atenção de todos no carro voltou-se para Vittoria. Langdon não sabia o que pensar. *Você tem uma imaginação doentia, moça, mas é um bocado rápida.* Olivetti franziu o sobrolho.

– Possível, admito, mas dificilmente...

– Ou o assassino dá uma droga qualquer ao cardeal – disse Vittoria – e entra no Panteão com ele em uma cadeira de rodas, como se fosse um turista idoso. Lá dentro, corta discretamente a garganta dele e sai sem ser notado.

Aquela alternativa fez Olivetti acordar um pouco.

Nada mal!, pensou Langdon.

– Ou – continuou ela –, o assassino poderia...

– Já entendi – interrompeu Olivetti. – Chega.

Ele respirou fundo e soprou o ar dos pulmões. Alguém bateu no vidro com insistência e todos se sobressaltaram. Era um soldado de um dos outros carros. Olivetti abaixou o vidro.

– Tudo bem, comandante? – O soldado estava vestido com roupas civis. Levantou a manga de sua camisa jeans e mostrou um relógio de pulso preto de estilo militar. – Sete e quarenta, comandante. Precisamos de tempo para nos posicionarmos.

Olivetti fez um gesto vago com a cabeça, mas ficou calado alguns instantes. Correu o dedo de um lado para o outro no painel do carro, fazendo uma linha na poeira. Examinou Langdon pelo retrovisor e Langdon sentiu-se medido e avaliado. Finalmente, Olivetti dirigiu-se ao guarda. Havia relutância em sua voz.

– Quero abordagens separadas. Carros na Piazza della Rotonda, Via degli Orfani, Piazzas Sant'Ignazio e Sant'Eustachio. A dois quarteirões de distância, não menos. Quando estacionarem, preparem-se e aguardem minhas ordens. Três minutos.

– Muito bem, senhor.

O soldado voltou para seu carro.

Langdon fez uma careta para Vittoria com ar impressionado. Ela sorriu de volta e, por um instante, estabeleceu-se entre os dois uma ligação inesperada, um fio de magnetismo.

O comandante virou-se para Langdon, incisivo:

– Senhor Langdon, é bom que tudo isso não estoure em cima de nós.

Langdon deu um sorriso constrangido. *Como poderia?*

CAPÍTULO 57

O diretor do CERN, Maximilian Kohler, abriu os olhos ainda sob o efeito da cromolina e do leucotrieno em seu corpo, dilatando seus tubos brônquicos e seus capilares pulmonares. Respirava normalmente outra vez. Encontrava-se deitado em um quarto particular na enfermaria do CERN, sua cadeira de rodas encostada à cama.

Avaliou a situação e examinou a túnica de papel com que o haviam vestido. Suas roupas estavam dobradas na cadeira ao lado. Lá fora, ouvia uma enfermeira fazendo a ronda. Permaneceu deitado um longo minuto, à escuta. Depois, procurando fazer o mínimo barulho possível, chegou até a beirada da cama e apanhou sua roupa. Lutando com suas pernas sem vida, vestiu-se. Então, arrastou o corpo e sentou-se na cadeira de rodas.

Abafou a tosse e fez girar as rodas da cadeira até a porta. Movimentou-a manualmente, com cuidado, sem ligar o motor. Quando chegou à porta, espiou para fora. O vestíbulo estava vazio.

Silenciosamente, Maximilian Kohler escapuliu da enfermaria.

CAPÍTULO 58

– Sete e quarenta e seis e trinta... preparem-se. – Mesmo quando falava em seu walkie-talkie, a voz de Olivetti não passava de um sussurro.

Langdon agora suava dentro de seu casaco de tweed no banco de trás do Alfa Romeo, parado em uma praça a três quarteirões de distância do Panteão. Vittoria, sentada a seu lado, tinha toda a sua atenção concentrada em Olivetti, que transmitia as ordens finais.

– A formação de combate será um cerco de oito pontos. O alvo pode reconhecê-los, portanto vocês ficarão *pas-visibles*. Empreguem somente força não-mortal. Precisamos de alguém para vigiar o telhado. O alvo é prioritário. O refém é secundário.

Credo, pensou Langdon, arrepiado com a eficiência com que Olivetti dissera a seus homens que o refém poderia ser sacrificado por razões estratégicas. *O refém é secundário.*

– Repetindo. Intervenção não-mortal. O alvo tem de estar vivo. Agora, vão!

Vittoria estava perplexa, quase zangada.

– Comandante, ninguém vai *entrar?*

– Entrar? – repetiu Olivetti.

– É! No Panteão! Onde se supõe que tudo vá acontecer!

– *Attento* – disse Olivetti, seus olhos se congelando. – Se houve mesmo infiltração em minhas fileiras, meus homens podem ser reconhecidos. Seu amigo acabou de avisar que esta pode ser a única chance de pegarmos o alvo. Não tenho nenhuma intenção de espantar essa pessoa fazendo meus homens invadirem o local.

– E se o assassino *já estiver* lá dentro?

Olivetti verificou o relógio.

– O alvo foi bem específico. Oito horas. Temos 15 minutos.

– Ele disse que *mataria* o cardeal às oito horas. Mas pode já ter entrado antes com a vítima. E se seus homens virem o alvo sair mas não souberem que é ele? Alguém precisa ir verificar se há algum suspeito lá dentro.

– É arriscado demais a essa altura.

– Não se a pessoa que entrar não puder ser reconhecida.

– Disfarçar alguém levaria tempo demais e...

– Estou me referindo à *minha pessoa* – disse Vittoria.

Langdon voltou-se para ela.

Olivetti foi enfático.

– De jeito nenhum.

– Ele matou meu pai.

– Exato, e pode saber quem a senhorita é.

– O senhor ouviu o que ele disse ao telefone. Não tinha a menor idéia de que Leonardo Vetra sequer tivesse uma filha. Com certeza, não sabe quem sou. Eu poderia entrar como uma turista qualquer. Se visse alguma coisa suspeita, iria para a praça e faria sinal para seus homens entrarem.

– Desculpe, mas não posso autorizar isso.

– Comandante? – Ouviu-se o chamado no aparelho de Olivetti. – Temos um problema no ponto norte. A fonte está bloqueando a nossa linha de visão. Só poderemos enxergar a entrada se nos deslocarmos para o meio da *piazza.* Qual é a sua ordem? Permanecermos sem visão ou ficarmos vulneráveis?

Vittoria aparentemente não agüentava mais.

– Chega. Estou indo.

Ela abriu a porta do carro e saiu.

Olivetti largou o walkie-talkie e saltou do carro, contornando-o na frente de Vittoria.

Langdon saiu também. *Que diabos ela está fazendo?*

Olivetti postou-se no caminho dela.

– Senhorita Vetra, seus instintos são bons, mas não posso deixar um civil interferir.

– Interferir? Vocês estão fazendo um vôo cego. Quero ajudar.

– Eu gostaria muito de ter um contato lá dentro, mas...

– Mas o quê? – ela o interpelou. – Mas eu sou *uma mulher?*

Olivetti ficou calado.

– É bom que não tenha sido isso o que o senhor ia dizer, comandante, porque sabe muito bem que a idéia é boa, e se deixar que uma bobagem machista dessas, um preconceito arcaico...

– Deixe eu fazer o meu trabalho.

– Deixe eu ajudar.

– É perigoso demais. Não teríamos nenhuma linha de comunicação com a senhorita. Não posso deixá-la levar um walkie-talkie, iria denunciá-la.

Vittoria enfiou a mão no bolso de sua blusa e tirou seu telefone celular.

– Uma porção de turistas carrega telefones celulares.

Vittoria abriu o telefone e imitou uma chamada:

– "Oi, querido, estou dentro do Panteão. Você precisava ver este lugar, que maravilha!" – Ela fechou o telefone e fulminou Olivetti com o olhar. – Quem vai descobrir? Não há risco nenhum! Deixe que eu espione para vocês! – Fez um gesto para o celular de Olivetti preso no cinto dele. – Qual é o seu número?

Ele não respondeu.

O motorista vinha acompanhando a conversa e aparentemente tinha algumas opiniões a dar. Saiu do carro e puxou Olivetti para um lado. Cochicharam durante alguns segundos, ao fim dos quais Olivetti voltou e disse a Vittoria:

– Programe este número. – E ditou-lhe o número do seu telefone.

Vittoria programou o seu celular.

– Agora, ligue para o número que lhe dei.

Vittoria pressionou a discagem automática. O telefone no cinto de Olivetti começou a tocar. Ele o atendeu e falou:

– Entre no prédio, senhorita, olhe em torno, saia do prédio, depois ligue para mim e diga o que viu.

Vittoria fechou o telefone.

– Obrigada, senhor.

Langdon foi tomado por uma onda repentina e inesperada de instinto protetor.

– Espere aí – disse ele para Olivetti. – Vai mandá-la entrar lá *sozinha?*

– Robert, não faz mal – disse Vittoria, com ar mal-humorado.

O motorista da Guarda Suíça cochichou mais alguma coisa no ouvido de Olivetti.

– É perigoso – Langdon disse a Vittoria.

– Ele tem razão – confirmou Olivetti. – Nem os meus melhores homens trabalham sozinhos. Meu tenente acabou de lembrar que a encenação será mais convincente com vocês dois.

Com nós dois? Langdon hesitou. *Na verdade, o que eu queria dizer era...*

– Com vocês dois entrando juntos – disse Olivetti. – Vão parecer um casal em férias. Também podem dar apoio um ao outro. Fico mais tranqüilo assim.

Vittoria deu de ombros.

– Por mim, está bem, mas temos de andar ligeiro.

Langdon deixou escapar uma praga em voz baixa.

Olivetti apontou para a rua.

– A primeira rua por onde têm de ir é a Via degli Orfani. Dobrem à esquerda e, com dois minutos de caminhada, no máximo, sairão direto no Panteão. Vou ficar aqui comandando meus homens e esperando sua chamada. Gostaria que tivessem proteção. – Pegou seu revólver. – Algum de vocês sabe atirar?

O coração de Langdon acelerou-se. *Não precisamos de arma nenhuma!*

Vittoria estendeu a mão.

– Consigo acertar um golfinho saindo da água a 40 metros de distância da proa de um barco em movimento.

– Ótimo – Olivetti entregou-lhe a arma. – Vai ter de escondê-la.

Vittoria olhou para seu short. Depois, olhou para Langdon.

Ah, não faça isso! Pensou ele, mas Vittoria foi mais rápida. Abriu o paletó dele e colocou o revólver em um dos bolsos internos. Ele teve a impressão de que uma pedra caíra dentro de sua roupa. O único consolo era o fato de o *Diagramma* estar no outro bolso.

– Nossa aparência é bem inofensiva – disse Vittoria. – Vamos embora.

Ela deu o braço a Langdon e encaminhou-se para a rua.

O motorista falou:

– Boa idéia, ir de braços dados. Lembrem-se de que são turistas. Talvez, até *recém-casados.* Dar as mãos não seria melhor ainda?

Quando dobraram a esquina, Langdon poderia jurar que vislumbrou um leve sorriso no rosto de Vittoria.

CAPÍTULO **59**

A "sala de concentração" de tropas da Guarda Suíça fica ao lado do quartel do *Corpo de Vigilanza* e é usada sobretudo para planejar a segurança nas ocasiões em que o Papa aparece em público e nos eventos públicos do Vaticano. Naquele dia, entretanto, estava sendo usada para outra coisa.

O homem que falava à força-tarefa reunida era o segundo em comando da Guarda Suíça, o capitão Elias Rocher. Rocher tinha o tórax arredondado como um barril e o rosto de traços macios, como se feitos de massa. Vestia o tradicional uniforme azul de capitão com seu toque pessoal: uma boina vermelha colocada de lado na cabeça. Sua voz era surpreendentemente cristalina para um homem tão grande e, quando ele falava, seu timbre possuía a clareza de um instrumento musical. A despeito de sua inflexão precisa, os olhos de Rocher eram enevoados como os de um mamífero noturno. Seus homens chamavam-no de *orso*, urso cinzento. Às vezes, gracejavam dizendo que Rocher era "o urso que andava à sombra da víbora". O comandante Olivetti era a víbora. Rocher era tão perigoso quanto a víbora, mas ao menos se via quando ele chegava.

Os homens de Rocher mantinham-se vivamente atentos, ninguém mexia um músculo, embora a informação que haviam acabado de receber tivesse feito a pressão deles todos subir.

O tenente Chartrand, um novato, postado no fundo da sala, desejava que tivesse ficado entre os 99 por cento de candidatos que *não* tinham sido escolhidos para estar ali. Com 20 anos, Chartrand era o guarda mais novo da tropa. Havia apenas três meses que estava no Vaticano. Como todos, fora treinado pelo exército suíço e ainda agüentara dois anos de mais *ausbilding* em Berna antes de se habilitar para a extenuante *pròva* do Vaticano, realizada em um quartel secreto fora de Roma. Nada em seu treinamento, todavia, o preparara para uma crise como aquela.

De início, Chartrand pensou que as instruções fossem algum tipo de estranho exercício de treinamento. *Armas futuristas? Cultos antigos? Cardeais seqüestrados?* Então, Rocher mostrara-lhes o vídeo da arma em questão. Pelo jeito, não se tratava de exercício coisa nenhuma.

– Vamos desligar a energia em determinadas áreas – Rocher estava dizendo – para eliminar a interferência magnética externa. Vamos nos deslocar em grupos de quatro. E usar óculos infravermelhos. O reconhecimento vai ser efetuado com o equipamento habitual de varredura, regulado para campos de fluxo abaixo de três ohms. Alguma pergunta?

Nenhuma.

A cabeça de Chartrand estava sobrecarregada.

– E se não encontrarmos o material a tempo? – perguntou, na mesma hora arrependendo-se de ter perguntado.

O urso cinzento lançou-lhe um olhar sob sua boina vermelha. E dispensou o grupo com uma saudação soturna:

– Vão com Deus.

CAPÍTULO **60**

A dois quarteirões do Panteão, Langdon e Vittoria passaram a pé por uma fila de táxis estacionados, os motoristas dormindo nos bancos da frente. A hora da soneca era eterna na Cidade Eterna, o cochilo coletivo no mesmo horário sendo lá uma extensão aperfeiçoada do hábito das sestas vespertinas nascido na antiga Espanha.

Langdon esforçou-se para concentrar seus pensamentos, mas a situação era por demais fora do comum para ser assimilada racionalmente. Seis horas antes, ele estava dormindo profundamente em Cambridge. Agora, encontrava-se na Europa, no meio de uma batalha surreal de antigos titãs, carregando um revólver no bolso de seu paletó de tweed e de mãos dadas com uma mulher que tinha acabado de encontrar.

Olhou para Vittoria. Estava inteiramente voltada para o que os esperava. Havia força no seu aperto de mão, a força de uma mulher determinada e independente. Os seus dedos envolviam os dele com o conforto de uma aceitação inata. Sem hesitar. Langdon sentiu uma atração crescente por ela. *Seja realista,* disse para si mesmo.

Vittoria notou o constrangimento dele.

– Relaxe – disse ela, sem virar a cabeça –, temos de parecer recém-casados.

– Estou relaxado.

– Você está esmagando a minha mão.

Langdon enrubesceu e aproximou os dedos.

– Respire através dos seus olhos.

– Como é?

– Serve para relaxar os músculos. Chama-se *pranayama*.

– *Piranha?*

– Não, não é nome de peixe. *Pranayama*. Ora, deixe para lá.

Dobraram a esquina para a Piazza della Rotonda e o Panteão ergueu-se diante deles. Langdon admirou-o, como sempre, com reverência. *O Panteão. Templo de todos os deuses. Deuses pagãos. Deuses da natureza e da Terra.* A estrutura, vista de fora, parecia mais compacta e fechada do que ele se lembrava. As colunas verticais e os pronaus triangulares obscureciam o domo circular que ficava atrás. Ainda assim, a ousada e vaidosa inscrição acima da entrada garantia-lhe que estavam no lugar certo. M AGRIPPA L F COS TERTIUM FECIT. Langdon mais uma vez se divertiu com a tradução: *Marcus Agrippa, cônsul pela terceira vez, construiu isto.*

Tão modesto, pensou, correndo os olhos pelo espaço ao redor. Alguns turistas perambulavam com câmeras de vídeo na mão. Outros estavam sentados no café ao ar livre La Tazza di Oro, saboreando o melhor café gelado de Roma. Junto da entrada do Panteão, quatro policiais romanos armados vigiavam, atentos, como Olivetti predissera.

– Tudo bastante tranqüilo – comentou Vittoria.

Langdon concordou, mas sentia-se preocupado. Agora que estava ali, o cenário todo não lhe parecia muito real. Apesar da confiança de Vittoria, que acreditava que ele estivesse certo, Langdon deu-se conta de que pusera todos na linha de fogo. O poema Illuminati subsistia. *Da tumba terrena de Santi com a cova do demônio. SIM,* afirmou internamente. Era ali. A tumba de Santi. Já estivera muitas vezes sob o óculo do Panteão, junto ao túmulo do grande Rafael.

– Que horas são?

Langdon verificou o relógio de pulso.

– Sete e cinqüenta. Dez minutos para o espetáculo começar.

– Espero que esses guardas sejam bons – disse Vittoria, observando os turistas esparsos entrando no Panteão. – Se alguma coisa acontecer aí dentro, vamos ficar todos sob fogo cruzado.

Langdon soprou fortemente o ar dos pulmões enquanto se encaminhavam para a entrada. A arma pesava em seu bolso. Imaginou o que aconteceria se os policiais o revistassem e encontrassem a arma, mas eles nem o olharam duas vezes. O disfarce deveria estar mesmo convincente.

Langdon sussurrou para Vittoria.

– Já atirou com outra coisa além de uma espingarda de tranqüilizante?

– Não confia em mim?

– Como posso? Nem conheço você direito!

Vittoria fez uma cara desapontada.

– E eu que pensei que fôssemos recém-casados.

C A P Í T U L O **61**

O ar dentro do Panteão estava frio e úmido, pesado de história. O teto amplo flutuava no espaço acima como se não tivesse peso algum – um vão livre de 43 metros, maior ainda do que o da cúpula de São Pedro.

Langdon mais uma vez sentiu um arrepio quando entrou no imenso ambiente. Era uma extraordinária mistura de engenharia e arte. No alto, a famosa abertura circular no teto brilhava com a luminosidade do sol do entardecer. *O óculo*, pensou Langdon, *a cova do demônio*.

Tinham chegado.

Langdon acompanhou com os olhos o arco do teto descendo para as paredes com as colunas, o piso de mármore polido sob seus pés. Um leve eco dos passos e murmúrios dos turistas reverberava pelo domo. Langdon observou os pouco mais de dez turistas que andavam a esmo nas sombras. *Você está aí?*

– Bem calmo o lugar – disse Vittoria, ainda segurando a mão dele.

Langdon fez que sim.

– Qual é a tumba de Rafael?

Langdon parou um instante, tentando se orientar. Examinou a circunferência do recinto. Tumbas. Altares. Colunas. Nichos. Indicou um monumento funerário particularmente ornamentado à esquerda, do outro lado do domo.

– Acho que é aquela.

Vittoria esquadrinhou o resto do ambiente.

– Não vejo ninguém que pareça um assassino prestes a matar um cardeal. Vamos dar uma olhada por aí?

Langdon concordou e os dois saíram andando.

– Há somente um lugar aqui onde alguém poderia se esconder. É melhor verificarmos as *rientranze*.

– Os recessos?

– Isso – ele apontou. – Os nichos na parede.

Ao longo do perímetro, intercalados com as tumbas, havia vários nichos semicirculares formando cavidades na parede. Embora não fossem enormes, eram grandes o bastante para esconder alguém. Lamentavelmente, Langdon sabia que antes continham estátuas dos deuses olímpicos, mas essas esculturas pagãs haviam sido destruídas quando o Vaticano transformou o Panteão em igreja cristã. Veio-lhe um acesso de frustração por saber que estava no primeiro altar da ciência e o marco se perdera. Indagava-se qual seria a estátua e para onde teria apontado. Não concebia emoção maior do que a de encontrar o marco Illuminati – a estátua que indicava sorrateiramente o percurso do Caminho da Iluminação. E de novo imaginava quem seria o anônimo escultor Illuminati.

– Vou pela esquerda – disse Vittoria, mostrando a metade esquerda da circunferência. – Você, pela direita. Nos encontramos daqui a 180 graus.

Ele sorriu amarelo.

Quando ela se afastou, Langdon sentiu o horror da situação infiltrar-se de novo em sua consciência. Enquanto se dirigia para a direita, a voz do assassino parecia sussurrar no espaço vazio que o rodeava. *Oito horas. Sacrifícios de virgens nos altares da ciência. Uma progressão matemática e mortal. Oito, nove, dez, onze... e à meia-noite.* Olhou o relógio de pulso: 7h52. Oito minutos.

Caminhando para o primeiro nicho, passou pela tumba de um dos reis católicos da Itália. O sarcófago, como muitos outros em Roma, fora colocado obliquamente à parede, uma posição meio desajeitada. Um grupo de visitantes dava a impressão de estar perplexo com aquilo. Langdon não se deteve para explicar. As tumbas cristãs muitas vezes não eram alinhadas com a arquitetura para que ficassem voltadas para o *leste*. Tratava-se de uma antiga superstição que uma das turmas de Simbologia de Langdon chegara a discutir no mês anterior.

– Isso é totalmente absurdo! – uma aluna na fila da frente exclamara quando Langdon explicou a razão por que as tumbas eram viradas para leste. – Por que os cristãos iriam querer suas tumbas voltadas para o *sol nascente?* Estamos falando de cristianismo, não de *adoração ao Sol!*

Langdon sorriu, andando diante do quadro-negro e comendo uma maçã.

– Senhor Hitzrot! – gritou ele.

Um rapaz que cochilava no fundo da sala sentou-se, sobressaltado.

– Eu?

Langdon apontou para um pôster sobre arte renascentista pendurado na parede.

– Quem é aquele homem ajoelhado diante de Deus?

– É... um santo?

– Muito bem. E como sabe que é um santo?

– Por causa do halo?

– Excelente, e esse halo dourado lembra alguma coisa?

Hitzrot abriu um sorriso.

– Claro! Aquelas coisas egípcias que estudamos no semestre passado. Aqueles... humm... *discos solares!*

– Obrigado, Hitzrot. Pode continuar a dormir. – Langdon dirigiu-se de novo à turma. – Os halos, como grande parte da simbologia cristã, foram tirados da antiga religião egípcia baseada na adoração ao *Sol.* O cristianismo está cheio de manifestações de adoração ao Sol.

– Desculpe – disse a moça da fila da frente –, mas vou sempre à igreja e não costumo ver tanta adoração ao Sol assim!

– É mesmo? O que você comemora no dia 25 de dezembro?

– O Natal. O nascimento de Jesus Cristo.

– No entanto, de acordo com a Bíblia, Cristo nasceu em março. Por que, então, se comemora a data no final de dezembro?

Silêncio.

Langdon prosseguiu.

– O dia 25 de dezembro, meus amigos, é o dia da antiga festa pagã do *sol invictus*, o Sol Invicto, que coincidia com o solstício de inverno. É aquela maravilhosa fase do ano em que o Sol retorna e os dias começam a ficar mais longos outra vez.

Ele comeu mais um pedaço de maçã e continuou.

– As religiões vitoriosas costumam adotar as festas já existentes para tornar a conversão menos chocante. Chama-se a isto de *transmutação*. Ajuda as pessoas a se acostumarem com a nova fé. Os devotos mantêm as mesmas datas santas, rezam nos mesmos locais sagrados, usam uma simbologia semelhante e apenas substituem o deus anterior por outro diferente.

A essa altura, a moça da frente estava furiosa.

– O senhor está insinuando que o cristianismo não passa de uma espécie de adoração ao Sol *em outra embalagem!*

– De jeito nenhum. O cristianismo não tomou elementos emprestados somente da adoração ao Sol. O ritual da canonização cristã foi tirado do antigo rito de deificação de Euhemerus. A prática de "comer Deus", ou seja, a Santa Comunhão, foi copiada dos astecas. Até o conceito de Cristo morrer por nossos pecados pode-se dizer que não é exclusivamente cristão: o auto-sacrifício de um rapaz para absolver os pecados de seu povo aparece nos registros das mais remotas tradições associadas a Quetzalcoatl.

A moça disse, com ar feroz.

– Quer dizer que *nada* no cristianismo é original?

– Muito pouco em *qualquer* religião organizada é inteiramente original. As religiões não começam do zero. Crescem uma a partir da outra. As religiões modernas são colagens, um registro histórico assimilado do esforço humano para compreender o divino.

– Espere aí – disse Hitzrot, agora acordado. – Existe uma coisa cristã que é original. A nossa *imagem* de Deus. A arte cristã nunca retrata Deus igual a um falcão, a um animal asteca ou algo esquisito assim. Sempre mostra Deus como um velho de barba branca. Então, a nossa *imagem* de Deus é original, não é?

Langdon sorriu de novo e respondeu.

– Quando os primeiros cristãos convertidos abandonaram suas divindades anteriores, como os deuses pagãos, os deuses romanos, os deuses gregos, o Sol, Mitra ou o que seja, eles perguntaram à Igreja com quem se parecia o seu deus cristão. Sabiamente, a Igreja escolheu o mais temido, o mais poderoso e aquele cuja aparência era a mais conhecida de que se tinha notícia.

Hitzrot arriscou, cético:

– Um velho com uma barba branca comprida?

Langdon apontou para uma representação da hierarquia de deuses da antiguidade pendurada na parede. No alto estava sentado um velho com longas barbas brancas.

– Zeus não lhe parece familiar?

A campainha para encerrar a aula tocou naquele exato momento.

◆◆◆

– Boa noite – disse uma voz masculina.

Langdon tomou um susto. Estava de volta ao Panteão. Deu de cara com um homem idoso usando uma pelerine azul com uma cruz vermelha no peito. O homem sorriu para ele revelando dentes acinzentados.

– O senhor é inglês, não é? – o homem falava com um sotaque toscano carregado.

Langdon pestanejou, confuso.

– Não, na verdade, sou americano.

O homem ficou embaraçado.

– Oh, desculpe, mas o senhor está tão bem vestido que pensei... Por favor, peço mil desculpas.

– Posso ajudá-lo em alguma coisa? – perguntou Langdon, o coração batendo loucamente.

– Na realidade, achei que talvez *eu* pudesse ajudá-lo. Sou cicerone voluntário aqui – e o homem apontou orgulhoso para seu crachá emitido pela prefeitura da cidade. – Meu trabalho é tornar sua visita a Roma mais interessante.

Mais interessante? Ele tinha certeza absoluta de que *aquela* visita a Roma era interessante até demais.

– O senhor parece um homem distinto – o guia bajulou-o –, sem dúvida mais interessado em cultura do que a maioria das pessoas. Talvez eu possa lhe contar um pouco da história desta construção fascinante.

Langdon sorriu educadamente.

– Muito obrigado, mas eu sou professor de História da Arte e...

– Ótimo! – o rosto do homem se iluminou como se tivesse acertado na loteria. – Então, com certeza, o senhor vai apreciar muito mais!

– Obrigado, mas acho que prefiro...

– O Panteão – começou o homem, embarcando em sua arenga decorada – foi construído por Marcus Agrippa em 27 a.C.

– Sim – interrompeu Langdon –, e reconstruído por Adriano em 119 d.C.

– Era o maior domo do mundo até 1960, quando foi superado pelo Superdomo de Nova Orleans!

Langdon resmungou em voz baixa. O homem era irreprimível.

– E um teólogo do século V chamou o Panteão de *Casa do Demônio* e declarou que a abertura no teto era uma entrada para os demônios!

Langdon desligou-se do que o outro dizia. Ergueu os olhos para o óculo e a lembrança da cena sugerida por Vittoria projetou uma imagem aterrorizante em sua mente: um cardeal marcado a fogo despencando através da abertura e estatelando-se no chão de mármore. Seria de fato um prato cheio para a mídia. Langdon deu por si procurando repórteres dentro do Panteão. Nenhum. Respirou fundo. A idéia era absurda. A logística para produzir uma atração como aquela seria despropositada.

À medida que se deslocava para continuar sua inspeção, o guia tagarela seguia-o como um cãozinho carente de afeto. *Não posso esquecer,* disse para si mesmo, *não há nada pior do que um historiador entusiasmado demais.*

◆ ◆ ◆

Do outro lado, Vittoria estava imersa em sua busca. Sozinha pela primeira vez desde que recebera a notícia sobre seu pai, sentiu a crua realidade das últimas oito horas fechando-se em torno dela. Seu pai fora assassinado – cruel e abruptamente. Quase tão dolorosa era a consciência de que o trabalho de seu pai fora corrompido e agora se tornara um instrumento de terroristas.

Atormentava-a a culpa de ter sido a *sua invenção* o que permitira que a anti-matéria pudesse ser transportada. Era o contador eletrônico de *seu* tubo especial que agora estava marcando o tempo restante dentro do Vaticano. Na tentativa de contribuir para a busca de seu pai pela simplicidade da verdade, ela se transformara em uma conspiradora do caos.

Estranhamente, a única coisa que parecia estar certa em sua vida naquele momento era a presença de um desconhecido. Robert Langdon. Encontrava um refúgio inexplicável em seu olhar, como a harmonia dos oceanos que ela deixara para trás naquela manhã bem cedo. Sentia-se contente por ele estar ali. Não só fora para ela uma fonte de força e de esperança como utilizara a rapidez de sua inteligência para encontrar aquela chance única de pegar o assassino de seu pai.

Vittoria respirou fundo e continuou a procurar, andando em torno do perímetro do Panteão. Estava assoberbada pelos inesperados desejos de vingança pessoal que haviam dominado seus pensamentos durante todo o dia. Mesmo sendo uma amante declarada de toda forma de vida, queria ver aquele carrasco *morto*. Não haveria bom carma que a fizesse dar a outra face naquele dia. Ao mesmo tempo alarmada e eletrizada, notava algo correndo em seu sangue italiano que nunca sentira antes: os sussurros dos ancestrais sicilianos que defendiam a honra da família com justiça brutal. *Vendetta*, pensou ela, pela primeira vez compreendendo o verdadeiro sentido da palavra.

Visões de represálias possíveis incitavam-na a prosseguir. Aproximou-se da tumba de Rafael Santi. Mesmo à distância, via-se logo que se tratava de uma figura especial. Seu sepulcro, ao contrário dos outros, possuía uma proteção de plexiglas e ficava em um nicho da parede. Através da barreira, ela conseguia ver a frente do sarcófago.

RAPHAEL SANTI, 1483 – 1520

Vittoria examinou o conjunto e depois leu a frase na placa descritiva ao lado da tumba de Rafael.

Então, leu de novo.

E mais uma vez.

Um segundo depois, saiu correndo pelo Panteão, chamando, horrorizada:

– Robert! *Robert!*

CAPÍTULO **62**

Langdon avançava pelo seu lado do Panteão com uma certa dificuldade por causa do guia, que não lhe saía dos calcanhares e agora prosseguia
em sua incansável narrativa enquanto Langdon se preparava para verificar o
último nicho.

– O senhor está gostando um bocado desses nichos! – disse o guia, encantado. – Sabia que a espessura gradativamente menor das paredes é que faz o
domo parecer não ter peso?

Langdon fez um gesto com a cabeça, sem prestar atenção e se preparando
para examinar outro nicho. De repente, alguém o agarrou por trás. Era
Vittoria. Ela estava sem fôlego e puxava-o pelo braço. Pela expressão apavorada do rosto dela, Langdon só podia deduzir uma coisa. *Ela havia encontrado um
corpo.* Uma nova onda de temor cresceu dentro dele.

– Ah, sua mulher! – exclamou o guia, visivelmente entusiasmado por ter
mais um visitante. Apontou para o short e para as botas de caminhada que ela
usava. – Mas ela com certeza é americana!

Vittoria apertou os olhos.

– Sou italiana.

O sorriso do guia murchou.

– Oh, meu Deus.

– Robert – cochichou Vittoria, tentando dar as costas para o guia. – *O
Diagramma de Galileu.* Preciso vê-lo.

– *Diagramma?* – disse o guia, girando de volta nos calcanhares. – Ora, ora!
Vocês dois conhecem história mesmo! Infelizmente, esse documento não pode
ser visto. Está guardado nos Arquivos do Vati...

– Pode nos dar licença um instante? – disse Langdon. Não compreendia o
pânico de Vittoria. Levou-a para um lado e pôs a mão no bolso, tirando de lá
com todo o cuidado o fólio do *Diagramma.* – O que houve?

– Qual é a data que está escrita aí? – Vittoria perguntou, correndo os olhos
pela folha.

O guia estava junto deles outra vez, olhando para o fólio de boca aberta.

– Esse não é... de verdade...

– É uma reprodução para turistas – mentiu Langdon. – Obrigado por sua
ajuda. Por favor, minha mulher e eu gostaríamos de ficar a sós um instante.

O guia recuou, sem tirar os olhos do papel.

– A data – Vittoria repetiu. – Quando foi que Galileu publicou...

Langdon mostrou um número em algarismos romanos.

– Esta é a data de publicação. O que está acontecendo?

Vittoria decifrou o número.

– 1639?

– É. Alguma coisa errada?

A expressão de Vittoria tornou-se mais carregada com um mau pressentimento.

– Temos um problema sério, Robert. *Muito* sério. As datas não combinam.

– Que datas não combinam?

– A tumba de Rafael. Ele só foi enterrado aqui em 1759. Um século *depois* do *Diagramma* ser publicado.

Langdon encarou-a, tentando dar sentido ao que ela dizia.

– Não – replicou –, Rafael morreu em 1520, muito *antes* do *Diagramma*.

– Sim, mas ele só foi enterrado *aqui* muito depois.

Langdon estava perdido.

– O que está dizendo?

– Acabei de ler naquela placa. O corpo de Rafael foi trasladado para o Panteão em 1758. Como parte de um tributo histórico a italianos eminentes.

Ao assimilar as palavras dela, Langdon teve a impressão de que lhe puxavam um tapete de baixo dos pés.

– Quando aquele poema foi escrito – afirmou Vittoria –, a tumba de Rafael era em *outro* lugar qualquer. Naquela época, o Panteão não tinha nada a ver com Rafael!

Langdon chegou a ficar sem ar.

– Então, isso quer dizer que...

– Pois é! Que estamos no lugar errado!

Ele cambaleou. *Não é possível. Eu tinha tanta certeza...*

Vittoria correu e agarrou o braço do guia, puxando-o de volta.

– *Signore*, desculpe, mas onde estava o corpo de Rafael no século XVII?

– Urb... em Urbino – gaguejou ele, agora parecendo desnorteado. – Onde ele nasceu.

– Impossível! – Langdon praguejou baixinho. – Os altares da ciência dos Illuminati eram aqui em Roma. Tenho certeza!

– Illuminati? – o guia engoliu em seco, olhando de novo para o documento na mão de Langdon. – Quem são vocês, Deus do céu?

Vittoria tomou a frente.

– Estamos procurando por algo que é chamado de a tumba terrena de Santi. Em Roma. Sabe o que pode ser?

O homem mostrava-se inquieto.

– Esta foi a única tumba de Rafael em Roma.

Langdon esforçava-se para pensar, mas sua cabeça se recusava a funcionar direito. Se a tumba de Rafael não estava em Roma em 1639, a que o poema se referia, então? *Da tumba terrena de Santi com a cova do demônio? Que diabos é isso? Pense!*

– Houve outro artista chamado Santi? – perguntou Vittoria.

O guia deu de ombros.

– Não que eu saiba.

– E alguém famoso, qualquer pessoa? Um cientista, um poeta ou um astrônomo chamado Santi?

O homem agora dava a impressão de querer ir embora.

– Não, senhora. O único Santi de que já ouvi falar era Rafael, o arquiteto.

– Arquiteto? – repetiu ela. – Pensei que ele fosse pintor!

– Era as duas coisas, é claro. Todos eles eram. Michelangelo, Da Vinci, Rafael.

Langdon não soube se foram as palavras do guia ou as tumbas ornamentadas em torno dele que abriram sua mente para a revelação, mas não tinha importância, o pensamento lhe viera. *Santi era arquiteto.* Daí em diante, a progressão de idéias evoluiu como se fosse uma fileira de dominós caindo. Os arquitetos da Renascença viviam por apenas duas razões: para glorificar a Deus com enormes igrejas e para glorificar dignitários com pródigas tumbas. *A tumba de Santi. Seria possível?* As imagens agora lhe vinham mais depressa...

A *Mona Lisa* de Da Vinci.

Os *Nenúfares* de Monet.

O *Davi* de Michelangelo.

A *tumba terrena* de Santi...

– Santi *projetou* a tumba – declarou Langdon.

Vittoria virou-se.

– O quê?

– Não é uma referência ao lugar onde Rafael está enterrado, é uma referência a uma tumba que ele *projetou.*

– O que é que você está dizendo?

– Eu não compreendi direito a frase. Não é o túmulo de Rafael que estamos procurando, e sim um túmulo que Rafael projetou para *outra pessoa*. Não posso acreditar que deixei passar isto. A metade dos trabalhos de escultura feitos na Roma renascentista e barroca destinava-se aos monumentos funerários. – E ele riu, satisfeito com a descoberta. – Rafael deve ter projetado centenas de tumbas!

Vittoria não parecia tão contente.

– Centenas?

O sorriso de Langdon sumiu.

– Ah...

– Alguma delas seria *terrena*, professor?

De repente, ele se sentiu um incompetente. Sabia muito pouco sobre a obra de Rafael, era uma vergonha. Se fosse Michelangelo, teria sido mais fácil, mas o trabalho de Rafael nunca o atraíra tanto. Só se lembrava de umas duas tumbas mais famosas de Rafael, mas talvez nem soubesse descrevê-las.

Percebendo o bloqueio de Langdon, Vittoria dirigiu-se ao guia, que ia saindo de fininho. Segurou o braço dele e puxou-o, fazendo com que ficasse de frente para ela.

– Preciso de uma tumba. Projetada por Rafael. Uma tumba que possa ser considerada *terrena*.

O homem fez uma cara desconsolada.

– Uma tumba de Rafael? Não sei. Ele projetou tantas! Talvez queira dizer uma *capela* de Rafael, não uma tumba. Os arquitetos sempre desenhavam as capelas junto com as tumbas.

Ele tinha razão. Langdon perguntou:

– Existe alguma tumba ou capela de Rafael considerada *terrena*?

– Sinto muito – o outro respondeu –, não sei o que quer. A palavra *terrena* não se aplica a nada que eu conheça. Tenho de ir embora.

Vittoria estendeu o braço e leu a linha de cima do fólio:

– *Da tumba terrena de Santi com a cova do demônio*. Significa algo para o senhor?

– Não, nada.

Langdon levantou a cabeça. Esquecera momentaneamente a segunda parte do verso. *A cova do demônio?*

– Já sei! – ele disse para o guia. – É isso! Sabe se alguma das capelas de Rafael tem um óculo?

O guia sacudiu a cabeça.

– Pelo que sei, o Panteão é o único... – ele fez uma pausa – mas...

– Mas o quê? – exclamaram os dois em uníssono.

O homem então inclinou a cabeça para o lado e andou na direção deles outra vez.

– Cova do demônio... seria o mesmo que... *buco diàvolo?*

– Literalmente, sim – confirmou Vittoria.

O homem deu um ligeiro sorriso.

– Aí está uma expressão que não escuto faz tempo. Se não me engano, *buco diàvolo* é uma abóbada subterrânea.

– Uma abóbada subterrânea? – perguntou Langdon. – Uma *cripta?*

– É, mas um tipo específico de cripta. Acho que cova do demônio é uma expressão antiga para uma enorme cavidade funerária localizada em uma capela e sob uma outra tumba.

– Um ossário anexo? – indagou Langdon, identificando imediatamente o que o homem descrevia.

O guia, impressionado, confirmou.

– É! Era exatamente essa a palavra que eu estava procurando!

Langdon considerou a possibilidade. Os ossários anexos eram uma solução barata oferecida pelas igrejas para um incômodo dilema.

Quando as igrejas homenageavam seus membros mais distintos com tumbas ornamentadas dentro do santuário, os familiares sobreviventes dessas pessoas freqüentemente pediam que o resto da família fosse enterrado junto, garantindo assim um cobiçado espaço para suas sepulturas dentro da igreja. No entanto, se a igreja não tivesse espaço ou recursos para criar tumbas para uma família inteira, havia a alternativa de cavar um ossário anexo – um buraco no chão perto da tumba principal, onde se enterravam os membros menos ilustres da família. Esse buraco então era fechado com o equivalente renascentista de uma tampa de bueiro. Apesar de conveniente, o ossário anexo logo saiu de moda por causa do mau cheiro que muitas vezes exalava e se espalhava pela catedral. *Cova do demônio,* pensou. Nunca ouvira a expressão antes. Era sinistramente apropriada à situação.

O coração dele batia acelerado. *Da tumba terrena de Santi com a cova do demônio.* Havia apenas mais uma pergunta a fazer.

– Rafael desenhou tumbas com essas covas do demônio?

O guia coçou a cabeça.

– Na verdade, desculpem, mas só me lembro de uma.

Só uma? Não poderia haver resposta melhor.

– Onde? – Vittoria quase gritou.

O guia fitou-os de modo estranho.

– Chama-se Capela Chigi. Túmulo de Agostino Chigi e de seu irmão, ricos patronos das artes e das ciências.

– *Ciências?* – exclamou Langdon, trocando um olhar com Vittoria.

– Onde? – Vittoria perguntou de novo.

O guia ignorou a pergunta, de novo entusiasmado em poder prestar serviço.

– Se a tumba é *terrena* ou não, isto não sei dizer, mas sem dúvida é, digamos, *diferente.*

– Diferente? Como assim?

– Incoerente com a arquitetura. Rafael só foi o arquiteto. Um outro escultor fez a decoração interior, não me lembro quem.

Langdon era todo ouvidos. *O mestre Illuminati anônimo, talvez?*

– Quem quer que seja ele, os monumentos do interior da capela são de muito mau gosto – disse o guia. – *Dio mio!* Que atrocidade! Quem iria querer ser enterrado sob *pirâmides?*

Langdon mal podia acreditar.

– Pirâmides? A capela contém pirâmides?

– Pois é! – o guia escarneceu. – Terrível, não é?

Vittoria puxou a manga do guia.

– *Signore*, onde fica essa Capela Chigi?

– Mais ou menos a um quilômetro e meio daqui, na direção norte. Na Igreja de Santa Maria del Popolo.

Ela suspirou.

– Obrigada. Vamos...

– Ei... – disse o guia. – Acabei de lembrar de uma coisa. Que idiota eu sou.

Vittoria parou.

– Não me diga que se enganou.

Ele sacudiu a cabeça.

– Não, mas isso deveria ter me ocorrido antes. A Capela Chigi nem sempre foi conhecida por este nome, Chigi. Antes era chamada de *Capella della Terra.*

– Capela da *Terra!* – exclamou Langdon.

Vittoria já estava seguindo direto para a porta.

◆◆◆

Vittoria Vetra sacou de seu celular enquanto corria pela Piazza della Rotonda.

– Comandante Olivetti – disse –, estamos no lugar errado!

Incrédulo, Olivetti repetiu.

– Errado? Como, como?

– O primeiro altar da ciência é na Capela Chigi!

– Onde? – agora, a voz dele estava zangada. – Mas o senhor Langdon disse...

– Santa Maria del Popolo! A um quilômetro e meio daqui rumo ao norte. Leve seus homens para lá agora! Temos só quatro minutos!

– Mas meus homens estão posicionados *aqui!* Não tenho como...

– Ande! – Vittoria fechou o telefone com um estalo.

Atrás dela, tonto, saindo do Panteão, vinha Langdon.

Vittoria puxou-o pela mão na direção de uma fila de táxis aparentemente sem motoristas que esperavam junto ao meio-fio. Ela socou o capô do primeiro carro da fila. O motorista adormecido aprumou-se com um salto dando um grito de susto. Vittoria escancarou a porta de trás, empurrou Langdon para dentro e pulou para o assento ao lado dele.

– Santa Maria del Popolo – ordenou. – *Presto!*

Frenético e meio aterrorizado, o motorista pisou fundo no acelerador e saiu numa correria desabalada pela rua.

C A P Í T U L O **63**

Gunther Glick assumira o controle do computador, em vez de Chinita Macri, que agora estava curvada no banco de trás do atravancado furgão da BBC espiando a tela por cima do ombro dele.

– Eu disse a você – falou Glick digitando mais algumas palavras. – O *British Tattler* não é o único jornal que publica histórias sobre esses caras.

Macri chegou mais perto para enxergar melhor. Ele tinha razão. O banco de dados da BBC mostrava que sua distinta rede de emissoras havia descoberto e publicado seis matérias nos últimos dez anos sobre a fraternidade chamada Illuminati. *Bem, agora tenho de dar minha cara a tapa*, pensou ela.

– Quem foram os jornalistas que redigiram as matérias? – perguntou Macri.
– Os de quinta?

– A BBC não contrata jornalistas de quinta categoria.

– Mas contratou você.

Glick ficou carrancudo.

– Não sei por que você é tão cética. Os Illuminati estão bem documentados através da História.

– As bruxas, os OVNIs e o monstro do Lago Ness também.

Glick leu a lista de matérias.

– Já ouviu falar de um sujeito chamado Winston Churchill?

– O nome não me é estranho.

– A BBC fez um documentário há algum tempo sobre a vida de Churchill. Bastante liberal, aliás. Sabia que, em 1920, Churchill publicou uma declaração condenando os Illuminati e prevenindo os ingleses sobre uma conspiração de âmbito mundial contra a moralidade?

Macri replicou, irônica:

– E onde saiu? No *British Tattler?*

Ele sorriu.

– Não, no *London Herald*. Em 8 de fevereiro de 1920.

– Não é possível.

– Veja para crer.

E ela leu: *London Herald. 8 de fev.,1920*. Que coisa, jamais pensei...

– Bem, Churchill era meio paranóico.

– E não foi só ele – disse Glick, continuando a ler. – Parece que Woodrow Wilson fez três pronunciamentos pelo rádio em 1921 chamando a atenção para o controle crescente dos Illuminati sobre o sistema bancário norte-americano. Quer ouvir um pedaço da transcrição de um desses pronunciamentos?

– Acho que não.

Mas ele leu a citação assim mesmo.

– Ele disse: "Existe um poder tão organizado, tão sutil, tão completo, tão penetrante que ninguém deve falar em voz alta quando fizer críticas a ele."

– Nunca ouvi nada sobre eles.

– Talvez porque em 1921 você fosse muito pequena.

– Engraçadinho.

Macri não ligou para a indireta. Sabia que aparentava a própria idade. Com 43 anos, seus cerrados caracóis negros estavam estriados de cinza. Era orgulhosa demais para pintá-los. Sua mãe, sulista e batista, ensinara Chinita a ter amor-próprio e a ser uma pessoa contente consigo mesma. *Se você é uma mulher negra*, dizia sua mãe, *não há como esconder. Se tentar, vai se dar mal. Levante a cabeça, sorria bonito e deixe os outros quererem descobrir qual é o segredo que faz você rir.*

– Sabe quem é Cecil Rhodes? – perguntou Glick.

Macri olhou para ele.

– O financista inglês?

– Esse mesmo. Fundou a famosa instituição com o seu nome, a que distribui bolsas de estudo.

– Não me diga que...

– Um Illuminatus.

– Mentira.

– Não. BBC, 16 de novembro de 1984.

– *Nós* escrevemos que Cecil Rhodes era um Illuminatus?

– Com todas as letras. E, segundo a nossa rede de emissoras, as bolsas de estudo Rhodes eram fundos estabelecidos séculos atrás para recrutar as mentes jovens mais brilhantes do mundo para as fileiras dos Illuminati.

– Isso é ridículo! Meu tio foi um bolsista Rhodes!

Glick piscou um olho.

– Bill Clinton também.

Macri já estava ficando zangada àquela altura. Nunca tivera paciência com o jornalismo sensacionalista, de baixa qualidade. Ainda assim, conhecia bem a BBC e sabia que toda matéria que a rede divulgava era cuidadosamente pesquisada e confirmada.

– E desta aqui você deve lembrar – disse Glick. – BBC, 5 de março de 1998. O presidente da Câmara dos Comuns no Parlamento Britânico, Chris Mullin, determinou que todos os membros que fossem maçons declarassem abertamente sua filiação.

Macri de fato se lembrava. O decreto acabara incluindo também policiais e juízes.

– Qual foi mesmo o motivo alegado?

Glick leu: "...preocupação que facções secretas dentro da maçonaria exercessem controle significativo sobre os sistemas político e financeiro."

– Isso mesmo.

– Causou um tremendo alvoroço. Os maçons do Parlamento ficaram furiosos. Com razão. A grande maioria era composta de homens inocentes que haviam entrado para a maçonaria com o objetivo de estabelecer uma rede de contatos e realizar obras de caridade. Desconheciam completamente as antigas filiações da fraternidade.

– Supostas filiações.

– Seja lá o que for. – Glick correu os olhos pelos artigos. – Veja só. Há relatos que associam os Illuminati a Galileu, aos *Guerenets*, na França, aos *Alumbrados*, na Espanha. Até a Karl Marx e à Revolução Russa.

– A História sempre encontra um jeito de se corrigir.

– Ótimo, quer algo mais atual? Dê uma olhada nisto. Uma referência aos Illuminati em um número recente do *Wall Street Journal*.

O nome chamou a atenção de Macri.

– O *Journal*?

– Adivinhe qual é o jogo de computador pela Internet mais popular nos Estados Unidos hoje em dia?

– Coloque uma Cauda em Pamela Anderson.

– Quase. Chama-se Illuminati: Nova Ordem Mundial.

Macri leu por cima do ombro dele a sinopse do jogo. "Steve Jackson Games tem um jogo que é um sucesso estrondoso, uma aventura semi-histórica na qual uma antiga fraternidade satânica da Bavária se mobiliza para tomar conta do mundo. Você pode encontrá-lo on-line em…" Macri interrompeu a leitura com uma sensação de repugnância.

– O que esses Illuminati têm contra o cristianismo?

– Não é só contra o cristianismo – disse Glick –, é contra a religião em geral. – Ele inclinou a cabeça para o lado e esticou os lábios em um sorriso largo. – Embora, pelo que ouvi no telefonema que nós acabamos de receber, pareça que eles *têm mesmo* um fraco pelo Vaticano.

– Ora, tenha dó, você acha mesmo que o cara que ligou é quem diz que é?

– Um mensageiro dos Illuminati? Que está se preparando para matar quatro cardeais? – Glick sorriu. – Tomara que seja.

CAPÍTULO 64

O táxi de Langdon e Vittoria completou a corrida desenfreada de cerca de um quilômetro e meio pela ampla Via della Scrofa em pouco mais de um minuto. Pararam com uma freada barulhenta no lado sul da Piazza del Popolo quase às oito horas. Como não tinha euros, Langdon teve de pagar o motorista em dólares, e a mais. Ele e Vittoria saltaram depressa do carro. A *piazza* estava sossegada, exceto pelas risadas de um grupo de freqüentadores sentados do lado de fora do popular Rosati Caffè, um local favorito dos literatos italianos. A brisa cheirava a café expresso e a massa de torta.

Langdon ainda estava em estado de choque por causa de seu engano no Panteão. Bastou um rápido olhar para aquela praça, porém, e seu sexto sentido começou a dar avisos. A *piazza* estava sutilmente impregnada de significados próprios dos Illuminati. Não só a sua forma era uma *elipse* perfeita, como no centro exato erguia-se um enorme obelisco egípcio, uma coluna quadrada de pedra com uma ponta distintamente piramidal. Despojos dos saques da Roma imperial, os obeliscos espalhavam-se por toda a cidade e eram chamados pelos simbologistas de "Pirâmides Elevadas", extensões voltadas para o céu da sagrada forma piramidal.

Enquanto contemplava o monolito, porém, sua atenção foi atraída para algo mais ao fundo. Algo ainda mais extraordinário.

– Estamos no lugar certo – disse em voz baixa, sentindo uma cautela repentina. – Dê uma espiada naquilo. – E apontou para a imponente Porta del Popolo, a grande arcada de pedra na extremidade oposta da *piazza*. Havia séculos que aquela estrutura se elevava acima da praça. No meio do ponto mais alto do arco destacava-se um relevo simbólico. – Já viu aquilo antes em algum lugar?

Vittoria examinou o imenso relevo.

– Uma estrela brilhando em cima de uma pilha triangular de pedras?

Langdon fez que sim.

– Uma fonte de iluminação, de esclarecimento, em cima de uma pirâmide.

Vittoria arregalou os olhos.

– Igual ao sinete dos Estados Unidos?

– Exato. O símbolo maçônico na nota de um dólar.

Vittoria tomou fôlego e correu os olhos pela praça.

– Então, onde fica essa bendita igreja?

◆◆◆

A Igreja de Santa Maria del Popolo, colocada de través na base de uma colina na extremidade sudoeste da *piazza,* lembrava um deslocado navio de guerra. A alta construção de pedra do século XI parecia ainda mais desajeitada com a torre de andaimes que lhe cobria a fachada.

Os pensamentos de Langdon eram um borrão enquanto eles se encaminhavam apressados para o edifício. Olhava para a igreja, atônito. Será que um assassinato iria mesmo se realizar lá dentro? Torcia para que Olivetti chegasse depressa. O revólver em seu bolso dava-lhe uma sensação incômoda.

As escadas na frente da igreja assemelhavam-se a um *ventaglio* – em formato de leque –, uma ironia, no caso, porque estavam bloqueadas por andaimes, material de construção e uma placa com um aviso: CONSTRUZIONE. NON ENTRARE.

Uma igreja fechada para reformas significava total privacidade para um assassino. Ao contrário do Panteão. Aqui não havia necessidade de truques fantasiosos. Bastava achar um modo de entrar.

Vittoria esgueirou-se sem hesitação entre os cavaletes e subiu a escada.

– Vittoria – Langdon, precavido, lembrou –, se ele ainda estiver aí...

Vittoria não lhe deu ouvidos. Subiu para o pórtico principal onde se encontrava a única porta da igreja, de madeira. Langdon subiu correndo as escadas atrás dela. Antes que ele pudesse falar qualquer coisa, ela segurou a maçaneta da porta e puxou-a. Langdon prendeu a respiração. A porta nem se mexeu.

– Deve haver outra entrada – disse ela.

– Provavelmente – disse Langdon, soltando o ar dos pulmões –, mas Olivetti vai estar aqui em um minuto. É perigoso demais entrar agora. Deveríamos ficar tomando conta da igreja daqui até...

Vittoria virou-se para ele, fulminando-o com os olhos.

– Se existe outra *entrada*, existe outra *saída*. Se esse cara sumir, estamos *fungiti*.

O italiano de Langdon era suficiente para saber que ela estava certa.

O corredor do lado direito da igreja era apertado e escuro, com muros altos dos dois lados. Cheirava a urina, um odor comum em uma cidade em que o número de bares superava o de banheiros públicos na proporção de 20 para 1.

Langdon e Vittoria mergulharam na fétida penumbra. Uns dez metros depois, Vittoria apertou o braço de Langdon e apontou para algo adiante.

Langdon também tinha visto. Tratava-se de uma porta simples de madeira com pesadas dobradiças. Ele a identificou como a habitual *porta sacra* – uma entrada particular para o clero. Fazia tempo que a maioria dessas portas deixara de ser usada, à medida que o avanço dos prédios novos e as limitações do setor imobiliário iam banindo as entradas laterais para vielas incômodas.

Vittoria correu para a porta. Ao chegar, olhou para baixo, perplexa, procurando a maçaneta. Langdon aproximou-se por trás e viu a peculiar argola em forma de rosquinha pendurada onde deveria estar a maçaneta.

– Um *annulus* – ele cochichou. Estendeu a mão e, sem fazer ruído, segurou o anel e puxou-o para si. Ouviu-se um clique. Vittoria mexeu-se, de repente inquieta. Em silêncio, Langdon torceu o anel no sentido horário. O anel girou em falso 360 graus sem se encaixar. Langdon franziu a testa e tentou a outra direção, com o mesmo resultado.

Vittoria examinou o resto da viela.

– Será que pode haver outra entrada?

Ele achava que não. A maioria das igrejas da Renascença fora projetada para funcionar também como fortaleza improvisada caso a cidade fosse tomada de assalto. Por isso tinham o menor número possível de entradas.

– Se houver outra entrada – disse ele –, vai estar provavelmente escondida no bastião dos fundos, mais uma saída para fugas do que uma entrada.

Vittoria já estava a caminho.

Langdon seguiu-a um bom pedaço pela viela. Os muros elevavam-se dos dois lados. Em algum lugar, um sino bateu oito horas...

◆◆◆

Robert Langdon não escutou quando Vittoria o chamou pela primeira vez. Ele parara junto a uma janela de vitral protegida por barras de ferro e estava tentando enxergar o interior da igreja.

– Robert! – a voz dela vinha em um sussurro alto.

Langdon levantou a cabeça. Vittoria estava no final da viela. Apontava para os fundos da igreja e acenava para que ele se aproximasse. Ele trotou com relutância na direção dela. Na base da parede traseira, um bastião de pedra projetava-se para fora escondendo uma cavidade estreita, uma espécie de passagem apertada que ia direto para a base da igreja.

– É uma entrada? – perguntou Vittoria.

Langdon concordou. *Na realidade, trata-se de uma saída, mas não vamos discutir esses detalhes agora.*

Vittoria ajoelhou-se e espiou para dentro do túnel.

– Vamos examinar a porta, ver se está aberta.

Ele abriu a boca para objetar, mas ela o pegou pela mão e puxou.

– Espere – disse Langdon.

Ela se virou para ele, impaciente.

Ele suspirou.

– Eu vou na frente.

Vittoria surpreendeu-se.

– Mais cavalheirismo?

– A idade antes da beleza.

– Isso foi um elogio?

Langdon sorriu e passou à frente dela para a escuridão.

– Cuidado com os degraus.

Ele avançou aos poucos, às cegas, com uma das mãos na parede lateral. Sentia a aspereza da pedra nas pontas dos dedos. Por um instante, lembrou-se do velho mito de Dédalo, de como o rapaz manteve a mão na parede através do labirinto do Minotauro, sabendo que com certeza encontraria o fim se jamais interrompesse o contato com a parede. Langdon seguia em frente sem saber muito bem se queria encontrar o fim.

O túnel estreitou-se ligeiramente e Langdon diminuiu o ritmo. Sentia Vittoria bem atrás dele. A parede fez uma curva para a esquerda e o túnel se abriu em um nicho semicircular. Estranhamente, havia uma luminosidade fraca ali. Na penumbra, Langdon divisou o contorno de uma grossa porta de madeira.

– Opa – disse ele.

– Trancada?

– *Estava.*

– *Estava?* – Vittoria veio para o lado dele.

Ele apontou. Iluminada por uma réstia de luz que vinha de dentro, a porta pendia entreaberta, as dobradiças quebradas por um pé-de-cabra ainda preso à madeira. Os dois ficaram parados em silêncio por um instante. Então, no escuro, Langdon sentiu as mãos de Vittoria em seu peito, tateando, esgueirando-se para dentro de seu casaco.

– Calma, professor – disse ela. – Só estou querendo pegar o revólver.

◆◆◆

Naquele momento, dentro dos museus do Vaticano, uma força-tarefa de guardas suíços espalhava-se em todas as direções. A área estava às escuras e por isso eles usavam óculos especiais infravermelhos produzidos pelo Corpo de Fuzileiros Navais norte-americano. Os óculos faziam tudo aparecer sob um lúgubre tom de verde. Todos os guardas usavam fones de ouvido ligados a um detector parecido com uma antena que oscilava ritmicamente à frente deles – os mesmos aparelhos que utilizavam duas vezes por semana para fazer a varredura de grampos eletrônicos nas dependências do Vaticano. Movimentavam-se de maneira metódica, verificando atrás de estátuas, no interior de nichos, dentro de armários, sob os móveis. As antenas produziriam um ruído característico se detectassem qualquer campo magnético por menor que fosse.

Naquela noite, porém, não estavam emitindo nenhum sinal.

CAPÍTULO **65**

O interior de Santa Maria del Popolo era como uma caverna tenebrosa na claridade que se extinguia aos poucos. Parecia mais uma estação de metrô em obras do que uma catedral. A nave central assemelhava-se a uma pista de obstáculos, com montes de pedaços do piso arrancado, tijolos, areia, carrinhos de mão e até uma escavadeira enferrujada. Colunas gigantescas erguiam-se do chão sustentando o teto abobadado. No ar, uma poeira fina flutuava quase imóvel contra o brilho embaçado dos vitrais. Langdon e Vittoria encontravam-se sob um extenso afresco de Pinturicchio e corriam os olhos pelo santuário desmantelado.

Nada se movia. Havia um silêncio mortal.

Vittoria segurou o revólver com as duas mãos estendidas diante de si.

Langdon verificou seu relógio: 8h04 da noite. *Somos malucos por vir aqui*, pensou. *É perigoso demais*. No entanto, sabia que se o assassino estivesse dentro da igreja poderia sair pela porta que quisesse e, portanto, seria completamente inútil ficarem à espreita do lado de fora com uma única arma. O jeito seria pegá-lo ali dentro, isto é, se ele ainda não tivesse ido embora. Langdon culpava-se pelo fiasco que os fizera perder tempo no Panteão. Não lhe cabia agora insistir em precauções. Era *ele* o responsável por estarem naquele beco sem saída.

Vittoria, aflita, examinava a igreja.

– Então – cochichou ela –, onde é que fica essa Capela Chigi?

Langdon olhou para a parte de trás da catedral através daquela meia-luz fantasmagórica e estudou as paredes externas. Ao contrário do que se costuma pensar, as catedrais renascentistas invariavelmente tinham diversas capelas, sendo que grandes catedrais como a Notre-Dame possuíam muitas. Essas capelas não eram *aposentos* e sim *vãos, concavidades* – nichos semicirculares contendo tumbas ao longo do perímetro da igreja.

Más notícias, pensou Langdon ao divisar quatro recessos em cada uma das paredes laterais. Havia um total de oito capelas. Embora oito não fosse um número tão exagerado assim, as quatro aberturas estavam cobertas com imensos plásticos transparentes por causa da obra, as cortinas translúcidas provavelmente tendo a função de proteger da poeira as tumbas que ficavam dentro das capelas.

– Pode ser qualquer um desses espaços cobertos – respondeu Langdon. – Não há como saber qual é a Capela Chigi sem olhar dentro de cada um. O que é uma boa razão para esperar por Oliv...

– Qual é a segunda abside à esquerda? – perguntou ela.

Surpreso ao vê-la dominar a terminologia de arquitetura, ele repetiu:

– Segunda abside à esquerda?

Vittoria mostrou a parede atrás de si. Havia um azulejo decorativo engastado na pedra. Nele estava gravado o mesmo símbolo que tinham visto do lado de fora – uma pirâmide sob uma estrela reluzente. Ao lado, em uma placa suja de poeira, lia-se:

BRASÃO DE ALEXANDER CHIGI
CUJA TUMBA ESTÁ LOCALIZADA NA
SEGUNDA ABSIDE À ESQUERDA DESTA CATEDRAL

Quer dizer que o brasão dos Chigi era uma pirâmide e uma estrela?, pensou Langdon. E conjeturou se o abastado patrono Chigi não teria sido um Illuminatus. Cumprimentou Vittoria.

– Bom trabalho, Nancy Drew.

– O quê?

– Nada. Eu...

Uma peça de metal caiu no chão a apenas alguns metros deles. O barulho ecoou pela igreja inteira. Langdon puxou Vittoria para trás de uma coluna e ela, ao mesmo tempo, apontou o revólver para a direção de onde vinha o ruído, mantendo-o firme. Silêncio. Eles esperaram. De novo, ouviu-se um som, dessa vez um ruído farfalhante. Langdon prendeu a respiração. *Nunca deveria ter consentido em virmos para cá!* O barulho ficou mais próximo, um som intermitente de um pé se arrastando, como o de um homem que mancasse. Súbito, junto à base da coluna, apareceu algo assustador.

– *Figlio di una puttana!* – xingou Vittoria em voz baixa, pulando para trás. Langdon recuou junto com ela.

Ao lado da coluna, arrastando um sanduíche meio comido e embrulhado em papel, havia um rato enorme. A criatura parou quando deu com eles, examinou longamente o cano do revólver de Vittoria e depois, sem se abalar, continuou a arrastar sua presa para algum recanto da igreja.

– Filho da... – arquejou Langdon, o coração em disparada.

Vittoria abaixou a arma, recompondo-se rapidamente. Langdon esticou a cabeça e viu, do outro lado da coluna, a lancheira de um operário caída no chão, que o engenhoso rato derrubara de cima de um cavalete.

Langdon procurou alguma coisa em movimento dentro da igreja e sussurrou:

– Se o sujeito está aqui, é claro que ouviu *isso*. Tem certeza de que não quer esperar por Olivetti?

– Segunda abside à esquerda – repetiu Vittoria –, onde é?

A contragosto, Langdon tentou se orientar. A terminologia das catedrais era igual à das instruções para a representação de uma peça teatral – o inverso do que manda o instinto. Ficou de frente para o altar-mor. *Centro do palco.* Então, apontou com seu polegar para trás por cima do ombro.

Os dois se viraram e olharam para onde ele apontava.

A Capela Chigi estava localizada no terceiro dos quatro recessos à direita deles. A boa notícia é que eles estavam do lado *certo* da igreja. A má é que estavam na extremidade *errada*. Teriam de percorrer toda a extensão da catedral e passar por três outras capelas, todas elas, assim como a Capela Chigi, cobertas por cortinas de plástico translúcido.

– Espere – disse ele. – Vou na frente.

– Nem pensar.

– Fui eu quem fez a besteira de ir para o Panteão.

– Mas sou eu quem está com o revólver.

Ele via refletido em seu olhar, porém, o que ela estava realmente pensando. *Fui eu quem perdeu o pai. Fui eu quem ajudou a criar uma arma de destruição em massa. Quero a pele desse sujeito.*

Langdon concluiu que era inútil insistir e deixou-a ir. Foi andando ao lado dela, cautelosamente, pelo lado leste da basílica. Ao deixarem para trás a primeira capela coberta, Langdon, tenso, sentiu-se como um concorrente de um daqueles jogos da televisão. *Escolho a cortina número três,* pensou.

A igreja estava silenciosa, as grossas paredes de pedra bloqueavam todo vestígio do mundo exterior. Ao passarem pelas absides, pálidas formas humanas oscilavam como fantasmas atrás dos plásticos farfalhantes. *Esculturas de mármore,* ele disse para si mesmo, torcendo para estar certo. Eram 8h06 da noite. Será que o assassino tinha sido pontual e caído fora antes que eles entrassem na igreja? Ou ainda estava lá dentro? Langdon não sabia bem o que era pior.

Passaram pela segunda abside, sinistra na escuridão crescente da catedral. A noite parecia estar caindo mais depressa, acentuada pelo colorido embaçado dos vitrais. Quando seguiam adiante, a cortina de plástico a seu lado enfunou-se subitamente, como se fosse agitada por uma corrente de ar. Langdon se perguntou se alguém em algum lugar teria aberto uma porta.

Vittoria diminuiu o passo quando a terceira capela surgiu diante deles. Segurou o revólver à sua frente, indicando com a cabeça a estela ao lado da abside. Em um bloco de granito havia duas palavras esculpidas:

CAPELLA CHIGI

Langdon confirmou com um gesto. Sem fazer ruído, foram para um canto da abertura, postando-se atrás de uma larga coluna. Dali, Vittoria curvou-se e apontou o revólver para o plástico. Depois, fez sinal para Langdon afastar o plástico.

Uma boa hora para começar a rezar, pensou ele. Relutante, estendeu o braço por cima do ombro dela. Com o maior cuidado possível, começou a puxar o plástico para o lado. O plástico deslocou-se alguns centímetros e encrespou-se com um ruído alto. Os dois ficaram imóveis. Silêncio. Após um instante, em câmara lenta, Vittoria inclinou-se para a frente e espiou através da brecha estreita. Langdon espiou também, ainda por cima do ombro dela.

Por alguns segundos, nenhum dos dois sequer respirou.

– Vazia – disse Vittoria, afinal, abaixando a arma. – Chegamos tarde demais.

Langdon não escutou. Estava deslumbrado, transportado em um instante para outro mundo. Jamais imaginara em toda a sua vida uma capela como aquela. Inteiramente executada em mármore castanho, a Capela Chigi era de tirar o fôlego. Seu olho treinado devorava tudo avidamente, às porções. A capela não poderia ser mais *terrena*, quase como se Galileu e os Illuminati a tivessem desenhado eles próprios.

No alto, a cúpula abobadada brilhava com um campo de estrelas iluminadas e os sete planetas astronômicos. Abaixo, os 12 signos do zodíaco – símbolos pagãos, terrenos, cuja origem está associada à astronomia. O zodíaco também estava ligado diretamente a Terra, Ar, Fogo e Água, os quadrantes representando o poder, o intelecto, o ardor e a emoção respectivamente. *Terra corresponde a poder*, recordou Langdon.

Mais adiante, ele viu na parede tributos às quatro estações temporais da Terra – *primavera, estate, autunno, inverno*. O mais incrível de tudo, porém, eram as duas imensas estruturas que se elevavam no local. Langdon contemplava-as em silêncio, pasmo. *Não pode ser*, pensava. *Não é possível!* Mas era. De cada lado da capela, em rigorosa simetria, havia duas pirâmides de mármore de três metros de altura.

– Não estou vendo nenhum cardeal – cochichou Vittoria. – Nem um assassino.

Ela afastou o plástico e entrou na capela.

Os olhos de Langdon estavam fixos nas pirâmides. *O que essas pirâmides estão fazendo dentro de uma capela cristã?* E, inacreditavelmente, ainda havia mais. No centro de cada pirâmide, engastados em suas fachadas, encontravam-se dois medalhões de ouro, medalhões como poucos que Langdon jamais vira: *elipses* perfeitas. Os discos polidos brilhavam à luz do sol poente que se infiltrava pela cúpula. *As elipses de Galileu? Pirâmides? Uma abóbada de estrelas?* O aposento tinha mais significado Illuminati do que se Langdon o tivesse inventado em sua cabeça.

– Robert – Vittoria disse abruptamente, a voz trêmula. – Olhe!

Langdon girou nos calcanhares, voltando à realidade ao bater com os olhos no que ela estava mostrando.

– Raios! – gritou ele, pulando para trás.

Rindo com escárnio para eles do chão havia a imagem de um esqueleto – um mosaico de mármore intricadamente detalhado representando "a morte em vôo". O esqueleto carregava uma placa com a mesma imagem da pirâmide e estrela que tinham visto lá fora. Não havia sido a figura, entretanto, que gelara o sangue de Langdon. Fora o fato de estar encaixada em uma pedra circular –

chamada *cupermento* – que tinha sido removida como uma tampa de poço e estava agora pousada ao lado de uma negra abertura no piso.

– A cova do demônio – disse Langdon com voz entrecortada.

Ele ficara tão absorto no teto que nem notara aquilo. Aproximou-se devagar do poço. O mau cheiro que vinha dali era insuportável.

Vittoria colocou a mão sobre a boca.

– *Che puzzo.*

– Eflúvios – disse ele. – Emanações de ossos em decomposição. – Ele respirou através da manga de sua roupa e inclinou-se para o buraco tentando distinguir algo dentro dele. Trevas completas. – Não enxergo nada.

– Será que tem alguém lá embaixo?

– Não dá para saber.

Vittoria mostrou a outra extremidade do buraco, onde uma escada de madeira apodrecida descia para as profundezas.

Langdon sacudiu a cabeça.

– Nem pensar.

– Talvez haja uma lanterna aí fora, junto com aquelas ferramentas. – Ela parecia ansiosa por uma desculpa para escapar do mau cheiro. – Vou procurar.

– Cuidado! – preveniu ele. – Não temos certeza se o assassino...

Mas Vittoria já se fora.

Mulher voluntariosa, pensou Langdon.

Ao se virar de novo para a cova, ficou um pouco tonto com as emanações. Prendendo a respiração, deixou a cabeça cair abaixo da borda e esforçou-se para ver alguma coisa na escuridão. Lentamente, conforme seus olhos se acostumavam, começou a divisar vagas formas lá embaixo. A cova parecia dar em uma pequena câmara. *A cova do demônio.* Pensou em quantas gerações de Chigi teriam sido jogadas ali sem a menor cerimônia. Fechou os olhos e esperou, forçando suas pupilas a se dilatarem para enxergar melhor no escuro. Quando abriu os olhos de novo, uma figura muda e esmaecida pairou nas trevas. Langdon estremeceu, mas lutou contra a vontade instintiva de sair, de se levantar. *Estou vendo coisas? Aquilo é um corpo?* A figura sumiu aos poucos. Ele fechou os olhos outra vez e esperou mais tempo agora, de modo que seus olhos pudessem apreender a menor claridade que existisse.

Uma tonteira instalou-se e seus pensamentos vagaram na escuridão. *Só mais uns segundos.* Não sabia se era porque estava respirando aqueles gases ou se por estar com a cabeça inclinada para baixo, mas decididamente começava a se sentir nauseado. Quando enfim abriu os olhos, a imagem diante dele era totalmente inexplicável.

Estava olhando para uma cripta banhada em uma misteriosa luz azulada. Um leve som sibilante reverberava em seus ouvidos. A luz bruxuleava nas paredes escarpadas da cavidade. De repente, uma longa sombra materializou-se acima dele. Assustado, tentou levantar-se depressa.

– Preste atenção! – alguém exclamou atrás dele.

Antes que pudesse se virar, sentiu uma dor aguda na nuca. Deu com Vittoria afastando dele um maçarico aceso, a chama assoviando e lançando uma luz azul pela capela.

Langdon pôs a mão na nuca.

– Que diabos está fazendo?

– Estava iluminando o poço para você – disse ela. – Você levantou direto em cima de mim.

Langdon lançou um olhar feroz para o maçarico portátil na mão dela.

– Foi o melhor que consegui arranjar– explicou ela. – Não achei nenhuma lanterna.

Langdon esfregou o pescoço.

– Não ouvi você chegar.

Vittoria entregou-lhe o maçarico, fazendo uma careta para o fedor da cripta.

– Acha que esses gases são combustíveis?

– Tomara que não.

Ele pegou o maçarico e levou-o devagar para perto do buraco. Com cuidado, aproximou-se da borda e apontou a chama para baixo, para dentro do buraco, iluminando a parede lateral. Direcionou a luz, acompanhando o contorno da parede na descida. A cripta era circular e tinha cerca de seis metros de diâmetro. Uns dez metros abaixo, o facho de luz encontrou o chão. Um chão escuro e mosqueado. De terra. Então Langdon viu o corpo.

Seu instinto foi recuar.

– Ele está lá – disse, forçando-se a não sair dali.

A figura pálida contrastava com o chão de terra.

– Acho que está nu – e a imagem do cadáver despido de Leonardo Vetra surgiu como um breve clarão em sua mente.

– É um dos cardeais?

Langdon não tinha a menor idéia, mas não imaginava quem mais poderia ser. Ele examinou a silhueta clara. Imóvel. Sem vida. *E no entanto...* Langdon hesitou. Havia algo muito estranho na posição daquela figura. Parecia que ele estava...

Langdon chamou:

– Ei!

– Acha que ele está vivo?

Não houve resposta vinda de baixo.

– Ele não está se mexendo – disse Langdon –, mas parece... – *Não, impossível.*

– Parece *o quê?* – Vittoria agora também estava espiando lá para baixo.

Langdon apertou os olhos para a penumbra da cova.

– Parece que ele está de pé.

Vittoria prendeu a respiração e inclinou mais o rosto para enxergar melhor. Depois de um momento, ela ergueu o tronco.

– Você tem razão. Ele está de pé! Talvez esteja vivo e precise de ajuda! – Ela gritou para dentro do buraco. – Alô?! *Mi puó sentire?*

Nenhum eco voltou do fundo do buraco. Só silêncio.

Vittoria dirigiu-se para a frágil escada de madeira.

– Vou descer.

Langdon segurou o braço dela.

– Não. É perigoso. Eu vou.

Dessa vez, Vittoria não discutiu.

CAPÍTULO 66

Chinita Macri estava furiosa. Encontrava-se sentada no banco do passageiro do furgão da BBC, parado em uma esquina na Via Tomacelli. Gunther Glick estava verificando seu mapa de Roma, aparentemente perdido. Como ela temia, o homem misterioso ligara de novo, dessa vez com informações.

– Piazza del Popolo – insistia Glick. – É o que estamos procurando. Há uma igreja lá. E dentro está a prova.

– Prova. – Chinita parou de polir a lente que tinha na mão e voltou-se para ele. – Prova de que um cardeal foi morto?

– Foi o que ele disse.

– Você acredita em tudo o que ouve? – Chinita gostaria, como sempre, que fosse *ela* a tomar as decisões. Os cinegrafistas, porém, ficavam à disposição dos repórteres malucos para quem gravavam as matérias. Se Gunther Glick queria seguir uma dica idiota que recebera pelo telefone, ela teria de ir atrás dele como um cachorrinho na coleira.

Ela o observou, sentado ao lado, a boca apertada, determinado. Os pais dele, na certa, deviam ser comediantes frustrados para lhe darem aquele nome. Não era à toa que o sujeito agia como se fizesse questão de provar alguma coisa. Mesmo assim, apesar do nome e daquela mania irritante de se afirmar, Glick era um doce, charmoso à sua moda, com aquela sua brancura e o jeito meio ansioso de inglês. Um Hugh Grant tomando lítio.

– Não seria melhor voltarmos para a Praça São Pedro? – disse Macri, com a maior paciência possível. – Podemos conferir esse mistério da igreja mais tarde. O conclave começou há uma hora. E se os cardeais chegarem a uma conclusão enquanto estamos fora?

Glick pareceu não escutar.

– Acho que temos de ir para a direita aqui. – Entortou o mapa e examinou-o outra vez. – É, se eu for para a direita e logo em seguida para a esquerda. – E arrancou com o carro pela rua estreita onde estavam.

– Cuidado! – gritou Macri.

Ela era operadora de vídeo e tinha visão aguçada. Felizmente, Glick também era rápido. Enfiou o pé no freio e não entrou no cruzamento exatamente quando uma fila de quatro Alfa Romeos surgiu do nada e passou correndo. Depois de passarem, os carros diminuíram a velocidade e, cantando pneus, entraram acelerados à esquerda no quarteirão seguinte, fazendo o mesmo caminho que Glick pretendia fazer.

– Doidos! – gritou Macri.

Glick parecia abalado.

– Você viu?

– Claro que vi! Eles quase nos mataram!

– Não, estou falando dos carros – disse ele, a voz de repente excitada. – Eram todos iguais.

– Então, eram doidos sem imaginação.

– Os carros também estavam cheios.

– E daí?

– Quatro carros idênticos, *todos* com quatro passageiros?

– Já ouviu falar de carona compartilhada?

– Na Itália? – Glick verificou o cruzamento. – Eles ainda nem ouviram falar de gasolina sem chumbo. – E pisou no acelerador, disparando atrás dos carros.

Macri foi atirada contra o encosto de seu banco.

– Que diabos está fazendo?

Glick desceu a rua a toda e dobrou à esquerda seguindo os Alfa Romeos.

– Algo me diz que você e eu não somos os únicos que estão indo para aquela igreja agora.

CAPÍTULO **67**

A descida foi lenta.

Langdon ia de degrau em degrau pela escada que rangia, cada vez mais fundo sob o piso da Capela Chigi. *Para dentro da cova do demônio*, lembrou. Estava de frente para a parede lateral, de costas para a câmara e perguntou-se quantos espaços escuros e apertados mais um único dia poderia proporcionar. A escada gemia a cada passo e o cheiro penetrante de carne decomposta e de umidade era quase asfixiante. Onde estaria o cretino do Olivetti, pensava Langdon.

A silhueta de Vittoria ainda era visível acima segurando o maçarico dentro do buraco, iluminando o caminho de Langdon. À medida que ele descia, o brilho azulado que vinha do alto ficava mais fraco. A única coisa mais forte era o cheiro.

Doze degraus abaixo, aconteceu. O pé dele se apoiou em um ponto escorregadio da madeira apodrecida e ele se desequilibrou. Atirou o corpo para a frente e agarrou-se na escada, onde bateu com os antebraços, para evitar uma queda até o fundo. Amaldiçoando a dor latejante dos braços machucados, puxou o corpo de volta para os degraus e recomeçou a descida.

Três degraus depois, quase caiu de novo, mas dessa vez por um motivo diferente – um sobressalto de medo. Ao passar por um nicho escavado na parede, deu de cara com um monte de caveiras. Quando recuperou o fôlego e olhou em torno, percebeu que naquele trecho havia diversas aberturas em forma de prateleiras – nichos funerários –, todas cheias de esqueletos. Formavam, sob a luminosidade fosforescente, uma colagem sobrenatural de órbitas vazias e gaiolas torácicas em decomposição tremeluzindo à sua volta.

Esqueletos à luz da fogueira, pensou ele, fazendo uma careta e lembrando que, por coincidência, vivera uma noite de certa forma semelhante no mês anterior. *Uma noitada de ossos e chamas*. O jantar beneficente à luz de velas do Museu de Arqueologia de Nova York – salmão flambado à sombra de um esqueleto de brontossauro. Comparecera a convite de Rebecca Strauss, ex-modelo e agora crítica de arte do *Times*, um turbilhão de veludo negro, cigarros e seios em destaque sem qualquer sutileza. Ela lhe telefonara duas vezes desde então e ele não ligara de volta. *Muito pouco cavalheiresco*, censurava-se, imaginando quanto tempo Rebecca Strauss resistiria em uma cloaca como aquela.

Foi um alívio sentir o chão de terra fofa depois do último degrau. Sob os sapatos, sentiu a umidade do solo. Depois de se assegurar que as paredes não se fechariam sobre ele, voltou-se para a cripta. Era circular, com uns seis metros de diâmetro. Respirando de novo através da manga do paletó, olhou para o corpo. Na semi-obscuridade, a imagem era indistinta. Um vulto branco, corpulento. Virado para o lado oposto. Imóvel. Silencioso.

Avançando pela cripta mal iluminada, Langdon tentou entender o que via. O homem estava de costas para ele, não podia ver-lhe o rosto, mas *parecia mesmo* estar de pé.

– Olá? – disse Langdon, a voz abafada na manga.

Nada. À medida que se aproximava, percebia que o homem era muito baixo. *Baixo demais...*

– O que está acontecendo aí? – Vittoria chamou do alto, deslocando o foco de luz.

Langdon não respondeu. Encontrava-se agora próximo o suficiente para ver tudo. Com um arrepio de repulsa, compreendeu de imediato. A cripta pareceu contrair-se em torno dele. Emergindo como um demônio do chão de terra, havia um homem idoso, ou metade dele. Fora enterrado até a cintura. Completamente despido. As mãos atadas atrás do tronco com uma faixa vermelha de cardeal. Estava molemente inclinado, a espinha arqueada para trás como uma espécie de medonho saco de treinamento de pugilismo, os olhos voltados para o céu como se implorasse a ajuda do próprio Deus.

– Ele está morto? – perguntou Vittoria.

Langdon andou para perto do corpo. *Espero que sim, para o próprio bem dele.* A poucos centímetros, Langdon viu os olhos azuis voltados para o alto, esbugalhados e injetados. Curvou-se para escutar se o homem ainda respirava, mas recuou de imediato.

– Deus do céu!

– O que foi?

Langdon quase vomitou.

– Ele está morto, sim. Acabei de descobrir a causa da morte.

A cena era horripilante. A boca do homem fora escancarada e entulhada de terra.

– Alguém lhe enfiou uma porção de terra na boca. Ele morreu sufocado.

– *Terra?* – disse Vittoria.

Langdon caiu em si. *Terra.* Quase esquecera. *As marcas. Terra, Ar, Fogo, Água.* O assassino ameaçara marcar cada vítima com um dos antigos elementos da ciência. O primeiro elemento era *Terra. Da tumba terrena de Santi.* Tonto por causa das emanações, Langdon rodeou o cadáver, ficando de frente para ele. Ao fazê-lo, o simbologista dentro dele reafirmou enfaticamente o desafio artístico de criar o mítico ambigrama. *Terra? Como?* E, entretanto, um instante depois, estava diante dele. Séculos de lendas sobre os Illuminati rodopiaram em sua mente. A marca no peito do cardeal era uma queimadura de onde exsudava líquido. A carne estava carbonizada. *La lingua pura...*

Langdon fixou o olhar na marca e tudo começou a girar.

– *Earth* – ele sussurrou, virando a cabeça para ler o símbolo ao contrário.
– Terra.

Então, com uma sensação de terror, veio uma percepção final. *Há mais três.*

CAPÍTULO **68**

A despeito da suave luz de velas na Capela Sistina, o cardeal Mortati estava nervoso. O conclave começara oficialmente. E começara de uma forma muito pouco auspiciosa.

Meia hora antes, no horário determinado, o camerlengo Carlo Ventresca entrara na capela. Dirigira-se para o altar-mor e fizera a prece de abertura. Depois, abrira os braços e falara-lhes da maneira mais direta que Mortati jamais ouvira alguém falar daquele altar da Capela Sistina.

– Todos têm conhecimento – disse o camerlengo – de que nossos quatro *preferiti* não estão presentes no conclave neste momento. Peço-lhes, em nome de Sua Santidade falecida, que prossigam como deve ser, com fé e determinação. Que todos possam ter Deus diante de seus olhos.

E preparou-se para sair.

Um dos cardeais não se conteve.

– Mas *onde* estão eles?

O camerlengo parou.

– Isso, sinceramente, não posso dizer.

– Quando vão voltar?

– Isso, sinceramente, não posso dizer.

– Eles estão bem?

– Isso, sinceramente, não posso dizer.

– Eles *vão* voltar?

Fez-se uma longa pausa.

– Tenham fé – disse o camerlengo. E saiu da capela.

◆ ◆ ◆

As portas da Capela Sistina haviam sido seladas por fora, como era o costume, com duas pesadas correntes. Quatro guardas suíços estavam de sentinela no saguão ao lado. Mortati sabia que as portas só poderiam ser abertas agora, antes da eleição de um Papa, se alguém ali dentro caísse seriamente doente ou se os *preferiti* chegassem. Ele rezava para que fosse a última alternativa a acontecer, embora o nó em seu estômago não lhe desse tanta certeza.

Prossigamos como deve ser, decidiu Mortati, tomando como exemplo a firmeza na voz do camerlengo. Por isso, iniciara a votação. O que mais poderia fazer?

Haviam sido necessários trinta minutos para que se completassem os rituais preparatórios desse primeiro escrutínio. Mortati esperara pacientemente no altar-mor que cada cardeal, em ordem de antiguidade, se aproximasse e realizasse o procedimento específico de votação.

Agora, enfim, o último cardeal havia chegado ao altar e ajoelhava-se diante dele.

– Chamo como testemunha – declarou o cardeal, exatamente como todos os outros antes dele – Cristo, o Senhor, que saberá que meu voto está sendo dado àquele que, diante de Deus, julgo que deve ser o eleito.

O cardeal levantou-se. Ergueu sua ficha de voto bem alto, acima da cabeça, para todos verem. Depois, baixou-a até o altar, onde um prato estava pousado sobre um grande cálice. Colocou a ficha de voto em cima do prato. Em seguida, pegou o prato e usou-o para deixar cair a ficha de voto dentro do cálice. O uso do prato era para garantir que ninguém disfarçadamente pusesse mais de um papel no cálice.

Após dar seu voto, ele recolocou o prato sobre o cálice, inclinou-se na direção da cruz e voltou para seu lugar.

O último voto fora depositado no cálice.

Chegara a hora de Mortati trabalhar.

Deixando o prato sobre o cálice, Mortati sacudiu as fichas de voto para misturá-las. Em seguida, retirou o prato e tirou uma ao acaso de dentro do cálice. Desdobrou-o. A ficha de voto tinha exatos cinco centímetros de largura. Ele leu em voz alta para todos ouvirem.

"Eligo in summum pontificem...", declarou, lendo o texto gravado em relevo no alto de cada ficha de voto. *Elejo como Sumo Pontífice...* E anunciou o nome do indicado que fora escrito abaixo. Depois de ler o nome, apanhou uma agulha preparada com um fio, levantou-a e furou a ficha de voto na palavra *Eligo*, fazendo-a deslizar com cuidado pelo fio. E tomou nota do voto em um livro de registro.

Em seguida, repetiu o procedimento. Escolheu uma ficha de voto dentro do cálice, leu o que estava escrito em voz alta, enfiou a ficha no fio e fez a anotação no livro. Quase imediatamente Mortati percebeu que essa primeira votação não daria em nada. Não havia consenso. Após sete votos apenas, sete diferentes cardeais já haviam sido citados. Como era normal, os cardeais haviam procurado disfarçar a própria letra floreando a escrita ou escrevendo em letra de imprensa. O disfarce era uma ironia nesse caso porque eles estavam obviamente votando em si mesmos. Mortati sabia que essa aparente vaidade nada tinha a ver com ambição pessoal. Tratava-se de uma forma de retenção. Uma manobra defensiva. Uma tática de protelação para que nenhum cardeal recebesse votos suficientes para vencer e fosse necessário realizar outra votação.

Os cardeais estavam esperando por seus *preferiti...*

◆◆◆

Quando a última ficha de voto foi marcada, Mortati declarou que a votação malograra.

Pegou o fio com todas as fichas de voto presas, amarrou suas pontas formando um anel e depositou o anel de votos em uma bandeja de prata. Acrescentou os produtos químicos devidos e levou a bandeja até uma pequena lareira atrás de si. Ali, pôs fogo nos papéis. Quando estes se queimaram, os produtos químicos que ele utilizara criaram uma fumaça negra. A fumaça subiu por um tubo até uma abertura no telhado, de onde se espalhou acima da capela para todos lá fora verem. O cardeal Mortati acabara de enviar sua primeira comunicação ao mundo exterior.

Uma primeira votação. O Papa não fora escolhido.

CAPÍTULO **69**

Quase asfixiado pelos gases que emanavam da cova, Langdon subiu com dificuldade pela escada na direção da luz no alto do poço. Ouviu vozes acima, mas nada fazia sentido. Sua cabeça estava girando com imagens do cardeal marcado a fogo.

Terra... Terra...

Enquanto se esforçava para subir, sua visão escureceu e ele receou perder a consciência. A dois degraus da abertura perdeu o equilíbrio. Atirou-se para cima tentando segurar a borda, mas não a alcançou. As mãos soltaram-se da escada e ele quase caiu de costas na escuridão. Sentiu uma dor aguda embaixo dos braços e de repente estava no ar, as pernas balançando loucamente no abismo.

As mãos fortes de dois guardas suíços puxaram-no para cima pelas axilas. No momento seguinte, a cabeça de Langdon emergiu da cova do demônio, tossindo e arquejando. Os guardas arrastaram-no e deitaram-no de costas no piso frio de mármore.

Por um instante, Langdon não soube onde estava. Via estrelas lá em cima, planetas em órbita. Figuras nebulosas passavam por ele correndo. Pessoas gritavam. Tentou sentar-se. Estava deitado na base de uma pirâmide de pedra. O conhecido azedume de uma voz irritada ecoou dentro da capela e então ele voltou a si.

Olivetti estava gritando com Vittoria.

– Por que cargas d'água vocês não viram isso antes?

Vittoria tentava explicar a situação.

Olivetti interrompeu-a no meio de uma frase e vociferou uma saraivada de ordens para seus homens.

– Retirem aquele corpo de lá! Vasculhem o resto da igreja!

Langdon fez um esforço para se sentar. A Capela Chigi estava cheia de guardas suíços. A cortina de plástico que fechava a capela fora arrancada e o ar fresco encheu seus pulmões. Enquanto ele recobrava lentamente os sentidos, Vittoria veio em sua direção. Ela se ajoelhou, o rosto igual ao de um anjo.

– Você está bem? – Ela pegou o braço dele e examinou-lhe o pulso. Sentiu a maciez das mãos dela em sua pele.

– Obrigado – disse ele, sentando-se por completo. – Olivetti está uma fera.

Vittoria assentiu.

– Tem razão de estar. Nós estragamos tudo.

– *Eu* estraguei tudo.

– Então, redima-se. Pegue-o da próxima vez.

Próxima vez? Langdon achou o comentário cruel. *Não haverá próxima vez! Nós perdemos a chance!*

Vittoria verificou o relógio de Langdon.

– Mickey está dizendo que temos quarenta minutos. Ponha a cabeça de volta no lugar e me ajude a procurar o próximo marco.

– Já lhe disse, Vittoria, as esculturas foram retiradas. O Caminho da Iluminação está... – e ele se deteve.

Vittoria sorriu com suavidade.

De um salto, Langdon se pôs de pé, cambaleando. Girou de um lado para outro, zonzo, olhando para as obras de arte que o rodeavam. *Pirâmides, estrelas, planetas, elipses.* E tudo lhe voltou. *Este é que é o primeiro altar da ciência! Não o Panteão!* Deu-se conta de como toda a capela era tão perfeitamente Illuminati, de uma forma muito mais sutil e seletiva do que o mundialmente famoso Panteão. A Capela Chigi era uma alcova afastada, literalmente um buraco na parede, um tributo a um grande patrono da ciência, decorada com simbologia referente à Terra. *Perfeita.*

Langdon encostou-se na parede e examinou as enormes pirâmides esculpidas. Vittoria estava coberta de razão. Sendo o primeiro altar da ciência, a capela devia conter ainda a escultura Illuminati que servira de primeiro marco. Veio-lhe uma sensação eletrizante de esperança ao perceber que ainda havia uma chance. Se o marco ainda estivesse ali e pudessem segui-lo até o próximo altar da ciência, talvez houvesse mesmo outra oportunidade de pegar o assassino.

Vittoria aproximou-se.

– Descobri quem era o escultor Illuminati desconhecido.

A cabeça de Langdon virou-se como se fosse de mola.

– Você *o quê?*

– Agora só temos de descobrir qual das esculturas aqui dentro é o...

– Espere aí! Você disse que *sabe* quem era o escultor Illuminati?

Ele passara anos tentando encontrar aquela informação.

Vittoria sorriu.

– Era Bernini – e fez uma pausa. – *O* Bernini.

Ele tinha certeza de que Vittoria estava enganada. Bernini era uma impossibilidade. Gianlorenzo Bernini foi o segundo mais famoso escultor de todos os tempos, sua fama eclipsada apenas pela do próprio Michelangelo. Durante o século XVII, Bernini criou mais esculturas do que qualquer outro artista. O homem que procuravam era supostamente um desconhecido, um joão-ninguém.

Vittoria franziu as sobrancelhas.

– Você não ficou muito entusiasmado.

– É impossível ser Bernini.

– Por quê? Bernini foi contemporâneo de Galileu. Era um escultor brilhante.

– Era um homem muito famoso e era católico.

– Sim – replicou Vittoria –, exatamente como Galileu.

– Não – argumentou ele –, *nem um pouco* como Galileu. Galileu era uma pedra no sapato do Vaticano. Bernini era o menino-prodígio do Vaticano. A Igreja *adorava* Bernini. Foi escolhido como a maior autoridade artística do Vaticano. Ele praticamente viveu a vida inteira dentro da Cidade do Vaticano!

– Um disfarce perfeito. Infiltração Illuminati.

Langdon estava exaltado.

– Vittoria, os Illuminati referiam-se a seu artista secreto como *il maestro ignoto*, o mestre desconhecido!

– Sim, desconhecido *para eles*. Pense no sigilo dos maçons. Só os membros do escalão superior sabiam de tudo. Galileu pode ter mantido em segredo para a maior parte dos membros a verdadeira identidade de Bernini, tendo em vista a própria segurança de Bernini. Desse jeito, o Vaticano nunca descobriria.

Langdon não se convencera, mas tinha de admitir que a lógica de Vittoria fazia sentido. Os Illuminati eram famosos por manter informações secretas compartimentadas, só revelando a verdade aos membros de nível mais alto. Era a pedra de toque de sua capacidade de se manterem secretos: muito poucos sabiam a história completa.

– E a filiação de Bernini aos Illuminati – Vittoria acrescentou com um sorriso – explica por que ele projetou estas duas pirâmides.

Langdon voltou-se para as duas imensas pirâmides esculpidas e sacudiu a cabeça.

– Bernini era um escultor *religioso*. Jamais teria esculpido estas pirâmides.

Vittoria deu de ombros.

– Diga isso para a placa atrás de você.

Langdon virou-se para a placa:

ARTE DA CAPELA CHIGI
*Rafael foi o responsável pela arquitetura, e todas
as peças de ornamentação interior são de autoria de
Gianlorenzo Bernini.*

Langdon leu a placa duas vezes e ainda assim não se convenceu. Gianlorenzo

Bernini era célebre por suas intricadas esculturas religiosas da Virgem Maria, de anjos, profetas, de papas. Como iria esculpir *pirâmides?*

Langdon olhou para os altivos monumentos e ficou completamente desorientado. Duas pirâmides, cada uma com um reluzente medalhão elíptico. Não poderia haver duas esculturas menos cristãs. As pirâmides, as estrelas acima, os signos do zodíaco. *Todas as peças de ornamentação interior são de autoria de Gianlorenzo Bernini.* Se isso fosse verdade, Vittoria *tinha de estar* certa. À revelia, Bernini era o mestre Illuminati desconhecido. Ninguém mais contribuíra com obras de arte para a Capela Chigi! As implicações vieram rápido demais para que Langdon as processasse.

Bernini era um Illuminatus.

Bernini desenhou os ambigramas dos Illuminati.

Bernini projetou e realizou o Caminho da Iluminação.

Langdon mal conseguia falar. Seria possível que ali, na pequena Capela Chigi, o mundialmente famoso Bernini tivesse colocado uma escultura que apontava para o próximo altar da ciência através de Roma?

– Bernini – disse. – Jamais teria imaginado.

– Quem mais senão um famoso artista do Vaticano teria influência política para colocar suas obras de arte em capelas católicas específicas por Roma afora e criar o Caminho da Iluminação? Não um desconhecido qualquer.

Langdon ponderou a questão. Examinou as pirâmides, conjeturando se alguma delas poderia ser o marco. *Quem sabe, ambas?*

– As pirâmides estão voltadas para direções opostas – disse Langdon, sem saber bem como avaliá-las. – Também são idênticas, por isso não sei qual...

– Não acho que as pirâmides sejam o que estamos procurando.

– Mas são as únicas esculturas aqui.

Vittoria interrompeu-o apontando na direção de Olivetti e alguns de seus guardas, reunidos em torno da cova do demônio.

Langdon acompanhou a linha da mão dela até a parede mais distante. A princípio, não viu nada. Então, alguém se moveu e ele entreviu alguma coisa. Mármore branco. Um braço. Um tronco. Depois, um rosto esculpido. Parcialmente oculto em seu nicho. Duas figuras juntas, em tamanho natural. O pulso de Langdon acelerou-se. Ficara tão absorvido pelas pirâmides e pela cova do demônio que sequer vira aquela escultura. Cruzou o recinto pelo meio de todas as pessoas. Ao se aproximar, reconheceu o puro estilo de Bernini na obra – a intensidade da composição artística, a complexidade dos rostos e os trajes ondulantes, tudo feito com o mais puro mármore branco que o dinheiro do Vaticano podia comprar. Somente quando ficou de frente para ela é que reconheceu a própria escultura. Levantou a cabeça para contemplar os dois rostos e perdeu o fôlego.

– Quem são eles? – perguntou Vittoria, ansiosa, aproximando-se por trás dele. Langdon continuava boquiaberto.

– *Habacuc e o Anjo* – disse ele, a voz quase inaudível.

A peça era um trabalho bastante conhecido de Bernini que aparecia em alguns livros de História da Arte. Langdon esquecera que estava ali.

– Habacuc?

– É. O profeta que previu a aniquilação da Terra.

Apreensiva, Vittoria perguntou:

– E você acha que esse é o marco?

Langdon balançou a cabeça, extasiado. Nunca em sua vida tivera tanta certeza de alguma coisa. Aquele era o primeiro marco Illuminati. Sem qualquer dúvida. Embora esperasse que a escultura de alguma forma "apontasse" para o próximo altar da ciência, não contava que isso fosse *literal*. Tanto o anjo quanto Habacuc tinham os braços estendidos e apontavam para longe.

Vittoria estava excitada mas confusa.

– Ambos estão apontando, mas um contradiz o outro. O anjo está apontando para um lado e o profeta para o lado oposto.

Langdon deu uma risadinha. Era verdade. As duas figuras estavam de fato apontando para longe, mas para direções totalmente contrárias. No entanto, ele já resolvera este problema. Com um impulso de energia, dirigiu-se para a porta.

– Onde é que você vai? – perguntou Vittoria.

– Para fora da igreja! – As pernas de Langdon estavam leves outra vez quando ele correu para a porta. – Tenho de ver para qual direção a escultura está apontando!

– Espere aí! Como sabe *qual dos dedos* tem de acompanhar?

– O poema – ele gritou por cima do ombro. – O último verso!

– *Que os anjos o guiem em sua busca sublime?* – Ela levantou a cabeça e viu o dedo estendido do anjo. Seus olhos enevoaram-se sem querer. – Ora, não é que é mesmo?!

C A P Í T U L O **70**

Gunther Glick e Chinita Macri estavam sentados dentro do furgão da BBC do outro lado da Piazza del Popolo, onde havia menos claridade. Tinham chegado logo depois dos quatro Alfa Romeos, a tempo de presenciar uma inconcebível sucessão de acontecimentos. Chinita sequer fazia idéia do significado de tudo aquilo, mas mesmo assim mantivera a câmera funcionando.

Logo ao chegarem, Chinita e Glick tinham visto um verdadeiro exército de homens sair depressa dos Alfa Romeos e cercar a igreja. Alguns seguravam armas. Um deles, mais velho e empertigado, saiu acompanhado de um grupo direto para as escadarias da frente da igreja. Os soldados sacaram armas e arrebentaram com tiros os cadeados que trancavam as portas. Macri não ouviu nada e presumiu que eles deviam estar usando silenciadores. Aí, os soldados entraram na igreja.

Chinita recomendou que os dois ficassem sentados quietos filmando tudo de longe. Afinal de contas, os outros estavam armados e eles podiam ver tudo muito bem do furgão. Glick nem discutira. Agora, do outro lado da *piazza*, havia homens entrando e saindo da igreja. Gritavam uns para os outros. Chinita ajustou sua câmera para seguir uma equipe que estava revistando a área ao redor. Todos eles, apesar de vestidos com roupas civis, se moviam com precisão militar.

– Quem você acha que esses homens devem ser? – perguntou ela.

– Sei lá! – Glick parecia hipnotizado. – Tá pegando tudo?

– Cada cena.

Glick perguntou, cheio de si:

– Ainda acha que devíamos voltar para o plantão do Papa?

Chinita não tinha certeza. Obviamente, algo estava acontecendo ali, mas ela já trabalhava com jornalismo havia bastante tempo e sabia que muitas vezes acontecimentos interessantes têm explicações absolutamente sem graça.

– Isso pode não ser nada – disse ela. – Esses caras podem ter recebido a mesma dica que você e estarem só verificando. Pode ser um alarme falso.

Glick puxou o braço dela.

– Ali! Focalize bem! – e apontou para a igreja.

Chinita girou a câmera de volta para o alto das escadas.

– Olá! – disse ela, acompanhando o homem que agora saía da igreja.

– Quem é o arrumadinho? – perguntou Glick.

Chinita mexeu na lente para obter um close.

– Nunca o vi antes. – Focalizou o rosto do homem e sorriu. – Mas não me importaria nem um pouco em vê-lo de novo.

◆◆◆

Robert Langdon desceu correndo as escadas do lado de fora da igreja e foi para o meio da *piazza*. Escurecia, o sol de primavera desaparecia tarde no sul de Roma. Àquela hora, já se escondera por trás dos prédios e havia sombras riscando a praça.

– Muito bem, Bernini – disse ele para si mesmo em voz alta. – Para onde o seu bendito anjo está apontando?

Examinou a posição da igreja de onde acabara de sair. Imaginou a Capela Chigi e a estátua do anjo dentro dela. Sem hesitar, virou-se diretamente para oeste, para o iminente pôr-do-sol. O tempo estava se evaporando.

– Sudoeste – disse, fechando a cara para as lojas e apartamentos que bloqueavam sua visão. – O próximo marco fica naquela direção.

Quebrando a cabeça, repassou página por página da História da Arte italiana. Apesar de Langdon conhecer bem a obra de Bernini, o escultor fora prolixo demais para alguém que não fosse especialista em saber tudo sobre seu trabalho. Ainda assim, considerando-se a relativa fama do primeiro marco, *Habacuc e o Anjo*, Langdon esperava que o segundo fosse uma obra de que ele se lembrasse.

Terra, Ar, Fogo, Água, pensou. *Terra* já tinham encontrado – dentro da Capela da Terra –, Habacuc, o profeta que prognosticara a aniquilação da Terra.

Ar é o próximo. Langdon obrigou-se a pensar depressa. *Uma escultura de Bernini que tenha a ver com Ar!* Sua cabeça era um branco total. De qualquer maneira, sentia-se energizado. *Estou no Caminho da Iluminação! O caminho ainda está intacto!*

Voltando-se para o sudoeste, esforçou-se para enxergar uma flecha ou uma torre de igreja projetando-se acima dos obstáculos. Não viu nada. Precisava de um mapa. Se conseguissem descobrir quais as igrejas que ficavam a sudoeste dali, talvez uma delas pudesse acender alguma luz na memória de Langdon. *Ar*, insistiu ele. *Ar. Bernini. Escultura. Pense!*

Ele subiu de volta as escadas da catedral. Encontrou-se com Vittoria e Olivetti debaixo do andaime.

– Sudoeste – disse, arfando. – A próxima igreja fica a sudoeste daqui.

O sussurro de Olivetti saiu frio.

– Tem certeza desta vez?

Langdon não aceitou a provocação.

– Precisamos de um mapa. Um que mostre todas as igrejas de Roma.

O comandante estudou-o um momento, o rosto impassível.

Langdon olhou para o seu relógio.

– Só temos meia hora.

Olivetti passou por ele, desceu as escadas e encaminhou-se para o seu carro, estacionado bem em frente à igreja. Langdon esperava que ele tivesse ido buscar um mapa.

Vittoria estava animada.

– Quer dizer que o anjo está apontando para sudoeste? Tem idéia de quais são as igrejas que ficam a sudoeste?

– Não consigo enxergar além dos malditos prédios. – Virou-se para a praça de novo. – E não conheço as igrejas de Roma o suficien... – Ele se deteve.

– O que foi? – perguntou Vittoria, assustada.

Langdon correu os olhos pela praça mais uma vez. Por ter subido as escadas, tinha uma visão melhor ali do alto. Ainda não dava para ver nada, mas sabia que a direção estava certa. Examinou a instável torre de andaimes acima de sua cabeça: da altura de um edifício de seis andares, chegava até a rosácea da igreja. Em um instante Langdon resolveu o que faria em seguida.

◆◆◆

Do outro lado da praça, Chinita Macri e Gunther Glick estavam grudados no pára-brisa do furgão da BBC.

– Tá pegando isso aí? – perguntou Gunther.

Macri concentrou-se no homem que agora subia pelos andaimes.

– Ele está bem vestido demais para brincar de Homem Aranha, na minha opinião.

– E quem é a senhora Aranha?

Chinita deu uma olhada na mulher atraente que estava embaixo dos andaimes.

– Aposto que você gostaria de descobrir.

– Acha que devo ligar para a redação?

– Ainda não. Vamos observar. É melhor ter alguma coisa mais concreta antes de admitir que abandonamos o conclave.

– Será que alguém matou mesmo um dos velhotes aí dentro da igreja?

Chinita deu uma risada.

– Você *vai com toda certeza* para o inferno.

– Mas vou levando o Pulitzer comigo.

CAPÍTULO 71

Os andaimes tornavam-se menos estáveis quanto mais Langdon subia. Sua visão de Roma, entretanto, ficava melhor a cada etapa. E ele continuou a subir.

Respirava com mais dificuldade do que esperava quando alcançou a última plataforma. Puxou o corpo para cima, sacudiu o pó da roupa e ficou de pé. A altura não o incomodava nada. Na realidade, era até revigorante.

A vista era espetacular. Como um oceano de fogo, os telhados vermelhos de Roma estendiam-se a seus pés, incandescentes ao pôr-do-sol escarlate. Daquele ponto, pela primeira vez em sua vida, Langdon viu Roma além da poluição e do tráfego, enxergou a cidade e suas antigas origens: *Città di Dio*, a cidade de Deus.

Apertando os olhos para o poente, examinou os telhados à procura de uma igreja. Mas, apesar de olhar cada vez mais longe na direção do horizonte, não viu nenhuma. *Existem centenas de igrejas em Roma*, pensou. *Deve existir alguma a sudoeste daqui! Isto, se a igreja for visível*, lembrou a si mesmo. *Diabos, e se ainda estiver de pé!*

Obrigando os olhos a traçarem a linha bem devagar, ele reiniciou a busca. Sabia que nem todas as igrejas teriam flechas visíveis, principalmente as menores e mais afastadas. Sem falar que Roma mudara muito desde o século XVII, quando as igrejas eram por lei as construções mais altas. Agora, havia edifícios de apartamentos, prédios altíssimos, torres de TV.

Pela segunda vez, o olhar de Langdon alcançou o horizonte sem distinguir nada. Nem uma única flecha. Ao longe, nos limites de Roma, o colossal domo de Michelangelo encobria o pôr-do-sol. A Basílica de São Pedro. A Cidade do Vaticano. Langdon deu por si imaginando como os cardeais estariam se saindo, se a Guarda Suíça já teria encontrado a antimatéria. Algo lhe dizia que ainda não tinham encontrado nada e que não iriam encontrar.

O poema ecoava de novo em sua cabeça. Ele o analisou com cuidado, verso por verso. *Da tumba terrena de Santi com a cova do demônio.* Já tinham encontrado a tumba de Santi. *Através de Roma se estendem os místicos elementos.* Os místicos elementos eram Terra, Ar, Fogo e Água. *O caminho da luz está preparado, o teste sagrado.* O Caminho da Iluminação formado pelas esculturas de Bernini. *Que os anjos o guiem em sua busca sublime.*

E o anjo apontava para sudoeste...

◆◆◆

– As escadas da frente! – Glick exclamou, apontando freneticamente através do pára-brisa do furgão da BBC. – Alguma coisa está acontecendo!

Chinita voltou sua câmera para a entrada principal. Alguma coisa sem dúvida estava acontecendo. O homem de aparência militar estacionara um dos Alfa Romeos ao pé da escadaria e abrira a mala do carro. Agora, estava correndo os olhos pela praça para verificar se havia alguém observando. Por um segundo, Macri achou que o homem os localizara, mas os olhos continuaram o exame. Aparentemente satisfeito, ele pegou um walkie-talkie e falou no aparelho.

Quase no mesmo instante, foi como se um exército saísse de dentro da igreja. Tal qual um time de futebol americano se organizando, os soldados formaram uma linha reta no alto da escada. Movendo-se como uma parede humana, começaram a descer. Atrás deles, quase completamente ocultos pela parede, quatro soldados carregavam um volume. Pesado. Desajeitado.

Glick inclinou-se mais para perto do pára-brisa.

– Será que estão roubando alguma coisa da igreja?

Chinita aproximou mais ainda a imagem de sua câmera, usando a teleobjetiva para sondar a barreira humana e tentar achar uma abertura. *Uma fração de segundo,* pediu ela. *Uma enquadrada. Basta uma, só preciso de uma.* Mas os homens deslocavam-se em bloco. *Vamos lá!* Ela acompanhou-os e valeu a pena. Quando os soldados tentaram levantar o objeto para colocá-lo na mala do carro, Macri conseguiu a brecha. Por ironia, foi o chefe quem cometeu o erro. Apenas por um instante, mas pelo tempo suficiente, ela conseguiu o enquadramento. Na realidade, conseguiu mais do que isso, conseguiu registrar bem a imagem.

– Ligue para a redação – disse Chinita. – Temos um cadáver aqui.

◆◆◆

Longe dali, no CERN, Maximilian Kohler manobrou sua cadeira de rodas dentro do escritório de Leonardo Vetra. Com eficiência mecânica, revistou os arquivos de Vetra. Sem ter encontrado o que buscava, Kohler passou para o quarto de dormir de Vetra. A gaveta de cima da mesa-de-cabeceira estava trancada. Kohler arrombou-a com uma faca da cozinha.

Dentro, achou exatamente o que estava procurando.

CAPÍTULO 72

Langdon desceu do andaime para o chão. Limpou a poeira da roupa. Vittoria o esperava.

– E então, nada?

Ele fez que não com a cabeça.

– Puseram o cardeal na mala do carro.

Langdon olhou para o carro estacionado e viu Olivetti e um grupo de guardas com um mapa aberto sobre o capô.

– Estão procurando na direção sudoeste?

Ela concordou.

– Mas não há igrejas. Daqui, a primeira é São Pedro.

Langdon murmurou algo. Pelo menos, nisso eles estavam de acordo. Foi ao encontro de Olivetti. Os soldados afastaram-se para deixá-lo passar.

Olivetti dirigiu-se a ele.

– Nada. Mas este mapa não mostra todas as igrejas, só as grandes. Mais ou menos umas cinqüenta.

– Onde estamos? – perguntou Langdon.

Olivetti mostrou a Piazza del Popolo e traçou uma linha reta para sudoeste. A linha passava longe, e bem longe, do agrupamento de quadrados escuros que indicavam a posição das maiores igrejas de Roma. Lamentavelmente, as grandes igrejas de Roma também eram as mais antigas que teriam existido no século XVII.

– Tenho de resolver algumas coisas – disse Olivetti. – Tem certeza *mesmo* de que a direção é essa?

Langdon lembrou do dedo estendido do anjo e uma sensação de urgência tomou conta dele outra vez.

– Sim, senhor, absoluta.

Olivetti deu de ombros e traçou a linha reta outra vez. O caminho cruzava a Ponte Margherita, a Via Cola di Riezo e passava pela Piazza del Risorgimento sem encontrar qualquer igreja até terminar abruptamente no centro da Praça de São Pedro.

– Por que não pode ser São Pedro? – perguntou um dos soldados. Ele tinha uma cicatriz profunda sob o olho esquerdo. – É uma igreja.

Langdon sacudiu a cabeça.

– Tem de ser um lugar público. Neste momento, não é nada público.

– Mas a linha atravessa a *Praça* de São Pedro – acrescentou Vittoria, olhando por cima do ombro de Langdon –, e a praça é pública.

Langdon já considerara aquela possibilidade.

– Mas não há estátuas lá.

– Não há um monumento de pedra no centro?

Ela estava certa. Havia um monólito egípcio na Praça de São Pedro. Langdon olhou para o monólito diante deles na praça. *Pirâmide elevada.* Uma estranha coincidência, pensou ele. Mas deixou-a de lado.

– O monólito do Vaticano não é de Bernini. Foi levado para lá por Calígula. E não tem nada a ver com *Ar.* – Ainda havia outro problema. – Além disso, o poema diz que os elementos estão espalhados através de *Roma.* A Praça de São Pedro é na Cidade do Vaticano, não é em Roma.

– Depende do ponto de vista – aparteou um guarda.

Langdon encarou-o.

– O quê?

– Sempre foi um pomo de discórdia. A maioria dos mapas mostra a Praça de São Pedro como pertencendo à Cidade do Vaticano, mas, por ficar *fora* dos muros da cidade, há séculos que as autoridades romanas alegam que é parte de Roma.

– Está brincando – disse Langdon, que nunca soubera disso.

– Só mencionei o assunto – continuou o guarda – porque o comandante Olivetti e a senhorita Vetra estavam falando sobre uma escultura relacionada ao Ar.

Langdon arregalou os olhos.

– E você conhece uma na Praça de São Pedro?

– Mais ou menos. Não é bem uma escultura. Talvez nem seja relevante.

– Fale – Olivetti pressionou-o.

O homem fez um gesto com o ombro.

– Só sei disso porque em geral fico de sentinela na *piazza.* Conheço cada cantinho da Praça de São Pedro.

– A escultura – insistiu Langdon. – Como é? – Ele já considerava a possibilidade de os Illuminati terem tido a audácia de instalar o segundo marco na frente da Basílica de São Pedro.

– Passo por ela todos os dias, a serviço – disse o guarda. – Fica no centro, direto para onde esta linha aponta. Foi o que me fez pensar nela. Como já disse, não se trata propriamente de uma escultura. É mais um bloco.

Olivetti, agitado, perguntou:

– Um bloco?

– Sim, senhor, um bloco de mármore no meio da praça. Na base do monó-lito. Mas o bloco não é um retângulo, é uma elipse. E tem gravado nele a imagem de um sopro de vento, ondulante. – Ele fez uma pausa. – De *Ar*, para usar a palavra mais científica.

Langdon, estupefato, tinha os olhos fixos no jovem soldado.

– Um relevo! – exclamou de repente.

Todos olharam para ele.

– *Relevo* – disse Langdon – é a outra modalidade de escultura! – *Escultura é a arte de dar forma a figuras em redondo e também em relevo.* Escrevera a definição em quadros-negros durante anos a fio. Os relevos eram essencial-mente esculturas bidimensionais, como o perfil de Abraão Lincoln nas moedas norte-americanas de centavo. Os medalhões de Bernini na Capela Chigi eram outro exemplo perfeito.

– *Bassorelevo?* – perguntou o guarda, usando o termo artístico italiano.

– Isso! *Baixo-relevo!* – Langdon deu pancadinhas seguidas no capô do carro. – Nem me ocorreu essa expressão! A pedra de que está falando se chama *West Ponente* – Vento Oeste. Também é conhecida como *Respiro di Dio.*

– Sopro de Deus?

– Isso! *Ar!* E foi esculpida e colocada lá pelo arquiteto original!

Vittoria não entendeu.

– Mas não foi Michelangelo que projetou São Pedro?

– Foi, a *basílica!* – exclamou Langdon, com triunfo na voz. – A *praça* foi pro-jetada por Bernini!

Quando a caravana de Alfa Romeos saiu correndo da Piazza del Popolo, todos estavam com tanta pressa que nem notaram o furgão da BBC arrancan-do atrás deles.

CAPÍTULO **73**

Gunther Glick afundou o pé no acelerador do furgão da BBC e foi dando guinadas e se desviando do trânsito para seguir os quatro rápidos Alfa Romeos através do rio Tibre pela Ponte Margherita. Normalmente, Glick teria procurado manter uma distância que não chamasse a atenção, mas naquela hora ele mal conseguia acompanhá-los. Os caras estavam voando.

Macri estava em seu local de trabalho dentro do furgão, acabando de falar ao telefone com Londres. Quando desligou, gritou para ser ouvida por Glick em meio ao ruído do trânsito:

– Quer as boas ou as más notícias?

Glick fechou a cara. Nada jamais era simples quando se lidava com a sede.

– As más.

– Os editores ficaram furiosos porque abandonamos nosso posto.

– Grande surpresa.

– Eles também acham que o seu informante é um impostor.

– Claro.

– E o chefe acabou de me avisar que devem estar faltando uns parafusos na sua cabeça.

Glick ficou carrancudo.

– Beleza. E as boas notícias?

– Eles concordaram em dar uma espiada na fita que gravamos.

A carranca de Glick amenizou-se em um sorriso irônico. *Então, vamos ver na cabeça de quem é que faltam parafusos.*

– Então, despache logo essa coisa.

– Não posso transmitir enquanto não pararmos e eu tiver um sinal estável.

Glick entrou com o furgão a toda velocidade na Via Cola di Rienzo.

– Não dá para parar agora.

Foi atrás dos Alfa Romeos dando uma guinada violenta à esquerda para contornar a Piazza Risorgimento.

Macri agarrou seu equipamento lá atrás enquanto tudo deslizava.

– Se quebrar meu transmissor – avisou ela –, vamos ter de levar a fita *a pé* até Londres.

– Segure firme, meu bem. Algo me diz que estamos quase chegando.

– Onde?

Glick lançou um olhar para o conhecido domo que ia crescendo na frente deles. E deu um sorriso.

– Ao lugar de onde saímos.

◆◆◆

Os quatro Alfa Romeos desviaram-se com agilidade do tráfego ao redor da Praça de São Pedro. Separaram-se e espalharam-se contornando a *piazza*, enquanto deixavam homens discretamente em pontos escolhidos. Os guardas que desceram dos carros se misturaram à multidão de turistas e furgões da imprensa e logo ficaram invisíveis. Alguns deles se dirigiram para a floresta de colunas que rodeava a praça. Esses também pareceram evaporar-se nos arredores. Observando tudo através do vidro do carro, Langdon sentiu que um cerco se fechava em torno de São Pedro.

Além dos homens que acabara de despachar, Olivetti comunicara-se antes com o Vaticano e destacara mais guardas à paisana para o ponto central onde o *West Ponente* de Bernini estava localizado. Os amplos espaços abertos da praça trouxeram de volta à mente de Langdon a velha pergunta. Como o assassino Illuminati planeja se safar? *Como vai passar com um cardeal por todas essas pessoas e matá-lo diante de todos?* O seu relógio de Mickey Mouse marcava 8h54 da noite. Faltavam seis minutos.

Do banco da frente, Olivetti virou-se para Langdon e Vittoria.

– Quero vocês dois plantados bem em cima daquela placa de Bernini, ou bloco, ou seja lá o que for. O mesmo truque de antes. Fingindo que são turistas. Usem o telefone se virem alguma coisa.

Antes que Langdon pudesse responder, Vittoria agarrou a mão dele e puxou-o para fora do carro.

O sol de primavera escondia-se por trás da Basílica de São Pedro e uma imensa sombra se espalhava, engolindo toda a praça. Langdon teve um mau pressentimento quando os dois penetraram na fria e negra penumbra. Infiltrando-se na multidão, Langdon examinava cada rosto pelo qual passavam, imaginando se o assassino estaria por perto. Sentia o calor da mão de Vittoria na sua.

Ao cruzarem o amplo espaço aberto da Praça de São Pedro, ele constatou como a praça produzia o efeito exato que o artista pretendera ao criá-la, o que lhe fora encomendado: o de "despertar um sentimento de humildade em todos que nela entrassem". Langdon com certeza sentia-se mais humilde naquele momento. *Humilde e faminto*, percebeu ele, espantado que uma idéia tão corriqueira lhe viesse à cabeça àquela altura dos acontecimentos.

– Para o obelisco? – perguntou Vittoria.

Langdon concordou, dirigindo-se para a esquerda através da praça.

– Que horas são? – perguntou Vittoria, andando em passo ligeiro mas descontraído.

– Faltam cinco.

Vittoria não disse nada, mas apertou com mais força a mão dele. Langdon ainda trazia o revólver no bolso. Esperava que Vittoria não decidisse que precisava dele. Não conseguia imaginá-la sacando uma arma na Praça de São Pedro e explodindo os miolos de um assassino para toda a imprensa mundial assistir. Entretanto, um incidente desses não seria nada em comparação com um assassinato ali, em público, de um cardeal marcado a fogo.

Ar, pensou Langdon. *O segundo elemento da ciência.* Tentou imaginar como seria a marca. O método do assassinato. Mais uma vez, correu os olhos pelo pavimento de granito sob seus pés – a Praça de São Pedro, um descampado rodeado pela Guarda Suíça. Se o assassino realmente ousasse fazer aquilo, Langdon não sabia como ele poderia escapar.

No centro da *piazza* elevava-se o obelisco egípcio de Calígula, pesando 350 toneladas. Tinha 25 metros de altura até a ponta piramidal, encimada por uma cruz de aço vazada. Alta o suficiente para captar os últimos raios do sol, a cruz brilhava como se acesa por um passe de mágica, supostamente contendo relíquias da cruz em que Jesus fora crucificado.

Duas fontes ladeavam o obelisco em perfeita simetria. Os historiadores sabiam que as fontes assinalavam com precisão os focos da elipse da *piazza* de Bernini, mas constituíam uma singularidade arquitetural que Langdon até então não levara em conta. Parecia que Roma de repente estava cheia de elipses, pirâmides e elementos geométricos surpreendentes.

Ao se aproximarem do obelisco, Vittoria diminuiu o ritmo. Expeliu com força o ar dos pulmões, como se incentivasse seu companheiro a relaxar junto com ela. Langdon colaborou soltando os músculos dos ombros e afrouxando a tensão dos maxilares.

Em algum ponto em torno do obelisco, audaciosamente colocado junto à maior igreja do mundo, estava o segundo altar da ciência – o *West Ponente* de Bernini, uma placa elíptica na Praça de São Pedro.

◆◆◆

Gunther Glick observava tudo protegido pelas sombras das colunas que circundavam a Praça de São Pedro. Em qualquer outro dia, o homem de paletó de tweed e a mulher de short cáqui não lhe teriam despertado o mínimo interesse. Aparentavam ser nada mais do que turistas passeando na praça. Mas aquele não era um dia qualquer. Aquele fora um dia de informações pelo telefone, carros policiais sem identificação correndo por Roma afora e um homem de paletó de tweed subindo em andaimes à procura de sabe-se lá o quê. Glick ia ficar atrás dos dois.

Olhou para o outro lado da praça e viu Macri. Ela fora direto para onde ele lhe dissera para ir, para o outro lado do casal, rondando na retaguarda deles. Macri carregava sua câmera de vídeo com ar informal, mas, apesar de estar fazendo força para imitar uma entediada representante da imprensa, ela chamava mais atenção do que Glick gostaria. Não havia outros repórteres naquele ponto da praça e a sigla BBC bem visível em sua câmera estava atraindo os olhares de alguns turistas.

A fita que Macri gravara mostrando o corpo despido sendo colocado na mala do carro estava naquele mesmo instante no transmissor de vídeo instalado na parte detrás do furgão. Glick sabia que as imagens estariam viajando agora via satélite a caminho de Londres. Imaginava o que o pessoal de lá iria dizer.

Lamentava que ele e Macri não tivessem chegado e encontrado o corpo mais cedo, antes que o exército de soldados à paisana aparecesse. O mesmo exército, ele sabia, agora se espalhara e rodeara a praça. Alguma coisa muito importante estava para acontecer.

A mídia é o braço direito da anarquia, dissera o assassino. Glick conjeturava se não teria perdido sua grande chance. Olhou os outros furgões da imprensa à distância e viu Macri seguindo o casal misterioso pela praça. Algo lhe dizia que o jogo ainda não terminara.

C A P Í T U L O **74**

Langdon encontrou o que procurava uns dez metros antes de chegarem. Em meio aos turistas esparsos, a elipse de mármore branco do *West Ponente* de Bernini destacava-se dos cubos de granito cinzento que compunham o piso do resto da *piazza*. Vittoria também a avistou. Sua mão ficou mais tensa.

– Relaxe – murmurou Langdon. – Faça aquela coisa da respiração.

Vittoria afrouxou o aperto da mão.

À medida que chegavam mais perto, tudo lhes parecia inquietantemente normal. Turistas vagavam, freiras conversavam ao longo da praça, uma menina dava comida aos pombos junto à base do obelisco.

Langdon preferiu não olhar o relógio. Sabia que estava quase na hora.

A seus pés surgiu a elipse de pedra e os dois pararam, como se fossem apenas dois turistas que se detêm para admirar um detalhe de ligeiro interesse.

– *West Ponente* – disse Vittoria, lendo a inscrição na pedra.

Langdon contemplou o relevo de mármore e sentiu-se subitamente ingênuo. Nunca, em seus livros de arte ou em suas numerosas viagens a Roma, nunca o significado pleno do *West Ponente* lhe saltara tanto aos olhos.

Nunca, até aquele momento.

O relevo era elíptico, com uns 90 centímetros de comprimento, e mostrava um rosto rudimentar, uma representação do Vento Oeste com um semblante de anjo. Saindo da boca do anjo, Bernini desenhara um vigoroso sopro de ar que vinha da direção do Vaticano – *o Sopro de Deus*. Esse era o tributo de Bernini ao segundo elemento, Ar, um zéfiro etéreo brotando dos lábios de um anjo. Enquanto o examinava, Langdon deu-se conta de que o significado do relevo era ainda mais profundo. Bernini esculpira o sopro de ar com *cinco* traços distintos – cinco! E mais, havia duas estrelas reluzentes ladeando o medalhão. Langdon pensou em Galileu. *Duas estrelas, o sopro de cinco traços, elipses, simetria.* Sentiu um vazio e sua cabeça doía.

Vittoria recomeçou a andar quase imediatamente, guiando-o para longe do relevo.

– Acho que alguém está nos seguindo – disse ela.

– Onde? – perguntou Langdon, levantando a cabeça.

Vittoria deslocou-se bem uns 30 metros antes de falar. Apontou para o alto do Vaticano como se mostrasse algo no domo a Langdon.

– A mesma pessoa que vem vindo atrás de nós o tempo todo através da praça. – De modo despreocupado, deu uma espiada para trás. – E ainda está aí. Continue andando.

– Acha que é o Hassassin?

Vittoria fez que não com a cabeça.

– A não ser que os Illuminati contratem mulheres com câmeras da BBC.

◆◆◆

Quando os sinos de São Pedro iniciaram seu alarido ensurdecedor, tanto Langdon quanto Vittoria se sobressaltaram. Estava na hora. Tinham se afastado do *West Ponente* fazendo um movimento circular mas agora estavam voltando para perto do relevo.

Apesar do ressoar dos sinos, o local parecia perfeitamente calmo. Turistas andavam de um lado para outro. Um mendigo bêbado cochilava meio desajeitado na base do obelisco. A menina dava comida aos pombos. Langdon ponderou se a repórter teria espantado o assassino. *Duvido*, concluiu ele, lembrando-se da promessa do matador. *Farei de seus cardeais luminares da mídia.*

Quando o eco da nona badalada dissipou-se ao longe, um silêncio tranqüilo desceu sobre a praça.

Então, a menina começou a gritar.

C A P Í T U L O **75**

Langdon foi o primeiro a alcançar a menina que gritava.

Aterrorizada, a garotinha apontava para a base do obelisco, onde um bêbado decrépito e maltrapilho estava meio caído nas escadas. O homem tinha um aspecto miserável, devia ser um dos sem-teto de Roma. As mechas gordurosas do cabelo grisalho caíam-lhe pelo rosto e o corpo inteiro estava enrolado em um pano sujo. A menina continuou a gritar enquanto corria para longe, misturando-se às pessoas.

Langdon foi tomado por uma nova onda de apreensão ao correr na direção do velho. Havia uma mancha escura se espalhando pelos trapos do homem. Sangue fresco.

Depois, foi como se tudo acontecesse ao mesmo tempo.

O velho tombou para a frente, oscilante. Langdon precipitou-se para ampará-lo, mas não houve tempo. O homem rolou as escadas e bateu no chão com o rosto para baixo. Imóvel.

Langdon caiu de joelhos. Vittoria chegou ao seu lado. Formou-se um ajuntamento de pessoas.

Vittoria colocou os dedos no pescoço do homem por trás.

– Tem pulso – afirmou. – Vire-o.

Langdon já estava em ação. Segurou o homem pelos ombros e virou-lhe o corpo. Ao fazê-lo, os trapos que o envolviam soltaram-se como pele morta. O homem caiu de costas, flácido. Bem no meio de seu peito nu havia uma grande queimadura.

Vittoria prendeu a respiração e recuou.

Langdon ficou paralisado, em um estado intermediário entre a náusea e o assombro. O símbolo era de uma simplicidade aterrorizante.

– Ar – arquejou Vittoria. – É ele.

Os guardas suíços surgiram vindos do nada, gritando ordens, correndo atrás de um assassino invisível.

Perto, um turista explicou que, minutos antes, um homem de pele escura tivera a gentileza de ajudar aquele pobre mendigo ofegante a atravessar a praça e chegara a sentar-se por um momento nas escadas com o enfermo antes de voltar e sumir na multidão.

Vittoria arrancou o resto dos trapos de cima do abdômen do velho. Havia duas perfurações profundas, uma de cada lado da marca, logo abaixo das costelas. Ela inclinou a cabeça do homem para trás e iniciou uma respiração boca a boca. Langdon não estava preparado para o que aconteceu em seguida. Quando Vittoria soprou, as duas feridas no tórax do homem sibilaram e esguicharam sangue como se fossem respiradouros de baleia. O líquido salgado atingiu Langdon no rosto.

Vittoria parou, horrorizada.

– Os pulmões dele... – ela gaguejou – foram perfurados.

Langdon enxugou os olhos e viu as perfurações. Os orifícios gorgolejavam. Os pulmões do cardeal haviam sido destruídos. Ele estava morto.

Vittoria tentou ocultar o corpo enquanto os guardas suíços se aproximavam.

Langdon levantou-se, desorientado. E foi quando a viu. A mulher que os seguira antes estava agachada ali perto. Tinha sua câmera de vídeo com a sigla BBC apoiada no ombro, voltada para ele e funcionando. Os dois se entreolharam e ele percebeu que ela gravara tudo. Depois, como um gato, ela fugiu.

CAPÍTULO 76

Chinita Macri estava fugindo. Conseguira a melhor matéria de toda a sua vida.

Sua câmera de vídeo pesava-lhe como uma âncora enquanto ela atravessava com dificuldade a Praça de São Pedro, abrindo caminho entre a multidão cada vez maior. A maioria vinha no sentido oposto ao dela, em direção ao tumulto que se formara. Macri estava tentando se afastar ao máximo de lá. O homem do paletó de tweed a vira e agora ela tinha a impressão de que havia outros em seu encalço, outros que ela não sabia onde estavam e que se aproximavam de todos os lados.

Macri ainda estava horrorizada com as imagens que acabara de gravar. Pensava se o homem morto seria realmente quem ela imaginava que fosse. O contato telefônico misterioso de Glick agora lhe parecia menos maluco.

Ela continuava a seguir apressada para o furgão da BBC quando um rapaz com inconfundível aspecto militar destacou-se do meio da multidão diante dela. Seus olhos se encontraram e ambos pararam. Rápido, ele sacou um walkie-talkie e falou ao aparelho. Depois, andou ao encontro dela. Macri fez meia-volta e misturou-se às pessoas, o coração batendo forte.

Tropeçando no mar de braços e pernas, ela retirou a fita de vídeo gravada de dentro da câmera. *Ouro puro*, pensou, enfiando a fita na parte de trás do seu cinto, escondida pelas abas do casaco. Ao menos uma vez estava satisfeita com seu excesso de peso. *Glick, seu desgraçado, onde está você?*

Outro soldado apareceu à sua esquerda, aproximando-se. Macri sabia que tinha pouco tempo. Meteu-se pelo meio do povaréu outra vez. Tirou uma fita virgem da maleta e enfiou-a na câmera. E começou a rezar.

Estava a uns 30 metros do furgão quando os dois homens se materializaram na frente dela, os braços cruzados. Ela não iria a mais lugar nenhum.

– O filme – disse um. – Agora.

Macri recuou, protegendo sua câmera com os dois braços.

– De jeito nenhum.

Um dos homens abriu a jaqueta, mostrando uma arma no coldre.

– Pode atirar em mim, se quiser – disse Macri, espantada com o atrevimento de sua própria voz.

– O filme – repetiu o primeiro.

Onde foi parar esse maldito Glick? Macri bateu o pé e gritou o mais alto que pôde.

– Sou uma profissional da BBC! Pelo artigo 12 da Lei da Liberdade de Imprensa, este filme é propriedade da British Broadcast Corporation!

Os homens nem se abalaram. O que mostrara a arma deu um passo em sua direção e disse:

– Sou tenente da Guarda Suíça e, de acordo com a Sagrada Doutrina que rege a propriedade na qual se encontra agora, a senhora está sujeita a busca e apreensão.

Muitas pessoas agora começavam a se reunir em torno deles.

Macri gritou:

– Eu me recuso terminantemente a entregar a vocês o filme que está nesta câmera antes de falar com meu editor em Londres. Sugiro que vocês...

Os guardas não a deixaram continuar. Um arrancou a câmera das mãos dela. O outro agarrou-a à força pelo braço e virou-a na direção do Vaticano.

– *Grazie* – dizia ele, empurrando-a através da multidão que se acotovelava.

Macri rezava para que não a revistassem e encontrassem a fita. Se de algum jeito conseguisse esconder o filme até dar tempo para...

Subitamente, aconteceu o impensável. Alguém estava pondo a mão por baixo do seu casaco. Macri sentiu a fita ser puxada. Girou o corpo depressa, mas engoliu as palavras. Atrás dela, um ofegante Glick piscou com uma cara marota e desapareceu outra vez no meio da multidão.

CAPÍTULO **77**

Robert Langdon entrou meio cambaleante no banheiro particular ao lado do escritório do Papa. Enxugou o sangue no rosto e nos lábios. O sangue não era seu, mas do cardeal Lamassé, que morrera de modo terrível havia pouco na praça cheia de gente. *Sacrifícios de virgens nos altares da ciência.* Até então, o Hassassin cumprira sua ameaça.

Langdon sentiu-se sem forças ao olhar no espelho. Seu rosto estava abatido, a barba curta começara a escurecer sua face. O aposento em que se encontrava era imaculado e luxuoso – mármore negro com ferragens douradas, toalhas de algodão e sabonetes perfumados.

Tentou apagar de sua mente a marca cruel que vira no peito do cardeal. Ar. A imagem permanecia. Já vira três ambigramas desde que acordara naquela manhã e sabia que mais dois estavam a caminho.

Do lado de fora da porta, Olivetti, o camerlengo e o capitão Rocher estavam discutindo o que fazer em seguida. Pelo jeito, a busca da antimatéria não dera em nada até aquele momento. Ou os guardas não tinham visto o tubo ou o intruso fora mais longe dentro do Vaticano do que o comandante Olivetti gostaria de admitir.

Langdon enxugou o rosto e as mãos. Depois, procurou um mictório. Não havia mictório, somente um vaso sanitário. Ele levantou a tampa do vaso.

De pé ali, a tensão de seu corpo diminuindo, um atordoamento e uma grande exaustão invadiram-no. As emoções que se emaranhavam em seu peito eram muitas e muito incongruentes. Estava cansado, sem dormir nem comer, percorrendo o Caminho da Iluminação e traumatizado por dois assassinatos brutais. Experimentou um sentimento de horror ainda mais profundo quando pensou no possível desenlace daquele drama.

Pense, disse a si mesmo. Mas sua mente estava em branco.

Quando acionou a descarga, ocorreu-lhe um pensamento inesperado. *Este é o banheiro do Papa. Acabei de fazer pipi no banheiro do Papa.* Teve de rir. *No Trono Sagrado.*

C A P Í T U L O 78

Em Londres, uma funcionária da BBC tirou uma fita de vídeo de um gravador conectado via satélite e saiu às pressas da sala de controle. Irrompeu pela sala do chefe de redação, colocou a fita no aparelho de vídeo dele e apertou o botão play.

Enquanto viam a fita, ela lhe contou sobre a conversa que acabara de ter com Gunther Glick na Cidade do Vaticano. E acrescentou que obtivera logo depois uma confirmação da identidade da vítima da Praça de São Pedro nos arquivos fotográficos da BBC.

Quando o redator-chefe saiu de sua sala, veio tocando uma sineta. Tudo parou na redação.

– Ao vivo em cinco minutos! – bradou o homem com voz estrondosa. – Quero gente com talento para editar e colocar no ar! Coordenadores de mídia, quero seus contatos on-line! Temos uma história para vender! E temos o filme!

Eles pegaram depressa seus cadernos de telefone.

– Especificação do filme? – gritou um deles.

– Tomada de 30 segundos! – respondeu o chefe.

– Assunto?

– Homicídio ao vivo.

Os coordenadores mostraram-se animados.

– Preço para uso e licença?

– Um milhão de dólares.

Cabeças levantaram-se, rápidas.

– O quê?

– Isto mesmo que vocês ouviram! Quero o topo da cadeia alimentar. CNN, MSNBC e depois as três grandes! Ofereçam uma apresentação prévia. Dêem a eles uns cinco minutos para se organizarem antes que a BBC solte a matéria.

– Que diabos aconteceu? – alguém perguntou. – O primeiro-ministro foi esfolado vivo?

O chefe balançou a cabeça.

– Muito melhor.

◆◆◆

Naquele instante preciso, em algum ponto de Roma, o Hassassin desfrutava de um fugaz momento de repouso em uma cadeira confortável. Admirava o lendário aposento onde se encontrava. *Estou sentado na Igreja da Iluminação*, pensou. *No refúgio dos Illuminati.* Quase não acreditava que o local ainda estivesse ali depois de passados tantos séculos.

Zeloso, discou o número do repórter da BBC com quem falara antes. Estava na hora. O mundo ainda não ouvira a notícia mais chocante de todas.

C A P Í T U L O **79**

Vittoria Vetra tomou pequenos goles de água e beliscou distraída uns bolinhos que um dos guardas suíços acabara de lhe servir. Sabia que precisava comer, mas não tinha vontade. O escritório do Papa estava fervilhante agora, cheio do som de conversas tensas. O capitão Rocher, o comandante Olivetti e uma meia dúzia de guardas avaliavam os prejuízos e debatiam o próximo passo a ser dado.

Robert Langdon estava por perto olhando para fora, para a Praça de São Pedro, com um ar bastante desanimado. Vittoria foi até ele.

– Alguma idéia?

Ele fez que não.

– Quer um bolinho?

O ânimo dele pareceu melhorar ao ver algo para comer.

– Puxa, se quero. Obrigado. – E devorou uns bolinhos.

A conversa atrás deles silenciou de repente quando o camerlengo entrou pela porta acompanhado por dois guardas suíços. Se o camerlengo já parecera esgotado antes, pensou Vittoria, agora parecia vazio.

– O que aconteceu? – ele perguntou a Olivetti. Pela expressão de seu rosto, já tinham lhe contado o pior.

O informe oficial de Olivetti soou como um relatório de baixas em combate. Enumerou os fatos com seca eficiência.

– O cardeal Ebner foi encontrado morto na igreja de Santa Maria del Popolo logo depois das oito horas. Havia sido asfixiado e marcado com a palavra ambigramática "Terra". O cardeal Lamassé foi assassinado na Praça de São Pedro dez minutos atrás. Morreu de perfurações no peito. Foi marcado a fogo com a palavra "Ar", também ambigramática. O assassino escapou nas duas oportunidades.

O camerlengo cruzou a sala, sentou-se pesadamente atrás da escrivaninha do Papa e baixou a cabeça.

– Os cardeais Guidera e Baggia, entretanto, ainda estão vivos.

A cabeça do camerlengo levantou-se de um golpe, no rosto uma expressão de dor.

– E isso por acaso nos serve de consolo? Dois cardeais foram assassinados, comandante. E os outros dois pelo jeito também não vão permanecer vivos por muito tempo, a não ser que o senhor os encontre.

– Vamos encontrá-los – garantiu Olivetti –, estamos esperançosos.

– Esperançosos? Só tivemos fracassos.

– Não é verdade. Perdemos duas batalhas, *signore*, mas estamos vencendo a guerra. Os Illuminati pretendiam transformar esta noite em um espetáculo para a mídia. Até agora, frustramos os planos deles. Os corpos dos dois cardeais foram resgatados sem incidentes. Além disso – continuou Olivetti –, o capitão Rocher contou-me que está fazendo grandes avanços na busca da antimatéria.

O capitão Rocher, com sua boina vermelha na cabeça, deu um passo à frente. Vittoria observou que de certa forma ele parecia mais humano do que os outros guardas, firme mas não tão rígido. A voz de Rocher era cristalina, com um tom emocionado, como um violino.

– Espero trazer o tubo para o senhor dentro de uma hora, *signore*.

– Capitão – disse o camerlengo –, desculpe-me se não demonstro confiança, mas tive a impressão de que a busca da Cidade do Vaticano levaria muito mais tempo do que isso.

– Uma busca *completa*, sim. No entanto, depois de avaliar a situação, creio que o tubo de antimatéria esteja localizado em uma de nossas zonas brancas, os setores do Vaticano acessíveis ao público em geral, os museus e a Basílica de São Pedro, por exemplo. Já desligamos a energia elétrica nessas zonas e estamos realizando a nossa varredura.

– Vocês pretendem procurar em só uma pequena parcela da Cidade do Vaticano?

– Sim, *signore*. É muito improvável que um intruso tenha tido acesso às zonas mais centrais do Vaticano. O fato de a câmera de segurança em questão ter sido roubada em uma área aberta ao público, um vão de escada de um dos museus, claramente indica que o invasor tinha acesso limitado. Portanto, só poderia reinstalar a câmera e deixar a antimatéria em outra área aberta ao público. É nestas áreas que estamos concentrando nossas buscas.

– Mas esse homem seqüestrou quatro cardeais. O que decerto supõe uma infiltração mais profunda do que pensávamos.

– Não necessariamente. Precisamos lembrar que os quatro cardeais passaram grande parte do dia nos museus do Vaticano e na Basílica de São Pedro, desfrutando destes locais sem a presença do público. É provável que os cardeais tenham sido capturados em um desses pontos.

– E como foram levados para fora de nossos muros?

– Ainda estamos analisando isto.

– Compreendo. – O camerlengo suspirou e levantou-se. Aproximou-se de Olivetti. – Comandante, gostaria de saber qual é o seu plano de contingência para uma evacuação da cidade.

– Ainda estamos formalizando isto, *signore*. Nesse meio tempo, acredito que o capitão Rocher vá encontrar o tubo.

Rocher bateu os calcanhares em apreço pelo voto de confiança.

– Meus homens já examinaram dois terços das zonas brancas. Há um alto grau de confiança.

O camerlengo não demonstrava o mesmo sentimento.

Naquele momento, o guarda com a cicatriz sob um dos olhos entrou trazendo uma pequena prancheta e um mapa. Dirigiu-se a Langdon.

– Senhor Langdon? Trouxe a informação que o senhor solicitou sobre o *West Ponente.*

Langdon engoliu seu bolinho.

– Ótimo. Vamos a ela.

Os outros continuaram conversando enquanto Vittoria juntava-se a Robert e aos guardas e eles abriam o mapa sobre a escrivaninha do Papa.

O soldado apontou para a Praça de São Pedro.

– Aqui é onde estamos. O traço do meio do sopro de *West Ponente* aponta para leste, direto para fora da Cidade do Vaticano. – O guarda traçou uma linha com seu dedo a partir da Praça de São Pedro, atravessando o rio Tibre e entrando no coração da velha Roma. – Como vêem, a linha passa por quase toda Roma. Existem umas 20 igrejas católicas perto desta linha.

Langdon quase desmontou.

– *Vinte?*

– Talvez mais.

– A linha passa *exatamente* em cima de alguma dessas igrejas?

– Algumas estão mais próximas – disse o guarda –, mas transferir as orientações do *West Ponente* para um mapa vai dar margem a muitos erros.

Langdon olhou para a Praça de São Pedro por um instante. Depois, coçou o queixo e perguntou.

– E com relação a *fogo*? Será que uma delas não teria alguma obra de Bernini relacionada a fogo?

Silêncio.

– E obeliscos? – perguntou ele. – Existe alguma perto de um obelisco?

O guarda examinou de novo o mapa.

Vittoria viu um lampejo de esperança no rosto de Langdon e adivinhou o que ele estava pensando. *Ele tem razão!* Os dois primeiros marcos ficavam perto de praças que tinham obeliscos. Quem sabe se os obeliscos não seriam o tema? Pirâmides elevadas marcando a trilha dos Illuminati? Quanto mais Vittoria pensava nisso, mais apropriado lhe parecia: quatro sinais proeminentes erguendo-se acima de Roma para marcar os altares da ciência.

– É uma probabilidade remota – disse Langdon –, mas sei que muitos dos obeliscos de Roma foram erigidos ou levados de um lugar para outro no tempo de Bernini. Ele com certeza esteve envolvido na instalação deles.

– Ou – acrescentou Vittoria – Bernini poderia ter colocado seus marcos *perto* de obeliscos já existentes.

– É verdade – concordou Langdon.

– Más notícias – disse o guarda. – Nenhum obelisco nessa reta. – Correu o dedo pelo mapa. – Nem perto dela. Nada.

Langdon suspirou.

Vittoria deixou os ombros caírem. Achara a idéia boa, mas, pelo jeito, não ia ser tão fácil quanto esperavam. Esforçou-se para continuar sendo positiva.

– Robert, pense. Você deve conhecer alguma estátua de Bernini que tenha alguma coisa a ver *com fogo*. Qualquer coisa.

– Acredite, estive pensando nisso. Bernini era incrivelmente produtivo. Criou centenas de obras. Contava que o *West Ponente* indicasse uma única igreja. Algo que chamasse a atenção.

– *Fuòco* – insistiu ela. – *Fogo*. Nenhum título de obra de Bernini lhe ocorre?

– Existem os famosos desenhos de *Fogos de Artifício*, mas não são escultura e estão em Leipzig, na Alemanha.

Vittoria fez uma careta.

– E tem certeza de que o *sopro* é o que indica a direção?

– Você viu o relevo, Vittoria. O desenho é inteiramente simétrico. A única referência a direção é o sopro.

Vittoria sabia que ele tinha razão.

– Sem falar que, pelo fato de o *West Ponente* significar *Ar*, seguir o sopro é simbolicamente apropriado – acrescentou ele.

Muito bem, pensou ela, *então vamos seguir o sopro. Mas para onde?*

Olivetti aproximou-se.

– O que encontraram?

– Igrejas demais – disse o soldado. – Umas vinte e tantas. Se puséssemos quatro homens em cada igreja...

– Esqueça – disse Olivetti. – Já deixamos esse sujeito escapar duas vezes sabendo exatamente onde ele ia estar. Um cerco maciço deixaria a Cidade do Vaticano desprotegida e nos obrigaria a cancelar a busca à antimatéria.

– Precisamos de uma obra de referência – disse Vittoria. – Um índice das obras de Bernini. Se examinarmos os títulos delas, talvez nos ocorra alguma idéia.

– Não sei, não – disse Langdon. – Se for uma obra que Bernini criou especificamente para os Illuminati, pode ser muito obscura. Não é muito provável que conste de alguma lista em um livro.

Vittoria recusava-se a acreditar.

– As outras duas esculturas eram muito famosas. Você as conhecia.

– Pois é – disse Langdon.

– Se procurarmos referências à palavra "fogo" em uma lista de títulos, talvez encontremos uma estátua que esteja na direção certa.

Langdon convenceu-se de que valia a pena tentar. Dirigiu-se a Olivetti.

– Preciso de uma lista de todas as obras de Bernini. Será que vocês têm por aqui um desses livros grandes sobre Bernini, desses que as pessoas colocam em cima de mesas baixas para serem folheados?

Olivetti não entendeu a que tipo de livro Langdon se referia.

– Deixe para lá. Qualquer lista de obras serve. No Museu do Vaticano eles devem ter referências sobre Bernini.

O guarda com a cicatriz fez um aparte.

– O museu está sem luz no momento e a sala de registros é gigantesca. Sem a equipe de lá para ajudar...

– A obra de Bernini em questão – interrompeu Olivetti – teria sido criada enquanto Bernini trabalhava aqui no Vaticano?

– Isso é praticamente certo – respondeu Langdon. – Ele passou quase toda a carreira aqui. E certamente estava aqui durante o período dos conflitos da Igreja com Galileu.

Olivetti balançou a cabeça.

– Então, existem outras referências.

Vittoria sentiu um lampejo de otimismo.

– Onde?

O comandante não respondeu. Falou à parte e em voz baixa com o guarda. O guarda pareceu inseguro, mas assentiu com a cabeça, obediente. Quando Olivetti acabou de falar, o guarda dirigiu-se a Langdon.

– Venha comigo, por favor, senhor Langdon. São 9h 15. Temos de nos apressar.

Langdon e o guarda se dirigiram para a porta.

Vittoria saiu atrás deles.

– Vou junto para ajudar.

Olivetti pegou-a pelo braço.

– Não, senhorita Vetra. Preciso falar com a senhorita.

A pressão da mão dele era firme.

Langdon e o guarda saíram. O rosto de Olivetti parecia uma dura máscara de madeira quando a levou para um lado. Entretanto, o que quer que ele fosse dizer, não teve mais oportunidade. Seu walkie-talkie crepitou alto.

– *Commandante?*

Todos na sala se viraram.

A voz no transmissor soou desagradável.

– É melhor o senhor ligar a televisão.

CAPÍTULO **80**

Ao deixar os Arquivos Secretos do Vaticano apenas duas horas antes, Langdon jamais pensou que fosse voltar lá. Agora, meio sem fôlego por ter feito todo o percurso correndo com o guarda suíço que o acompanhava, Langdon encontrava-se de volta.

Seu acompanhante, o guarda com a cicatriz, conduziu Langdon ao longo das filas de cubículos transparentes. O silêncio nos arquivos de certa forma parecia mais ameaçador do que antes e Langdon ficou satisfeito quando o guarda o quebrou.

– Ali adiante, acho – disse ele, conduzindo Langdon para os fundos da sala, onde uma sucessão de câmaras menores enfileirava-se ao longo da parede. O guarda examinou os títulos das câmaras e indicou uma delas.

– Isso mesmo, aqui está. Onde o comandante disse que estaria.

Langdon leu o título. ATTIVI VATICANI. Ativos do Vaticano? Deu uma espiada na lista de assuntos. Imóveis, moeda, Banco do Vaticano, antiguidades – a lista prosseguia.

– Documentos de todos os ativos do Vaticano – disse o guarda.

Langdon olhou para o cubículo. *Jesus!* Mesmo no escuro, dava para ver que estava lotado.

– Meu comandante disse que tudo o que Bernini criou enquanto trabalhava para o Vaticano deve estar listado aqui como ativo.

Langdon concordou, achando que o palpite do comandante talvez desse resultado. No tempo de Bernini, tudo o que um artista criava sob o patrocínio do Papa tornava-se, por lei, propriedade do Vaticano. Era mais feudalismo do que mecenato, mas os grandes artistas viviam bem e raramente se queixavam.

– Inclusive obras localizadas em igrejas *fora* da Cidade do Vaticano?

O soldado lançou-lhe um olhar enviesado.

– Claro. Todas as igrejas católicas de Roma são propriedade do Vaticano.

Langdon deu uma olhada na lista que tinha na mão. Continha o nome das vinte e tantas igrejas localizadas na linha reta determinada pelo sopro de *West Ponente*. O terceiro altar da ciência era uma delas e ele esperava que tivesse tempo de descobrir qual. Em outras circunstâncias, teria de muito bom grado explorado pessoalmente cada uma das igrejas. Naquele dia, porém, tinha cerca de 20 minutos para encontrar o que procurava: a igreja que guardava um tributo de Bernini ao *fogo*.

Encaminhou-se para a porta giratória eletrônica da câmara. O guarda não o seguiu. Langdon percebeu uma hesitação nele. Deu um sorriso.

– O ar está ótimo. Rarefeito, mas respirável.

– Minhas ordens foram para acompanhá-lo até aqui e depois voltar imediatamente para o centro de segurança.

– Você vai embora?

– Vou. A Guarda Suíça não tem permissão para entrar nos Arquivos. Já estou quebrando o protocolo por acompanhá-lo até este ponto. O comandante mencionou isto para mim.

– Quebrando o protocolo? *Tem alguma noção de o que está se passando por aqui esta noite?* De que lado o seu comandante está, afinal?

Toda a afabilidade desapareceu do rosto do guarda. A cicatriz sob seu olho estremeceu. Suas feições endureceram e ele ficou bastante parecido com o próprio Olivetti.

– Desculpe – disse Langdon, arrependendo-se de ter feito o comentário. – É só porque um pouco de ajuda seria bom.

O guarda nem pestanejou.

– Fui treinado para cumprir ordens. Não para discuti-las. Quando encontrar o que procura, entre em contato com o comandante imediatamente.

Langdon ficou confuso.

– Mas onde ele vai estar?

O guarda retirou seu walkie-talkie e colocou-o sobre uma mesa próxima.

– Canal um.

E desapareceu na escuridão.

CAPÍTULO 81

O aparelho de televisão que havia no escritório do Papa era um enorme Hitachi escondido em um armário do lado oposto da escrivaninha. As portas do armário tinham sido abertas e todos estavam reunidos diante da TV. Vittoria também foi para perto do aparelho. Quando a tela se acendeu, mostrou uma jovem repórter morena com olhos castanhos de gazela.

– Para o jornal da MSNBC – anunciou ela –, sou Kelly Horan-Jones, ao vivo da Cidade do Vaticano.

Atrás da moça, uma imagem noturna da Basílica de São Pedro com todas as luzes brilhando.

– Você não está *ao vivo* coisa nenhuma – disparou Rocher. – As luzes da basílica estão apagadas neste momento!

Olivetti calou-o com um psiu.

A repórter continuou, com voz tensa.

– Graves acontecimentos abalaram a eleição no Vaticano esta noite. Temos a informação de que dois membros do Colégio dos Cardeais foram brutalmente assassinados em Roma.

Olivetti soltou uma praga em voz baixa.

Enquanto a moça falava na televisão, um guarda apareceu à porta, esbaforido.

– Comandante, a mesa telefônica central comunicou que todas as linhas estão chamando. Solicitam nossa posição oficial sobre...

– Desliguem a mesa telefônica – disse Olivetti, sem tirar os olhos da TV.

O guarda ficou hesitante.

– Mas, comandante...

– Vá!

O guarda saiu correndo.

Vittoria notou que o camerlengo quis dizer alguma coisa, mas se conteve. Em vez de falar, ele olhou prolongada e firmemente para Olivetti antes de se voltar outra vez para a televisão.

A MSNBC estava agora mostrando cenas gravadas. A Guarda Suíça descendo as escadas de Santa Maria del Popolo com o corpo do cardeal Ebner, depois levantando-o para colocar no Alfa Romeo. A imagem era congelada e o corpo despido do cardeal aparecia em close antes de ser depositado na mala do carro.

– Quem foi o desgraçado que filmou isso? – perguntou Olivetti.

A repórter da MSNBC continuava falando.

– Acredita-se que esse seja o corpo do cardeal Ebner, de Frankfurt, Alemanha. Os homens que estão retirando seu corpo da igreja pertencem provavelmente à Guarda Suíça do Vaticano.

A repórter dava a impressão de estar fazendo o máximo de esforço para aparentar emoção. Em seguida, um close de seu rosto sugeria uma profunda consternação.

– Neste momento, a MSNBC gostaria de avisar aos seus espectadores que as imagens que vamos mostrar agora são extremamente dramáticas e não são recomendadas para todas as pessoas.

Vittoria fez pouco da falsa preocupação da emissora com a sensibilidade dos espectadores, reconhecendo aquela observação como o supremo recurso da mídia para chamar a atenção. Ninguém mudava de canal depois de um aviso como aquele.

A repórter insistiu.

– Repetimos, as cenas a que vamos assistir podem perturbar alguns espectadores.

– Que cenas? – perguntou Olivetti. – Vocês já mostraram...

Surgiu na TV um casal andando no meio da multidão da Praça de São Pedro. Vittoria logo reconheceu as duas pessoas como sendo ela própria e Robert Langdon. Em um canto da tela, lia-se em letras pequenas um texto sobreposto: CORTESIA DA BBC. Um sino tocava ao fundo.

– Ah, não – disse Vittoria em voz alta. – Ah... não.

O camerlengo parecia não compreender. Dirigiu-se a Olivetti.

– Você não me disse que havia confiscado essa fita?

Subitamente, na televisão, havia uma criança gritando. A câmera deslocou-se para uma garotinha apontando para o que aparentava ser um mendigo ensan-güentado. Robert Langdon apareceu abruptamente tentando ajudar a menina. O cinegrafista estabilizou a câmera no mesmo ponto.

Todos no escritório do Papa assistiram em silêncio, horrorizados, ao drama desenrolar-se diante deles. O corpo do cardeal tombou e ele caiu com o rosto no chão. Vittoria apareceu e começou a agir. Havia sangue. A marca a fogo. Uma tentativa horripilante e fracassada de administrar respiração boca a boca.

– Essas cenas incríveis – a repórter estava dizendo – foram filmadas poucos minutos atrás fora do Vaticano. Nossas fontes nos informam que se trata do cardeal Lamassé, da França. Por que ele estaria vestido daquela maneira e por que não estava no conclave são perguntas que permanecem sem resposta. Até agora, o Vaticano recusou-se a fazer qualquer comentário. – E a fita recomeçou a ser exibida.

– "Recusou-se a fazer qualquer comentário"? – disse Rocher. – Não tivemos nem tempo!

A repórter continuava a falar com grande intensidade, as sobrancelhas franzidas.

– A MSNBC ainda não obteve confirmação sobre o motivo do ataque, mas nossas fontes asseguram que um grupo que se autodenomina Illuminati assumiu a responsabilidade pelos assassinatos.

Olivetti explodiu.

– *O quê?!*

– ...saiba mais sobre os Illuminati visitando nosso site em...

– *Non è posibile!* – declarou Olivetti. E mudou de canal.

Na outra estação havia um repórter hispânico falando:

– ...um culto satânico conhecido como os Illuminati, que alguns histo-riadores acreditam...

Olivetti começou a apertar freneticamente o controle remoto. Todos os canais estavam transmitindo a notícia ao vivo. Muitos deles, em inglês.

– ...Guarda Suíça removendo um corpo de uma igreja no princípio desta noite. Acredita-se que o corpo seja o do cardeal...

– ...as luzes da basílica e dos museus foram apagadas e especula-se que...

– ...dentro em pouco falaremos com o especialista em teorias conspiratórias Tyler Tingley sobre esse espantoso reaparecimento...

– ...há rumores sobre mais dois assassinatos planejados para mais tarde esta noite...

– ...dúvidas se o provável Papa, o cardeal Baggia, estaria entre os desa-parecidos...

Vittoria afastou-se. Tudo estava acontecendo rápido demais. Lá fora, na noite que descia, o rude magnetismo da tragédia humana parecia atrair mais pessoas para a Cidade do Vaticano. A multidão na praça aumentava quase a cada instante. Os pedestres chegavam incessantemente enquanto novas equipes de imprensa descarregavam seus furgões e faziam valer seus direitos na Praça de São Pedro.

Olivetti largou o controle remoto e dirigiu-se ao camerlengo.

– *Signore*, não posso imaginar como isso aconteceu. Nós pegamos a fita que estava naquela câmera!

O camerlengo parecia momentaneamente atordoado para falar.

Ninguém dizia uma palavra sequer. A Guarda Suíça mantinha-se rígida, atenta.

– Tudo indica – disse finalmente o camerlengo, em um tom de voz arrasado demais para estar zangado – que não soubemos conter essa crise tão bem quanto fui levado a acreditar. – Olhou pela janela, para a massa de gente que se formava lá fora. – Preciso fazer um pronunciamento.

Olivetti sacudiu a cabeça.

– Não, *signore*. Isso é precisamente o que os Illuminati querem que faça. Legitimá-los, admitir seu poder. Temos de nos manter em silêncio.

– E essas pessoas? – O camerlengo apontou para a janela. – Logo haverá milhares. Depois, centenas de milhares. Deixar que essa charada prossiga só vai colocá-las em perigo. Tenho de preveni-las. E em seguida temos de tirar daqui o nosso Colégio de Cardeais.

– Ainda há tempo. Deixe que o capitão Rocher encontre a antimatéria.

O camerlengo encarou-o.

– Está querendo me dar ordens?

– Não, estou lhe dando um conselho. Se está preocupado com o povo lá fora, podemos anunciar que houve um escapamento de gás e desimpedir a área, mas admitir a nossa vulnerabilidade pode ser perigoso.

– Comandante, só vou dizer isto uma vez. Não vou usar esse cargo como um púlpito para mentir para o mundo. Se eu anunciar alguma coisa, só poderá ser a verdade.

– A verdade? A Cidade do Vaticano está ameaçada de ser destruída por terroristas satânicos! Só vai enfraquecer nossa posição.

O camerlengo fulminou-o com o olhar.

– Nossa posição não pode ficar mais fraca do que já está.

Rocher gritou repentinamente, apoderando-se do controle remoto e aumentando o volume da televisão. Todos se viraram para o aparelho.

No ar, a mulher da MSNBC parecia agora verdadeiramente amedrontada. Ao lado dela haviam sobreposto uma fotografia do último Papa.

– ...divulgar informações. Acabamos de receber a notícia da BBC... – ela relanceou o olhar para a câmera como se quisesse confirmar que tinha realmente de dar aquela notícia. Aparentemente tendo recebido confirmação, voltou-se para os espectadores. – Os Illuminati acabaram de assumir a responsabilidade pela... – ela hesitou. – Eles assumiram a responsabilidade pela morte do Papa 15 dias atrás.

O queixo do camerlengo caiu.

Rocher largou o controle remoto.

Vittoria mal conseguia processar a informação.

– Pela lei do Vaticano – a mulher prosseguiu –, jamais se realiza uma autópsia formal em um Papa, portanto não se pode confirmar a declaração de assassinato feita pelos Illuminati. Seja como for, os Illuminati afirmam que a causa da morte do último Papa não foi um *derrame*, como relatou o Vaticano, mas *envenenamento*.

A sala inteira ficou em silêncio completo outra vez.

Olivetti irrompeu em exclamações.

– Loucura! Que mentira descarada!

Rocher começou a mudar rapidamente os canais outra vez. O boletim espalhara-se como uma praga de uma estação para outra. Todas tinham a mesma história. As chamadas competiam pelo maior sensacionalismo possível.

ASSASSINATO NO VATICANO

PAPA ENVENENADO

SATÃ NA CASA DE DEUS

O camerlengo afastou os olhos da tela.

– Que Deus nos ajude.

Quando Rocher estava mudando de canal, passou pela BBC.

– ...me avisou sobre o assassinato em Santa Maria del Popolo...

– Espere! – disse o camerlengo. – Volte.

Rocher voltou. Na tela, um locutor empertigado estava sentado diante da escrivaninha do jornal da BBC. Acima do ombro dele destacava-se uma foto de um homem esquisito com uma barba ruiva. Sob a foto estava escrito: GUNTHER GLICK – AO VIVO DA CIDADE DO VATICANO. O repórter Glick transmitia suas notícias pelo telefone, a ligação entremeada de chiados intermitentes.

– ...minha cinegrafista conseguiu gravar a cena do cardeal sendo removido da Capela Chigi.

– Devo lembrar aos nossos espectadores – disse o âncora em Londres – que o repórter Gunther Glick, da BBC, foi quem primeiro divulgou esta história.

Até agora manteve dois contatos telefônicos com o suposto assassino Illuminati. Gunther, você confirma que o assassino telefonou há pouco para transmitir uma mensagem dos Illuminati?

– Sim, confirmo.

– E a mensagem informava que os Illuminati foram de alguma forma *responsáveis* pela morte do Papa? – A voz do âncora revelava incredulidade.

– Correto. A pessoa me disse que a morte do Papa *não* foi causada por um derrame, como o Vaticano pensou, mas que o Papa foi envenenado pelos Illuminati.

No escritório do Papa todos estavam paralisados.

– Envenenado? – perguntou o âncora. – *Mas como?*

– Ele não especificou – respondeu Glick –, só me disse que o mataram com uma droga conhecida como... – ouviu-se um ruído de papéis sendo folheados – alguma coisa conhecida como *heparina*.

O camerlengo, Olivetti e Rocher trocaram olhares embaraçados.

– Heparina? – Rocher perguntou, espantado. – Mas não era...?

O camerlengo empalideceu.

– A medicação do Papa.

Vittoria ficou atordoada.

– O Papa estava tomando heparina?

– Ele tinha tromboflebite – disse o camerlengo. – Tomava uma injeção por dia.

Rocher estava perplexo.

– Mas a heparina não é veneno. Por que os Illuminati diriam que...

– A heparina é letal nas dosagens erradas – esclareceu Vittoria. – Trata-se de um anticoagulante poderoso. Uma dose excessiva poderia causar uma grande hemorragia interna e hemorragia cerebral.

Olivetti perguntou, desconfiado:

– Como sabe disso?

– Os biólogos usam heparina em mamíferos marinhos em cativeiro para evitar coágulos causados pela diminuição de atividade. Já morreram animais por administração errada do remédio. – Ela fez uma pausa. – Uma dose excessiva de heparina em um ser humano pode causar sintomas que seriam facilmente confundidos com os de um derrame, sobretudo se não se fizer uma autópsia adequada.

O camerlengo agora se mostrava profundamente perturbado.

– *Signore* – disse Olivetti –, isso é obviamente uma manobra dos Illuminati para atrair mais publicidade. Seria impossível alguém dar uma dose excessiva de remédio ao Papa. Ninguém tinha acesso. E mesmo que engolíssemos a isca e tentássemos refutar a declaração deles, como poderíamos? A lei papal proíbe a autópsia. E mesmo que se fizesse a autópsia, nada ficaria esclarecido, porque se encontraria heparina no corpo dele, a das injeções que ele tomava todos os dias.

– É verdade. – E a voz do camerlengo tornou-se mais penetrante. – No entanto, algo mais me incomoda. Ninguém de fora *sabia* que Sua Santidade estava tomando heparina.

Fez-se silêncio.

– Se ele tomou uma dose excessiva de heparina – disse Vittoria –, seu corpo teria sinais disso.

Olivetti girou o corpo para encará-la.

– Senhorita Vetra, caso não tenha escutado, as autópsias papais são proibidas pela Lei do Vaticano. Não vamos profanar o corpo de Sua Santidade, cortando-o todo só porque um inimigo fez declarações ridículas!

Vittoria sentiu-se constrangida.

– Eu não estava sugerindo... – Ela não tivera intenção de desrespeitar ninguém. – Com certeza, não sugeri que exumassem o Papa...

Ainda assim, hesitava em falar. Algo que Robert lhe contara em Chigi passara por sua mente como um fantasma. Ele mencionara que os sarcófagos papais eram mantidos acima do solo e nunca fechados com cimento, talvez um costume vindo do tempo dos faraós, quando se acreditava que lacrar e enterrar um caixão prendia a alma do defunto lá dentro. A *gravidade* tornara-se a alternativa à argamassa, com tampas de caixões que às vezes pesavam centenas de quilos. *Tecnicamente*, ela percebia, *seria possível...*

– Que espécie de sinais? – perguntou inesperadamente o camerlengo.

Vittoria sentiu seu coração palpitar de medo.

– As doses excessivas podem causar sangramento da mucosa oral.

– Da...

– As gengivas da vítima sangrariam. Algum tempo após a morte, o sangue coagularia e o interior da boca ficaria negro.

Certa vez, Vittoria tinha visto uma foto tirada em um aquário de Londres em que um par de baleias havia sido medicado em excesso por um engano de seu treinador. As baleias boiavam mortas dentro do tanque, as bocas abertas e as línguas negras como piche.

O camerlengo não fez nenhum comentário. Pensativo, olhava pela janela.

A voz de Rocher perdera todo o otimismo.

– *Signore*, se essa história de envenenamento for verdadeira...

– Não é – declarou Olivetti, categórico. – O acesso ao Papa por uma pessoa de fora é absolutamente impossível.

– Se a história for verdadeira – repetiu Rocher – e nosso Santo Padre *tiver sido mesmo* envenenado, isto tem enormes implicações para a procura da anti-matéria. Um suposto assassinato significa uma infiltração muito maior no Vaticano do que calculamos. Procurar só nas zonas brancas pode ser inútil. Se estivermos a tal ponto comprometidos, talvez não encontremos o tubo de anti-matéria a tempo.

Olivetti dirigiu um olhar gelado a seu capitão.

– Capitão, vou lhe dizer o que vai acontecer.

– Não – disse o camerlengo, virando-se repentinamente. – *Eu* vou lhe dizer o que vai acontecer. – Encarou Olivetti. – Isso já foi longe demais. Em 20 minutos vou decidir se cancelo o conclave e esvazio a Cidade do Vaticano ou não. Minha decisão vai ser definitiva. Ficou bem claro?

Olivetti nem piscou. Nem reagiu.

O camerlengo falava agora energicamente, como se recorresse a uma reserva escondida de força.

– O capitão Rocher vai completar sua busca nas zonas brancas e prestar contas diretamente a mim quando terminar.

Rocher curvou a cabeça, endereçando um olhar constrangido a Olivetti.

O camerlengo então destacou dois guardas.

– Quero o repórter da BBC, o senhor Glick, aqui neste escritório imediatamente. Se os Illuminati andaram se comunicando com ele, talvez possa nos ajudar. Andem.

Os dois soldados desapareceram.

O camerlengo então dirigiu-se aos guardas restantes.

– Cavalheiros, não vou permitir que mais vidas se percam esta noite. Até as dez horas vocês vão localizar os dois últimos cardeais e capturar o monstro responsável por essas mortes. Será que me fiz compreender?

– Mas, *signore* – objetou Olivetti –, não temos a menor idéia de onde...

– O senhor Langdon está trabalhando nisso. Ele parece competente. Tenho esperanças.

Com isto, o camerlengo encaminhou-se para a porta, suas passadas revelando uma nova determinação. Antes de sair, apontou para três guardas.

– Vocês três, venham comigo. Agora.

Os guardas o seguiram.

Junto da porta, o camerlengo se deteve. Falou com Vittoria.

– Senhorita Vetra, venha também, por favor.

Vittoria ficou insegura.

– Aonde vamos?

Ele saiu porta afora.

– Ver um velho amigo.

CAPÍTULO **82**

No CERN, a secretária Sylvie Baudeloque estava faminta, querendo ir para casa. Para sua decepção, Kohler parecia ter sobrevivido ao seu passeio à enfermaria. Ele telefonara e *mandara* – não pedira, mandara – que Sylvie ficasse até mais tarde naquele dia. Sem a menor explicação.

No decorrer dos anos, Sylvie programara-se para ignorar as bizarras oscilações de humor e as excentricidades de Kohler – sua convivência silenciosa, sua mania irritante de filmar reuniões em segredo com a câmera de vídeo portátil de sua cadeira de rodas. Intimamente, desejava que um dia ele desse um tiro por engano em si mesmo durante a sua visita semanal ao estande recreativo de tiro ao alvo do CERN, mas pelo jeito ele era um exímio atirador.

Agora, sentada sozinha diante de sua escrivaninha, Sylvie sentia o estômago roncar. Kohler não voltara nem lhe dera nenhum trabalho extra para aquela noite. *Pois sim que vou ficar plantada aqui passando fome e me aborrecendo sem fazer nada*, decidiu. Deixou um bilhete para Kohler e foi até a cantina fazer um lanche.

Mas não chegou lá.

Ao passar pelas *suites de loisir* do CERN, uma área de lazer formada por um comprido corredor com saguões onde havia televisões, notou que as salas estavam transbordando de empregados que deviam ter abandonado o jantar para assistir às notícias. Alguma coisa importante estava acontecendo. Sylvie entrou na primeira suíte. Estava lotada de jovens programadores de computador. Quando viu as manchetes na TV, ela tomou um susto.

TERRORISMO NO VATICANO

Sylvie escutou o comentário, mal acreditando no que ouvia. Uma fraternidade antiga matando cardeais? Para provar o quê? O ódio deles? O domínio? A ignorância?

E o mais inacreditável é que o humor reinante naquela suíte era tudo, menos sombrio.

Dois jovens técnicos passaram correndo, exibindo camisetas que traziam um retrato de Bill Gates e a inscrição: E OS NERDS HERDARÃO A TERRA!

– Illuminati! – gritou um. – Eu disse para você que esses caras existiam!

– Incrível! Pensei que fosse só um jogo!

– Eles mataram o Papa, cara! O *Papa!*

– É! Quanto pontos será que se ganha por isto?

E foram embora dando risadas.

Sylvie ficou parada ali, estarrecida. Como católica e trabalhando em um meio de cientistas, de vez em quando ouvia uma ou outra observação anti-religiosa, mas a festa que os garotos estavam fazendo era de total euforia pela perda que a Igreja sofrera. Como podiam ser tão insensíveis? Por que tanto ódio?

Para Sylvie, a Igreja fora sempre uma entidade inofensiva, um local de companheirismo e introspecção e, às vezes, apenas um lugar onde podia cantar em voz alta sem que as pessoas olhassem para ela. A Igreja registrava as referências de sua vida – funerais, casamentos, batismos, feriados – e não pedia nada em troca. Até as doações em dinheiro eram voluntárias. Seus filhos todas as semanas saíam melhores da igreja dominical, cheios de idéias sobre ajudarem os outros e serem mais bondosos. O que poderia haver de errado aí?

Sempre se admirara que tantas das chamadas "mentes brilhantes" do CERN deixassem de compreender a importância da Igreja. Será que de fato acreditavam que quarks e mésons também serviam de inspiração para a média dos seres humanos? Ou que as *equações* podiam substituir a necessidade de uma pessoa ter fé no divino?

Aturdida, Sylvie foi andando pelo corredor e passando pelos outros saguões. Todas as salas de TV estavam cheias de gente. Refletiu sobre aquele telefonema que Kohler recebera do Vaticano mais cedo. Coincidência? Talvez. O Vaticano ligava para o CERN de tempos em tempos como "cortesia" antes de divulgar declarações mordazes condenando as pesquisas do CERN – a mais recente fora sobre os avanços do CERN em nanotecnologia, um campo que a Igreja denunciava por causa de suas implicações para a engenharia genética. O CERN jamais dava importância às críticas. Invariavelmente, minutos após uma das investidas do Vaticano, o telefone de Kohler tocava sem parar com chamadas das companhias de investimento em tecnologia querendo permissão para utilizar a nova descoberta. Kohler sempre dizia: "Nada melhor do que a má propaganda."

Sylvie ponderou se deveria mandar uma mensagem pelo pager de Kohler, onde quer que ele estivesse metido, e dizer-lhe para ver as notícias. Será que se interessaria? Ou já ouvira tudo? Claro que já deveria ter ouvido. Provavelmente, estava gravando toda a reportagem com sua frenética filmadora, sorrindo pela primeira vez em todo o ano.

Continuando seu percurso pelo corredor, ela finalmente encontrou um saguão com um ambiente mais calmo, quase melancólico. Os cientistas que se encontravam ali vendo televisão eram alguns dos mais velhos e mais respeitados do CERN. Nem repararam quando Sylvie entrou e se sentou.

◆◆◆

Do outro lado do CERN, no frígido apartamento de Leonardo Vetra, Maximilian Kohler acabara de ler o diário de capa de couro que tirara da mesa-de-cabeceira de Vetra. Agora, estava assistindo às notícias da televisão. Depois de alguns minutos, guardou o diário, desligou a TV e saiu do apartamento.

◆◆◆

Longe dali, na Cidade do Vaticano, o cardeal Mortati levou outra bandeja cheia de fichas de voto para a lareira da Capela Sistina. Queimou-as e a fumaça saiu negra.

Duas votações. Não se elegera o Papa.

CAPÍTULO 83

A luz fraca das lanternas pouco adiantava naquele volumoso negrume da Basílica de São Pedro. O vácuo acima de suas cabeças pesava sobre eles como uma noite sem estrelas. Vittoria sentiu o vazio espalhar-se em torno dela como um oceano solitário. Mantinha-se perto do camerlengo e dos guardas suíços enquanto caminhavam. No alto, uma pomba arrulhou e esvoaçou para longe, as asas farfalhando.

Parecendo notar aquele desconforto, o camerlengo deixou-se ficar para trás e pousou a mão em seu ombro. Uma força tangível transferiu-se para ela com aquele toque, como se o homem magicamente lhe infundisse a calma de que precisava para o que iam fazer.

O que vamos fazer?, pensou. *Isto é loucura!*

Contudo, Vittoria sabia que, apesar de toda a irreverência e do inevitável horror da situação, a tarefa que se apresentava era inescapável. As graves decisões que o camerlengo tinha de tomar exigiam informações – informações encerradas em um sarcófago nas Grutas do Vaticano. Perguntava a si mesma o que iriam encontrar. *Será que os Illuminati mataram mesmo o Papa? O poder deles chegaria de fato tão longe? Será que estou prestes a realizar a primeira autópsia em um Papa?*

Vittoria achou uma ironia estar mais apreensiva naquela igreja escura do que se estivesse nadando à noite no mar no meio das barracudas. A natureza era seu refúgio. Ela compreendia a natureza. As questões humanas e espirituais é que a deixavam desorientada. A idéia de peixes assassinos reunindo-se no escuro trazia-lhe à cabeça imagens da imprensa reunindo-se do lado de fora da basílica. As filmagens dos corpos marcados lembravam-lhe o cadáver de seu pai e a risada grosseira do matador. O matador estava à solta lá fora, em algum lugar. A raiva abafou o medo de Vittoria.

Quando contornaram uma coluna – de diâmetro maior do que o de qualquer sequóia imaginável –, Vittoria divisou um brilho alaranjado adiante. A luz parecia emanar de baixo do piso no centro da basílica. Ao se aproximarem, ela compreendeu o que estava vendo. Tratava-se do famoso santuário escavado sob o altar principal – a suntuosa câmara subterrânea que continha as relíquias mais sagradas do Vaticano. Junto ao portão que rodeava a abertura, Vittoria olhou para baixo e viu a arca dourada no meio de inúmeras lamparinas a óleo acesas.

– São os ossos de São Pedro? – perguntou, sabendo muito bem que eram. Todo mundo que visitava a Basílica de São Pedro sabia o que havia dentro da pequena arca dourada.

– Na realidade, não – respondeu o camerlengo. – Um engano bastante comum. Isso não é um relicário. Dentro da arca são guardados os *palliums*, faixas tecidas que o Papa dá aos cardeais recém-eleitos.

– Mas pensei...

– Como todos. Os guias turísticos dizem que aqui é a tumba de São Pedro, mas o verdadeiro túmulo dele fica dois níveis abaixo de nós, enterrado no solo. O Vaticano escavou-o nos anos 1940. Ninguém tem permissão para descer lá.

Vittoria estava impressionada. À medida que saíam do nicho reluzente e voltavam para a escuridão, pensou nas histórias que ouvira de peregrinos que viajavam milhares de quilômetros para ver aquela caixa dourada, achando que estavam na presença de São Pedro.

– O Vaticano não deveria dar essa informação às pessoas?

– Todos nos beneficiamos de uma sensação de contato com a divindade, mesmo que a sensação seja apenas imaginada.

Vittoria, como cientista, não podia discutir aquela lógica. Lera inúmeros estudos sobre os efeitos do placebo – aspirinas curando câncer de pessoas que *acreditavam* estar usando uma droga milagrosa. O que era a *fé*, afinal de contas?

– Mudanças – disse o camerlengo – não são algo que fazemos muito bem aqui na Cidade do Vaticano. Admitir nossos erros do passado, modernização, são coisas que historicamente evitamos. Sua Santidade estava tentando modificar isto. – Ele fez uma pausa. – Para alcançar o mundo moderno. Procurar novos caminhos para chegar a Deus.

Mesmo no escuro, Vittoria fez um gesto de concordância.

– Como a ciência?

– Para ser franco, a ciência me parece irrelevante.

– Irrelevante? – Vittoria conseguia pensar em uma porção de palavras para definir ciência, mas, no mundo moderno, "irrelevante" não era uma delas.

– Quando o senhor sentiu sua vocação?

– Antes do meu nascimento.

Vittoria olhou para ele.

– Desculpe – explicou o camerlengo –, essa questão sempre parece estranha. O que quero dizer é que sempre soube que iria servir a Deus. Desde o momento em que comecei a pensar. Só quando rapaz, porém, no exército, é que compreendi verdadeiramente meu objetivo.

Ela ficou surpresa.

– O senhor esteve no exército?

– Dois anos. Recusei-me a disparar uma arma, então me puseram para pilotar helicópteros Medevac. Na realidade, ainda vôo de vez em quando.

Vittoria tentou imaginar o jovem padre pilotando um helicóptero. O interessante é que conseguia vê-lo perfeitamente por trás dos controles. O camerlengo Ventresca possuía uma firmeza de caráter que intensificava suas convicções em vez de tirar-lhes o brilho.

– O senhor chegou a transportar o Papa alguma vez?

– Não, de jeito nenhum. Deixávamos esse passageiro precioso para os profissionais. Sua Santidade às vezes permitia que eu levasse o helicóptero para nosso retiro em Gandolfo. – Ele fez uma pausa, olhando para ela. – Senhorita Vetra, obrigada por sua ajuda aqui hoje. Sinto muito por seu pai. Sinceramente.

– Obrigada.

– Nunca conheci meu pai. Morreu antes que eu nascesse. Perdi minha mãe quando tinha dez anos.

– O senhor ficou órfão? – ela sentiu uma afinidade repentina entre eles.

– Sobrevivi a um acidente. Um acidente que levou minha mãe.

– Quem tomou conta do senhor?

– Deus – disse o camerlengo. – Ele quase literalmente me enviou outro pai. Um bispo de Palermo apareceu junto à minha cama de hospital e tomou conta de mim. Na ocasião, não me surpreendi. Já sentia a mão vigilante de Deus sobre mim desde pequeno. O aparecimento do bispo simplesmente confirmou o que eu já desconfiava, que Deus de certa forma me escolhera para servi-lo.

– O senhor acreditava que Deus o havia escolhido?

– Sim, e ainda acredito. – Não havia qualquer vestígio de vaidade na voz do camerlengo, só de gratidão. – Trabalhei sob a tutela do bispo durante muitos anos. Ele acabou se tornando cardeal. Mas nunca me esqueceu. Ele é o pai de quem me lembro.

A luz de uma das lanternas passou pelo rosto do camerlengo e Vittoria vislumbrou a solidão em seus olhos.

O grupo chegou junto a uma coluna gigantesca e a luz de suas lanternas convergiu para uma abertura no chão. Ao olhar para a escadaria que mergulhava no vazio, Vittoria de repente teve vontade de voltar atrás. Os guardas já estavam ajudando o camerlengo a descer. Em seguida, ajudaram Vittoria.

– O que aconteceu com ele? – ela perguntou enquanto desciam, tentando manter a voz firme. – Com o cardeal que tomou conta do senhor?

– Ele deixou o Colégio dos Cardeais para assumir outro posto.

Vittoria surpreendeu-se.

– E depois, sinto muito dizer, ele faleceu.

– *Le mie condoglianze* – disse ela. – Recentemente?

O camerlengo virou-se para ela, as sombras acentuando a dor em seu rosto.

– Há exatamente 15 dias. Vamos vê-lo agora.

CAPÍTULO **84**

As luzes escuras espalhavam seu fulgor avermelhado no interior da câmara dos Arquivos do Vaticano. Essa câmara era muito menor do que aquela em que Langdon estivera antes. *Menos ar. Menos tempo.* Arrependeu-se de não ter pedido a Olivetti para ligar os ventiladores de renovação do ar.

Langdon localizou rapidamente a seção de ativos que continha os livros de registros das *Belle Arti*. Não havia como não encontrar a seção. Ocupava quase oito estantes completas. A Igreja Católica possuía milhões de peças pelo mundo todo.

Ele examinou as prateleiras à procura do nome de Gianlorenzo Bernini.

Começou sua busca no meio do segundo grupo de estantes, mais ou menos onde deveria começar a letra B. Depois de um breve momento de pânico temendo que aquele catálogo em especial estivesse faltando, ele descobriu, desanimado, que os catálogos não tinham sido dispostos em ordem alfabética. *Por que isto não me surpreende tanto assim?*

Só depois de contornar tudo, voltar ao início e subir uma escada com rodízios para chegar à prateleira mais alta é que compreendeu o critério da organização da câmara. Empoleirado na parte superior das estantes, encontrou os catálogos mais grossos, referentes aos mestres da Renascença: Michelangelo, Rafael, Da Vinci e Botticelli. Bem de acordo com uma câmara chamada "Ativos do Vaticano", os catálogos eram dispostos segundo o *valor monetário* total da coleção de cada artista. Entre os de Rafael e Michelangelo, Langdon encontrou o catálogo com o nome de Bernini. Tinha uns 12 centímetros de espessura.

Já sem fôlego e segurando desajeitadamente o incômodo volume, Langdon desceu a escada. Então, como um garoto que vai ler uma revista em quadrinhos, estendeu-se no chão e abriu o livro.

O catálogo tinha capa de pano e era muito compacto. Fora escrito à mão em italiano. Cada página tratava de uma única obra, com uma breve descrição, a data, a localização, o custo dos materiais e às vezes um esboço simples da peça. Langdon folheou o livro de mais de 800 páginas. Bernini fora um homem ocupado.

Quando Langdon era um jovem estudante de arte, sempre o intrigara como um único artista podia produzir tantos trabalhos durante a vida. Mais tarde, para grande desapontamento seu, descobriu que os artistas famosos criavam na realidade muito pouco de sua própria obra. Dirigiam estúdios onde treinavam jovens artistas para executar seus projetos. Escultores como Bernini criavam miniaturas em barro e contratavam outros para ampliá-las em mármore. Se Bernini tivesse sido obrigado a realizar *pessoalmente* todas as suas encomendas, ainda estaria trabalhando até hoje.

– Índice – disse ele em voz alta, tentando manter afastadas as teias de aranha mentais. Foi para o final do livro com a intenção de procurar na letra F os títulos com a palavra *fuòco* – fogo –, mas os Fs não estavam juntos. *Que diabos esse pessoal tem contra a ordem alfabética?*

As entradas obedeciam a uma ordem cronológica, uma a uma, à medida que Bernini criava uma nova obra. Tudo estava listado por data. Não adiantava procurar ali.

Enquanto contemplava a lista, outro pensamento desalentador ocorreu-lhe. O título da escultura que procurava podia nem conter a palavra *Fogo*. As duas obras anteriores – *Habacuc e o Anjo* e *West Ponente* – não tinham referências específicas a Terra ou Ar.

Passou um ou dois minutos folheando o catálogo ao acaso na esperança de alguma ilustração lhe dar alguma pista. Nenhuma deu. Encontrou inúmeras obras obscuras de que nunca ouvira falar, mas também muitas que reconheceu: *Daniel e o Leão, Apolo e Dafne*, além de várias fontes. Ao encontrar as fontes, seus pensamentos deram um salto momentâneo para a frente. Água. Imaginou se o quarto altar da ciência seria uma fonte. Uma fonte seria um perfeito tributo à água. Langdon esperava que pegassem o assassino antes que ele tivesse de considerar o elemento *Água* – Bernini esculpira dezenas de fontes em Roma, a maioria em frente a igrejas.

E voltou para o assunto em questão, *Fogo*. Virando as folhas do livro, lembrou-se das palavras de Vittoria para incentivá-lo. *Você conhecia as duas primeiras esculturas, provavelmente conhece essa também*. Abriu o índice novamente e procurou títulos que conhecia. Alguns lhe eram bem familiares, mas nenhum despertou sua atenção. Langdon concluiu que jamais terminaria aquela busca sem antes desmaiar e então decidiu, a contragosto, que teria de levar o catálogo para fora do arquivo. *É só um catálogo*, disse a si mesmo. *Não é como tirar daqui um fólio original de Galileu*. Lembrou-se do fólio no bolso de seu paletó e recomendou a si mesmo que não podia esquecer de devolvê-lo antes de sair.

Apressando-se, estendeu a mão para pegar o livro, mas, ao fazê-lo, viu algo que o fez parar. Embora o índice fosse constituído de numerosas anotações, a que atraiu seu olhar era significativa.

A anotação indicava que a famosa escultura de Bernini, *O Êxtase de Santa Teresa*, pouco tempo depois de inaugurada, fora transferida de sua localização original no Vaticano. Mas não foi esse o fato que chamou a atenção de Langdon, sabedor das vicissitudes por que passara aquela escultura. Considerada uma obra-prima por alguns, o Papa Urbano VIII recusou *O Êxtase de Santa Teresa* alegando que se tratava de uma obra sexualmente muito explícita para o Vaticano. Baniu-a para uma capela obscura do outro lado da cidade. O que despertou o interesse de Langdon foi constatar que essa capela era uma das cinco igrejas de sua lista. E, ainda por cima, que a escultura fora transferida para lá *per suggerimento del artista*.

Por sugestão do artista? Não fazia sentido Bernini sugerir que sua obra-prima ficasse escondida em um lugar pouco conhecido. Todo artista quer sua obra exposta em local destacado, não em uma remota...

Langdon hesitava. *A menos que...*

Receava até acalentar a idéia. Seria possível? Teria Bernini criado intencionalmente uma obra tão explícita que forçara o Vaticano a enfurná-la em algum lugar afastado? Um lugar que talvez Bernini pudesse sugerir? Quem sabe uma igreja distante que ficasse em linha reta com o sopro de *West Ponente?*

À medida que aumentava a excitação de Langdon, sua vaga familiaridade com a estátua interferia, insistindo que a obra nada tinha a ver com *fogo*. A escultura, como qualquer pessoa que a tivesse visto poderia confirmar, era tudo, menos científica – *pornográfica* até, mas não científica, sem dúvida. Um crítico inglês condenou *O Êxtase de Santa Teresa*, afirmando que era "o ornamento mais impróprio que jamais fora colocado em uma igreja cristã". Langdon entendia a razão da controvérsia. Apesar de brilhantemente executada, a estátua representava Santa Teresa deitada de costas entregue a um orgasmo dos bons. Nada de acordo com o gosto do Vaticano.

Langdon passou depressa para a descrição da obra no catálogo. Quando viu o desenho, sentiu uma instantânea e inesperada centelha de esperança. No esboço, Santa Teresa realmente parecia estar entregue ao gozo, mas havia uma outra figura que Langdon esquecera e que fazia parte do conjunto.

Um anjo.

A sórdida lenda de repente voltou-lhe à memória...

Santa Teresa era uma freira que fora santificada depois de afirmar que um anjo lhe fizera uma beatífica visita durante o sono. Os críticos mais tarde concluíram que o encontro provavelmente havia sido mais sexual do que espiritual. Rabiscado ao pé da página, Langdon leu um trecho conhecido do diário da santa. As próprias palavras de Santa Teresa pouco deixavam para a imaginação:

> ...sua grande lança dourada... cheia de fogo... penetrou em mim várias vezes... até minhas entranhas... uma doçura tão extrema que se desejaria que nunca cessasse.

Langdon sorriu. *Se isto não é uma metáfora de sexo para valer, não sei o que é.* Sorriu também por causa da descrição da obra. Apesar de o parágrafo estar escrito em italiano, a palavra *fuòco* aparecia uma meia dúzia de vezes.

...lança do anjo com a ponta de *fogo*...

...raios de *fogo* emanando da cabeça do anjo...

...mulher inflamada pelo *fogo* da paixão...

Langdon ainda não se convencera por completo até olhar de novo para o desenho. A lança de fogo do anjo estava erguida como um farol apontando o caminho. *Que os anjos o guiem em sua busca sublime.* E até o *tipo* de anjo que

Bernini escolhera parecia significativo. *É um serafim,* observou Langdon. *Serafim significa literalmente "o que é feito de fogo".*

Robert Langdon não era um homem que algum dia tivesse esperado por uma confirmação vinda do alto, mas quando leu o nome da igreja onde a escultura agora se encontrava resolveu que, afinal de contas, poderia começar a acreditar em alguma coisa.

Santa Maria dela Vittoria.

Vittoria, pensou ele, rindo. *Perfeito.*

Pôs-se de pé meio cambaleante e sentiu uma tonteira. Olhou para o alto da escada, ponderando se deveria repor o livro no lugar. *Ora, dane-se,* pensou. *O Padre Jaqui pode fazer isso depois.* Fechou o livro e colocou-o educadamente ao pé da estante.

Quando se encaminhou para o botão luminoso na saída eletrônica da câmara, sua respiração estava curta. Ainda assim, sentia-se rejuvenescido por sua boa sorte.

Sua boa sorte, porém, terminou antes que alcançasse a saída.

Sem aviso, a câmara exalou um suspiro penoso. As luzes diminuíram e o botão luminoso apagou-se. Então, como um enorme animal que expira, o arquivo inteiro ficou às escuras. Alguém desligara a energia elétrica.

CAPÍTULO **85**

As Grutas Santas do Vaticano estão situadas sob o chão da Basílica de São Pedro. É lá que são enterrados os Papas.

Vittoria chegou ao fim da escada em espiral e entrou na gruta. O túnel escuro lembrava o do Grande Colisor de Hádrons do CERN, o acelerador de partículas – negro e frio. Iluminado agora apenas pela luz das lanternas da Guarda Suíça, o túnel transmitia uma sensação nitidamente incorpórea. Dos dois lados havia nichos cavados ao longo das paredes. Dentro desses vãos, até onde a luz lhes permitia enxergar, assomavam volumosas as sombras dos sarcófagos.

Um calafrio fez seu corpo estremecer. *É o ar frio,* disse a si mesma, sabendo entretanto que só em parte era verdade. Tinha a impressão de estarem sendo observados, não por alguém de carne e osso, mas por espectros na penumbra.

Em cima de cada túmulo, com todas as vestimentas papais, repousavam figuras em tamanho natural com os traços de cada Papa falecido, retratado como morto, os braços dobrados sobre o peito. Os corpos deitados pareciam emergir das tumbas como se pressionados de encontro às tampas de mármore para tentar escapar de sua reclusão mortal. A procissão de lanternas avançava e as silhuetas dos Papas subiam e desciam nas paredes, prolongando-se e desaparecendo como um macabro teatro de sombras.

Caíra um silêncio sobre o grupo, Vittoria não saberia dizer se de respeito ou de apreensão. Ambos, talvez. O camerlengo andava de olhos fechados, como se soubesse de cor cada passo. Vittoria desconfiava que ele já fizera aquele lúgubre passeio muitas vezes desde a morte do Papa, talvez para rezar junto à sua tumba em busca de orientação.

Trabalhei sob a sua tutela durante muitos anos. Ele foi um pai para mim, dissera o camerlengo. Vittoria lembrou-se do camerlengo dizendo essas palavras ao se referir ao religioso que o "salvara" do exército. Agora, porém, ela compreendia o resto da história. O mesmo homem que tomara o camerlengo sob sua proteção chegara mais tarde ao papado e levara consigo seu jovem protegido para servir como camarista.

Isto explica muita coisa, pensou Vittoria. Ela sempre possuíra uma intuição bem afinada para as emoções íntimas das pessoas, e algo no camerlengo a vinha intrigando o dia inteiro. Desde que o encontrara, percebera nele uma angústia mais sentimental e pessoal do que a causada pela crise avassaladora que enfrentava naquele momento. Por trás daquela calma piedosa, via um homem atormentado por demônios particulares. Não só enfrentava a ameaça mais devastadora da história do Vaticano, como o fazia sem seu amigo e mentor, voando solo.

Os guardas diminuíram o passo, como se não soubessem exatamente onde, naquela escuridão, o último Papa fora enterrado. O camerlengo continuou andando, seguro, e se deteve diante de uma tumba cujo mármore ainda conservava um brilho que as outras não tinham mais. Deitada sobre ela, uma imagem esculpida do Papa falecido. Quando Vittoria reconheceu o rosto que via sempre na televisão, sentiu uma pontada de medo. *O que estamos fazendo?*

– Sei que não temos muito tempo – disse o camerlengo –, mas ainda assim pediria que fizéssemos uma rápida oração.

Os guardas suíços curvaram a cabeça. Vittoria fez o mesmo, seu coração batendo forte naquele silêncio. O camerlengo ajoelhou-se junto à tumba e rezou em italiano. Escutando aquelas palavras, Vittoria sentiu um pesar inesperado vir à tona em forma de lágrimas – lágrimas por seu próprio mentor, seu próprio santo pai. As palavras do camerlengo eram tão adequadas para o Papa quanto para seu pai.

– Pai supremo, conselheiro, amigo. – A voz do camerlengo ecoava mansamente na roda de pessoas. – O senhor me disse, quando eu era jovem, que a voz de meu coração era a voz de Deus. Disse que eu deveria segui-la ainda que me levasse para caminhos difíceis. Ouço essa voz agora, exigindo de mim tarefas impossíveis. Dê-me forças. Conceda-me o perdão. O que faço é em nome de tudo em que o senhor acreditava. Amém.

– Amém – murmuraram os guardas.

Amém, pai. Vittoria enxugou os olhos.

O camerlengo levantou-se devagar e afastou-se da tumba.

– Empurrem a tampa para o lado.

Os guardas suíços ficaram indecisos.

– *Signore* – disse um deles –, por lei, estamos sob suas ordens. – Fez uma pausa. – Faremos o que mandar...

O camerlengo pareceu ler a mente do rapaz.

– Um dia, vou pedir perdão a vocês por tê-los colocado nesta situação. Hoje, peço que me obedeçam. As leis do Vaticano foram estabelecidas para proteger esta igreja. Com esse mesmo espírito, exijo que agora as infrinjam.

Houve um momento de silêncio e então o líder dos guardas deu a ordem. Os três homens colocaram as lanternas no chão e suas sombras saltaram para o alto. Iluminados de baixo para cima, aproximaram-se da tumba. Apoiaram as mãos na tampa de mármore na altura da cabeceira da tumba, plantaram os pés no chão com firmeza e prepararam-se para empurrar. A um sinal, todos empurraram juntos, retesados de encontro à enorme lápide. Ao ver que a lápide não se deslocara nem um pouco, Vittoria se deu conta de estar quase torcendo para que fosse pesada demais. Temia o que poderiam encontrar ali dentro.

Os homens empurraram mais e a lápide não saiu do lugar.

– *Ancora* – disse o camerlengo, enrolando as mangas de sua batina e tomando posição para empurrar junto com eles. – *Ora!* – Todos empurraram ao mesmo tempo.

Vittoria estava prestes a oferecer ajuda, quando a lápide começou a deslizar. Os homens deram impulso outra vez e, com um rangido de pedra contra pedra que parecia um grunhido primal, a lápide girou em cima da tumba e parou formando um ângulo – a cabeça esculpida do Papa dentro do nicho e seus pés estendidos no corredor.

Todos recuaram.

Tateando, um dos guardas abaixou-se e apanhou sua lanterna no chão. Depois, apontou-a para o interior da tumba. O facho de luz tremeu um pouco e então o guarda o firmou. Os outros guardas reuniram-se ao primeiro, um a um. Mesmo no escuro, Vittoria percebeu que eles recuaram e, sucessivamente, se benzeram.

O camerlengo estremeceu quando olhou para dentro da tumba e seus ombros caíram, pesados. Ficou parado algum tempo antes de se virar.

Vittoria receava que a boca do cadáver estivesse cerrada com o *rigor mortis* e ela sugeriu que se quebrasse a mandíbula para ver a língua. Mas isso não seria necessário. As faces haviam caído e a boca do Papa estava aberta.

Sua língua estava negra como a morte.

CAPÍTULO **86**

Nenhuma luz. Nenhum som.

Os Arquivos Secretos estavam imersos em negra escuridão.

O medo, notou Langdon, era um forte motivador. Sem fôlego, saiu vacilante na direção da porta rotativa. Encontrou o botão na parede e bateu nele com a palma da mão. Nada aconteceu. Tentou de novo. A porta estava desligada.

Rodopiou às cegas, tentou chamar em voz alta, mas a voz saiu estrangulada. O estado crítico de sua situação tomou conta dele por completo. Seus pulmões lutavam por oxigênio quanto mais a adrenalina acelerava sua batida cardíaca. A sensação era a de um soco no estômago.

Quando se atirou com todo o seu peso contra a porta, por um segundo achou que ela começara a girar. Empurrou de novo e viu estrelas. Deu-se conta de que era a sala inteira que rodava, não a porta. Desequilibrou-se, tropeçou na base de uma escada de rodízios e caiu pesadamente no chão. Cortou o joelho na quina de uma estante. Xingando, levantou-se e saiu procurando a escada.

Encontrou-a. Esperava que fosse de madeira pesada ou de ferro, mas era de alumínio. Agarrou-a, segurou-a como um aríete e correu com ela no escuro para a parede de vidro. A parede ficava mais perto do que ele imaginara. A escada bateu e voltou. Pelo som fraco da colisão, ele percebeu que precisaria de muito mais do que uma escada de alumínio para quebrar aquele vidro.

Ocorreu-lhe usar o revólver, mas suas esperanças se esvaíram tão depressa quanto haviam surgido. A arma não estava mais com ele. Olivetti a tomara dele no escritório do Papa, dizendo que não queria armas carregadas por perto com o camerlengo presente. Na hora, fizera sentido.

Langdon chamou de novo, produzindo ainda menos som do que antes.

Em seguida, lembrou-se do walkie-talkie que o guarda deixara na mesa fora da câmara. *Por que diabos não o trouxe para dentro!* Estrelinhas roxas começaram a dançar diante de seus olhos e ele se esforçou para pensar. *Você já ficou preso antes,* disse a si mesmo. *Já sobreviveu a coisa pior. Era só uma criança e conseguiu se safar.* A escuridão tenebrosa inundou tudo. *Pense!*

Langdon então se abaixou, deitou de costas no chão e estendeu os braços ao lado do corpo. O primeiro passo era recuperar o autocontrole.

Relaxe. Poupe-se.

Sem ter mais que lutar contra a gravidade para bombear o sangue, o coração de Langdon começou a bater mais devagar. Aquele era um truque que os nadadores usavam para reoxigenar o sangue entre competições subseqüentes.

Tem ar mais do que suficiente aqui dentro, disse a si mesmo. *Mais do que suficiente. Agora, pense.* Esperou, quase acreditando que a luz voltaria a qualquer momento. Não voltou. Deitado ali, conseguindo respirar melhor, uma sinistra resignação o invadiu. Sentiu-se em paz. E lutou contra aquela sensação.

Você vai se mexer, droga! Mas onde...

No seu pulso, Mickey Mouse brilhava alegremente, como se estivesse gostando do escuro: 9h33 da noite. Meia hora para o *Fogo.* Tinha a impressão de que fosse muito mais tarde. Em sua cabeça, em vez de um plano para sair dali, vinham perguntas, a necessidade de uma explicação. *Quem teria desligado a luz? Será que teria sido Rocher, expandindo sua busca? E Olivetti, por que não informou Rocher que eu estava aqui dentro?* Langdon sabia entretanto que, àquela altura, não fazia diferença alguma.

Abrindo bem a boca e inclinando um pouco a cabeça para trás, conseguia inalar o mais fundo que lhe era possível. A cada vez, a respiração ardia menos do que a anterior. Sua mente clareou. Reorganizou seus pensamentos e forçou as engrenagens a se movimentarem.

Paredes de vidro, ponderou. *Mas um vidro danado de grosso.*

Conjeturou se haveria livros guardados em um daqueles arquivos de aço pesados, à prova de fogo. Langdon já os encontrara algumas vezes em outros lugares, mas não vira nenhum ali. Além disso, procurar no escuro levaria tempo demais. Não que ele, de qualquer modo, fosse capaz de levantar um arquivo de aço, ainda mais naquele estado.

Que tal a mesa de exame? Sabia que naquela câmara, como na anterior, havia uma no meio das estantes. *E daí?* Não conseguiria levantá-la também. Sem falar que, mesmo que tivesse forças para arrastar a mesa, não poderia ir muito longe. As estantes ficavam muito juntas e as passagens entre elas eram estreitas demais.

As passagens são estreitas...

De repente, soube o que iria fazer.

Em um rompante de confiança, pôs-se de pé mais depressa do que deveria. Tonto, estendeu a mão à procura de um ponto de apoio. Sua mão encontrou uma estante. Parou alguns segundos, obrigando-se a poupar energia. Precisaria de toda a sua força para fazer o que pretendia.

Encostou o corpo na estante, firmou os pés no chão e empurrou. *Se conseguir fazer a estante se inclinar...* Mas ela nem se moveu. Mudou de posição e empurrou outra vez. Seus pés escorregaram para trás. A estante rangeu, mas nem se abalou.

Precisava de uma alavanca.

Encontrou a parede de vidro de novo e pousou uma das mãos nela, correndo até o fim da câmara. A parede do fundo surgiu de repente e ele bateu com o ombro nela. Soltou um palavrão, contornou a prateleira e agarrou a estante na altura do seu rosto. Em seguida, escorando um dos pés na parede de vidro atrás de si e o outro nas prateleiras inferiores, começou a subir. Livros caíam em torno dele, farfalhando na escuridão. Nem se importou. O instinto de sobrevivência há muito que superara seu decoro arquivístico. Reparou que a escuridão total afetava seu equilíbrio e fechou os olhos, incentivando sua mente a ignorar o estímulo visual. Aos poucos foi se deslocando com mais rapidez. Quanto mais subia, mais rarefeito ficava o ar. Chegou com grande esforço às prateleiras do alto, pisando nos livros, procurando apoio, puxando o corpo para cima. Então, como um alpinista que acabou de conquistar uma plataforma de pedra, alcançou a última prateleira. Estendendo as pernas para trás, fez seus pés andarem pela parede de vidro até seu corpo ficar quase na horizontal.

É agora ou nunca, Robert, uma voz animou-o. *Igual ao aparelho de musculação para as pernas da academia de ginástica de Harvard.*

Com um esforço sobre-humano, firmou os pés na parede atrás de si, encostou o peito e os braços na estante e empurrou. Nada aconteceu.

Lutando para respirar, reposicionou-se e tentou de novo, esticando as pernas. A estante mexeu-se ligeiramente, ele empurrou outra vez, a estante balançou uns centímetros para a frente e voltou. Langdon aproveitou o balanço, inalando o que lhe pareceu uma ausência total de oxigênio e deu novo impulso. A estante oscilou mais um pouco.

Como um balanço, disse consigo. *Mantenha o ritmo. Um pouco mais.*

Langdon balançava a estante esticando mais as pernas a cada impulso. Seus quadríceps ardiam, mas ele procurava bloquear a dor. O pêndulo estava em movimento. *Três empurrões mais*, incentivou a si mesmo.

Só precisou de dois.

Houve um instante de incerteza, de ausência de peso. Depois, com uma trovoada de livros escorregando das prateleiras, Langdon e a estante caíram para a frente.

No meio do caminho, a estante bateu na estante seguinte. Langdon segurou-se, jogando seu peso para a frente, obrigando a segunda estante a tombar. Um segundo de pânico imóvel e, estalando com o peso, a segunda estante começou a inclinar-se. Langdon recomeçou a cair.

Tal e qual enormes peças de dominó, as estantes tombaram uma após a outra. Metal chocando-se com metal, livros vindo abaixo por todos os lados, Langdon segurou-se como pôde enquanto sua estante se inclinava como uma língüeta de catraca em um macaco de automóvel. Tentava calcular quantas estantes haveria no total. Quanto pesariam? O vidro na outra extremidade da câmara era grosso...

A estante de Langdon caíra em uma posição quase horizontal quando ele ouviu o que esperava – um tipo diferente de colisão. Longe. Do outro lado da câmara. O choque estridente do metal no vidro. A câmara à sua volta foi sacudida e ele teve certeza de que a última estante, derrubada pelo peso das outras, batera violentamente no vidro. O som que se seguiu foi o menos bem-vindo que ele ouvira até então.

Silêncio absoluto.

Não houve o ruído do vidro se despedaçando, só o baque surdo do peso das estantes todas juntas encostando-se na parede. Langdon ficou parado em cima da pilha dos livros, os olhos arregalados, à espera. Em algum ponto distante houve um estalo. Langdon teria de bom grado prendido a respiração para escutar melhor se ainda conseguisse respirar.

Um segundo. Dois...

Então, à beira da inconsciência, Langdon ouviu algo ceder, um murmúrio propagando-se pelo vidro afora. De repente, igual a um tiro de canhão, o vidro explodiu. A estante sobre a qual ele estava acabou de despencar.

Como uma deliciosa chuva no deserto, estilhaços de vidro caíram tilintando no escuro. Houve um grande silvo de sucção e o ar entrou jorrando.

◆◆◆

Trinta segundos depois, nas Grutas do Vaticano, Vittoria estava de pé diante de um cadáver quando o ruído eletrônico de um walkie-talkie rompeu o silêncio. A voz alta e aguda soou arquejante.

– Aqui é Robert Langdon! Alguém está me ouvindo?

Vittoria levantou depressa a cabeça. *Robert!* Mal acreditava o quanto desejava que ele estivesse ali naquela hora.

Os guardas trocaram olhares, confusos. Um deles tirou o aparelho do cinto.

– Senhor Langdon? O senhor está no canal três. O comandante está esperando para falar com o senhor no canal um.

– Sei que ele está no canal um, droga! Não quero falar com ele. Quero falar com o camerlengo. Agora! Alguém o encontre para mim!

◆◆◆

Na obscuridade dos Arquivos Secretos, Langdon encontrava-se no meio de pedaços espatifados de vidro e tentava recuperar o fôlego. Sentiu algo quente escorrendo em sua mão e notou que estava sangrando. A voz do camerlengo veio de imediato, fazendo-o assustar-se.

– Aqui é o camerlengo Ventresca. O que está havendo?

Langdon apertou o botão, o coração ainda batendo forte.

– Acho que alguém tentou me matar!

Fez-se silêncio do outro lado da linha.

Langdon procurou acalmar-se .

– Também sei onde vai ser o próximo assassinato.

A voz que ouviu de volta não foi a do camerlengo. Foi a do comandante Olivetti.

– Senhor Langdon. Não diga mais nenhuma palavra.

CAPÍTULO 87

O relógio de Langdon, todo lambuzado de sangue, marcava 9h41 quando ele atravessou correndo o Pátio do Belvedere e se aproximou da fonte diante do centro de segurança da Guarda Suíça. Sua mão parara de sangrar e agora doía mais do que sua aparência fazia supor. Quando ele chegou, foi como se todos tivessem chegado também ao mesmo tempo – Olivetti, Rocher, o camerlengo, Vittoria e uma porção de guardas.

Vittoria correu para ele.

– Robert, você está machucado.

Antes que Langdon pudesse responder, Olivetti postou-se diante dele.

– Senhor Langdon, é um alívio vê-lo bem. Sinto muito pelas falhas de comunicação nos Arquivos.

– Falhas de comunicação? – reclamou Langdon. – Você sabia muito bem...

– Foi minha culpa – adiantou-se Rocher, com ar contrito. – Não sabia que o senhor estava nos Arquivos. Parte de nossas zonas brancas tem ligação com aquele prédio. Estávamos ampliando nossa busca. Fui eu quem desligou a energia elétrica. Se tivesse sabido...

– Robert – disse Vittoria, segurando a mão ferida dele e examinando-a –, o Papa foi envenenado. Os Illuminati o mataram.

Langdon ouviu as palavras, mas não as registrou. Estava exausto. Só era capaz de sentir o calor das mãos de Vittoria.

O camerlengo tirou um lenço de seda de sua batina e o entregou a Langdon para que ele se limpasse. O homem não dizia nada. Seus olhos pareciam brilhar com um novo fogo.

– Robert – insistiu Vittoria –, você disse que descobriu onde o próximo cardeal vai ser morto?

Langdon sentia-se meio frívolo.

– Descobri, é na...

– Não – interrompeu Olivetti. – Senhor Langdon, quando lhe pedi para não dizer mais nada no walkie-talkie, havia um motivo. – Virou-se para os guardas suíços que os rodeavam. – Senhores, dêem-nos licença.

Os soldados desapareceram no centro de segurança. Sem qualquer indignidade. Só submissão.

Olivetti voltou-se para o grupo que restara.

– Por mais que seja doloroso para mim dizer isto, o assassinato do nosso Papa foi um ato perpetrado com a ajuda de alguém que vive dentro destes muros. Para o bem de todos, não podemos confiar em mais ninguém. Até mesmo em nossos guardas. – Ele parecia estar sofrendo ao falar aquilo.

Rocher, ansioso, disse:

– Conspiração interna, quer dizer que...

– Sim – disse Olivetti –, que a validade de sua busca está comprometida. No entanto, é um risco que temos de correr. Continue procurando.

Rocher ia dizer alguma coisa, mas pensou melhor e foi embora.

O camerlengo respirou fundo. Ainda não dissera uma palavra sequer e Langdon notou que havia uma nova austeridade no homem, como se tivesse chegado a um momento decisivo.

– Comandante? – a voz do camerlengo era impenetrável. – Vou interromper o conclave.

Olivetti apertou os lábios, obstinado.

– Não aconselho que faça isso. Ainda temos duas horas e vinte minutos.

– É quase nada.

O tom de Olivetti agora tinha um quê de desafio.

– O que pretende fazer? Tirar os cardeais do Vaticano sozinho?

– Pretendo salvar esta igreja com o poder que Deus me concedeu, seja qual for. Como vou agir não é mais da sua conta.

Olivetti aprumou o corpo.

– O que quer que vá fazer... – ele fez uma pausa – não tenho autoridade para impedi-lo. Principalmente depois do meu fracasso como chefe de segurança. Peço-lhe apenas que espere. Espere vinte minutos, até depois de dez horas. Se a informação do senhor Langdon estiver correta, ainda posso ter uma chance de apanhar esse assassino. Existe ainda uma chance de manter o protocolo e o decoro.

– Decoro? – o camerlengo deixou escapar uma risada abafada. – Já deixamos a compostura para trás há muito tempo, comandante. Caso não tenha percebido, isto é uma guerra.

Um guarda saiu do centro de segurança e falou com o camerlengo.

– *Signore*, acabei de receber a informação de que detivemos o repórter da BBC, o senhor Glick.

O camerlengo fez um sinal com a cabeça e disse:

– Faça com que ele e sua cinegrafista me encontrem do lado de fora da Capela Sistina.

Os olhos de Olivetti arregalaram-se.

– O que vai fazer?

– Vinte minutos, comandante. Só lhe dou mais vinte minutos.

E se foi.

◆ ◆ ◆

Quando o Alfa Romeo de Olivetti saiu correndo da Cidade do Vaticano, dessa vez não havia a fila de carros sem identificação vindo atrás dele. No banco traseiro, Vittoria fazia um curativo na mão de Langdon, usando o material de um estojo de primeiros-socorros que encontrara no porta-luvas.

Olivetti olhava para a frente.

– Então, senhor Langdon, para onde vamos?

CAPÍTULO **88**

Mesmo com a sirene agora instalada e ligada, o carro de Olivetti não parecia ser notado enquanto atravessava a ponte em louca disparada para o coração da cidade velha. Todo o tráfego estava indo na direção contrária, para o Vaticano, como se ir para a Santa Sé de uma hora para outra tivesse se tornado o programa mais divertido de Roma.

Langdon ia sentado no banco de trás, um torvelinho de perguntas agitando-se em sua cabeça. Pensava no assassino, se iriam pegá-lo desta vez, se ele lhes diria o que precisavam saber, se já não seria tarde demais. Quanto tempo teriam até que o camerlengo anunciasse ao povo na Praça de São Pedro que estavam em perigo? O incidente nos Arquivos ainda o intrigava. *Um engano.*

Olivetti nem uma única vez pisou no freio enquanto ziguezagueava com o barulhento Alfa Romeo rumo à igreja de Santa Maria della Vittoria. Langdon sabia que em qualquer outra ocasião os nós de seus dedos estariam brancos. No momento, porém, sentia-se anestesiado. Só a mão latejante lembrava-lhe onde estava.

E a sirene do carro uivava acima de suas cabeças. *Nada melhor para avisar a ele que estamos chegando*, pensou Langdon. Mas avançavam numa rapidez incrível. Olivetti provavelmente desligaria a sirene quando chegassem mais perto.

Com um pouco de tempo para refletir, ele se enchia de assombro com o assassinato do Papa, agora que afinal assimilava a notícia. A idéia era inconcebível e no entanto, ao mesmo tempo, parecia um acontecimento bastante lógico. A infiltração sempre havia sido a base do poder dos Illuminati – a redistribuição interna do poder. E não era a primeira vez que assassinavam um Papa. Existiam inúmeros boatos de traições passadas, mas, como não se fazia autópsia, nenhuma jamais fora confirmada. Até recentemente. Alguns acadêmicos haviam obtido permissão para radiografar a tumba do Papa Celestino V, que supostamente morrera nas mãos de seu muito apressado sucessor, Bonifácio VIII. Os pesquisadores esperavam que os raios X pudessem revelar algum pequeno indício de perfídia – um osso quebrado, no máximo. Mas o que se viu foi um prego de 25 centímetros enfiado no crânio do Papa.

Langdon também se lembrou de diversos recortes de jornal que outros estudiosos dos Illuminati lhe haviam enviado anos atrás. A princípio, achando que se tratasse de uma brincadeira, ele consultara os arquivos de microfichas de Harvard para confirmar se os artigos eram mesmo autênticos. E eram. Pregara-os no seu quadro de avisos como exemplos de como até respeitáveis órgãos de notícias podiam ser tomados pela paranóia dos Illuminati. Naquela hora, porém, as suspeitas da mídia pareciam-lhe bem menos paranóicas. Os textos dos artigos estavam bem claros em sua memória...

THE BRITISH BROADCASTING CORPORATION

14 de junho de 1998

O Papa João Paulo I, que morreu em 1978, foi vítima de uma trama arquitetada pela Loja Maçônica P2... A sociedade secreta P2 decidiu matar João Paulo I quando soube que ele iria demitir o arcebispo norte-americano Paul Marcinkus da presidência do Banco do Vaticano. O banco esteve implicado em nebulosos acordos financeiros com a Loja Maçônica...

THE NEW YORK TIMES

24 de agosto de 1998

Por que o falecido João Paulo I estava na cama vestido com a camisa que usava durante o dia? Por que a camisa estava rasgada? As perguntas não param aí. Nenhuma investigação médica foi realizada. O cardeal Villot proibiu a autópsia alegando que nenhum Papa fora submetido a um exame desses. E os remédios de João Paulo I desapareceram misteriosamente de sua mesa-de-cabeceira, assim como seus óculos, seus chinelos e seu testamento.

LONDON DAILY MAIL

27 de agosto de 1998

...uma conspiração envolvendo uma poderosa, implacável e ilegal loja maçônica com tentáculos que chegam até o Vaticano.

O celular no bolso de Vittoria tocou, felizmente apagando aqueles pensamentos da cabeça de Langdon.

Vittoria atendeu, sem imaginar quem poderia estar ligando para ela. Mesmo de longe, Langdon reconheceu a voz cortante como laser que falava do outro lado.

– Vittoria? Aqui é Maximilian Kohler. Já encontraram a antimatéria?

– Max? Você está bem?

– Vi as notícias. Não fizeram referência ao CERN nem à antimatéria. Isto é bom. O que está acontecendo?

– Ainda não localizamos o tubo. A situação aqui está bastante complicada. Robert Langdon tem sido de grande ajuda. Conseguimos uma vantagem sobre o homem que está assassinando os cardeais. Neste momento, estamos indo para...

– Senhorita Vetra – interrompeu Olivetti. – Já falou demais.

Ela cobriu o bocal do telefone, aborrecida.

– Comandante, ele é o presidente do CERN. Tem o direito de saber...

– Ele teria o direito – retrucou Olivetti – de estar aqui lidando com esta situação. A senhorita está falando em uma linha aberta de celular. E já falou demais.

Vittoria suspirou.

– Max?

– Tenho uma informação para você – disse Max –, sobre seu pai... Talvez eu saiba com quem ele falou a respeito da antimatéria.

O rosto de Vittoria anuviou-se.

– Max, meu pai disse que não contou nada a ninguém.

– Receio, Vittoria, que seu pai tenha contado *tudo* a alguém. Preciso verificar alguns registros confidenciais. Volto a entrar em contato com você em breve.

E desligou.

Vittoria estava pálida quando pôs de novo o telefone no bolso.

– Você está bem? – perguntou Langdon.

Ela sacudiu a cabeça, as mãos trêmulas denunciando a mentira.

◆◆◆

– A igreja fica na Piazza Barberini – disse Olivetti, desligando a sirene e verificando seu relógio. – Temos nove minutos.

Assim que Langdon descobriu qual era o terceiro marco, a localização da igreja soou-lhe conhecida, mas não conseguia associar com quê. *Piazza Barberini...*

Agora sabia o que era. A *piazza* tinha a ver com uma discutida estação de metrô. Vinte anos antes, a construção de um terminal de metrô criara grande alvoroço entre os historiadores de arte, que temiam que as escavações sob a Piazza Barberini fizessem tombar um obelisco de muitas toneladas que havia no centro da praça. Os urbanistas removeram o obelisco e o substituíram por uma pequena fonte chamada o *Tritão*.

No tempo de Bernini, concluiu Langdon, a *Piazza Barberini tinha um obelisco!* Qualquer dúvida que Langdon tivesse sobre a localização do terceiro marco teria se evaporado naquele instante.

A um quarteirão da *piazza*, Olivetti entrou em uma viela, acelerou até o meio do caminho e parou com uma derrapada. Tirou o paletó do uniforme, enrolou as mangas da camisa e carregou sua arma.

– Não podemos correr o risco de vocês serem reconhecidos – disse. – Os dois apareceram na televisão. Quero que vão para o lado oposto da *piazza*, fora da vista, e observem a entrada da frente. Vou entrar por trás. – Pegou o revólver e entregou-o a Langdon. – Só para garantir.

Langdon franziu a testa. Era a segunda vez naquele dia que lhe davam aquela arma. Guardou-a no bolso interno do paletó. Ao fazê-lo, reparou que ainda carregava o fólio do *Diagramma*. Esquecera de deixá-lo nos Arquivos! Imaginou o curador do Vaticano contorcendo-se em espasmos de raiva pela afronta de saber que seu documento de valor incalculável andara de um lado para outro em Roma como se fosse um mapa turístico. Depois, Langdon pensou na confusão de vidros quebrados e livros espalhados que deixara para trás. O curador teria outros problemas. *Caso os arquivos durassem até o dia seguinte...*

Olivetti saiu do carro e apontou para trás.

– A *piazza* fica para aquele lado. Fiquem de olhos bem abertos e não deixem que ninguém os veja. – Deu um tapinha no telefone em seu cinto. – Senhorita Vetra, vamos testar de novo nossa autodiscagem.

Vittoria tirou seu telefone do bolso e apertou o número que ela e Olivetti tinham programado no Panteão. O telefone de Olivetti vibrou, com a campainha desligada, no seu cinto.

O comandante disse :

– Muito bem, se virem alguma coisa, quero que me digam – e engatilhou a arma. – Vou estar lá dentro esperando. Esse herege é meu.

◆ ◆ ◆

Naquele mesmo momento, bem perto dali, outro telefone celular tocou.

O Hassassin atendeu.

– Fale.

– Sou eu, Janus.

O Hassassin sorriu.

– Olá, mestre.

– É possível que saibam onde você está. E saíram para tentar impedir que você aja.

– Vão chegar tarde. Já fiz os preparativos aqui.

– Ótimo. Procure escapar com vida. Ainda há trabalho para ser feito.

– Os que se atravessarem no meu caminho vão morrer.

– Eles são instruídos.

– Está falando do especialista americano?

– Sabe quem é?

O Hassassin deu uma risadinha.

– É calmo mas ingênuo. Falei com ele ao telefone algumas horas atrás. Está com uma mulher que parece ser o oposto.

O matador sentiu-se excitado ao lembrar o temperamento fogoso da filha de Leonardo Vetra.

Houve um silêncio momentâneo na linha, a primeira hesitação que o Hassassin percebia em seu mestre Illuminati. Finalmente, Janus falou.

– Elimine-os se for necessário.

O matador riu.

– Considere isso feito.

Uma cálida expectativa espalhou-se por seu corpo. *Embora talvez eu guarde a mulher como recompensa.*

CAPÍTULO **89**

Explodira uma guerra na Praça de São Pedro.

A praça irrompera em um frenesi agressivo. Os furgões da mídia tomavam posição cantando pneus, como se fossem veículos de assalto ocupando posições estratégicas. Repórteres desenrolavam fios de equipamentos de última geração com um nervosismo de soldados armando-se para uma batalha. Em toda a praça, as redes de emissoras disputavam uma posição e corriam para levantar a mais nova arma das guerras da mídia – os displays de tela plana.

Estes eram enormes telas de vídeo que podiam ser montadas no alto dos furgões ou em armações portáteis. Serviam como uma espécie de anúncio de outdoor para a rede, transmitindo a sua cobertura e ostentando o seu logotipo como um cinema ao ar livre. Se a tela ficasse bem situada – na frente do local da ação, por exemplo –, uma rede concorrente não poderia filmar a história sem fazer ao mesmo tempo a propaganda da adversária.

A praça rapidamente se transformava não só em um extravagante espetáculo multimídia, como em uma nervosa vigília pública. Chegavam pessoas de todas as direções. Espaço em um local que habitualmente não tinha limites começava a ser um artigo valioso. Os espectadores amontoavam-se em torno das imensas telas e assistiam, agitados, atordoados, às reportagens ao vivo.

◆◆◆

A apenas uns 100 metros de distância, dentro das grossas paredes da Basílica de São Pedro, o mundo estava sereno. O tenente Chartrand e três outros guardas andavam em meio à escuridão. Usando seus óculos infravermelhos, cruzavam a nave movendo seus detectores de um lado para outro à sua frente. A busca nas áreas do Vaticano abertas ao público até então não dera em nada.

– É melhor tirar os óculos aqui – disse o guarda mais velho.

Chartrand já estava fazendo isto. Aproximavam-se do Nicho dos Pálios – o local rebaixado no centro da basílica. A luz de 99 lamparinas de óleo através do infravermelho teria queimado os olhos deles.

Chartrand ficou satisfeito por tirar os pesados óculos e aproveitou para alongar o pescoço enquanto desciam ao nicho para fazer a varredura daquela área. O aposento era muito bonito, dourado e luminoso. Ele nunca estivera ali antes.

Parecia que, desde a sua chegada na Cidade do Vaticano, todos os dias Chartrand descobria um novo mistério daquele lugar. Aquelas lamparinas de óleo eram um deles. Exatamente 99, acesas permanentemente. Era a tradição. Os sacerdotes, vigilantes, enchiam as lamparinas com os óleos sagrados de modo que nenhuma se apagasse. Dizia-se que queimariam até o fim dos tempos.

Ou no mínimo até a meia-noite de hoje, pensou Chartrand, com a boca seca de novo.

Chartrand passou seu detector sobre as lamparinas de óleo. Nada escondido ali. Não se surpreendeu. O tubo, de acordo com a imagem do vídeo, estava escondido em uma área escura.

Andando pelo nicho, chegou a uma grade que cobria uma abertura no chão. A abertura levava a uma escada íngreme e estreita que descia em linha reta. Ouvira histórias sobre o que havia lá embaixo. Ainda bem que não teriam de descer. As ordens de Rocher tinham sido bem claras. *Procurem apenas nas áreas abertas ao acesso do público.*

– Que cheiro é esse? – perguntou, afastando-se da grade. Havia um perfume muito forte e doce no ar.

– Vem das lamparinas – um deles explicou.

Chartrand surpreendeu-se.

– Cheira mais a colônia do que a querosene.

– Não é querosene. Essas lamparinas estão próximas ao altar do Papa, de modo que se usa nelas uma mistura especial: etanol, açúcar, butano e perfume.

– *Butano?* – Chartrand olhou para as lamparinas, apreensivo.

O guarda confirmou.

– Cuidado para não entornar nenhuma delas. A mistura tem cheiro de água-de-colônia, mas queima como fogo.

◆◆◆

Os guardas haviam terminado a busca no Nicho dos Pálios e estavam andando pela basílica quando seus walkies-talkies começaram a funcionar juntos.

Era um alerta geral. Os guardas pararam para escutar, pasmos.

Pelo jeito, teriam surgido novos transtornos que não podiam ser transmitidos pelos aparelhos, mas o camerlengo resolvera quebrar a tradição e entrar no conclave para falar com os cardeais. Nunca antes na História isto havia acontecido. Mas também, concluiu Chartrand, nunca antes o Vaticano estivera sob a ameaça de algo parecido com uma ogiva nuclear neotérica.

O que tranqüilizava Chartrand era saber que o camerlengo estava assumindo o controle. Ele era a pessoa dentro do Vaticano a quem Chartrand mais respeitava. Alguns dos guardas consideravam-no um *beato* – um fanático religioso cujo amor a Deus beirava a obsessão –, mas até eles concordavam que, quando se tratava de combater os inimigos de Deus, o camerlengo era o homem certo para entrar na briga e jogar duro.

A Guarda Suíça tivera muito contato com o camerlengo naquela semana de preparação do conclave e todos tinham comentado que o homem parecia meio ríspido, os olhos verdes mais intensos do que de costume. Não era à toa, diziam. Ele era o responsável por todo o planejamento do conclave e ainda por cima tinha de providenciar tudo aquilo logo depois da perda de seu mentor, o Papa.

Havia poucos meses que Chartrand estava no Vaticano quando ouvira a história da bomba que matara a mãe do camerlengo na frente do menino. *Uma bomba na igreja e agora está acontecendo tudo de novo.* Infelizmente, as autoridades nunca prenderam os desgraçados que instalaram a tal bomba, provavelmente algum grupo extremista anticristão, disseram, e o caso caíra no esquecimento. Talvez fosse por isso que o camerlengo não gostava de apatia.

Uns dois meses antes, em uma tarde sossegada, Chartrand cruzara com o camerlengo vindo por um dos caminhos que cortavam a Cidade do Vaticano. O sacerdote reconhecera Chartrand como um dos novos guardas e convidara-o para acompanhá-lo em um passeio a pé. Não conversaram sobre nenhum assunto em especial, mas o camerlengo fez Chartrand sentir-se imediatamente à vontade.

– Padre – disse Chartrand –, posso lhe fazer uma pergunta esquisita?

O camerlengo sorriu.

– Só se eu puder lhe dar uma resposta esquisita.

Chartrand achou graça.

– Já perguntei isto a todos os padres que conheço e continuo não entendendo.

– O que é que você não entende?

O camerlengo ia na frente em passos rápidos, o pé levantando a ponta da batina quando ele andava. Os sapatos eram pretos, de sola crepe, e combinavam com ele, pensou Chartrand, como se refletissem a essência do homem: moderno mas modesto e mostrando sinais de desgaste.

Chartrand respirou fundo.

– Não entendo o que vem a ser uma *onipotência benevolente*.

O camerlengo sorriu.

– Você anda lendo a Sagrada Escritura.

– Eu tento.

– E está confuso porque a Bíblia define Deus como uma divindade onipotente e benevolente.

– Exato.

– Onipotente e benevolente significa apenas que Deus é todo-poderoso e bem-intencionado.

– Compreendo o conceito. É que parece haver uma contradição aí.

– Sim. A contradição é a dor. A fome, as guerras, as doenças.

– Exatamente! – Chartrand sabia que o camerlengo compreenderia. – Coisas terríveis acontecem neste mundo. A tragédia humana é como uma prova de que Deus não pode ser *simultaneamente* todo-poderoso e bem-intencionado. Se Ele nos *ama* e tem o *poder* de mudar nossa situação, Ele deveria também evitar nossas dores, não é?

– Deveria mesmo? – perguntou o camerlengo.

Chartrand ficou embaraçado. Teria passado dos limites? Será que se tratava de uma daquelas perguntas religiosas que não se devia fazer?

– Bem, se Deus nos ama, se é capaz de nos proteger, Ele deveria, sim. Parece que Ele é onipotente e indiferente ou, ao contrário, benevolente e incapaz de nos ajudar.

– Tem filhos, tenente?

Chartrand enrubesceu.

– Não, *signore*.

– Imagine se tivesse um filho de oito anos. Você o amaria?

– Claro.

– E faria tudo o que pudesse para evitar que ele sofresse na vida?

– Claro que sim.

– E deixaria que ele andasse de skate?

Chartrand estacou, admirado. O camerlengo parecia singularmente "por dentro" para um sacerdote.

– Sim, acho que sim – disse Chartrand. – Com certeza deixaria que andasse de skate, mas diria a ele para ter cuidado.

– Quer dizer que, como pai desse menino, você lhe daria uns bons conselhos básicos e deixaria que saísse e cometesse seus próprios erros?

– Eu não correria atrás dele para mimá-lo, se é o que o senhor quer dizer.

– E se ele caísse e ralasse o joelho?

– Ele aprenderia a ser mais cuidadoso.

O camerlengo sorriu de novo.

– Então, quer dizer que, mesmo tendo o *poder* de interferir e evitar que seu filho sentisse dor, você *optaria* por demonstrar seu amor deixando-o aprender suas próprias lições?

– Claro, a dor é parte do crescimento. É como aprendemos.

O camerlengo sacudiu a cabeça.

– Exatamente.

CAPÍTULO 90

Langdon e Vittoria observavam a Piazza Barberini das sombras de uma viela. A igreja ficava do lado oposto ao local onde se encontravam, a cúpula enevoada emergindo de um vago aglomerado de construções do outro lado da praça. A noite trouxera consigo um frescor agradável e Langdon não esperava encontrar a praça tão deserta. Acima deles, pelas janelas abertas, o som das televisões ligadas lembrou-lhe onde estavam as pessoas todas.

– ...o Vaticano ainda não se pronunciou ...assassinos Illuminati de dois cardeais ...presença satânica em Roma ...especulações sobre maior infiltração...

As notícias se espalhavam como o incêndio de Nero. Roma inteira estava siderada, assim como o resto do mundo. Langdon pensava se de fato eles seriam capazes de interromper o percurso daquele trem descontrolado.

Examinando a praça enquanto esperava, ele notou que, apesar da invasão de edifícios modernos, a *piazza* ainda era notavelmente elíptica. No alto, como uma espécie de moderno sacrário para um herói do passado, um enorme letreiro de néon piscava no teto de um hotel de luxo. Vittoria já o havia mostrado a Langdon. O letreiro parecia sinistramente adequado.

HOTEL BERNINI

– Cinco para as dez – disse Vittoria, seus olhos felinos percorrendo vivamente a praça.

Mal tinha acabado de falar, agarrou o braço de Langdon e puxou-o para trás, escondendo-os na escuridão. Fez um gesto em direção ao meio da praça.

Langdon acompanhou o gesto dela. Quando viu o que apontava, ele ficou tenso.

Atravessando a praça sob a luz de um poste, surgiram duas figuras sombrias. Ambas usavam capas e as cabeças vinham cobertas por xales negros, o acessório tradicional das viúvas católicas. Poderiam ser mulheres, mas à noite não dava para se ter certeza. Um dos vultos parecia mais velho e movia-se como se sentisse dor, curvado. O outro, mais alto e forte, ajudava-o.

– Passe o revólver – disse Vittoria.

– Você não pode ir...

Ágil como um gato, ela pôs a mão no bolso dele e pegou mais uma vez a arma. O metal do revólver cintilou. Então, em silêncio absoluto, como se seus pés nem tocassem as pedras do calçamento, ela rodeou a praça pela esquerda, sempre no escuro, para se aproximar da dupla pelas costas. Langdon ficou paralisado ao vê-la desaparecer. Depois, praguejando em voz baixa, saiu atrás dela.

A dupla avançava devagar e bastou meio minuto para Langdon e Vittoria postarem-se atrás deles e irem se aproximando aos poucos. Vittoria escondeu o revólver sob os braços cruzados displicentemente, fora da vista mas acessível em um instante. À medida que o espaço entre eles diminuía, ela dava a impressão de flutuar cada vez mais depressa, e Langdon se esforçava para acompanhá-la.

Quando o sapato dele esbarrou em uma pedra que saiu quicando, Vittoria fulminou-o com um olhar de soslaio. Os dois vultos não escutaram, porém. Estavam falando.

A uns dez metros de distância, Langdon começou a ouvir suas vozes. Mas não distinguiu nenhuma palavra. Só leves murmúrios. Ao lado dele, Vittoria andava mais rápido a cada passada, com os braços mais soltos e o revólver começando a aparecer. Seis metros. As vozes ficaram mais nítidas – uma delas muito mais alta do que a outra. Zangada. Reclamando. Parecia a voz de uma mulher idosa. Rouca. Andrógina. Tentou ouvir o que ela dizia quando uma outra voz cortou o silêncio da noite.

– *Mi scusi!* – o tom amistoso de Vittoria acendeu a praça como um holofote.

Langdon retesou-se ao ver o par embrulhado em suas capas parar de repente e começar a virar. Vittoria continuava a andar na direção das duas pessoas mais depressa ainda, em rota de colisão. De trás, Langdon viu os braços dela se soltarem, a mão surgir e o revólver balançar para a frente. Depois, por cima do ombro dela, enxergou um rosto iluminado pela luz do poste de rua. O pânico fez suas pernas agirem e ele se precipitou para diante.

– Vittoria, não!

Vittoria, contudo, parecia estar uma fração de segundo à frente dele. Em um movimento tão ligeiro quanto natural, ela levantou os braços de novo fazendo desaparecer o revólver enquanto cingia o próprio corpo, como fazem as mulheres em uma noite fria. Langdon chegou tropeçando ao lado dela, quase se chocando com a dupla encasacada.

– *Buona sera* – disse Vittoria, abruptamente, a voz meio alterada por causa do recuo.

Langdon suspirou aliviado. Duas senhoras idosas olhavam sérias para eles sob seus xales. Uma era tão velha que a muito custo se mantinha de pé. A outra amparava-a. Ambas seguravam rosários. Pareciam espantadas com a súbita abordagem.

Vittoria sorriu, embora com expressão abalada.

– *Dov'è la chiesa Santa Maria della Vittoria?* Onde é a igreja de...

As duas apontaram juntas a silhueta maciça de um prédio na rua inclinada de onde haviam saído.

– *È là.*

– *Grazie* – disse Langdon, pondo as mãos nos ombros de Vittoria e puxando-a de leve para trás. Era inacreditável, mas quase tinham atacado duas senhoras de idade.

– *Non si puó entrare* – preveniu uma das senhoras. – *È chiusa temprano.*

– Fechou mais cedo? – perguntou Vittoria, espantada. – *Perchè?*

Ambas explicaram ao mesmo tempo. Zangadíssimas. Langdon só entendeu parte das palavras resmungadas em italiano. Aparentemente, 15 minutos antes, as duas estavam na igreja rezando pelo Vaticano, que se encontrava naquela situação difícil, quando um homem aparecera e dissera que a igreja iria ser fechada mais cedo.

– *Hanno conosciuto l'uomo?* – indagou Vittoria, nervosa. – Conheciam o homem?

As mulheres sacudiram a cabeça. O homem era um *straniero crudo*, completaram, e tinha obrigado todos que se encontravam lá dentro a sair, até o jovem padre e o zelador, que disseram que iriam chamar a polícia. Mas o intruso limitara-se a rir e lhes dissera para recomendar à polícia que não se esquecesse de trazer câmeras.

Câmeras?, repetiu Langdon mentalmente.

Irritadas, as mulheres chamaram o homem de *bar-àrabo* e continuaram seu caminho.

– *Bar-àrabo?* – Langdon perguntou a Vittoria. – Um bárbaro?

Vittoria enrijeceu-se de repente.

– Não. *Bar-àrabo* é um trocadilho pejorativo. Significa *Àrabo*, árabe.

Langdon sentiu um arrepio e virou-se para a igreja. Ao fazê-lo, divisou algo através dos vitrais. A imagem encheu-o de pavor.

Sem reparar, Vittoria pegou seu celular e apertou o botão combinado para a autodiscagem.

– Vou avisar Olivetti.

Sem fala, Langdon tocou no braço dela. Com a mão trêmula, apontou para a igreja.

Vittoria prendeu a respiração.

Dentro da igreja, fulgurantes como pupilas diabólicas através do vidro colorido, reluziam os clarões das primeiras chamas de um incêndio.

CAPÍTULO **91**

Langdon e Vittoria correram para a entrada principal da igreja de Santa Maria della Vittoria e encontraram a porta de madeira trancada. Vittoria disparou três tiros na fechadura antiga e arrebentou-a.

A igreja não possuía átrio, de modo que o santuário inteiro se abriu à vista em toda a sua extensão quando os dois escancararam a porta. Deram com uma cena tão inesperada, tão bizarra, que Langdon teve de fechar e abrir os olhos para assimilá-la por inteiro.

A igreja era toda de um profuso estilo barroco, com paredes e altares dourados. Bem no meio do santuário, sob a cúpula principal, os bancos de madeira haviam sido empilhados e incendiados, formando uma espécie de pira funerária épica. Uma fogueira acesa lançando suas labaredas para o domo. Quando Langdon acompanhou com o olhar aquele inferno, o indizível horror do espetáculo completo desceu sobre ele como uma ave de rapina.

Do alto, dos lados direito e esquerdo do teto, pendiam dois cabos de incensórios – cordões usados para balançar recipientes com incenso acima da congregação. Nesses cordões, porém, não havia agora nenhum incensório pendurado. Nem os cordões estavam balançando. Haviam sido usados para outra finalidade...

Suspenso pelos cordões havia um ser humano. Um homem despido. Cada um de seus pulsos fora amarrado a um dos cordões e ele fora içado e esticado quase ao ponto de ser partido ao meio. Seus braços estavam abertos como se tivesse sido pregado em uma cruz invisível que pairasse no ar na casa de Deus.

Paralisado, Langdon olhava para cima. No momento seguinte, presenciou a crueldade final. O velho estava vivo e mexeu a cabeça. Um par de olhos aterrorizados voltou-se para baixo em uma súplica silenciosa por ajuda. No peito do homem, o desenho da queimadura. Ele fora marcado a fogo. Langdon não conseguia ver com nitidez, mas não tinha dúvidas sobre o que estava escrito. As labaredas cresceram e lamberam os pés da vítima, que gritou de dor, o corpo tremendo.

Movido por uma força inexplicável, Langdon sentiu seu corpo entrar em movimento e sair correndo pela nave central na direção do fogo. Seus pulmões encheram-se de fumaça ao chegar mais perto. A três metros da fogueira, a toda a velocidade, ele se chocou com uma parede de calor. A pele de seu rosto ficou chamuscada e ele caiu para trás, protegendo os olhos com os braços, o corpo batendo com força no chão de mármore. Levantou-se cambaleando e tentou avançar outra vez, as mãos erguidas na frente do rosto.

Mas o calor era intenso demais.

Retrocedeu e esquadrinhou as paredes da igreja. *Uma tapeçaria pesada*, pensou. *Se de algum modo eu conseguir abafar o fogo...* Mas sabia que seria impossível encontrar uma tapeçaria ali. *Isto é uma igreja barroca, Robert, não é um castelo alemão! Pense!* Obrigou-se a olhar de novo para o homem pendurado.

No alto, um torvelinho de fumaça e chamas agitava-se na cúpula. Os cordões de incensórios que prendiam os punhos do homem subiam para o teto, passavam por roldanas e desciam novamente até duas braçadeiras de metal colocadas em cada uma das paredes laterais da igreja. Langdon examinou uma das braçadeiras. Ficava no alto da parede, mas se ele a alcançasse e afrouxasse um dos cordões, a tensão diminuiria e o corpo do homem balançaria, afastando-se bastante do fogo.

As chamas aumentaram repentinamente e Langdon ouviu um grito lancinante vindo de cima. A pele do pés do cardeal cobrira-se de bolhas. Ele estava sendo assado vivo. Langdon concentrou-se na braçadeira e precipitou-se para ela.

◆◆◆

No fundo da igreja, Vittoria segurou-se com força no encosto de um dos bancos tentando recuperar-se. A imagem no alto era medonha. Virou o rosto. *Faça alguma coisa!* Queria saber onde estava Olivetti. Teria encontrado o Hassassin? Será que o pegara? Onde estariam eles agora? Andou na direção de Langdon para ajudá-lo, mas um som a fez parar.

O estalar das labaredas fazia cada vez mais barulho, mas havia também um segundo som cortando o ar. Uma vibração metálica. Perto. A pulsação repetitiva parecia vir da extremidade do banco à sua esquerda. Era uma trepidação seca, como o toque de um telefone, mas dura, pétrea. Ela segurou o revólver com firmeza e caminhou ao longo da fileira de bancos. O som ficou mais alto. Soava e parava. Uma vibração recorrente.

Ao chegar no fim da passagem, percebeu que o som vinha do chão, atrás do último banco. Quando avançou com o revólver na mão direita levantada, notou que também segurava algo na mão esquerda – seu telefone celular. Com toda aquela tensão, esquecera que o usara lá fora para discar para o comandante, acionando a vibração silenciosa do telefone dele, o aviso combinado. Vittoria colocou seu telefone no ouvido. Ainda estava tocando. O comandante não chegara a atender. Súbito, com um medo crescente, achou que sabia o que estava produzindo aquele ruído. Deu mais um passo, trêmula.

A igreja pareceu afundar sob seus pés quando se deparou com a forma sem vida no chão. Nenhum líquido fluía do corpo. Nenhum sinal de violência marcava a carne. Havia somente a terrível geometria da cabeça do comandante virada para trás, torcida 180 graus na direção errada. Vittoria lutou contra a lembrança do corpo mutilado de seu próprio pai.

O telefone no cinto do comandante estava encostado no chão, vibrando sem parar de encontro ao mármore frio. Vittoria desligou o seu e o ruído cessou.

No silêncio, ela escutou um outro som. A respiração de alguém nas sombras atrás dela.

Começou a girar o corpo apontando a arma, mas já sabia que seria tarde demais. Foi como se um raio atingisse seu corpo do alto do seu crânio às solas dos pés quando o cotovelo do assassino encostou na sua nuca.

– Agora você é minha – disse uma voz.

Então, tudo ficou negro.

◆◆◆

Do outro lado da igreja, na parede lateral esquerda, Langdon equilibrava-se em um banco, estendendo o braço em impulsos, tentando alcançar a braçadeira. O cordão estava a mais de três metros acima de sua cabeça. Braçadeiras como aquela eram comuns nas igrejas, sempre colocadas no alto para evitar que fossem tocadas. Langdon sabia que os padres usavam escadas de madeira chamadas *piuòli* para alcançar as braçadeiras. O matador obviamente usara a escada da igreja para içar sua vítima. *Onde está o raio da escada?* Langdon olhou para baixo, procurando-a pelo chão. Tinha uma vaga lembrança de ter visto uma escada por ali em algum lugar. *Mas onde?* Um segundo mais tarde, lembrou-se, desalentado, onde a vira. Voltou-se para a fogueira. Lá estava a escada, sobre a pilha de bancos, envolta em chamas.

Desesperado, olhando do alto, procurou por toda a igreja algo que o pudesse ajudar a alcançar a braçadeira. E, de repente, ocorreu-lhe: *onde estará Vittoria?* Ela desaparecera. *Será que foi buscar ajuda?* Gritou o nome dela, mas não obteve resposta. *E onde foi parar Olivetti?*

Ao ouvir um urro de dor vindo de cima, Langdon achou que já era tarde demais. Levantando os olhos de novo para a vítima que queimava lentamente, ele só pensou em uma coisa. *Água. Muita água. Para apagar o fogo. Pelo menos para diminuir a altura das chamas.*

– Preciso de água, de água! – berrou ele.

– Mais tarde – rosnou uma voz vinda do fundo da igreja.

Langdon girou, quase caindo do banco.

Em largas passadas pela nave lateral, vinha em sua direção um monstro sombrio em forma de homem. Mesmo à luz da fogueira, seus olhos negros tinham um brilho escuro. Langdon reconheceu na mão dele o revólver que saíra do bolso de seu próprio casaco, o que Vittoria estivera segurando ao entrarem na igreja.

A repentina onda de pânico que o acometeu era uma mistura desconexa de muitos medos. Seu primeiro instinto foi pensar em Vittoria. O que aquele ani-mal teria feito com ela? Estaria machucada? Ou algo *pior*? Naquele instante, o homem que estava suspenso lá em cima começou a gritar mais alto. O cardeal ia morrer. Era impossível ajudá-lo agora. Quando o Hassassin mirou o revólver no peito de Langdon, o pânico novamente se apoderou dele, seus sentidos ficaram sobrecarregados. E, quando o tiro partiu, seu reflexo foi pular de cabeça, os braços estendidos para a frente, no mar de bancos da igreja.

Chocou-se com os bancos com mais força do que imaginara, rolando ime-diatamente para o chão. O mármore recebeu o impacto do seu corpo com a mesma gentileza do aço frio. Passos aproximaram-se pela direita. Langdon virou o corpo para a frente da igreja e saiu agachado, oculto pelos bancos, ten-tando salvar a própria vida.

◆◆◆

Muito acima do chão da igreja, o cardeal Guidera vivia seus últimos tortu-rantes minutos de consciência. Ao baixar os olhos para seu corpo nu, viu a pele dos seus pés formando bolhas e soltando-se. *Estou no inferno*, concluiu. *Deus, por que me abandonastes?* Sabia que devia ser o inferno porque estava olhando para as letras em seu peito de cabeça para baixo e, no entanto, como se por um sortilégio do demônio, a palavra era perfeitamente legível.

C A P Í T U L O **92**

Três votações. E nada de Papa.

Dentro da Capela Sistina o cardeal Mortati começou a rezar por um mila-gre. *Mande-nos os candidatos!* O atraso já se prolongara demais. Um *único* can-didato faltando, dava para entender. Mas os quatro? Não deixava nenhuma opção. Naquelas condições, só por um ato de Deus em pessoa obteriam a maioria de dois terços.

Quando as dobradiças da porta externa começaram a ranger e a porta se abriu, Mortati e todo o Colégio dos Cardeais voltaram-se juntos para a entrada. Mortati sabia que aquilo só poderia significar uma coisa. Pela lei, as portas da capela somente podiam ser abertas por duas razões – para retirar do recinto os que se encontrassem muito doentes ou para admitir os cardeais atrasados.

Os preferiti *estão chegando!*

O coração de Mortati alçou vôo. O conclave estava salvo.

Todavia, quando a porta se abriu, o murmúrio de espanto que ecoou pela capela não foi de alegria. Mortati viu, incrédulo, o homem entrar na capela. Pela primeira vez na história do Vaticano, um *camerlengo* atravessava o sagrado limiar do conclave depois de selar as portas.

O que ele pensa que está fazendo?

O camerlengo encaminhou-se para o altar e posicionou-se para falar à platéia estupefata.

– *Signori* – disse –, esperei o mais que pude. Existe algo que todos aqui têm o direito de saber.

CAPÍTULO **93**

Langdon avançava sem saber para onde ia. Sua única bússola eram seus reflexos, afastando-o do perigo. Seus cotovelos e joelhos ardiam enquanto se esgueirava entre os bancos, mas não parava. Algo lhe dizia para ir para a esquerda. *Se conseguir chegar à nave principal, posso correr para a saída.* Mas isto seria impossível. *Há uma parede de fogo no meio da nave principal!* Com a cabeça à cata de opções, ele prosseguia cegamente. Os passos aproximavam-se mais depressa, agora pela direita.

Quando aconteceu, Langdon não estava preparado. Calculara que houvesse mais uns três metros de fileiras de bancos até a parte da frente da igreja. Calculara mal. Inesperadamente, seu esconderijo terminou. Imobilizou-se um instante, meio exposto na frente da igreja. Erguendo-se no nicho à sua esquerda, estava a escultura que o levara ali. Esquecera-se completamente dela. *O Êxtase de Santa Teresa* de Bernini surgia como uma espécie de natureza-morta pornográfica: a santa deitada de costas, o tronco arqueado de prazer, a boca entreaberta em um gemido e, acima dela, o anjo apontando sua lança de fogo.

Uma bala explodiu no banco por cima da cabeça de Langdon. Seu corpo precipitou-se como o de um atleta quando é dada a largada. Impelido somente pela adrenalina e sem ter muita consciência de seus atos, ele subitamente estava correndo, curvado, a cabeça abaixada, atravessando a frente da igreja para a direita. Com as balas pipocando às suas costas, mergulhou de novo e deslizou sem controle pelo piso de mármore até ir de encontro à grade de um nicho na parede do lado direito.

Foi então que a viu. Caída no chão junto ao fundo da igreja. *Vittoria!* As pernas nuas estavam torcidas sob o corpo, mas Langdon de alguma forma pressentiu que ela estava respirando. E não tinha tempo para ajudá-la.

Imediatamente, o matador contornou as fileiras de bancos na extremidade esquerda da igreja e avançou para ele, implacável. Em uma fração de segundo Langdon percebeu que não tinha mais saída. O matador levantou a arma e Langdon fez a única coisa que podia. Rolou o corpo por cima da grade para dentro do nicho. Ao bater no chão do outro lado, as colunas de mármore da balaustrada foram atingidas por uma saraivada de balas.

Langdon sentiu-se como um animal encurralado ao recuar para o fundo do recinto semicircular. Diante dele, a única peça que ocupava aquele espaço parecia ironicamente oportuna – um sarcófago isolado. *Talvez o meu*, pensou. Até a tumba em si era apropriada: uma *scàtola* – um pequeno e despojado ataúde de mármore. Um enterro de acordo com o orçamento. O ataúde estava apoiado em dois blocos de mármore e Langdon examinou a abertura entre eles tentando calcular se daria para passar por ali.

Passos ecoaram atrás dele.

Sem outra opção em vista, ele se comprimiu contra o chão e rastejou na direção da tumba. Agarrando os dois suportes de mármore, um em cada mão, deu impulso como se estivesse nadando de peito e puxou o tronco para dentro da abertura sob o ataúde. O revólver do homem disparou.

Junto com o estrondo do tiro, Langdon experimentou uma sensação que nunca tivera em sua vida, a de uma bala passando rente à sua carne. Ouviu o silvo do ar, igual ao que se escuta depois de uma chicotada, quando a bala raspou sua pele e depois penetrou no mármore levantando uma nuvem de pó. Com o sangue brotando, arrastou-se pelo resto do espaço embaixo do ataúde. No final, levantou-se e correu para o outro lado.

Para um beco sem saída.

Langdon estava agora cara a cara com a parede do fundo do nicho, já convencido de que o espaço exíguo atrás da tumba seria o lugar onde iria cair morto. *E vai ser logo*, disse para si ao ver o cano da arma surgir na abertura sob o sarcófago. O Hassassin segurava o revólver quase encostado no chão, mirando direto no meio do tronco de Langdon.

Impossível errar.

Um resto de autopreservação apoderou-se do inconsciente de Langdon. Torceu o corpo e virou-se de barriga, paralelamente ao ataúde. Com o rosto para baixo, fincou as mãos no chão, o corte do vidro dos arquivos abrindo-se com uma ferroada. Sem fazer caso da dor, empurrou o corpo para cima de modo desajeitado, arqueando o estômago e afastando-o do chão no mesmo instante em que o outro atirou. Dava para sentir a onda de choque das balas passando por baixo dele e pulverizando o poroso mármore travertino atrás. Fechou os olhos. Lutando contra a exaustão, Langdon rezou para que o tiroteio parasse.

E parou.

À trovoada de tiros seguiu-se o estalido seco de um tambor vazio.

Langdon abriu os olhos devagar, quase temendo que suas pálpebras fizessem algum ruído. Com um enorme esforço, apesar da dor que o fazia tremer, ele manteve a posição, arqueado como um gato. Não se atrevia nem a respirar. Os tímpanos entorpecidos pelo barulho dos tiros, tentava escutar qualquer sinal que lhe indicasse que o assassino se fora. Silêncio. Pensou em Vittoria, ansioso para ir ajudá-la.

O som que se seguiu foi ensurdecedor. Animalesco. Um grito gutural de esforço.

O sarcófago acima da cabeça de Langdon inclinou-se apoiado em um dos lados. O corpo de Langdon tombou e a peça de mármore pesando centenas de quilos oscilou em sua direção. A gravidade superou o atrito e a tampa foi a primeira a cair, escorregando de cima da tumba e despencando com grande estrépito ao lado dele. O ataúde veio atrás, soltando-se de seus apoios e caindo emborcado em cima de Langdon.

Quando o ataúde desceu, Langdon achou que ficaria sepultado no oco embaixo dele ou seria esmagado por um dos seus lados. Encolhendo as pernas e a cabeça, ele compactou o próprio corpo e ainda puxou os braços para junto do tronco. Fechou os olhos na expectativa angustiante.

O ataúde de mármore bateu com força no chão, que sacudiu inteiro. A borda superior assentara-se a milímetros do alto de sua cabeça, fazendo seus dentes chacoalharem. Seu braço direito, que Langdon tivera a certeza de que seria esmigalhado, estava miraculosamente intacto. Abriu os olhos e viu uma faixa de luz. A borda direita do ataúde não chegara a encostar no chão e ainda estava em parte apoiada sobre seus suportes. Olhando para cima, contudo, Langdon viu-se literalmente encarando a morte.

O ocupante original da tumba estava pendurado acima dele, tendo aderido ao fundo do sarcófago, como costuma acontecer com os corpos em decomposição. O esqueleto esperou um instante, como um amante cauteloso, e então, crepitante, pegajoso, sucumbiu à gravidade e despregou-se. O esqueleto precipitou-se para abraçá-lo, em meio a uma chuva de pó e ossos pútridos que lhe cobriram os olhos e a boca.

Antes que Langdon pudesse reagir, um braço penetrou na abertura debaixo do ataúde, coleando por entre a ossada como uma serpente faminta. Tateou até encontrar o pescoço de Langdon e comprimiu-o. Langdon tentou lutar contra o punho de ferro que apertava sua garganta, mas descobriu que a manga esquerda de seu paletó ficara presa sob a borda do ataúde. Tinha somente um braço livre e o resultado da luta seria uma batalha perdida.

As pernas de Langdon dobraram-se no único espaço que havia, os pés procurando apoiar-se no fundo do ataúde acima. Encontrando o apoio, encolheu-se e firmou os pés. A mão em seu pescoço apertou mais forte; ele fechou os olhos e estendeu as pernas como um aríete. O ataúde moveu-se ligeiramente para o lado, mas já foi o suficiente.

Com um rangido áspero, o sarcófago deslizou de cima dos suportes e bateu no chão. A borda de mármore caiu sobre o braço do homem, que soltou uma exclamação abafada de dor. A mão largou o pescoço de Langdon, contorcendo-se e sacudindo no escuro. Quando o homem finalmente conseguiu puxar o braço para fora, o ataúde caiu com um baque definitivo de encontro ao chão liso de mármore.

Escuridão completa. De novo. E silêncio.

Não houve batidas frustradas do lado de fora do sarcófago virado. Nenhuma tentativa para levantá-lo. Nada. Deitado no escuro no meio de uma pilha de ossos, Langdon procurou desviar o rumo de seus pensamentos.

Vittoria. Será que você está viva?

Se ele soubesse a verdade, a terrível situação em que Vittoria se encontraria ao acordar, teria desejado, para o próprio bem dela, que estivesse morta.

CAPÍTULO **94**

Sentado na Capela Sistina junto com seus companheiros estarrecidos, o cardeal Mortati tentava assimilar as palavras que escutava. Diante deles, iluminado apenas pela luz das velas, o camerlengo acabara de contar uma história de tamanho ódio e perfídia que Mortati, quando deu por si, estava tremendo. O camerlengo falou de cardeais seqüestrados, cardeais marcados a fogo, cardeais *assassinados*. Falou dos antigos Illuminati, um nome que trazia à memória medos esquecidos, do ressurgimento deles e de seu juramento de vingança contra a Igreja. Com a voz cheia de pesar, o camerlengo falou de seu último Papa, vítima de envenenamento pelos Illuminati. E por fim, num sussurro, falou de uma nova tecnologia mortal, a antimatéria, que ameaçava destruir toda a Cidade do Vaticano em menos de duas horas.

Quando terminou, foi como se o próprio satã tivesse sugado todo o ar do ambiente. Ninguém se mexia. As palavras do camerlengo pairavam na penumbra.

O único som que Mortati ouvia agora era o zumbido inusitado de uma câmera de TV ao fundo, uma presença eletrônica que nenhum conclave na história jamais tolerara, mas uma presença exigida pelo camerlengo. Para espanto completo dos cardeais, o camerlengo entrara na Capela Sistina com dois repórteres da BBC – um homem e uma mulher – e anunciara que eles transmitiriam seu pronunciamento solene *ao vivo* para o mundo.

Agora, falando diretamente para a câmera, o camerlengo deu um passo à frente.

– Aos Illuminati – disse ele, a voz mais grave – e aos homens de ciência, deixem que lhes diga uma coisa – e fez uma pausa. – Vocês ganharam a guerra.

O silêncio espalhara-se agora pelos recônditos mais profundos da capela. Mortati ouvia a batida desesperada de seu próprio coração.

– As engrenagens estão em movimento há muito tempo – disse o camerlengo. – Sua vitória foi inevitável. Nunca antes isto ficou tão evidente quanto neste momento. A ciência é o novo Deus.

O que ele está dizendo!, pensou Mortati. *Será que enlouqueceu? O mundo inteiro está escutando isso!*

– Medicina, comunicações eletrônicas, viagens espaciais, manipulação genética, estes são os milagres sobre os quais agora falamos às nossas crianças. Estes são os milagres que alardeamos como prova de que a ciência nos trará as respostas. As histórias antigas de concepções imaculadas e mares que se abrem não são mais relevantes. Deus ficou obsoleto. A ciência venceu a batalha. Nós nos rendemos.

Um rumor de confusão e perplexidade agitou a capela.

– Mas a vitória da ciência – o camerlengo acrescentou, a voz se intensificando – nos custou caro. Custou muito caro para cada um de nós.

Silêncio.

– A ciência pode ter aliviado os sofrimentos das doenças e dos trabalhos enfadonhos e fatigantes, pode ter proporcionado uma série de aparelhos engenhosos para nossa conveniência e distração, mas deixou-nos em um mundo sem deslumbramento. Nossos crepúsculos foram reduzidos a comprimentos de ondas e freqüências. As complexidades do universo foram desmembradas em equações matemáticas. Até o nosso amor-próprio de seres humanos foi destruído. A ciência proclama que o planeta Terra e seus habitantes são um cisco insignificante no grande plano. Um acidente cósmico – e aqui o camerlengo fez uma pausa. – Até a tecnologia que promete nos unir, ao contrário, só nos divide. Cada um de nós está hoje eletronicamente conectado ao globo inteiro e, entretanto, todos nos sentimos sós. Somos bombardeados pela violência, pela divisão, pela desintegração e pela traição. O ceticismo passou a ser uma virtude. O cinismo e a exigência de provas para tudo converteram-se em pensamento esclarecido. Alguém ainda se admira que as pessoas hoje se sintam mais deprimidas e derrotadas do que em qualquer outra ocasião da história do homem? Será que existe *alguma coisa* que a ciência considere sagrada? A ciência procura respostas usando fetos não-nascidos como material de pesquisa. A ciência até se atreve a reorganizar nosso DNA. Despedaça o mundo de Deus em parcelas cada vez menores em busca de significados e só encontra mais perguntas.

Mortati assistia a tudo cheio de assombro. O camerlengo falava de modo quase hipnótico agora. Possuía um vigor físico nos movimentos e na voz que Mortati jamais presenciara em um altar do Vaticano. Suas palavras vinham impregnadas de convicção e de tristeza.

– A velha guerra entre a ciência e a religião está encerrada – disse o camerlengo. – Vocês venceram. Mas não venceram honestamente. Não venceram fornecendo respostas. Venceram redirecionando nossa sociedade de modo tão radical que as verdades que outrora víamos como diretrizes agora parecem inaplicáveis. A religião não tem capacidade para acompanhar isto. O crescimento científico é exponencial. Alimenta-se de si mesmo como um vírus. Cada novo avanço abre caminho para outros novos avanços. A humanidade levou milhares de anos para evoluir da roda para o carro. E apenas décadas do carro para o espaço. Atualmente, calculamos por semana o progresso científico. Estamos girando fora de controle. O abismo entre nós se aprofunda sem parar e, à medida que a religião vai ficando para trás, as pessoas se vêem em um vazio espiritual. Imploramos pelo sentido das coisas. E, acreditem, imploramos *de fato*. Vemos OVNIs, freqüentamos médiuns, buscamos contato com os espíritos, experiências extracorpóreas, uso do poder mental – todas essas idéias excêntricas têm um verniz científico, mas são descaradamente irracionais. São o grito desesperado da alma moderna, solitária e atormentada, deformada por seu próprio esclarecimento e por sua incapacidade de aceitar que haja sentido em qualquer coisa que seja estranha à tecnologia.

Mortati reparou que, involuntariamente, se inclinara para a frente em seu assento. Ele, os outros cardeais e gente do mundo inteiro estavam presos a cada palavra daquele padre. O camerlengo falava sem empregar qualquer retórica ou virulência. Não fazia referências à Bíblia ou a Jesus Cristo. Usava termos modernos, sem enfeites, despojados. De certa forma, como se as palavras fluíssem do próprio Deus, ele utilizava uma linguagem moderna para transmitir a mensagem antiga. Naquela hora, Mortati entendeu uma das razões por que o falecido Papa apreciava tanto aquele moço. Em um mundo de apatia, cinismo e deificação tecnológica, homens como o camerlengo, realistas que sabiam falar às nossas almas como ele acabara de fazer, eram a única esperança da Igreja.

O tom do camerlengo ficou mais veemente.

– A ciência, dizem vocês, vai nos salvar. A ciência, digo eu, nos destruiu. Desde o tempo de Galileu, a Igreja vem tentando diminuir o ritmo da marcha implacável da ciência, às vezes por meios equivocados, mas sempre com intenções benéficas. Ainda assim, as tentações são grandes demais para o homem resistir. Previno-os, olhem em torno de si. As promessas da ciência não foram mantidas. As promessas de eficiência e simplicidade resultaram somente em poluição e caos. Somos uma espécie despedaçada e frenética, seguindo um caminho que leva à destruição.

O camerlengo fez uma pausa prolongada e então olhou para a câmera com uma expressão penetrante.

– Quem é esse deus-ciência? Quem é esse deus que oferece poder a seu povo, mas nenhuma estrutura moral para lhe dizer como usar este poder? Que tipo de deus dá *fogo* a uma criança, mas não a avisa sobre seus perigos? A linguagem da ciência não vem com diretrizes sobre o bem e o mal. Os livros científicos explicam-nos como criar uma reação nuclear, mas não têm nenhum capítulo discutindo se é uma boa ou má idéia.

– À ciência, quero dizer o seguinte: a Igreja está cansada. Estamos exaustos de tanto tentar ser uma diretriz para o mundo. Nossos recursos estão esgotados por sermos a voz do equilíbrio enquanto vocês se atiram de cabeça em sua busca por chips menores e lucros maiores. Nem perguntamos por que vocês não se controlam, pois como poderiam? Seu mundo anda tão depressa que, se pararem por um instante que seja para refletir sobre as implicações de seus atos, alguém mais eficiente pode ultrapassá-los em um piscar de olhos. Por isso, vocês vão em frente. Promovem o aumento das armas de destruição em massa, mas é o Papa quem tem de viajar pelo mundo suplicando aos líderes que tenham prudência. Clonam criaturas vivas, mas é a Igreja que tem de lembrar a necessidade de considerarmos as implicações morais de nossos atos. Incentivam as pessoas a interagir através de telefones, telas de vídeo e computadores, mas é a Igreja que abre suas portas e nos lembra de comungar aqui, no mundo real, que é como se deve fazer. Vocês até matam bebês que ainda não nasceram em nome de pesquisas que salvarão vidas. Mais uma vez, cabe à Igreja comprovar a falácia de tal raciocínio.

– E, o tempo todo, vocês proclamam que a Igreja é ignorante. Quem é mais ignorante, porém? O homem que não sabe definir o raio que cai durante um temporal ou o que não respeita seu poder admirável? Esta igreja está tentando chegar a vocês. Está tentando chegar a todas as pessoas. E, todavia, quanto mais tentamos, mais vocês nos repelem. Mostrem-nos uma *prova* da existência de Deus, dizem vocês. E eu respondo, usem seus telescópios para olhar o céu e me digam como é possível *não* haver um Deus! – O camerlengo tinha lágrimas nos olhos. – Vocês perguntam com que Deus se parece, e eu, por minha vez, pergunto também: de onde vem essa pergunta? A resposta é uma só, a resposta é a mesma. Não vêem Deus em sua ciência? Como podem deixar de vê-Lo! Vocês proclamam que a menor alteração na força da gravidade ou no peso de um átomo teria convertido nosso universo em uma névoa sem vida em vez do magnífico mar de corpos celestes que contemplamos, e ainda assim deixam de ver a mão de Deus *nisso*? Será que é mesmo tão mais fácil acreditar que escolhemos a carta certa em um baralho em que há bilhões delas? Será que estamos tão falidos espiritualmente que preferimos acreditar numa impossibilidade matemática e não em um poder maior do que nós?

– Se vocês acreditam em Deus ou não – disse o camerlengo, a voz mais grave e carregada de deliberação –, têm de acreditar nisto: quando nós, como espécie, abandonamos a confiança em um poder maior do que nós, abandonamos também nossa noção da obrigatoriedade de prestar contas. A fé, todas as formas de fé, são advertências de que existe algo que não podemos compreender, algo a que temos de responder. Com fé, prestamos contas uns aos outros, a nós mesmos e a uma verdade maior. A religião é falha, mas só porque o *homem* é falho. Se o mundo exterior pudesse ver esta igreja como eu vejo, além do ritual de dentro dessas paredes, veria um milagre moderno, uma fraternidade de almas imperfeitas e simples, querendo apenas ser uma voz de compaixão em um mundo do qual se está perdendo o controle.

O camerlengo fez um gesto para o Colégio dos Cardeais e a cinegrafista da BBC instintivamente o acompanhou, focalizando a multidão de cardeais.

– Somos mesmo obsoletos? – perguntou o camerlengo? – Será que esses homens são mesmo dinossauros? Será que eu também sou? Será que o mundo realmente precisa de uma voz para os pobres, os fracos, os oprimidos, para as crianças que ainda não nasceram? Será que realmente precisamos de almas como essas que, apesar de imperfeitas, passam a vida nos implorando para seguirmos as diretrizes da moralidade e não nos extraviarmos de nosso caminho?

Mortati percebeu que o camerlengo, conscientemente ou não, estava realizando uma brilhante manobra. Ao mostrar os cardeais, estava personalizando a Igreja. A Cidade do Vaticano não era mais uma construção, era feita de *gente* – gente como o camerlengo, que passara a vida a serviço do bem.

– Esta noite, estamos à beira de um precipício – disse o camerlengo. – Nenhum de nós pode se dar ao luxo da indiferença. Quer encarem toda essa maldade como Satã, corrupção ou imoralidade, o fato é que as forças do mal estão vivas e crescendo a cada dia. Não as ignorem. – O camerlengo baixou a voz a um sussurro e a câmera se aproximou. – As forças são poderosas, mas não são invencíveis. O bem pode prevalecer. Ouçam a voz de seus corações. Ouçam a voz de Deus. Juntos, podemos recuar deste abismo.

E Mortati enfim compreendeu. Aquela era a razão. O conclave fora violado, mas era o único jeito. O camerlengo fizera um dramático e desesperado pedido de ajuda. Dirigira-se não só a seu inimigo como também a seus amigos. Estava rogando a todos, amigos ou inimigos, que compreendessem e parassem com aquela loucura. Com certeza, alguém que estivesse escutando perceberia a insanidade daquela trama e tomaria uma atitude.

O camerlengo ajoelhou-se no altar.

– Rezem comigo.

O Colégio dos Cardeais caiu de joelhos para unir-se ao camerlengo em uma prece. Lá fora, na Praça de São Pedro e em todos os países, o mundo aturdido ajoelhou-se junto com eles.

CAPÍTULO **95**

O Hassassin deitou seu troféu inconsciente na traseira do furgão e levou uns instantes examinando o corpo estendido. Não era tão bonita quanto as mulheres que comprava, mas tinha um vigor animal que o excitava. O corpo era radioso, orvalhado de transpiração. E cheirava a almíscar.

Parado ali saboreando sua recompensa, ele ignorava o braço que latejava. O ferimento causado pela queda do sarcófago, embora doloroso, era insignificante. Valia bem a compensação que se encontrava diante dele. Consolava-o pensar que o americano que lhe fizera aquilo provavelmente estaria morto àquela altura.

Contemplando sua prisioneira inerte, o Hassassin visualizava o que o esperava. Correu a palma da mão sob a blusa dela. Os seios pareciam perfeitos sob o sutiã. *Sim*, sorriu. *Você valeu muito a pena.* Lutando contra a vontade de possuí-la de imediato, ele fechou a porta, sentou-se ao volante e desapareceu na noite.

Não havia necessidade de alertar a imprensa sobre aquela última morte: as labaredas do incêndio fariam isso por ele.

◆◆◆

No CERN, Sylvie estava sob o efeito atordoante da fala do camerlengo. Nunca antes se sentira tão orgulhosa de ser católica e, ao mesmo tempo, tão envergonhada de trabalhar no CERN. Ao sair do setor de lazer, reparou que a atmosfera em cada uma das salas era sombria e desconcertada. Quando voltou para o escritório de Kohler, as sete linhas de telefone estavam tocando. As ligações dos meios de comunicação nunca eram encaminhadas direto para a sala do diretor, portanto as chamadas só podiam ter um motivo.

Geld. Dinheiro.

A tecnologia da antimatéria já tinha pretendentes.

◆◆◆

No Vaticano, Gunther Glick estava nas nuvens enquanto seguia o camerlengo na saída da Capela Sistina. Ele e Macri tinham acabado de fazer a transmissão ao vivo *da década*. E que transmissão extraordinária. O camerlengo fora fascinante.

Já no saguão, o camerlengo virara-se para Glick e Macri:

– Pedi à Guarda Suíça para reunir algumas fotografias para vocês, tanto dos cardeais marcados a fogo quanto uma de Sua Santidade. Devo preveni-los de que não são imagens agradáveis. Queimaduras medonhas, língua negra. Mas gostaria que as divulgassem para o mundo.

Ele quer que eu divulgue uma foto exclusiva do Papa morto?

– O senhor quer mesmo? – perguntou Glick, procurando não demonstrar sua animação.

O camerlengo balançou a cabeça.

– A Guarda Suíça também vai lhe fornecer uma gravação ao vivo do tubo de antimatéria em contagem regressiva.

Glick estava pasmo.

– Os Illuminati estão prestes a descobrir – declarou o camerlengo – que jogaram pesado demais.

CAPÍTULO **96**

Como um tema recorrente em uma sinfonia demoníaca, a sufocante escuridão estava de volta.

Sem luz. Sem ar. Sem saída.

Langdon estava preso debaixo do sarcófago emborcado e sentia sua mente derivar perigosamente para o limiar da sanidade. Tentando desviar seus pensamentos para outro rumo além do espaço apertado em torno dele, forçava a sua cabeça a se ocupar com algum processo lógico – matemática, música, qualquer coisa. Mas não havia lugar para pensamentos calmantes. *Não posso me mexer! Não posso respirar!*

A manga presa de seu paletó felizmente se soltara quando o ataúde caíra, deixando-o com mobilidade nos dois braços. Mesmo assim, ao empurrar para cima o teto de sua cela minúscula, esta permaneceu imóvel. Teria sido melhor ficar com a manga presa, *que talvez deixasse uma fresta para o ar entrar.*

Quando tentou empurrar outra vez, sua manga escorregou e revelou o brilho de um velho amigo. Mickey. A carinha esverdeada de desenho animado olhava-o, zombeteira.

Langdon examinou a escuridão tentando distinguir algum outro vestígio de claridade, mas a borda do ataúde ajustava-se perfeitamente ao chão. *Esses desgraçados desses italianos perfeccionistas*, praguejou ele; agora estava em perigo por causa da mesma excelência artística que ensinava seus alunos a reverenciar: acabamentos impecáveis, paralelos perfeitos e, claro, só o mármore de Carrara mais resistente e sem falhas.

A precisão às vezes pode ser sufocante.

– Levante essa droga – disse em voz alta, empurrando com mais força através do emaranhado de ossos. A tumba deslocou-se ligeiramente. Cerrando a mandíbula, tentou levantá-la de novo. Tinha a impressão de estar suspendendo uma pedra enorme, mas dessa vez o ataúde subiu alguns milímetros. Uma luminosidade fugidia cercou-o e depois o ataúde tombou com um baque seco. Langdon ficou arquejando no escuro. Tentou usar as pernas como fizera antes, mas, com o ataúde inteiramente encostado no chão, não havia espaço nem para esticar seus joelhos.

Invadiu-o um pânico claustrofóbico e Langdon foi assoberbado por imagens do sarcófago encolhendo em torno dele. Pressionado pelo delírio, combateu a ilusão com todos os restos de lógica intelectual que ainda possuía.

– Sarcófago – enunciou em voz alta, com o máximo de esterilidade acadêmica que conseguiu arranjar. No entanto, até a erudição parecia estar contra ele. Sarcófago *vem do grego* sarx, *significando* carne, *e* phagein, *que quer dizer "comer". Estou preso em uma caixa literalmente criada para "comer carne".*

As imagens de carne sendo devorada até o osso serviram apenas de sinistro lembrete para o fato de que Langdon estava coberto de restos humanos. A consciência disto deu-lhe náuseas e calafrios. Mas também lhe deu uma idéia.

Remexendo às cegas dentro do caixão, Langdon encontrou um pedaço de osso. Uma costela, talvez? Não importava o que fosse. O que ele queria era uma cunha. Se conseguisse levantar o caixão, nem que fosse uma pequena fresta, e enfiar o fragmento de osso entre a borda e o chão, talvez a quantidade de ar fosse suficiente para...

Com uma das mãos firmando o pedaço estreito de osso entre a borda e o chão, ele estendeu a outra mão e empurrou. O ataúde não se moveu. Nem um pouco. Langdon tentou de novo. Por um instante o ataúde pareceu tremer ligeiramente, mas foi tudo.

O mau cheiro da decomposição e a falta de oxigênio já lhe tirando as forças, ele percebeu que só tinha tempo para mais uma tentativa. E que precisaria dos dois braços.

Reorganizou-se e colocou o pedaço alongado de osso de encontro à borda, deslocou um pouco o tronco e escorou o osso firmemente com o ombro. Com cuidado para não tirá-lo do lugar, levantou os dois braços. Sentiu o recinto abafado começar a asfixiá-lo e uma onda de pânico intenso apoderou-se dele. Era a segunda vez naquele dia que ficava preso em um local sem ar. Gritando, deu um empurrão para cima num movimento de explosão. O ataúde ergueu-se por uma fração de segundo. Foi o bastante. O pedaço de osso que prendera com o ombro encaixou-se no espaço que se abriu. Quando o ataúde tombou de novo, o osso se espatifou. Mas dava para ver que ainda havia uma escora. Um filete de luz aparecia sob a borda.

Extenuado, Langdon soltou o corpo. Torcendo para que a sensação de estrangulamento em sua garganta passasse, ele esperou. Entretanto, a sensação só piorou. O ar que penetrava através da minúscula fresta parecia imperceptível. Langdon pensava se daria para mantê-lo vivo. E, se desse, por quanto tempo? Se ele desmaiasse, quem descobriria que estava ali?

Levantou o braço, que pesava como chumbo, e olhou o relógio outra vez: 10h12 da noite. Os dedos trêmulos, ajustou o relógio e deu sua última cartada. Torceu um dos pequeninos ponteiros e apertou um botão.

À medida que a consciência se esvaía e as paredes da tumba o comprimiam, os velhos medos o assaltaram. Tentou imaginar que se encontrava em um campo aberto. A cena que lhe ocorreu, porém, não ajudava em nada. O pesadelo que o assombrara desde pequeno voltou com toda a força.

As flores aqui parecem pinturas, *pensou a criança, sorridente, correndo pela campina. Pena que seus pais não estavam ali também. Os dois tinham ficado instalando o acampamento.*

– Não vá muito longe – dissera sua mãe.

Ele fingiu não ter ouvido enquanto se afastava aos saltos pela mata.

Agora, atravessando aquele campo magnífico, o menino encontrou pedras empilhadas. Imaginou que fossem fundações de alguma casa de campo abandonada. Não se aproximaria. Sabia que era melhor. Além disso, seus olhos tinham sido atraídos para outra coisa: uma esplêndida orquídea selvagem, a flor mais rara e bonita de New Hampshire. Só a vira nos livros.

Empolgado, aproximou-se da flor. Ajoelhou-se ao lado dela. O solo estava fofo, mole. Viu que a flor havia encontrado um lugar muito fértil para germinar. Brotara de um pedaço de madeira podre.

Entusiasmado pela idéia de levar aquela maravilha para casa, o menino estendeu o braço, os dedos prestes a alcançar o caule da flor.

Que nem chegou a tocar.

Com um barulho assustador, a terra cedeu.

Nos segundos do vertiginoso terror da queda, ele achou que iria morrer. Preparou-se para o choque que lhe quebraria os ossos. Quando aconteceu, não houve dor. Só maciez.

E frio.

Bateu na água profunda primeiro com a cabeça, mergulhando no estreito negrume. Rodopiando em saltos desorientados, tateou as paredes escorregadias que o cercavam por todos os lados. De alguma forma, talvez por instinto, manteve-se na superfície.

Luz.

Fraca. Lá no alto. A quilômetros de distância, parecia.

Seus braços curvavam-se e agarravam a água, procurando nas paredes do buraco um ponto onde se agarrar. Só encontrava pedras lisas. Caíra através da tampa apodrecida de um poço abandonado. Gritou pedindo socorro, mas seus gritos reverberavam na cavidade apertada. Gritou várias vezes. Acima de sua cabeça, o buraco de madeira arrebentada foi escurecendo.

Caiu a noite.

O tempo parecia deformar-se na escuridão. O corpo ficou dormente dentro da água em que ele boiava, nas profundezas, chamando, gritando. Tinha visões torturantes das paredes caindo e enterrando-o vivo. Seus braços ardiam de fadiga. Algumas vezes achou que ouvia vozes. Gritou, mas sua voz não saía... como nos sonhos.

À medida que a noite passava, mais o poço se aprofundava. As paredes aproximavam-se pouco a pouco. O menino apertava o corpo de encontro às pedras, empurrando-as. Esgotado, queria desistir. Entretanto, sentia a água sustentando-o, esfriando aos poucos o ardor de seus medos até entorpecê-lo.

Quando a equipe de resgate chegou, encontraram-no quase inconsciente. Mantivera-se à tona durante cinco horas. Dois dias depois, o Boston Globe publicou uma matéria de primeira página cujo título era "O Pequeno Nadador que Conseguiu".

C A P Í T U L O **97**

O Hassassin sorriu quando entrou com seu furgão na colossal estrutura de pedra junto ao rio Tibre. Carregou sua presa escada acima, cada vez mais alto pelo túnel também de pedra, satisfeito por sua carga ser leve. Chegou à porta.

A Igreja da Iluminação, regozijou-se. *A antiga sala de encontros dos Illuminati. Quem imaginaria que ficava ali?*

Lá dentro, deitou-a em um sofá macio. Em seguida, amarrou com habilidade os braços dela atrás das costas e atou-lhe os pés. Sabia que aquilo por que ansiava teria de esperar até que sua última tarefa estivesse terminada. *Água.*

Ainda assim, pensou, podia se permitir um momento. Ajoelhou-se junto a ela e correu a mão por sua coxa. Era macia. A mão subiu. Mais. Seus dedos escuros penetraram sob a bainha do short dela. Mais.

Ele parou. *Paciência*, disse a si mesmo, sentindo-se excitado. *Ainda há trabalho a fazer.*

Encaminhou-se para a alta sacada do aposento. A brisa da noite lentamente esfriou seu ardor. Muito abaixo, o Tibre corria, vociferante. Levantou os olhos para o domo de São Pedro, a pouco mais de um quilômetro dali, desnudo sob o clarão das luzes da imprensa.

– Sua hora final – disse em voz alta, pensando nos milhares de muçulmanos massacrados durante as Cruzadas. – À meia-noite, vão encontrar seu Deus.

Atrás dele, a mulher se mexeu. O Hassassin se virou. Ponderou se a deixaria acordar. Ver o terror nos olhos das mulheres era o seu melhor afrodisíaco.

Optou pela prudência, pois seria melhor que ela ficasse inconsciente enquanto ele estava fora. Embora estivesse amarrada e nunca fosse escapar, o Hassassin não queria voltar e encontrá-la exausta de tanto lutar. *Quero sua força preservada para mim.*

Levantou um pouco a cabeça dela, colocou a palma da mão na parte posterior de seu pescoço e encontrou a depressão logo abaixo do crânio. Aquele meridiano era um ponto de pressão que ele já usara inúmeras vezes. Com força esmagadora, comprimiu o polegar contra a cartilagem macia e sentiu-a afundar. O corpo da mulher afrouxou de imediato. *Vinte minutos*, pensou. Ela seria um final tentador para um dia perfeito. Depois que ela o servisse e ele a matasse, o Hassassin iria para a sacada assistir aos fogos de artifício do Vaticano à meia-noite.

Água. Seria o último.

Retirando uma tocha da parede como já fizera três vezes antes, começou a aquecer a ponta do objeto. Quando estava em brasa, levou-o para a cela.

Dentro, um único homem estava em silêncio. Velho e solitário.

– Cardeal Baggia – sibilou o matador. – Já rezou?

Os olhos do italiano não demonstravam medo.

– Só pela sua alma.

CAPÍTULO **98**

Os seis *pompieri* destacados para o incêndio de Santa Maria della Vittoria apagaram a fogueira no meio da igreja com jatos de gás Halon. Água seria mais barato, mas o vapor que produzia teria estragado os afrescos na igreja e o Vaticano pagava caro aos *pompieri* romanos para a prestação de serviços com rapidez e prudência em todas as construções de sua propriedade.

Os *pompieri*, pela natureza de seu trabalho, presenciavam tragédias quase diariamente, mas a execução perpetrada dentro daquela igreja foi algo que nenhum deles jamais esqueceria. Ao mesmo tempo crucificação, enforcamento e queima na fogueira, a cena parecia ter saído de um pesadelo gótico.

Infelizmente, a imprensa, como de costume, chegara antes dos bombeiros. Já tinham feito inúmeras gravações antes que os *pompieri* esvaziassem a igreja. Quando enfim os bombeiros desceram a vítima e deitaram-na no chão, todos sabiam de quem se tratava.

– *Cardinale Guidera* – murmurou um deles –, *di Barcelona.*

O homem estava nu. A metade inferior de seu corpo estava toda queimada, escarlate e negra, o sangue escorrendo de rachaduras abertas nas coxas. Do joelho para baixo, os ossos das pernas estavam expostos. Um dos bombeiros vomitou. Outro teve de sair para tomar ar.

O maior horror, contudo, era o símbolo marcado a fogo no peito do cardeal. O chefe dos bombeiros contornou o corpo, amedrontado. *Lavoro del diavolo*, dizia para si. *Feito pelo próprio diabo.* E fez o sinal-da-cruz pela primeira vez desde a infância.

– *Un' altro corpo!* – gritou alguém. Um dos bombeiros encontrara outro corpo.

O chefe reconheceu imediatamente a segunda vítima. O austero comandante da Guarda Suíça era um homem por quem poucos dos responsáveis pela manutenção da lei e da ordem na cidade sentiam qualquer afeto. O chefe telefonou para o Vaticano, mas todas as linhas estavam ocupadas. Sabia que não era necessário. A Guarda Suíça receberia a notícia pela televisão em questão de minutos.

Enquanto avaliava os estragos e tentava reconstituir o que poderia ter acontecido ali, o chefe viu um nicho crivado de furos de balas. Uma tumba estava virada no chão, provavelmente caíra de cima de seus suportes durante alguma luta. O lugar estava um caos. *Isso é trabalho para a polícia e para a Santa Sé*, pensou o chefe, dando as costas para aquela confusão.

Assim que se virou, entretanto, ele parou. Ouviu um som que vinha de dentro do ataúde. Um som que todo bombeiro tinha pavor de ouvir.

– *Bomba!* – bradou ele. – *Tutti fuori!*

Quando os membros do esquadrão antibombas desviraram o caixão, porém, descobriram a origem do bipe eletrônico. Desnorteados, ficaram parados, olhando.

– *Mèdico!* – um deles finalmente gritou. – *Mèdico!*

◆ ◆ ◆

CAPÍTULO **99**

– **Alguma notícia de Olivetti?** – perguntou o camerlengo com aparência esgotada, quando Rocher o acompanhava da Capela Sistina para o escritório do Papa.

– Não, *signore*. Temo que tenha acontecido o pior.

Quando chegaram ao escritório do Papa, a voz do camerlengo estava pesada.

– Capitão, acho que não há muito mais que eu possa fazer aqui esta noite. Receio que já tenha feito até demais. Vou entrar neste escritório para rezar. Gostaria de não ser incomodado. O resto está nas mãos de Deus.

– Sim, *signore*.

– Já é tarde, capitão. Encontre aquele tubo.

– Nossa busca prossegue. – Rocher hesitou. – Parece que a arma está muito bem escondida.

O camerlengo teve um estremecimento, como se não conseguisse pensar no assunto.

– É verdade. Às 11h15 exatamente, se a igreja ainda estiver em perigo, quero que você retire daqui os cardeais. Estou colocando a segurança deles em suas mãos. Peço apenas uma coisa: que esses homens possam sair deste lugar com dignidade. Faça-os sair para a Praça de São Pedro para ficar lado a lado com o resto do mundo. Não quero que a última imagem desta igreja seja a de um bando de velhos assustados esgueirando-se por uma porta dos fundos.

– Muito bem. E o *signore*? Devo vir buscá-lo também à mesma hora?

– Não será preciso.

– Como assim?

– Vou sair quando tiver espírito para isso.

Rocher refletiu que talvez o camerlengo pretendesse afundar com o navio.

O camerlengo abriu a porta do escritório do Papa e entrou.

– Na verdade... – disse ele, virando-se. – Há uma coisa.

– *Signore?*

– Parece que há uma friagem neste escritório esta noite. Estou tremendo.

– O aquecimento elétrico está desligado. Permita que acenda a lareira para o senhor.

O camerlengo deu um sorriso cansado.

– Obrigado, muito obrigado.

◆◆◆

Rocher saiu do escritório do Papa deixando o camerlengo rezando à luz da lareira diante de uma estatueta da Virgem Maria. Era uma cena soturna. Uma sombra negra ajoelhada na luminosidade bruxuleante. Quando Rocher cruzava o saguão, um guarda apareceu, correndo em sua direção. Mesmo à luz de velas, Rocher reconheceu o tenente Chartrand. Jovem, inexperiente e empenhado.

– Capitão – chamou Chartrand, segurando um telefone celular. – Acho que o pronunciamento do camerlengo deu resultado. Há uma pessoa aqui ao telefone que diz ter informações que podem nos ajudar. Ligou para uma das linhas particulares do Vaticano. Não sei como ele conseguiu o número.

Rocher se deteve.

– O quê?

– Ele disse que só vai falar com o oficial superior.

– Alguma notícia de Olivetti?

– Não, senhor.

Ele apanhou o telefone.

– Aqui é o capitão Rocher. Sou o oficial superior no momento.

– Rocher – disse a voz. – Vou explicar a você quem sou eu. Depois, vou lhe dizer o que tem de fazer.

Quando o interlocutor se calou e desligou, Rocher ficou estático. Agora sabia de quem estava recebendo ordens.

◆◆◆

No CERN, Sylvie Baudeloque tentava freneticamente dar conta de todos os pedidos de licença que chegavam no correio de voz de Kohler. A linha particular na mesa do diretor começou a tocar, sobressaltando-a. Ninguém tinha aquele número. Ela atendeu.

– Sim?

– Senhorita Baudeloque? Aqui é o diretor Kohler. Entre em contato com meu piloto. Meu jato tem de estar preparado para decolar em cinco minutos.

CAPÍTULO 100

Robert Langdon não sabia onde estava nem quanto tempo ficara inconsciente quando abriu os olhos e deu com o interior de uma cúpula barroca coberta de afrescos. Havia fumaça ondulando lá em cima. Algo cobria sua boca. Uma máscara de oxigênio. Ele a puxou. Um cheiro horrível pairava no ambiente – de carne queimada.

Langdon contraiu-se, a cabeça latejando. Tentou sentar-se. Um homem de branco estava ajoelhado junto dele.

– *Riposati!* – disse o homem, fazendo Langdon voltar a se deitar. – *Sono il paramedico.*

Langdon obedeceu, a cabeça girando como a fumaça no alto. *Que diabos aconteceu?* Sensações tênues de pânico passavam rápidas por sua mente.

– *Sorcio salvatore* – disse o paramédico. – Ratinho salvador.

Langdon ficou ainda mais perdido. *Ratinho salvador?*

O homem apontou para o relógio do Mickey Mouse no pulso de Langdon. Os pensamentos dele começaram a clarear. Lembrou-se ter preparado o alarme do relógio. Olhando distraído para o mostrador, viu também a hora: 10h28.

Sentou-se de repente.

Então, tudo lhe voltou à memória.

◆ ◆ ◆

Langdon estava perto do altar-mor com o chefe dos bombeiros e alguns dos seus homens. Eles o bombardeavam de perguntas. Ele não escutava. Tinha suas próprias perguntas. Seu corpo inteiro doía, mas ele sabia que precisava agir depressa.

Um *pompiero* aproximou-se dele vindo do outro lado da igreja.

– Verifiquei de novo, senhor. Os únicos corpos que encontramos foram os do cardeal Guidera e do comandante da Guarda Suíça. Não há nem sinal de uma mulher aqui.

– *Grazie* – disse Langdon, entre aliviado e assustado. Sabia que vira Vittoria caída no chão, inconsciente. Agora, ela havia desaparecido. A única explicação para isso não era nada reconfortante. O matador não fora nem um pouco sutil ao telefone. *"Uma mulher de fibra. Estou excitado. Talvez, antes que esta noite acabe, eu encontre você. E quando isto acontecer..."*

Langdon olhou em torno.

– Onde está a Guarda Suíça?

– Ainda não conseguimos entrar em contato com eles. As linhas telefônicas do Vaticano estão todas ocupadas.

Langdon sentiu-se prostrado e sozinho. Olivetti estava morto. O cardeal morrera. Vittoria sumira. Meia hora de sua vida desaparecera em um piscar de olhos.

Lá fora ouvia-se o alvoroço da imprensa. Desconfiava que as imagens da horripilante morte do terceiro cardeal estariam no ar em breve, se é que já não estavam. Langdon esperava que o camerlengo tivesse admitido o impasse e começado a agir. *Esvaziem a droga do Vaticano! Chega de esconde-esconde! Nós perdemos!*

Langdon então se conscientizou de que todos os elementos catalisadores que o vinham mobilizando – ajudar a salvar a Cidade do Vaticano, resgatar os quatro cardeais, ver de perto a fraternidade que ele estudara durante tantos anos – tinham se evaporado de sua cabeça. A guerra estava perdida. Uma nova compulsão acendera-se dentro dele. Simples. Inflexível. Primordial.

Encontrar Vittoria.

Sentia um inesperado vazio dentro de si. Sempre ouvira falar que situações intensas às vezes uniam mais duas pessoas do que décadas de convivência. Agora acreditava naquilo. Com a ausência de Vittoria, experimentava algo que há anos não sentia. Solidão. E o sentimento doloroso deu-lhe forças.

Afastando tudo o mais de sua mente, Langdon procurou concentrar-se. Rezava para que o Hassassin cuidasse da obrigação antes do prazer. Senão, Langdon sabia que seria tarde demais. *Não*, disse consigo, *você tem tempo*. O captor de Vittoria ainda tinha trabalho a fazer. Precisava mostrar-se uma última vez antes de desaparecer para sempre.

O último altar da ciência, pensou Langdon. O matador tinha uma derradeira tarefa a cumprir. *Terra. Ar. Fogo. Água.*

Olhou para o relógio. Trinta minutos. Passou pelos bombeiros em direção ao

Êxtase de Santa Teresa. Dessa vez, diante do marco de Bernini, não tinha dúvidas sobre o que estava procurando.

Que os anjos o guiem em sua busca sublime...

Acima da santa reclinada, diante de um fundo de chamas douradas, pairava o anjo de Bernini. Na mão dele, uma lança pontiaguda de fogo. Langdon seguiu a direção da lança, um arco que indicava o lado direito da igreja. Seus olhos deram com a parede. Examinou o local para onde a lança apontava. Não havia nada ali. Ele sabia, claro, que a lança apontava para um lugar muito além da parede da igreja, no meio da noite de Roma.

– Que direção é aquela? – perguntou Langdon ao chefe dos bombeiros com renovada determinação.

– Direção? – o chefe olhou, sem compreender bem, para onde Langdon apontava. – Não estou bem certo. Oeste, acho.

– Que igrejas ficam naquela direção?

O chefe ficou ainda mais confuso.

– Há dezenas delas. Por quê?

Langdon fez uma careta. Claro que havia dezenas.

– Preciso de um mapa da cidade. Agora mesmo.

O chefe mandou alguém correndo ao caminhão dos bombeiros buscar um mapa.

Langdon virou-se para a estátua. *Terra... Ar... Fogo... VITTORIA.*

O marco final é o da Água, disse a si mesmo. *A Água de Bernini*. Estava em uma daquelas igrejas lá fora. Uma agulha no palheiro. Vasculhou sua mente passando em revista todas as obras de Bernini de que se lembrava. *Preciso de um tributo à Água!*

Ocorreu-lhe a estátua *Tritão* de Bernini – o deus grego do mar. E lembrou-se de que estava localizada na praça do lado de fora daquela mesma igreja e na direção totalmente errada. Forçou-se a pensar. *Que figura Bernini teria esculpido para glorificar a água? Netuno e Apolo?* Infelizmente, aquela estátua se encontrava no Museu Victoria & Albert, de Londres.

– *Signore?* – um bombeiro chegou apressado trazendo um mapa.

Langdon agradeceu e abriu o mapa em cima do altar. Instantaneamente, percebeu que fizera o pedido às pessoas certas. O mapa de Roma do Corpo de Bombeiros era o mais detalhado que Langdon já encontrara.

– Onde estamos agora?

O homem mostrou.

– Junto à Piazza Barberini.

Langdon deu outra olhadela na lança do anjo para se orientar. O chefe calculara certo. De acordo com o mapa, a lança apontava para oeste. Langdon traçou uma linha reta no mapa a partir do lugar onde estavam rumo a oeste. E logo suas esperanças se esvaíram. A cada centímetro que seu dedo percorria, encontrava uma construção marcada com uma pequena cruz negra. *Igrejas*. A cidade estava cheia delas. Por fim, o dedo de Langdon não encontrou mais igrejas e perdeu-se nos subúrbios de Roma. Ele suspirou, desanimado, e afastou-se do mapa. *Droga*.

Observando Roma como um todo, seu olhar se deteve nas três igrejas onde os três primeiros cardeais tinham sido mortos. *A Capela Chigi, São Pedro, aqui...*

Contemplando os três locais, Langdon reparou algo estranho em suas posições. Imaginara que as igrejas estivessem espalhadas ao acaso pela cidade. Mas não estavam, com toda a certeza. Por mais que lhe parecesse improvável, as três igrejas estavam separadas sistematicamente, formando um enorme triângulo que abrangia toda a cidade. Verificou de novo. Não estava imaginando coisas.

– *Penna* – pediu, sem levantar a cabeça.

Alguém lhe entregou uma caneta esferográfica.

Langdon fez um círculo sobre cada igreja. Seu pulso se acelerou. Conferiu sua marcação. *Um triângulo simétrico!*

Seu primeiro pensamento foi a associação com o sinete da nota de um dólar – o triângulo contendo o olho que tudo vê. Entretanto, aquilo não fazia sentido. Ele marcara apenas *três* pontos. Deveria haver um total de quatro.

Então, onde diabos está a Água? Onde quer que colocasse o quarto ponto, o triângulo seria destruído. A única opção para manter a simetria seria situar o quarto ponto dentro do triângulo, no centro. Olhou para o local no mapa. Nada. A idéia ainda assim o importunava. Os quatro elementos da ciência eram considerados *iguais*. A água não era especial, não havia justificativa para que ficasse no *centro*.

De qualquer maneira, seu instinto lhe dizia que o arranjo sistemático não podia ser acidental. *Não estou distinguindo o quadro completo.* Havia somente uma alternativa: os quatro pontos não formarem um triângulo e sim uma outra figura.

Langdon olhou para o mapa. *Um quadrado, talvez?* Embora o quadrado não fizesse sentido simbolicamente, pelo menos era simétrico. Langdon apoiou o dedo no mapa em um dos pontos que converteriam o triângulo em um quadrado. Viu logo que um quadrado perfeito seria impossível. Os ângulos do triângulo original eram oblíquos e criariam algo mais próximo de um quadrilátero torto.

Enquanto estudava os outros pontos possíveis em torno do triângulo, aconteceu algo inesperado. Notou que a linha que desenhara antes para indicar a direção assinalada pela lança do anjo passava precisamente por uma das possibilidades. Estupefato, Langdon fez um círculo sobre aquele ponto. Tinha à sua frente agora quatro pontos marcados a tinta no mapa, dispostos em um formato um tanto desajeitado, parecendo uma pipa, o formato de um diamante.

Franziu o cenho. Os diamantes também não eram um símbolo dos Illuminati. Refletiu um pouco. *No entanto...*

Por um instante, lembrou-se do célebre Diamante Illuminati. Mas a idéia era ridícula. Descartou-a. Além do mais, o diamante era oblongo – como uma pipa – e não seria um bom exemplo da impecável simetria pela qual os Illuminati eram reverenciados.

Quando se curvou para examinar onde colocara o último marco, Langdon surpreendeu-se ao constatar que o quarto ponto ficava bem no centro da famosa Piazza Navona. Estava certo de que havia uma igreja importante na *piazza*, mas seu dedo já passara por ela e, que soubesse, não continha nenhuma obra de Bernini. A igreja chamava-se Santa Inês – ou Santa Agnes – em Agonia, uma santa jovem e virgem que fora condenada a uma vida de escravidão sexual por recusar-se a renunciar à sua fé.

Deve haver alguma coisa naquela igreja! Langdon deu tratos à bola tentando lembrar o interior da igreja. Não tinha conhecimento de qualquer obra de Bernini lá dentro, muito menos relacionada com água. A disposição dos pontos no mapa também o incomodava. Um diamante. Era precisa demais para ser coincidência, mas não era precisa o suficiente para fazer sentido. *Uma pipa?* Conjeturou se não teria escolhido o ponto errado. *O que é que está faltando?*

Langdon levou uns trinta segundos para achar a resposta mas, quando achou, exultou como nunca antes em toda a sua vida acadêmica.

A genialidade dos Illuminati, pelo jeito, era infinita.

A forma que via não era a de um diamante, não fora planejada para ser a de um diamante. Os quatro pontos só formavam um diamante porque Langdon ligara pontos adjacentes. *Os Illuminati acreditavam em opostos!* Ao ligar vértices opostos com sua caneta, os dedos de Langdon tremiam. Ali no mapa à sua frente havia uma enorme cruz. *Uma cruz!* Os quatro elementos da ciência estendidos diante de seus olhos, cruzando a cidade de Roma de ponta a ponta.

Enquanto se extasiava com sua descoberta, um verso ressoou em sua mente como um velho amigo de cara nova.

Através de Roma se estendem os místicos elementos.

'Cross Rome the mystic elements unfold.

'Cross Rome...

A névoa começou a se dissipar. A resposta estivera diante dele a noite inteira! O poema Illuminati dizia-lhe *como* os altares da ciência estava dispostos. Em cruz!

'Cross Rome the mystic elements unfold!

Um astuto jogo de palavras. Langdon lera a palavra *'cross* – cruz – como uma abreviatura de *across* – através. Presumiu que se tratasse de uma licença poética para manter a métrica do poema em inglês. Mas era muito mais do que isso, era outra pista disfarçada!

A forma da cruz no mapa, constatou ele, era a extrema dualidade Illuminati, um símbolo religioso formado por elementos da ciência. O Caminho da Iluminação de Galileu era um tributo tanto à ciência *quanto a Deus!*

O resto das peças do quebra-cabeças encaixou-se prontamente.

Piazza Navona.

No centro da Piazza Navona, perto da igreja de Santa Inês em Agonia, Bernini instalara uma de suas mais celebradas esculturas. Todas as pessoas que visitavam Roma iam vê-la.

A Fonte dos Quatro Rios!

Um primoroso tributo à água, a *Fonte dos Quatro Rios* de Bernini glorificava os quatro maiores rios conhecidos do Velho Mundo – o Nilo, o Ganges, o Danúbio e o Prata.

Água, pensou Langdon, o marco final. Perfeito.

E ainda mais perfeito, lembrou ele, é que bem no alto da fonte de Bernini havia um imenso obelisco.

◆◆◆

Deixando para trás os bombeiros confusos, Langdon atravessou a igreja às pressas em direção ao corpo sem vida de Olivetti.

10h31, pensou. *Tenho tempo à beça.* Pela primeira vez naquele dia sentia-se com vantagem sobre o inimigo.

Ajoelhando-se ao lado de Olivetti, fora de visão atrás de alguns bancos da igreja, Langdon apoderou-se discretamente da arma do comandante e de seu walkie-talkie. Teria de pedir socorro, mas não ali. O último altar da ciência tinha de permanecer em segredo por enquanto. A imprensa e o Corpo de Bombeiros correndo para a Piazza Navona com a sirene ligada não seriam de grande ajuda.

Sem dizer uma palavra, Langdon escapuliu pela porta e driblou a imprensa, que agora entrava na igreja em tropel. Cruzou a Piazza Barberini. Nas sombras, ligou o walkie-talkie. Tentou chamar a Cidade do Vaticano, mas só ouviu estática. Ou ele estava fora de área ou o transmissor precisava de algum tipo de código de autorização para o contato. Langdon mexeu nos complicados botões e controles sem qualquer resultado. Deu-se conta de que seu plano de conseguir ajuda não iria funcionar. Procurou em torno por um telefone público. Não havia nenhum. As linhas do Vaticano estariam congestionadas, de qualquer forma.

Estava sozinho.

Com seu impulso inicial de confiança bastante abalado, Langdon parou um momento para avaliar o estado deplorável em que se encontrava – coberto de poeira de ossos, machucado, em uma exaustão que beirava o delírio e, ainda por cima, faminto.

Olhou para a igreja lá atrás. Espirais de fumaça saíam da cúpula, iluminadas pelas luzes da mídia e pelos caminhões dos bombeiros. Ponderou se deveria voltar e pedir ajuda. O instinto, porém, lhe dizia que mais ajuda, sobretudo ajuda não especializada, seria um risco. *Se o Hassassin nos vê chegar...* Pensou em Vittoria e pressentiu que aquela seria a útima oportunidade de enfrentar o homem que a capturara.

Piazza Navona, refletiu, sabendo que poderia chegar lá com tempo de sobra e ficar à espreita. Procurou um táxi, mas as ruas estavam quase desertas. Até os motoristas de táxi, aparentemente, tinham largado tudo para ver televisão. A praça ficava a pouco mais de um quilômetro de distância, mas Langdon não tinha a intenção de gastar uma energia preciosa indo a pé. Olhou de novo para a igreja, imaginando se poderia pegar algum veículo esprestado.

Um carro de bombeiros? Um furgão da imprensa? Tenha juízo, criatura.

Com as opções e os minutos se esgotando, Langdon tomou uma decisão. Tirou a arma do bolso e teve uma atitude tão incompatível com seu caráter que achou que sua alma devia estar possuída. Aproximou-se de um solitário Citroën sedã parado em um sinal e apontou a arma para o motorista pela janela aberta.

– *Fuori!* – gritou.

O homem saiu do carro, trêmulo.

Langdon sentou-se depressa ao volante e acelerou.

CAPÍTULO **101**

Gunther Glick sentou-se em um banco de uma cela do escritório da Guarda Suíça. Rezava para todos os deuses que lhe passavam pela cabeça. *Por favor, faça com que NÃO seja um sonho.* Tinha sido o furo de sua vida. A reportagem da vida de qualquer um. Todos os repórteres, sem exceção, gostariam de ser Glick naquele momento. *Você não está sonhando,* disse consigo. *E é uma celebridade. Dan Rather deve estar aos prantos neste instante.*

Macri estava ao lado dele, um pouco atordoada. Glick compreendia. Além de divulgarem com exclusividade o discurso do camerlengo, ela e Glick haviam fornecido ao mundo fotografias impressionantes dos cardeais e do Papa – *aquela língua dele!* –, assim como um vídeo com imagens ao vivo do tubo de antimatéria em contagem regressiva. *Incrível!*

Claro que tudo acontecera sob os auspícios do camerlengo, portanto não era essa a razão pela qual Glick e Macri estavam presos na Guarda Suíça. O que não tinha agradado aos guardas fora aquele audacioso acréscimo de Glick à matéria. Glick sabia que a conversa que havia noticiado não fora destinada a seus ouvidos, mas tratava-se da maior oportunidade da sua vida. *Mais um furo de reportagem de Glick!*

– O Samaritano da Décima Primeira Hora? – Macri resmungou, sentada ao lado dele no banco, com cara de pouco caso.

Glick sorriu.

– Foi o máximo, não foi?

– O máximo da idiotice.

Ela está é com inveja, pensou Glick. Logo depois que o camerlengo terminou seu discurso, Glick, mais uma vez e por pura sorte, viu-se no lugar certo e na hora certa. Por acaso, tinha ouvido Rocher dando novas ordens a seus homens. Ao que tudo indica, Rocher havia recebido uma ligação de uma pessoa não identificada que tinha informações importantíssimas sobre a crise que estavam passando. Rocher estava falando como se esse homem pudesse ajudá-los e orientava seus guardas para se aprontarem para a chegada do visitante.

Embora a informação fosse nitidamente confidencial, Glick agiu como qualquer repórter dedicado faria — sem nenhum respeito. Procurou um canto escuro, pediu a Macri para ligar a câmera às escondidas e divulgou a notícia.

– Novidades surpreendentes na cidade de Deus – anunciou, apertando os olhos para dar mais ênfase às palavras. E continuou informando que um convidado misterioso estava chegando à Cidade do Vaticano para salvar a situação. *O Samaritano da Décima Primeira Hora,* Glick assim o batizou — um nome perfeito para um homem sem rosto que aparecia no último instante para fazer uma boa ação. Outras redes de emissoras adotaram a alcunha do personagem, que soava bem, e Glick foi mais uma vez imortalizado.

Sou o máximo, pensou. Peter Jennings deve ter acabado de se atirar de uma ponte.

É evidente que Glick não parou por aí. Com a atenção do mundo voltada para ele, aproveitou para acrescentar gratuitamente um pouco da própria teoria conspiratória.

O máximo. Simplesmente o máximo.

– Você acabou conosco – disse Macri. – Estragou tudo.

– Do que está falando? Fui perfeito!

Macri olhou para ele, incrédula.

– O ex-presidente George Bush? Um Illuminatus?

Glick sorriu. Nada podia ser mais evidente. George Bush era um comprovado maçom de trigésimo terceiro grau e ocupava o mais alto posto da CIA quando a agência encerrou as investigações sobre os Illuminati por falta de provas. E todos aqueles discursos sobre "milhares de pontos de luz" e uma "Nova Ordem Mundial". Claro que Bush era um dos Illuminati.

– E aquela parte sobre o CERN? – disse Macri em tom de reprovação. – Amanhã, você vai encontrar uma fila bem comprida de advogados à sua porta.

– O CERN? Ora, pare com isso! Está tão na cara! Pense bem! Os Illuminati desapareceram da face da Terra por volta de 1950, mais ou menos na mesma ocasião em que o CERN foi *fundado.* O CERN é um paraíso para as pessoas mais esclarecidas da Terra. Eles recebem toneladas de recursos financeiros de origem privada e conseguiram construir uma arma com capacidade para destruir a Igreja que, opa, eles *não sabem onde foi parar?!*

– E aí você espalha para o mundo inteiro que o CERN é a nova sede dos Illuminati?

– É claro! As fraternidades não desaparecem assim sem mais nem menos. Os Illuminati tinham de ir para *algum lugar.* E o CERN é o esconderijo perfeito. Não estou dizendo que todo mundo no CERN seja Illuminati. Provavelmente, aquilo funciona como uma colossal loja maçônica, onde a maioria é inocente, mas o escalão superior...

– Já ouviu falar em difamação, Glick? Em responsabilidade civil?

– Já ouviu falar de jornalismo de verdade?

– Jornalismo? Você está inventando chifre em cabeça de burro! Eu devia ter desligado a câmera! E que besteira foi aquela sobre o logotipo do CERN? Aquela história de simbologia satânica? Perdeu o juízo?

Glick sorriu. A inveja de Macri estava toda à mostra. O logotipo do CERN foi a sua proeza de maior brilhantismo. Desde o discurso do camerlengo, todas as emissoras estavam falando sobre o CERN e a antimatéria. Alguns canais mostravam o logotipo do CERN como tela de fundo. O logotipo parecia bastante comum — dois círculos que se cruzam, representando dois aceleradores de partículas, e cinco linhas tangenciais representando tubos de injeção de partículas. O mundo inteiro não tirava os olhos desse logotipo, mas fora Glick, que também tinha os seus conhecimentos sobre símbolos, quem primeiro havia reparado na simbologia dos Illuminati ali camuflada.

– Você não é especialista em simbologia – reclamou Macri –, é apenas um repórter com sorte. Devia ter deixado a simbologia por conta do tal sujeito de Harvard.

– O sujeito de Harvard deixou passar essa – respondeu Glick.

A expressão dos Illuminati neste logotipo é muito óbvia!

Glick estava rindo de alegria por dentro. Embora o CERN tivesse inúmeros aceleradores, o logotipo mostrava apenas dois. *Dois é o número da dualidade para os Illuminati.* E embora a maioria dos aceleradores tivesse apenas um tubo de injeção, o logo mostrava cinco. *Cinco é o número do pentagrama dos Illuminati.* Então veio o golpe de mestre, o mais brilhante de todos. Glick observou que no logotipo estava desenhado o número "6" bem grande, formado por uma das linhas e um dos círculos, e, se o logotipo fosse girado, apareceria outro número seis e depois mais um. O logotipo tinha três números seis! 666! O número do demônio! A marca da besta!

Glick era um gênio.

Macri estava a ponto de agredi-lo.

A inveja dela passaria, disso Glick tinha certeza, enquanto sua mente já se desviava para outro pensamento. Se o CERN fosse mesmo a sede dos Illuminati, seria lá o local onde eles guardavam o famoso Diamante Illuminati? Glick lera sobre isso na Internet: *"um diamante sem jaça, nascido dos antigos elementos com tamanha perfeição que todos os que o viam ficavam extasiados".*

Glick ficou imaginando se o paradeiro secreto do Diamante Illuminati poderia vir a ser mais um mistério que ele desvendaria naquela noite.

CAPÍTULO **102**

Piazza Navona. *Fonte dos Quatro Rios.*

As noites em Roma, como as do deserto, podem ser surpreendentemente frias, mesmo depois de um dia quente. Langdon estava todo encolhido nos arredores da Piazza Navona, apertando o paletó contra o corpo. Assim como o ruído do tráfego à distância, uma cacofonia de reportagens ressoava por toda a cidade. Olhou o relógio. Quinze minutos. Era bom ter alguns momentos para descansar.

A *piazza* estava deserta. A magistral fonte de Bernini agitava suas águas diante dele, enfeitiçante, imponente. O tanque espumante lançava para cima uma névoa mágica, iluminada por holofotes submersos. Langdon captava uma gélida eletricidade no ar.

A característica mais impressionante da fonte era sua altura. A parte central sozinha ultrapassava seis metros — uma montanha escarpada de mármore travertino talhado em cavernas e grutas entre as quais a água se revolvia. Toda a elevação era rodeada de símbolos pagãos. No alto, ficava um obelisco que avançava mais 12 metros. Langdon acompanhou-o com o olhar. Na ponta do obelisco, uma tênue silhueta desenhava-se no céu: um pombo solitário pousado silenciosamente.

Uma cruz, pensou Langdon, ainda admirado com a disposição dos marcos através de Roma. A *Fonte dos Quatro Rios* de Bernini era o último altar da ciência. Fazia apenas algumas horas, Langdon estava dentro do Panteão, certo de que o Caminho da Iluminação havia sido interrompido e de que ele jamais chegaria até ali. Que grande tolice. Na verdade, o caminho inteiro estava intacto. *Terra, Ar, Fogo, Água.* E Langdon o havia percorrido do começo ao fim.

Não exatamente até o fim, fez-se lembrar. O caminho tinha *cinco* pontos, não quatro. Essa fonte, o quarto marco, de certa maneira apontava para o destino final, o refúgio sagrado dos Illuminati: a Igreja da Iluminação. Ele conjeturava se o esconderijo ainda existiria. Pensava se teria sido para lá que o Hassassin levara Vittoria.

Langdon examinava as figuras da fonte em busca de alguma pista do caminho para o esconderijo. *Que os anjos o guiem em sua busca sublime.* Quase que imediatamente, porém, uma percepção inquietante ocupou seus pensamentos. Não havia sequer um anjo nessa fonte. Nenhum anjo, pelo menos nenhum que se avistasse de onde Langdon se encontrava, e nenhum que ele tivesse visto no passado. *A Fonte dos Quatro Rios* era uma obra pagã. As esculturas eram todas profanas — seres humanos, animais, até mesmo um deselegante tatu. Um anjo aqui não passaria despercebido.

Seria o lugar errado? Meditou sobre a disposição em cruz dos quatro obeliscos. Cerrou os punhos. *Esta fonte é perfeita.*

◆◆◆

Ainda eram 10h46 da noite quando um furgão preto apareceu na ruela do lado mais afastado da praça. Langdon não teria prestado maior atenção se o furgão não estivesse com os faróis desligados. Como um tubarão rondando em uma baía enluarada, o carro circulou em volta da praça.

Langdon pôs-se junto ao chão, agachado nas sombras da imensa escadaria que leva à igreja de Santa Inês em Agonia. Olhou em direção à praça, o pulso acelerado.

Depois de dar duas voltas completas, o furgão descreveu uma curva na direção da fonte de Bernini. Parou junto ao tanque e deslocou-se paralelamente à borda até a lateral do furgão ficar ao nível da fonte. Estacou de repente, a porta corrediça somente alguns centímetros acima das águas revoltas.

A névoa erguia-se em turbilhões pelo ar.

Langdon teve um pressentimento ruim. Será que o Hassassin viera antes da hora? Teria vindo em um furgão? Langdon imaginara o assassino escoltando sua última vítima a pé pela praça, como tinha feito em São Pedro, o que permitiria que Langdon atirasse a descoberto. Mas se o Hassassin tivesse chegado em um furgão, as regras tinham acabado de mudar.

De repente, a porta lateral do furgão se abriu.

Sobre o piso do furgão, contorcido de dor, jazia um homem nu, o corpo enrolado em muitos metros de pesadas correntes. Ele se debatia em vão em meio aos elos de ferro. Um deles atravessava-lhe a boca como um freio de cavalo, sufocando seus gritos de socorro. Foi então que Langdon viu uma segunda figura movimentando-se no escuro atrás do prisioneiro, como se finalizasse os preparativos.

Langdon sabia que tinha apenas segundos para agir.

Pegou a arma, tirou o paletó e jogou-o no chão. Não queria o estorvo adicional de um paletó de lã, nem tinha intenção nenhuma de levar o *Diagramma* de Galileu para perto da água. O documento ali ficaria em segurança e seco.

Langdon seguiu com cautela pela direita. Fez uma volta em torno da fonte e parou de frente para o furgão. A imensa peça central da fonte impedia-lhe a visão. Levantou-se e correu direto para o tanque. Contava que o barulho da água abafasse o ruído de seus passos. Ao alcançar a fonte, passou por cima da borda e caiu no tanque espumante.

A água lhe batia na altura da cintura e estava gelada. Langdon cerrou os dentes e avançou com esforço. O fundo escorregadio era duplamente traiçoeiro devido a uma camada de moedas jogadas para atrair sorte. Langdon percebeu que iria precisar de mais do que boa sorte. À medida que a névoa o envolvia, ficou imaginando se seria o frio ou o medo que fazia com que a arma lhe tremesse nas mãos.

Conseguiu chegar ao interior da fonte e circundou-a pela esquerda de onde estava. Caminhava com dificuldade, mantendo-se encoberto pelas figuras de mármore. Escondido atrás de uma imensa escultura em forma de cavalo, Langdon parou para espreitar. O furgão encontrava-se a pouco mais de cinco metros. O Hassassin estava agachado no assoalho do furgão, as mãos sobre o cardeal enrolado nas correntes, prestes a empurrá-lo porta afora para dentro da fonte.

Com água pela cintura, Robert Langdon levantou a arma e saiu da névoa, sentindo-se como uma espécie de caubói aquático pronto para gravar uma cena final.

– Não se mexa – disse, a voz mais firme que a arma.

O Hassassin ergueu os olhos. Por um instante pareceu confuso, como se tivesse visto um fantasma. Depois, os lábios se apertaram em um sorriso maldoso. Pôs os braços para cima em sinal de obediência e respondeu:

– Assim seja.

– Para fora do furgão.

– Você está um pouco molhado.

– E você chegou cedo.

– Estou louco para voltar para a minha presa.

Langdon apontou-lhe a arma.

– Não vou hesitar em atirar.

– Já hesitou.

Langdon sentiu a pressão do dedo no gatilho. O cardeal já não se mexia. Parecia exausto, à beira da morte.

– Solte-o.

– Esqueça-o. Você veio por causa da mulher. Não finja que não.

Langdon fez um grande esforço naquela hora para não terminar tudo de uma vez.

– Onde ela está?

– Em um lugar seguro. Esperando que eu volte.

Está viva. Langdon sentiu um fio de esperança.

– Na Igreja da Iluminação?

O assassino sorriu.

– Jamais vai descobrir onde é.

Era difícil de acreditar. *O esconderijo ainda está de pé.* Apontou a arma.

– Onde?

– O lugar é um mistério há séculos. Eu mesmo só vim a saber dele há pouco. Prefiro a morte a trair este segredo.

– Vou conseguir encontrá-lo sem você.

– Uma idéia bem arrogante.

Langdon gesticulou na direção da fonte.

– Cheguei até aqui.

– Como muitos outros. A etapa final é a mais difícil.

Langdon foi-se aproximando, os pés instáveis sob a água. O Hassassin parecia extraordinariamente calmo agachado no fundo do furgão, os braços erguidos sobre a cabeça. Langdon apontou direto para o peito dele, ponderando se deveria simplesmente atirar e acabar logo com o assunto. Não. *Ele sabe onde está Vittoria. Sabe onde está a antimatéria. Preciso obter essas informações!*

◆◆◆

Da escuridão do furgão, o Hassassin observava o agressor. Não pôde deixar de achar graça e ao mesmo tempo sentir uma certa pena dele. O americano era corajoso, isto ele já comprovara. Mas também não tinha muita prática. O que também havia sido comprovado. Heroísmo sem experiência era suicídio. Havia regras de sobrevivência. Regras antigas. E o americano estava quebrando todas elas.

Você tinha uma vantagem, o elemento surpresa. E desperdiçou-a.

O americano estava indeciso, provavelmente esperando reforços ou talvez um ato falho do assassino que deixasse escapar informações decisivas.

Nunca faça um interrogatório antes de neutralizar a vítima. Um inimigo encurralado é um inimigo mortífero.

De novo, o americano estava falando. Sondando. Manipulando.

O assassino estava a ponto de cair na gargalhada. *Este não é um dos seus filmes de Hollywood, nada de longas discussões com a arma na mão antes do tiro final. Este é o final. Agora.*

Sem desgrudar os olhos do outro, o assassino foi estendendo as mãos bem devagar até encontrar o que procurava no teto do furgão. Olhando direto para a frente, agarrou o objeto.

E fez a sua jogada.

◆◆◆

O movimento foi absolutamente inesperado. Por um instante, Langdon achou que as leis da física haviam deixado de existir. O assassino pareceu pairar no ar enquanto suas pernas se desdobravam em um salto, as botas atingindo um lado do cardeal, empurrando seu corpo carregado de correntes para fora. O cardeal afundou, espalhando água para todo lado.

Com a água escorrendo-lhe pelo rosto, Langdon compreendeu tarde demais o que tinha acontecido. O assassino tinha agarrado uma das barras da estrutura do furgão e a usara como ponto de apoio para balançar o corpo. Agora, vinha em sua direção, os pés na frente, em meio à chuva de respingos d'água.

Langdon puxou o gatilho e o silenciador cuspiu fogo. A bala explodiu na bota esquerda do Hassassin, atravessando-a na altura do dedo grande. No mesmo segundo, Langdon sentiu as solas das duas botas do Hassassin no seu peito, atirando-o para trás com um chute violento.

Os dois homens caíram espadanando água e sangue.

Quando o líquido gelado engoliu o corpo de Langdon, a primeira coisa que sentiu foi dor. O instinto de sobrevivência veio depois. Notou que não segurava mais a arma. Ela tinha caído. Mergulhou, tateando o fundo lamacento. A mão tocou em metal. Um punhado de moedas. Deixou-as cair. Abriu os olhos e explorou o tanque iluminado. As águas agitavam-se ao redor de Langdon como se ele estivesse em uma Jacuzzi gelada.

Apesar do instinto de subir para respirar, o medo fez com que permanecesse no fundo. Mexia-se o tempo todo. Não fazia a menor idéia de onde viria o próximo golpe. Precisava encontrar a arma! Desesperadamente, suas mãos procuravam às apalpadelas.

Você está em vantagem agora, disse consigo. *Está em seu elemento.* Mesmo vestido com uma camisa de gola rulê ensopada, era um nadador ágil. *A água é o seu elemento.*

Quando, pela segunda vez, os dedos de Langdon tocaram metal, acreditou que a sorte havia mudado de lado. O objeto que segurava não era um punhado de moedas. Agarrou-o e tentou puxá-lo para si, mas, ao fazê-lo, sentiu o próprio corpo deslizando pela água. O objeto estava preso.

Langdon percebeu, antes mesmo de alcançar o corpo contorcido do cardeal, que havia agarrado parte da corrente de metal que o mantinha submerso. Ele hesitou por um momento, imobilizado com a visão apavorante do rosto que o encarava do fundo da fonte.

Espantado por ainda encontrar vida nos olhos do homem, Langdon estendeu as mãos para baixo e segurou com força as correntes, tentando levantá-lo até a superfície. O corpo movimentou-se devagar, como uma âncora. Langdon puxou com mais força. Quando a cabeça do cardeal irrompeu da água, ele aspirou o ar umas poucas vezes, desesperado. Então, com grande ímpeto, o corpo girou, o que fez com que Langdon perdesse a pega da corrente escorregadia. Como uma pedra, Baggia foi de novo para o fundo e desapareceu por baixo da espuma da água.

Langdon mergulhou, olhos abertos na água turva. Encontrou o cardeal. Dessa vez, quando Langdon o agarrou, as correntes na altura do peito de Baggia deslocaram-se e revelaram mais uma crueldade: a palavra marcada em sua carne com ferro em brasa.

Uma fração de segundo depois, Langdon avistou duas botas. De uma delas, jorrava sangue.

CAPÍTULO **103**

Como jogador de pólo aquático, Robert Langdon já sofrera mais ataques debaixo d'água do que merecia. A selvageria competitiva que impera sob a superfície de uma piscina de pólo aquático, longe dos olhos dos árbitros, pode ser comparada à das mais grosseiras competições de luta livre. Langdon já tinha sido chutado, arranhado, retido e até mesmo, uma vez, mordido por um zagueiro frustrado, de quem procurara se desviar durante o jogo todo.

Agora, porém, lutando nas águas gélidas da fonte de Bernini, Langdon reconhecia estar a anos-luz da piscina de Harvard. Aquele não era um jogo por pontos, mas pela própria vida. Era a segunda vez que os dois estavam lutando. Sem árbitros. Sem revanche. Os braços que lhe forçavam a cabeça de encontro ao fundo exerciam tamanha pressão que não deixavam dúvidas sobre sua intenção de matar.

Num gesto instintivo, Langdon girou o corpo igual a um torpedo. *Livrar-se da pega!* Mas o atacante, aproveitando-se da vantagem que nenhum jogador de pólo aquático jamais teve, a de estar com os pés firmes no chão, girou-o de volta. Langdon se contorceu, tentando apoiar os pés. O Hassassin parecia estar afrouxando a pressão em um dos braços, mas apesar disso continuava segurando firme.

Langdon convenceu-se de que não iria conseguir subir à superfície. Fez, então, a única coisa que lhe passou pela cabeça. Parou de fazer força para subir. *Se não dá para ir para o norte, vá para leste.* Juntando as últimas forças que lhe restavam, bateu as pernas como um golfinho e movimentou os braços por baixo do corpo em uma desajeitada braçada de estilo borboleta. Seu corpo avançou para frente.

A repentina mudança de direção pegou o Hassassin desprevenido. O movimento lateral de Langdon empurrou os braços do outro para os lados, prejudicando-lhe o equilíbrio. Ao sentir uma leve diminuição de pressão, Langdon bateu as pernas de novo. A sensação foi como se um cabo de reboque se partisse. De repente, Langdon estava livre. Expirou o que lhe restava de ar nos pulmões e, num arranco, foi para a superfície. Respirar uma única vez foi tudo o que conseguiu. Com uma força arrasadora, o Hassassin estava de novo em cima dele, as palmas das mãos nos ombros de Langdon, todo o peso do seu corpo sobre o adversário. Langdon tentou levantar-se, mas uma perna do Hassassin projetou-se para a frente, derrubando-o.

E ele afundou outra vez.

Os músculos de Langdon queimavam enquanto tentava desvencilhar-se. Dessa vez, todas as investidas foram em vão. Através da água borbulhante, Langdon vasculhava o fundo atrás da arma. Tudo estava embaçado, as borbulhas cada vez mais densas. Uma luz ofuscante bateu-lhe no rosto quando o assassino o empurrou para baixo, na direção de um refletor instalado no fundo. Langdon esticou os braços e agarrou a caixa do refletor. Estava quente. Langdon fez força para arrancá-la, mas estava fixada por meio de dobradiças, girou em sua mão e ele perdeu o apoio.

O Hassassin empurrou-o mais ainda para baixo.

Foi então que Langdon o viu. Fincado nas moedas, bem na frente de seus olhos. O cilindro estreito, preto. *O silenciador da arma de Olivetti!* Langdon se esticou, mas quando seus dedos seguraram o cilindro não sentiu o contato com metal, mas com plástico. Ao puxá-lo, uma mangueira flexível veio molemente em sua direção como se fosse uma cobra. Tinha uns 60 centímetros e as bolhas de ar jorrando de uma das pontas. Langdon não tinha encontrado arma nenhuma. Era um dos muitos *spumanti*, inocentes aparelhos de fazer bolhas de ar, instalados na fonte.

◆◆◆

Bem perto dali, o cardeal Baggia sentia a alma deixando-lhe o corpo. Embora tivesse se preparado a vida inteira para aquele momento, jamais imaginara que seu fim seria desse jeito. Seu corpo sofria intensamente – havia sido queimado, machucado e mantido submerso sob um peso intolerável. Lembrou-se de que o próprio sofrimento não era nada se comparado com o de Jesus.

Ele morreu pelos meus pecados...

Baggia escutava os golpes da luta violenta que se desenrolava por perto. Era demais pensar que quem o tinha capturado estava também quase terminando com outra vida, a do homem de olhos bondosos que tentara socorrê-lo.

Quando a dor aumentou, Baggia mirou, através da água, o céu escuro que encobria tudo. Por um momento, pensou ter visto estrelas.

Era chegada a hora.

Libertando-se de todo medo e dúvida, abriu a boca e expeliu o que seria o último sopro de sua vida. Observou seu próprio espírito gorgolejar na direção do céu em um jorro de bolhas de ar transparentes. Então, em uma reação involuntária, respirou. A água penetrou como finos punhais de gelo em seus flancos. A dor durou apenas alguns segundos.

Depois, veio a paz.

◆◆◆

O Hassassin ignorava o pé que doía, concentrado apenas em afogar o americano, que agora mantinha imobilizado sob o peso do seu corpo, no meio da água turbulenta. *Destruí-lo por completo.* Apertou com mais força ainda, sabendo que *desta vez* Robert Langdon não sobreviveria. Conforme havia previsto, sua vítima mostrava cada vez menos reação.

De repente, o corpo de Langdon ficou rígido. Começou a tremer loucamente. *Sim,* pensou o Hassassin. *Os tremores. Quando a água afinal chega aos pulmões.* Os tremores, sabia, iriam durar uns cinco segundos.

Duraram seis.

Então, exatamente como o Hassassin havia calculado, o corpo da vítima de repente ficou flácido. Como um imenso balão que perdesse o ar, Robert Langdon relaxou. Estava morto. O Hassassin ainda o segurou por mais uns trinta segundos, para que a água inundasse todo o tecido pulmonar. Aos poucos, sentiu que o corpo de Langdon afundava por conta própria. Afinal, o Hassassin o soltou. A imprensa encontraria uma dupla surpresa na Fonte dos Quatro Rios.

Tabban!, praguejou o Hassassin, saindo da fonte e examinando o dedo do pé que sangrava sem parar. A ponta da bota estava arrebentada e a extremidade do dedo grande havia sido arrancada. Furioso consigo mesmo pelo descuido, rasgou a bainha da calça e enfiou o tecido pelo buraco da bota, comprimindo-o contra a ferida. A dor subiu-lhe pela perna. *Ibn al-kalb!* Cerrou os punhos de dor e empurrou o pano com mais força. O sangramento foi diminuindo até restar apenas um filete de sangue.

Tirando seus pensamentos da dor e voltando-os para o prazer, o Hassassin entrou no furgão. O trabalho em Roma estava terminado. Sabia muito bem o que lhe aliviaria o incômodo. Vittoria Vetra estava amarrada e à sua espera. O Hassassin, mesmo com frio e ensopado, sentiu-se sexualmente excitado.

Fiz por onde merecer meu prêmio.

◆◆◆

Do outro lado da cidade, Vittoria acordou toda dolorida. Estava deitada de costas. Todos os músculos estavam duros como pedra. Tensos. Retesados. Os braços doíam. Tentou se mexer, mas sentiu espasmos nos ombros. Levou poucos segundos para compreender que suas mãos estavam amarradas nas costas. A primeira reação foi de confusão. *Estou sonhando?* Mas, quando quis levantar a cabeça, a dor lancinante na base do crânio avisou-a de que estava totalmente acordada.

A confusão inicial deu lugar ao medo, e ela examinou o lugar.

Encontrava-se em uma sala despojada, grande e bem mobiliada, iluminada por tochas acesas e com paredes de pedra. Uma espécie de antigo salão de reuniões. Havia bancos antiquados dispostos em círculo mais adiante.

Vittoria sentiu uma brisa, agora fria, percorrer-lhe a pele. Não longe de onde estava, um conjunto de portas duplas abria-se para uma sacada. Através das brechas da balaustrada, Vittoria podia jurar ter visto o Vaticano.

CAPÍTULO **104**

Robert Langdon jazia deitado sobre uma camada de moedas no fundo da *Fonte dos Quatro Rios*, a mangueira de plástico ainda na boca. O ar que era bombeado através do tubo dos *spumanti* para fazer a fonte borbulhar vinha poluído e sua garganta ardia. Não podia reclamar, porém. Afinal, estava vivo.

Não tinha certeza se sua imitação de um afogado fora convincente, mas, tendo passado a vida inteira em contato com a água, Langdon já ouvira muitas descrições de afogamentos. Fizera o melhor que podia. Quase no final, teve de expirar todo o ar dos pulmões e parar de respirar para que a massa muscular levasse seu corpo para o fundo.

Por sorte, o Hassassin engolira a história e o soltara.

Agora, deitado no fundo da fonte, Langdon esperou o quanto pôde. Estava prestes a morrer asfixiado. Tentou adivinhar se o Hassassin ainda estaria lá fora. Aspirou o ar queimado que vinha do tubo, entregou os pontos e atravessou nadando o fundo da fonte até encontrar a elevação da parte central. Bem devagar, subiu acompanhando-a e emergindo sem ser visto nas sombras projetadas na água pelas imensas figuras de mármore.

O furgão tinha ido embora.

Era tudo o que Langdon precisava ver. Respirou bem fundo, enchendo os pulmões de ar, e voltou para o local onde o cardeal Baggia afundara. Langdon sabia que o homem já estaria inconsciente e que as chances de sobrevivência eram mínimas, mas tinha de tentar. Quando encontrou o corpo, abriu as pernas sobre ele e apoiou bem os pés, abaixou as mãos e agarrou as correntes que envolviam o cardeal. Então, Langdon puxou. Quando o cardeal saiu da água, Langdon viu que os olhos dele já estavam revirados para cima, salientes. Não era um bom sinal. Não havia respiração nem pulso.

Sabendo que jamais conseguiria levantar o corpo e fazê-lo passar pela borda do tanque da fonte, Langdon puxou o cardeal Baggia pela água até uma concavidade sob a elevação central. Ali era mais raso e havia uma espécie de saliência inclinada. Langdon arrastou o corpo nu para cima da saliência o mais que lhe foi possível. E pôs-se a trabalhar.

Comprimiu o peito coberto de correntes do cardeal e bombeou a água para fora dos seus pulmões. Depois aplicou a ressuscitação cardiopulmonar, fazendo a contagem com todo o cuidado, cheio de determinação e resistindo ao instinto de soprar com força demais ou depressa demais. Durante três minutos, Langdon tentou reanimar o cardeal. Passados cinco minutos, reconheceu que não havia mais nada a fazer.

Il preferito. O homem que teria sido Papa. Morto diante dele.

De algum modo, mesmo naquelas circunstâncias, caído no escuro sobre a pedra meio submersa, o cardeal Baggia ainda mantinha um ar de serena dignidade. A água agitava-se mansamente sobre o seu peito, parecendo arrependida, como se pedisse perdão por ter sido a assassina final, como se quisesse purificar a ferida da queimadura que tinha o seu nome.

Delicadamente, Langdon passou a mão no rosto do homem e fechou-lhe os olhos. Ao fazê-lo, sentiu dentro de si um estremecimento e lágrimas de exaustão inundaram seus olhos. Espantou-se com isto. E, pela primeira vez em anos, Langdon chorou.

CAPÍTULO 105

A nebulosa sensação de esgotamento emocional foi se dissipando aos poucos à medida que Langdon, andando dentro da água, se afastava do cardeal morto e voltava para o trecho mais fundo. Extenuado e só, ele pensava que fosse desmaiar no meio da fonte. Mas, em vez disso, sentiu uma nova compulsão ir crescendo em seu íntimo. Incontestável. Veemente. Seus músculos se retesaram com uma súbita firmeza. A mente, ignorando a tristeza do coração, pôs de lado os acontecimentos passados para dar lugar à única e arriscada tarefa que tinha pela frente.

Encontrar o refúgio dos Illuminati. Ajudar Vittoria.

Virando-se para o centro montanhoso da fonte de Bernini, Langdon reuniu suas esperanças e lançou-se na busca do último marco dos Illuminati. Tinha certeza de que em algum lugar, no meio das massas contorcidas de figuras, estava a pista que indicaria o refúgio. Enquanto vasculhava a fonte, entretanto, suas esperanças esvaíram-se rapidamente. As palavras do *segno* pareciam vir, zombeteiras, do burburinho das águas que o rodeavam. *Que os anjos o guiem em sua busca sublime.* Langdon olhava para as figuras à sua frente. *A fonte é pagã! Não há nenhum anjo em lugar algum!*

Depois de terminar sem resultado a busca na parte central, seu olhar instintivamente subiu pela altiva coluna de pedra. *Quatro marcos, pensou, espalhados por Roma em uma cruz gigantesca.*

Examinou os hieróglifos que cobriam o obelisco e ficou imaginando se haveria uma pista escondida nos símbolos egípcios. Rejeitou a idéia imediatamente. Os hieróglifos eram anteriores a Bernini em muitos séculos e só tinham sido decifrados depois da descoberta da Pedra de Rosetta. Ainda assim, Langdon arriscou, quem sabe Bernini teria esculpido ali mais um símbolo? Um símbolo que passasse despercebido no meio dos hieróglifos?

Sentindo uma centelha de esperança, Langdon caminhou ao redor da fonte, mais uma vez analisando as quatro fachadas do obelisco. Levou uns dois minutos e, quando chegou ao final da última face, suas esperanças desapareceram. Nada nos hieróglifos se destacava como sendo qualquer tipo de acréscimo. E muito menos havia anjos.

Langdon verificou o relógio. Onze horas em ponto. Não saberia dizer se o tempo estava voando ou andando devagar. Imagens de Vittoria e do Hassassin começaram a obcecá-lo enquanto circundava a fonte, impaciente, a frustração crescendo a cada volta inútil. Abatido e exausto, Langdon estava a ponto de cair. Levantou a cabeça para gritar para a noite.

O som ficou preso na sua garganta.

Langdon estava olhando direto para o topo do obelisco. O objeto empoleirado era um que vira antes sem dar qualquer importância. Dessa vez, porém, ele o fez parar. Não era um anjo. Longe disso. Na verdade, não o havia percebido como parte da fonte de Bernini. Pensou que estivesse vivo, que fosse mais um dos pequenos animais que ciscavam nas ruas da cidade, encarapitado em cima da torre.

Um pombo.

Langdon apertou os olhos na direção do vulto, a visão embaçada pela névoa luminosa à volta. Era um pombo, não era? Via nitidamente o contorno da cabeça e do bico contra um aglomerado de estrelas. No entanto, o pássaro não se movera desde a chegada de Langdon na praça, mesmo com todo aquele alvoroço em baixo. Estava exatamente na mesma posição. Empoleirado no alto do obelisco, mirando tranqüilamente o oeste da cidade.

Langdon olhou fixo para ele por um momento e depois mergulhou a mão na fonte, agarrou um punhado de moedas e arremessou-as para cima. Bateram com um ruído seco contra a parte superior do obelisco de granito. O pássaro não se mexeu. Tentou de novo. Dessa vez, uma das moedas atingiu o alvo. Um leve som de metal contra metal ecoou pela praça.

O maldito pombo era de bronze.

Você está procurando um anjo, não um pombo, lembrou-o uma voz em sua cabeça. Tarde demais. Langdon já fizera a associação. Percebeu que a ave não era propriamente um pombo comum.

Era uma pomba.

Sem se dar conta dos próprios atos, Langdon saiu espalhando água para o centro da fonte e começou a escalar a montanha de mármore travertino, subindo em imensos braços e cabeças, cada vez mais alto. A meio caminho da base do obelisco conseguiu vencer a camada de névoa que encobria todo o tanque e ver melhor a cabeça do pássaro.

Não tinha dúvida. Era uma pomba. A enganadora coloração escura do pássaro era resultado da poluição de Roma, que manchava o tom original do bronze. E o significado ficou claro para ele. Vira, horas antes, um par de pombas no Panteão. Um par de pombas não representa nenhum símbolo. Essa pomba, porém, estava só.

A pomba solitária é o símbolo pagão do Anjo da Paz.

A descoberta praticamente transportou Langdon pelo resto do percurso para o obelisco. Bernini escolhera um símbolo pagão para o anjo de forma a poder disfarçá-lo em uma fonte pagã. *Que os anjos o guiem em sua busca sublime. A pomba é o anjo!* Langdon não poderia conceber pouso mais sublime para o último marco dos Illuminati do que no alto desse obelisco.

O pássaro apontava para oeste. Langdon tentou acompanhar sua mirada, mas não conseguia enxergar por cima dos prédios. Subiu mais. Uma citação de São Gregório de Nyssa veio-lhe à mente: *Quando o espírito é iluminado, toma a magnífica forma de uma pomba.*

Langdon subiu rumo ao céu. Rumo à pomba. Quase voando. Alcançou a plataforma que servia de base para o obelisco, de onde não poderia subir mais. Mas bastou uma olhada ao redor para saber que isso não seria necessário. Roma se estendia diante dele. A vista era deslumbrante.

À esquerda, a iluminação caótica dos carros da imprensa em torno de São Pedro. À direita, a cúpula envolta em fumaça de Santa Maria della Vittoria. Em frente, à distância, a Piazza del Popolo. Abaixo dele, o quarto e último marco. Uma cruz gigantesca de obeliscos.

Trêmulo, Langdon olhou para a pomba lá em cima. Virou-se para a direção correta e depois abaixou os olhos para a linha do horizonte.

Em um instante, viu tudo.

Tão óbvio. Tão claro. Tão tortuosamente simples.

Observando-o agora, Langdon achava quase inacreditável que o refúgio dos Illuminati tivesse permanecido secreto por tantos anos. Tinha a impressão de que a cidade toda desaparecia aos poucos em torno da monstruosa estrutura de pedra do outro lado do rio, diante dele. Um dos muitos prédios famosos de Roma. Ficava às margens do rio Tibre, próximo, em diagonal, ao Vaticano. A geometria da construção era perfeita – um castelo circular construído dentro de uma fortaleza quadrada e, do lado de fora dos muros, rodeando toda a estrutura, um parque em forma de *pentagrama*.

As antigas muralhas de pedra diante de Langdon recebiam uma iluminação suave vinda de holofotes, com um efeito espetacular. No alto do castelo, o colossal anjo de bronze. O anjo apontava sua espada para baixo, para o centro exato do prédio. E, como se não bastasse, levando única e exclusivamente para a entrada principal do castelo, havia a célebre Ponte dos Anjos, uma impressionante via de acesso, ornamentada com 12 majestosos anjos esculpidos por ninguém menos que o próprio Bernini.

Em uma última revelação sensacional, Langdon concluiu que a cruz de obeliscos de Bernini, que abarcava toda a cidade, também marcava a fortaleza da forma mais condizente com os princípios dos Illuminati: o braço central da cruz passava diretamente pelo meio da ponte do castelo, dividindo-a em duas metades idênticas.

Langdon pegou o paletó de lã, segurando-o afastado do corpo que pingava. Entrou no carro roubado e apertou o acelerador com o sapato encharcado, saindo a toda velocidade pela noite.

CAPÍTULO **106**

Eram 11h07. O carro de Langdon corria pela noite romana. Descendo a Lungotevere Tor di Nona, paralela ao rio, Langdon via seu destino avolumando-se à direita como uma grande montanha.

Castel Sant'Angelo. Castelo do Anjo.

Sem indicação prévia, o acesso à estreita Ponte dos Anjos – a Ponte Sant'Angelo – surgiu de repente. Langdon enfiou o pé no freio e deu uma guinada. Conseguiu, mas a ponte estava fechada com barreiras. Ele derrapou uns três metros e bateu em uma porção de pequeninas colunas de cimento que lhe barravam o caminho. Langdon cambaleou para a frente e o motor do carro afogou, falhando e estremecendo. Não sabia que a Ponte dos Anjos, para ser preservada, agora se convertera em área exclusiva para pedestres.

Desconcertado, Langdon saltou do carro amassado desejando ter escolhido um dos outros acessos. Tremia de frio, a roupa molhada da água da fonte. Vestiu o casaco de tweed em cima da camisa úmida, contente com o forro duplo que o fabricante colocava nos casacos. O fólio do *Diagramma* continuaria seco. À sua frente erguia-se a fortaleza feita de pedra. Enfraquecido, doído, Langdon saiu correndo, as passadas pouco firmes.

Dos seus dois lados, como uma escolta enfileirada, o cortejo de anjos de Bernini ia ficando para trás, fechando o percurso e encaminhando-o para seu destino final. *Que os anjos o guiem em sua busca sublime.* O castelo aumentava conforme ele avançava, montanha impossível de escalar, inatingível, ainda mais intimidador do que São Pedro lhe parecera. Correu para lá em meio aos vapores da noite, vendo o anjo descomunal brandindo a espada no alto do núcleo circular da cidadela.

O castelo parecia deserto.

Langdon sabia que, no decorrer dos séculos, a construção fora usada pelo Vaticano como tumba, fortaleza, esconderijo do Papa, prisão para inimigos da Igreja e museu. Pelo jeito, o castelo tivera igualmente outros inquilinos – os Illuminati. De certa forma, até que fazia um sentido sinistro. Apesar de ser propriedade do Vaticano, o castelo só era utilizado esporadicamente e Bernini realizara diversas reformas ali ao longo dos anos. Hoje acredita-se que ele seria um labirinto de entradas secretas, passagens e câmaras escondidas. Langdon tinha certeza de que o anjo e o parque pentagonal que o cercava eram também trabalho de Bernini.

Ao chegar às descomunais portas duplas da entrada, Langdon empurrou-as o mais que pôde. Como era de se esperar, as portas não se moveram. Possuíam duas aldravas de ferro penduradas na altura do rosto de uma pessoa. Langdon não fez caso delas. Recuou alguns passos, examinando a parede externa até em cima. Aquelas muralhas tinham resistido a exércitos de berberes, pagãos e mouros. Achou que suas probabilidades de penetrar ali à força eram exíguas.

Vittoria, pensou Langdon, *será que você está aí dentro?*

Langdon contornou a parede externa. *Deve haver outra entrada!*

Rodeando a segunda muralha a oeste, chegou ofegante a um pequeno estacionamento próximo à Lungotevere Castello. Nessa muralha encontrou uma segunda entrada para o castelo, uma espécie de ponte levadiça, suspensa e trancada. Langdon olhou para cima outra vez.

As únicas luzes no castelo eram as dos holofotes externos que iluminavam a fachada. Todas as diminutas janelas no interior estavam às escuras. Os olhos de Langdon foram subindo. No ponto mais alto da torre central, 30 metros acima, precisamente sob a espada do anjo, projetava-se uma sacada isolada. O parapeito de mármore reluzia ligeiramente, como se o aposento adjacente estivesse iluminado por uma tocha acesa. Langdon parou, com um calafrio súbito em seu corpo encharcado. Uma sombra? Ele esperou, tenso. E viu a sombra outra vez! Um arrepio percorreu sua espinha. *Há alguém lá em cima!*

– Vittoria! – gritou, incapaz de se conter, mas sua voz foi engolida pelo rugir do rio Tibre atrás dele.

Andou em círculos, perguntando-se onde estaria a maldita Guarda Suíça. Será que tinham ouvido sua transmissão?

Do outro lado do estacionamento havia um grande caminhão de alguma emissora parado. Langdon correu para ele. Um homem barrigudo com fones de ouvido na cabeça estava sentado na cabine ajustando seu equipamento. Langdon bateu com a mão na lateral do caminhão. O homem deu um pulo, viu as roupas molhadas de Langdon e arrancou os fones da cabeça.

– Qual o problema, companheiro? – tinha um sotaque australiano.

– Preciso usar seu telefone – Langdon estava frenético.

O homem deu de ombros.

– Não tem sinal. Estou tentando há horas. Os circuitos estão todos congestionados.

Langdon praguejou em voz alta.

– Viu alguém entrar aí? – e apontou para a ponte levadiça.

– Para falar a verdade, vi, sim. Um furgão preto saiu e entrou uma porção de vezes esta noite.

Langdon sentiu um peso na boca do estômago.

– Sortudo desgraçado – disse o australiano, olhando para a torre e fazendo uma careta para sua vista obstruída do Vaticano. – Aposto que a visão de lá é perfeita. Não consegui passar pelo tráfego em São Pedro, por isso estou transmitindo daqui.

Langdon não estava escutando. Procurava opções.

– O que é que você acha? – perguntou o australiano. – Será que o Samaritano da Décima Primeira Hora é para valer?

Langdon virou-se.

– O quê?

– Não ouviu? O capitão da Guarda Suíça recebeu um telefonema de alguém que diz ter informações de primeira. O cara está vindo para cá de avião. Só sei é que, se ele conseguir salvar a pátria, lá se vão os nossos índices!

O homem deu uma risada.

Langdon não compreendia. Um bom samaritano ia chegar de avião para ajudar? E sabia onde estava a antimatéria? Então, por que não *dizia* logo para a Guarda Suíça? Por que estava vindo em pessoa? Era tudo muito esquisito, mas Langdon não dispunha de tempo para tentar decifrar a questão.

– Ei – disse o australiano, observando o rosto de Langdon mais atentamente –, você não é o sujeito que vi na televisão? O que tentou salvar aquele cardeal na Praça de São Pedro?

Langdon não respondeu. Sua atenção fixara-se em um aparelho preso no teto do caminhão – uma antena parabólica com uma haste dobrável. Olhou de novo para o castelo. A muralha externa tinha uns 15 metros de altura. A fortaleza interior era ainda mais alta. Uma dupla defesa. Não daria para alcançar a parte de cima dali, mas talvez, se passasse do primeiro muro...

Langdon girou nos calcanhares e apontou para o braço da antena.

– Até que altura aquilo vai?

O homem ficou meio desconcertado.

– Quinze metros. Por quê?

– Tire o caminhão daí. Estacione junto ao muro. Preciso de ajuda.

– Que história é essa?

Langdon explicou.

O australiano arregalou os olhos.

– Ficou maluco? Aquilo ali é uma extensão telescópica de 200 mil dólares. Não é uma escada!

– Quer seus índices? Tenho informações que vão fazer você ganhar o dia.

Langdon estava desesperado.

– Informações que também valem essa nota toda?

Langdon disse a ele o que revelaria em troca do favor.

Noventa segundos mais tarde, Robert Langdon encontrava-se agarrado à ponta de um braço de antena parabólica, balançando na brisa a 15 metros do solo. Inclinando-se, segurou a beirada da primeira muralha, arrastou-se para cima da parede e pulou para dentro do bastião mais baixo do castelo.

– Agora mantenha sua promessa! – gritou lá de baixo o australiano. – Onde ele está?

Langdon sentiu-se culpado por revelar essa informação, mas trato era trato. Além do mais, o Hassassin provavelmente daria a informação à imprensa de qualquer maneira.

– Piazza Navona – gritou Langdon. – Ele está dentro da fonte.

O australiano recolheu sua antena parabólica e foi atrás do maior furo de sua carreira.

◆◆◆

Em uma câmara de pedra acima da cidade, o Hassassin tirou as botas encharcadas e enfaixou o dedo do pé ferido. Doía muito, mas não tanto que o impedisse de se divertir.

Dirigiu-se para seu prêmio.

Ela estava em um canto do aposento, deitada em um divã primitivo, as mãos atadas atrás do corpo e amordaçada. O Hassassin encaminhou-se para ela. A mulher estava acordada. Isso o agradou. Surpreendentemente, viu fogo em seus olhos em vez de medo.

O medo virá.

CAPÍTULO **107**

Robert Langdon percorreu rapidamente a muralha externa do castelo, satisfeito por poder contar com a iluminação dos holofotes. O pátio abaixo dele parecia um museu das guerras da Antiguidade – catapultas, pilhas de balas de canhão feitas de mármore e um arsenal de terríveis artefatos. Partes do castelo eram abertas aos turistas durante o dia, e o pátio fora parcialmente restaurado e devolvido ao seu estado original.

Do outro lado do pátio encontrava-se o núcleo central da fortaleza. A cidadela circular elevava-se mais de trinta metros até o anjo de bronze que a encimava. Na sacada do alto ainda havia luz. Langdon queria chamar, mas achou melhor não o fazer. Teria de encontrar uma forma de entrar.

Olhou o relógio.

11h12 da noite.

Descendo depressa a rampa de pedra que contornava o interior do muro, Langdon chegou ao pátio. De volta ao nível do chão, oculto pelas sombras, circundou a fortaleza no sentido dos ponteiros do relógio. Passou por três pórticos, todos hermeticamente fechados. *Como o Hassassin entrou?* E Langdon prosseguiu. Passou por duas entradas modernas, ambas trancadas por fora com cadeados. *Não foi por aqui.* E continuou a correr.

Já rodeara quase todo o prédio quando viu um caminho de cascalho cruzando o pátio. Numa das extremidades do caminho, na parede externa do castelo, viu a ponte levadiça que levava à saída. Na outra extremidade, o caminho desaparecia dentro da fortaleza. Parecia dar em uma espécie de túnel – uma abertura para o núcleo central. *Il traforo!* Langdon lera sobre o *traforo* desse castelo, uma gigantesca rampa em espiral que circulava dentro do forte, usada pelos comandantes para ir a cavalo da base ao topo com mais rapidez. *O Hassassin entrou de carro!* O portão de ferro do túnel estava aberto, levantado, indicando por onde Langdon deveria seguir. Ele se sentia quase exultante ao correr para o túnel. Quando se aproximou da abertura, porém, seu entusiasmo arrefeceu.

O túnel *descia* em espiral.

O caminho não era aquele. Aquele trecho do *traforo*, pelo jeito, ia para as masmorras, não para cima.

Parado junto ao poço escuro que penetrava fundo na terra, ele hesitou, levantando os olhos mais uma vez para a sacada. Seria capaz de jurar que vira algum movimento ali. *Decida-se!* Sem outra opção, entrou no túnel.

◆◆◆

Lá em cima, o Hassassin debruçava-se sobre sua presa. Correu a mão pelo braço dela. A pele era macia como seda. A expectativa de explorar os tesouros do corpo daquela mulher o inebriava. De quantas maneiras poderia violentá-la?

Sabia que merecia a mulher. Servira bem a Janus. Ela era um espólio de guerra e, quando terminasse, a empurraria do divã e a obrigaria a ficar de joelhos. E a mulher o serviria de novo. *A submissão extrema.* Então, no momento em que ele atingisse o clímax, cortaria a garganta dela.

Ghayat assa'adah, como diziam. *O prazer extremo.*

Mais tarde, saboreando sua glória, ficaria na sacada para apreciar o apogeu do triunfo dos Illuminati, uma vingança desejada por tantos durante tanto tempo.

◆◆◆

O túnel tornou-se mais escuro. Langdon descia sem parar.

Depois de uma volta completa sob a terra, a luz se fora por completo. O piso nivelou-se e Langdon diminuiu o ritmo, pressentindo, pelo eco de seus passos, que entrara em uma grande câmara. Na sua frente, em meio às trevas, julgou ter vislumbrado ligeiros lampejos, vagos reflexos luminosos. Avançou, estendendo a mão. Encontrou superfícies lisas. Vidro e metais cromados. Era um veículo. Tateou a superfície, encontrou uma porta e a abriu.

A luz interna do veículo acendeu-se. Langdon deu um passo atrás e reconheceu o furgão preto. Uma onda de aversão o fez parar um instante, mas logo ele entrou, revirando tudo na esperança de encontrar uma arma para substituir a que perdera na fonte. Não encontrou nenhuma. Achou, contudo, o telefone celular de Vittoria. Quebrado, sem condições de uso. Ao vê-lo, sentiu medo. Rezou para não ter chegado tarde demais.

Acendeu os faróis do furgão. O ambiente iluminou-se, sombras severas projetaram-se em uma câmara simples. Langdon deduziu que o local talvez já tivesse sido usado para guardar cavalos e munição. Era, além disso, um beco sem saída.

Vim pelo caminho errado!

Angustiado, saltou do furgão e examinou as paredes ao redor. Nenhuma porta nem portão. Lembrou-se do anjo acima da entrada do túnel e pensou se teria sido uma coincidência. Não! Ouviu de novo as palavras do matador na fonte. *Ela está na Igreja da Iluminação, esperando a minha volta.* Langdon não chegara tão longe para falhar no final. Seu coração batia com força. A frustração e o ódio estavam começando a prejudicar seus sentidos.

Quando viu sangue no chão, seu primeiro pensamento foi para Vittoria. Todavia, acompanhando as manchas de sangue, percebeu que eram pegadas. Os passos eram grandes. Os borrões vermelhos eram produzidos apenas pelo pé esquerdo. *O Hassassin!*

Langdon seguiu as pegadas, que iam na direção de um ângulo do aposento, sua sombra espalhada se tornando menos nítida a cada passo. À medida que se aproximava da parede, ficava mais intrigado. As marcas de sangue pareciam ir diretamente para aquele canto e depois sumiam.

Ao chegar perto da quina, mal pôde acreditar no que viu. Ali, o bloco de granito do piso não era quadrado como os outros. Langdon encontrava-se diante de mais um sinalizador. O bloco fora esculpido na forma de um perfeito pentagrama, com uma extremidade apontando para o canto. Engenhosamente disfarçada por paredes superpostas, uma estreita fenda na pedra servia de saída. Langdon esgueirou-se por ela. Saiu em um corredor. Mais adiante, viu os restos da vedação de madeira que antes estivera fechando aquele túnel.

Além, havia luz.

Langdon correu. Passou por cima dos pedaços de madeira em direção à luz. O corredor logo chegou a outra câmara, maior do que a anterior. Ali, uma única tocha acesa reluzia, presa na parede. Langdon estava em um setor do castelo onde não havia luz elétrica, um setor que nenhum turista jamais veria. A sala teria sido assustadora mesmo à luz do dia, mas a tocha tornava-a mais horripilante ainda.

Il prigione.

Havia lá dezenas de minúsculas celas de prisão, as barras de ferro da maioria já carcomidas pela ferrugem. Uma das celas maiores, porém, permanecia intacta e, no chão, Langdon viu algo que quase fez seu coração parar. Batinas negras e faixas de seda vermelha espalhadas. *Foi aqui que ele prendeu os cardeais!*

Junto à cela, na parede, um batente de porta feito de ferro. A porta estava escancarada e, além dela, dava para ver uma espécie de passagem. Ele correu para lá, mas parou antes. A trilha de sangue não seguia pela passagem. Ao ver as palavras que haviam sido esculpidas na arcada, entendeu por quê.

Il Passetto.

Ficou atônito. Ouvira falar daquele túnel muitas vezes sem saber exatamente onde seria a entrada. *Il Passetto* – a Pequena Passagem, ou Corredor – era um túnel estreito de 1.200 metros construído entre o Castelo Sant'Angelo e o Vaticano. Fora usado por vários Papas para escapar em segurança durante cercos ao Vaticano, bem como por alguns Papas menos piedosos para visitar secretamente suas amantes ou supervisionar as torturas infligidas a seus inimigos. Atualmente, as duas extremidades do túnel estavam supostamente trancadas com cadeados da maior segurança cujas chaves deviam ser guardadas em algum cofre do Vaticano. Langdon desconfiava que sabia agora como os Illuminati tinham entrado e saído do Vaticano. Deu por si tentando adivinhar quem teria traído a Igreja e entregado as chaves aos inimigos. *Olivetti? Alguém da Guarda Suíça?* Nada disso importava mais.

O sangue no chão levava ao lado oposto da prisão. Langdon seguiu-o. Surgiu um portão enferrujado coberto de correntes. O cadeado fora retirado e o portão estava aberto. Depois dele, havia uma subida íngreme por escadas em espiral. O chão naquele ponto também fora marcado com um bloco em forma de pentagrama. Langdon olhou para o bloco, trêmulo, pensando se Bernini em pessoa teria segurado o cinzel que talhara aquela peça. Acima, a arcada fora enfeitada com um diminuto querubim esculpido. Era tudo.

A trilha de sangue subia as escadas.

Antes de subir, Langdon ponderou que iria precisar de uma arma, qualquer uma. Encontrou um pedaço de barra de ferro de mais ou menos um metro junto a uma das celas. Tinha uma ponta aguda, despedaçada. Apesar de absurdamente pesado, era o melhor que poderia conseguir. Esperava que o elemento surpresa, combinado com o ferimento do Hassassin, fossem suficientes para equilibrar a balança a seu favor. Mais do que tudo, entretanto, esperava que não fosse tarde demais.

Os degraus da escada em espiral estavam gastos e inclinavam-se muito para cima. Langdon subiu, atento a qualquer som. Nenhum. Conforme subia, a luz que vinha da prisão ia aos poucos ficando fraca. Logo, a escuridão tornou-se completa e foi preciso manter uma das mãos na parede. Imaginava o fantasma de Galileu naqueles mesmos degraus, ansioso para partilhar suas visões do céu com outros homens de ciência e de fé.

Ainda se sentia em estado de choque a respeito da localização do refúgio dos Illuminati. A sala de encontros dos Illuminati era dentro de um prédio que pertencia ao Vaticano. Seguramente, enquanto os guardas do Vaticano saíam para revistar as casas e os porões de cientistas conhecidos, os Illuminati se reuniam *ali*, bem debaixo do nariz da Igreja. Tudo parecia de repente tão perfeito. Bernini, como o arquiteto que chefiara as reformas, teria acesso ilimitado àquela estrutura, reformando-a de acordo com suas próprias especificações sem ter de explicar nada a ninguém. Quantas entradas secretas Bernini teria acrescentado ao prédio? Quantos embelezamentos sutis para apontar o caminho?

A Igreja da Iluminação. Langdon estava perto dela.

Quando as escadas começaram a se estreitar, Langdon sentiu o corredor se fechando em torno dele. As sombras da história sussurravam no escuro, mas ele foi em frente. Ao divisar uma faixa horizontal de luz, percebeu que estava alguns degraus abaixo de um patamar, onde o brilho da tocha passava sob a soleira de uma porta em frente dele. Silenciosamente, subiu mais.

Não sabia em que lugar do castelo se encontrava naquele momento, mas sabia que subira o bastante para estar perto do ponto mais alto. Imaginou o anjo colossal no topo do castelo e calculou que deveria estar justamente acima daquele ponto.

Olhe por mim, anjo, pensou, empunhando a barra de ferro. Então, sem ruído, estendeu a mão para a porta.

◆◆◆

No divã, os braços de Vittoria doíam. Ao acordar e descobrir que estavam amarrados atrás de suas costas, achou que conseguiria relaxar o corpo e soltar as mãos. Mas o tempo se esgotara. A besta-fera estava de volta. Agora, ele estava de pé junto dela, o peito nu largo e robusto, cheio de cicatrizes das batalhas que lutara. Os olhos pareciam duas fendas negras analisando o corpo dela. Vittoria pressentiu que naquele momento ele imaginava as façanhas que estava prestes a realizar. Devagar, como para escarnecer dela, o Hassassin tirou o cinto molhado e deixou-o cair no chão.

Vittoria sentiu uma repulsa horrível. Fechou os olhos. Quando os reabriu, o Hassassin estava segurando um canivete. Fez a lâmina saltar com um estalo bem na frente do seu rosto.

Vittoria viu o próprio rosto aterrorizado refletido no aço da lâmina.

O Hassassin virou a lâmina e correu a parte de trás pela barriga dela. O metal gelado deu-lhe arrepios. Com um olhar de desdém, ele deslizou a lâmina por dentro do cós do short cáqui. Ela prendeu a respiração. Ele moveu a lâmina de um lado para outro, lentamente, perigosamente mais baixo. Então, curvou-se para ela, o hálito quente em seu ouvido, e sussurrou:

– Foi com esta lâmina que arranquei o olho de seu pai.

Naquele instante, Vittoria descobriu que era capaz de matar.

O Hassassin virou de novo a lâmina e começou a cortar o tecido do short. De repente, parou e levantou a cabeça. Havia mais alguém na sala.

– Afaste-se dela – uma voz profunda soou raivosa da porta.

Vittoria não podia enxergar quem falara, mas reconheceu a voz. *Robert! Ele está vivo!*

O Hassassin tinha a expressão de quem vê um fantasma.

– Senhor Langdon, o senhor deve ter um anjo da guarda.

CAPÍTULO **108**

Na fração de segundo de que dispôs para avaliar o ambiente, Langdon percebeu que se encontrava em um lugar sagrado. Os ornatos na sala oblonga, apesar de velhos e desbotados, estavam repletos de uma simbologia conhecida. Azulejos em forma de pentagrama, afrescos representando os planetas. Pombas. Pirâmides.

A Igreja da Iluminação. Pura e simplesmente. Ele chegara.

Na sua frente, emoldurado pela abertura da sacada, estava o Hassassin. Tinha o peito nu e junto dele, deitada e amarrada mas bem viva, estava Vittoria. Langdon sentiu um grande alívio ao vê-la. Por um instante, seus olhos se encontraram e uma torrente de emoções fluiu entre os dois – gratidão, desespero e pena.

– Quer dizer que nos encontramos de novo – disse o Hassassin. Viu a barra de ferro na mão de Langdon e deu uma risada alta. – E desta vez é com *isso* que vem atrás de mim?

– Solte-a.

O Hassassin encostou a faca no pescoço de Vittoria.

– Vou matá-la.

Langdon não duvidava de que ele fosse capaz de tal coisa. Forçou-se a falar em um tom calmo.

– Imagino que ela gostaria muito disso, considerando-se a alternativa.

O Hassassin sorriu ao ouvir o insulto.

– Tem razão. Ela tem muito a oferecer. Seria um desperdício.

Langdon deu um passo à frente, segurando com firmeza a barra enferrujada, e mirou o Hassassin com a ponta quebrada. O corte em sua mão ardeu fortemente.

– Deixe-a ir.

Por um momento, o Hassassin deu a impressão de estar refletindo a respeito. Suspirando, descaiu os ombros. Era nitidamente um gesto de rendição e, no entanto, naquele instante exato, o braço do homem acelerou-se de modo inesperado. Os músculos escuros formaram um borrão e a lâmina veio reluzindo pelo ar na direção do peito de Langdon.

Se foi instinto ou exaustão o que na hora vergou os joelhos de Langdon, ele não soube, mas o canivete passou rente à sua orelha esquerda e caiu no chão com um ruído metálico. O Hassassin, imperturbável, sorriu para Langdon, que se ajoelhara, segurando a barra de ferro. O matador deixou Vittoria e encaminhou-se para seu adversário como um leão que avança para a presa.

Langdon levantou-se apressado erguendo outra vez a barra – a camisa e a calça molhadas tolhendo-lhe os movimentos. O Hassassin, seminu, movia-se com mais rapidez, a ferida no pé aparentemente em nada o atrapalhava. Aquele homem devia estar acostumado à dor. Pela primeira vez na vida Langdon desejou estar segurando um revólver muito grande.

O Hassassin rodeou-o devagar, com ar divertido, sempre fora de alcance, tentando se aproximar da faca no chão. Langdon pôs-se no meio do caminho. Então, o matador voltou para perto de Vittoria. Mais uma vez, Langdon interpôs-se.

– Ainda há tempo – arriscou Langdon. – Diga onde está a antimatéria. O Vaticano pode lhe pagar mais do que os Illuminati jamais fariam.

– Você é ingênuo.

Langdon dava estocadas com a barra. O Hassassin desviava-se. Langdon contornou um banco segurando a arma diante de si, tentando encurralar o outro na sala oval. *Esta sala desgraçada não tem cantos!* Curiosamente, o Hassassin não se mostrava interessado em atacar ou fugir. Fazia apenas o jogo de Langdon. Esperando, com frieza.

Esperando o quê? O matador continuava se deslocando em círculo, um mestre na arte de se posicionar. Era como um interminável jogo de xadrez. A arma na mão de Langdon ia ficando pesada e logo ele achou que sabia o que o Hassassin esperava. *Ele está me cansando. E está dando certo.* Uma onda de fadiga invadiu-o, a adrenalina sozinha não bastando para mantê-lo alerta. Tinha de tomar uma iniciativa qualquer.

O matador pareceu adivinhar os pensamentos de Langdon e mudou de posição outra vez, como se tencionasse levá-lo para junto da mesa que ficava no centro do aposento. Langdon reparou que havia alguma coisa em cima da mesa. Algo que reluziu à luz da tocha. *Uma arma?* Langdon manteve os olhos fixos no Hassassin e manobrou para chegar antes dele perto da mesa. Quando o outro lançou um olhar inocente, prolongado, para a mesa, Langdon tentou não engolir a isca. Mas o instinto prevaleceu. Relanceou os olhos para lá. E fez-se o estrago.

Não se tratava de arma nenhuma. O que viu momentaneamente o fascinou.

Sobre a mesa havia uma arca primitiva de cobre coberto de pátina. Tinha a forma de um pentágono. A tampa estava aberta. Arrumados dentro dela em cinco compartimentos acolchoados estavam cinco ferros de marcar, grandes instrumentos com fortes cabos de madeira. Langdon já sabia o que diziam.

ILLUMINATI, EARTH, AIR, FIRE, WATER.

Virou rápido a cabeça de volta, temendo que o Hassassin fosse aproveitar para atacar. Mas ele não o fez. Esperava, quase como se aquele jogo o descansasse. Langdon esforçou-se para recuperar a concentração e o contato visual com seu oponente, arremetendo com o cano. A imagem da arca, porém, não lhe saía da cabeça. Embora a visão dos próprios ferros de marcar fosse quase hipnótica – poucos estudiosos dos Illuminati sequer acreditavam que tais objetos existissem –, ele notou que havia algo *mais* na arca que lhe despertara um mau presságio. Quando o Hassassin fez uma nova manobra, Langdon lançou outro olhar para baixo.

Deus meu!

Dentro da arca, os cinco ferros estavam dispostos em cinco compartimentos em torno da borda exterior. No *centro*, porém, havia outro compartimento. Vazio, naquele momento, mas claramente o lugar onde era guardado mais um ferro, muito maior do que os outros e todo quadrado.

O ataque veio como um raio.

O Hassassin precipitou-se sobre ele como uma ave de rapina. Langdon, cuja concentração fora magistralmente desviada, tentou revidar, mas a barra de ferro pesava como um tronco de árvore em suas mãos. Deu um golpe devagar demais. O Hassassin esquivou-se. Quando Langdon tentou puxar a barra de novo para si, as mãos do outro projetaram-se para a frente e agarraram-na. O homem tinha muita força nas mãos, o braço ferido não parecia afetá-lo mais. Os dois lutaram violentamente. Langdon sentiu o outro arrancar-lhe a barra e, ao mesmo tempo, uma dor lancinante na palma da mão. No instante seguinte, Langdon encarava a ponta quebrada da barra de ferro. O caçador virara caça.

A sensação era a de ser atingido por um ciclone. O Hassassin rodeava-o, sorrindo, encurralando-o contra a parede.

– Como é mesmo aquele ditado? – zombava ele. – Aquele sobre a curiosidade e o gato?

Langdon mal conseguia se concentrar. Amaldiçoou seu descuido enquanto o adversário se aproximava mais. Nada fazia sentido. *Uma sexta marca Illuminati?* Frustrado, falou sem pensar:

– Nunca li nada sobre uma sexta marca dos Illuminati!

– Acho que deve ter lido, sim. – O matador deu uma risadinha, fazendo Langdon se deslocar ao longo da parede oval.

Langdon estava perdido. Seguramente, nunca soubera da existência dela. Havia *cinco* marcas Illuminati. Recuou, procurando na sala alguma coisa que lhe pudesse servir de arma.

– Uma união perfeita de antigos elementos – disse o Hassassin. – A marca final é a mais brilhante de todas. É uma pena, mas acho que você nunca a verá.

Langdon receava que deixasse de ver muita coisa dentro de pouco tempo. Continuou a recuar, buscando uma opção de defesa na sala.

– E você já viu essa marca final? – perguntou Langdon, tentando ganhar tempo.

– Pode ser que algum dia eles me dêem essa honra. Conforme eu provar meu valor. – E deu uma estocada em Langdon, como se aquilo fosse um jogo animado.

Langdon deslizou para trás mais uma vez. Tinha a sensação de que o Hassassin conduzia-o ao longo da parede para um ponto desconhecido. *Para onde?* Não podia se permitir olhar o que havia atrás.

– E essa marca – perguntou –, onde está ela?

– Não está aqui. Janus é aparentemente o único que a usa.

– Janus? – Langdon não reconheceu o nome.

– O líder Illuminati. Vai chegar em breve.

– Ele está vindo *para cá?*

– Para fazer a última marcação.

Langdon lançou um olhar assustado para Vittoria. Ela parecia estranhamente calma, os olhos fechados para o mundo a seu redor, os pulmões bombeando o ar devagar, fundo. Seria ela a vítima final? Seria *ele?*

– Que presunção – desdenhou o Hassassin, acompanhando o olhar de Langdon. – Vocês dois não são nada. Vão morrer, claro, isto é certo. Mas a vítima final de que falo é um inimigo verdadeiramente perigoso.

Langdon tentou dar sentido às palavras do Hassassin. Um inimigo perigoso? Os cardeais mais importantes estavam mortos. O Papa estava morto. Os Illuminati tinham acabado com todos eles. Langdon encontrou a resposta no vácuo dos olhos do Hassassin.

O camerlengo.

O camerlengo Ventresca fora o único homem que funcionara como um farol de esperança para o mundo através de todas aquelas atribulações. O camerlengo fizera mais naquela noite para condenar os Illuminati do que décadas de teorias conspiratórias. Tudo indicava que pagaria um preço por isto. Era ele o alvo final dos Illuminati.

– Você nunca chegará até ele – Langdon desafiou-o.

– Eu, não – replicou o Hassassin, obrigando Langdon a recuar mais contra a parede. – Essa honra está reservada para o próprio Janus.

– O líder dos Illuminati *em pessoa* pretende marcar a fogo o camerlengo?

– O poder tem seus privilégios.

– Ninguém vai conseguir entrar no Vaticano agora!

O Hassassin observou, com ar pretensioso:

– A não ser que ele tenha um encontro marcado.

Langdon custou a entender. A única pessoa esperada no Vaticano naquele momento era o tal personagem que a imprensa estava chamando de Samaritano da Décima Primeira Hora, a pessoa que Rocher dissera ter informações que poderiam salvar...

Deus do Céu!

O homem riu um riso afetado, claramente se divertindo com o choque de Langdon.

– Também me perguntei como Janus conseguiria entrar. Então, quando vinha para cá, ouvi no rádio do carro a notícia sobre o Samaritano da Décima Primeira Hora. – Ele sorriu. – O Vaticano vai receber Janus de braços abertos.

Langdon quase perdeu o equilíbrio. *Janus é o Samaritano!* Tratava-se de um disfarce impensável. O líder dos Illuminati teria uma escolta real até os aposentos do camerlengo. *Mas como Janus enganou Rocher? Ou será que Rocher está de alguma forma envolvido?* Langdon sentiu um calafrio. Desde que quase morrera asfixiado nos arquivos secretos deixara de confiar inteiramente em Rocher.

O Hassassin deu uma espetadela súbita, acertando o lado do corpo de Langdon. Ele saltou para trás, cheio de raiva.

– Janus não vai sair vivo de lá!

O outro deu de ombros.

– Existem causas pelas quais vale a pena morrer.

O assassino falava sério. Janus iria à Cidade do Vaticano em uma missão *suicida?* Era uma questão de honra? Em segundos, a mente de Langdon reconstruiu todo o aterrorizante processo. O ciclo da trama dos Illuminati estava se fechando. O sacerdote que os Illuminati tinham inadvertidamente levado ao poder ao matarem o Papa surgia como um adversário de peso. Em um ato final de desafio, o líder dos Illuminati iria destruí-lo.

Inesperadamente, a parede atrás de Langdon desapareceu. Uma lufada de ar frio envolveu-o e ele recuou cambaleando dentro da noite. *A sacada!* Agora sabia o que o Hassassin tinha em mente.

Langdon sentiu logo o precipício às suas costas – uma queda de 30 metros no pátio abaixo. Tinha visto ao entrar. O Hassassin não perdeu tempo. Com um impulso vigoroso, investiu. A lança improvisada mirou o tronco de Langdon. Ele se desviou e a ponta passou rente, pegando somente sua camisa. Outra vez, a ponta da barra de ferro veio para cima dele. Langdon deslizou mais para trás, quase encostado na balaustrada. Certo de que o golpe seguinte o mataria, tentou o absurdo. Girando para o lado, estendeu a mão e agarrou a barra, sentindo uma ferroada de dor na palma ferida. Mas não a largou.

O Hassassin não se abalou. Os dois puxaram durante um momento, cada um para um lado, face a face, o hálito fétido do Hassassin junto às narinas de Langdon. A barra começou a escorregar, o Hassassin era muito forte. Num último gesto de desespero, Langdon esticou a perna, arriscando perigosamente seu equilíbrio, tentando pisar no dedo ferido do pé do Hassassin. Mas o homem era um profissional e sabia como proteger seu ponto fraco.

Langdon dera sua cartada final. E sabia que perdera a mão.

Os braços do Hassassin explodiram para cima, fazendo Langdon ir de encontro à grade da sacada. Só havia o espaço vazio atrás dele agora, já que a grade chegava apenas à altura de suas nádegas. O Hassassin segurou a barra na horizontal e pressionou-a contra o peito de Langdon. As costas dele arquearam-se no espaço.

– *Ma'assalamah* – zombou o Hassassin. – Adeus.

Com um olhar impiedoso, deu o empurrão final. O centro de gravidade de Langdon deslocou-se e seus pés levantaram-se do chão. Apelando para a última esperança de sobrevivência, Langdon agarrou-se à grade quando seu corpo virou e passou por cima dela. A mão esquerda escapuliu, mas a direita se manteve. Ficou pendurado de cabeça para baixo, preso pelas pernas e por uma das mãos, fazendo força para não se soltar.

E viu o Hassassin assomar no alto com a barra erguida acima da cabeça, preparando-se para descê-la em sua direção. Quando a barra começou a se acelerar, Langdon teve uma visão. Talvez fosse a iminência da morte ou simplesmente o medo cego, mas naquele momento uma aura cercou o vulto do Hassassin. Um clarão fulgurante foi aumentando por trás dele vindo do nada, como uma bola de fogo chegando.

No meio do movimento de ataque, ele largou a barra e gritou de dor.

A barra de ferro passou por Langdon e desceu retinindo na escuridão. O matador virou-se e Langdon viu a enorme queimadura da tocha nas costas dele. Langdon puxou o corpo para cima e viu Vittoria, os olhos dardejantes, agora enfrentando o Hassassin.

Ela agitava a tocha diante de si, a vingança em seu rosto resplandecendo nas chamas. Como ela escapara, Langdon não sabia nem queria saber. Ele subiu pela grade para voltar para a sacada.

A batalha não duraria muito. O Hassassin era um oponente mortal. Com um urro furioso, ele arremeteu contra ela. Ela tentou se esquivar, mas ele segurou a tocha e estava prestes a tirá-la da mão dela. Langdon não esperou. Pulou da grade da sacada e lançou o punho fechado na queimadura das costas do homem.

O berro dele pareceu ecoar até o Vaticano.

O homem se imobilizou um instante, as costas curvadas em agonia. Soltou a tocha e Vittoria então a comprimiu com toda a força no rosto de seu inimigo. A carne queimada chiou, o olho esquerdo dele crepitou. O homem deu outro urro, levando as duas mãos ao rosto.

– Olho por olho – disse Vittoria, a voz sibilante.

E, dessa vez, girou a tocha como um bastão que, quando atingiu o alvo, fez o homem recuar vacilando de encontro à grade da sacada. Langdon e Vittoria correram ao mesmo tempo para ele, ambos levantando-o e empurrando. O corpo do Hassassin tombou de costas por cima da grade e mergulhou na noite. Não houve mais gritos. O único som foi o de sua espinha dorsal se partindo quando ele caiu de braços abertos em cima de uma pilha de balas de canhão no pátio.

Langdon virou-se e olhou para Vittoria, perplexo. As cordas ainda pendiam, frouxas, da sua cintura e dos ombros. Os olhos relampejavam, ameaçadores.

– Houdini fazia ioga.

CAPÍTULO **109**

Enquanto isso, na Praça de São Pedro, a barreira formada pelos homens da Guarda Suíça gritava ordens e tentava fazer a multidão recuar para uma distância segura. Não adiantava. A massa de gente era densa demais e, pelo jeito, estava muito mais interessada na catástrofe iminente do Vaticano do que na própria segurança. Os telões da imprensa instalados na praça transmitiam ao vivo a contagem regressiva da bomba de antimatéria – em imagem direta do monitor de segurança da Guarda Suíça –, com os cumprimentos do camerlengo. Infelizmente, a imagem do contador em nada contribuía para afastar o povo. As pessoas olhavam para a gotinha minúscula de líquido em suspensão no tubo e aparentemente concluíam que não era tão ameaçadora quanto haviam pensado. Também podiam ver agora os números no contador – faltavam pouco menos de 45 minutos para a detonação. Tempo mais do que suficiente para ficar ali e observar tudo.

Mesmo assim, a Guarda Suíça era unânime em admitir que a corajosa decisão do camerlengo de contar a verdade ao mundo e em seguida fornecer à imprensa a prova *visual* da traição dos Illuminati tinha sido uma hábil manobra. Os Illuminati com certeza esperavam que o Vaticano adotasse sua atitude reticente habitual diante das adversidades. Isso não acontecera naquela noite. O camerlengo Carlo Ventresca provara ser um adversário respeitável.

◆◆◆

Dentro da Capela Sistina, o cardeal Mortati ia ficando inquieto. Passava de 11h15. Muitos cardeais continuavam a rezar, mas outros haviam se agrupado perto da saída, visivelmente aflitos com a hora. Alguns começaram a bater na porta com os punhos.

Do outro lado da porta, o tenente Chartrand ouvia as batidas e não sabia o que fazer. Verificou seu relógio. Estava na hora. O capitão Rocher dera ordens rigorosas, determinando que não deixasse os cardeais saírem enquanto ele não mandasse. As batidas na porta se intensificaram e Chartrand sentiu-se embaraçado. Será que o capitão simplesmente se esquecera? Ele vinha agindo de modo muito estranho desde o misterioso telefonema.

Chartrand tirou seu walkie-talkie.

– Capitão? Aqui é Chartrand. Já passou da hora. Devo abrir a Sistina?

– A porta permanece fechada. Acho que já lhe dei essa ordem.

– Sim, senhor, é que...

– Nosso visitante deve estar chegando. Leve alguns homens para cima e vigiem a porta do escritório do Papa. O camerlengo não pode sair de lá *sob hipótese alguma.*

– Como disse, senhor?

– O que é que não está compreendendo, tenente?

– Não foi nada, senhor, estou a caminho.

◆◆◆

Lá em cima, no escritório do Papa, o camerlengo contemplava o fogo em silenciosa meditação. *Dê-me forças, meu Deus. Faça um milagre.* Atiçou as chamas da lareira, pensando se sobreviveria àquela noite.

CAPÍTULO **110**

Onze horas e vinte e três minutos.

Vittoria estava na sacada do Castelo Sant'Angelo, ainda trêmula, o olhar na cidade de Roma, os olhos úmidos de lágrimas. Queria muito abraçar Robert Langdon, mas não podia. Seu corpo parecia anestesiado, reajustando-se, acomodando o que ocorrera. O homem que matara seu pai jazia lá embaixo, morto, e ela quase se tornara também uma vítima dele.

Quando a mão de Langdon tocou o ombro dela, a infusão de calor magicamente desfez aquela sensação enregelante. Seu corpo estremeceu de volta para a vida. A névoa se levantou e ela se virou. Robert encontrava-se em um estado lastimável, molhado, o cabelo todo emaranhado – era evidente que passara por um verdadeiro purgatório para vir salvá-la.

– Obrigada... – ela murmurou.

Ele deu um sorriso cansado e lembrou-lhe que era *ela* quem merecia os agradecimentos. Sua habilidade para praticamente deslocar os ombros acabara de salvar ambos. Vittoria enxugou os olhos. Gostaria de ter ficado ali para sempre com ele, mas a trégua seria breve.

– Temos de sair daqui – disse Langdon.

A mente de Vittoria estava em outro lugar. Ela olhava na direção do Vaticano. O menor país do mundo encontrava-se a uma proximidade perturbadora, imerso na luz branca dos refletores da imprensa. Para espanto seu, grande parte da Praça de São Pedro ainda estava cheia de gente! A Guarda Suíça aparentemente só conseguira isolar uns cinqüenta metros – a área diretamente fronteira à basílica –, o que constituía menos de um terço da praça. A área restante da praça estava compactada com os que estavam a uma distância segura pressionando para ver melhor e encurralando os outros na parte de dentro. *Estão perto demais! Pensou Vittoria. Perto demais!*

– Vou voltar para lá – disse Langdon, categórico.

Vittoria virou-se para ele, incrédula.

– Para o *Vaticano?*

Langdon contou-lhe sobre o Samaritano e que se tratava de um ardil. O líder dos Illuminati, um homem chamado Janus, chegaria em pessoa para marcar a fogo o camerlengo. Um gesto de dominação final dos Illuminati.

– Ninguém no Vaticano sabe – disse Langdon. – Não tenho como fazer contato com eles e esse sujeito deve chegar a qualquer minuto. Preciso avisar os guardas antes que o deixem entrar.

– Mas você não vai conseguir passar por essa multidão!

A voz de Langdon soou confiante.

– Há um jeito. Confie em mim.

Vittoria pressentiu mais uma vez que o historiador sabia de algo que ela desconhecia.

– Também vou.

– Não. Por que nos arriscarmos os dois…

– Tenho de encontrar um modo de tirar aquela gente dali! Estão correndo grave perigo.

No mesmo instante, a sacada começou a tremer. Um rugido ensurdecedor abalou todo o castelo. Em seguida, uma luz branca vinda da Praça de São Pedro cegou-os. Vittoria só pensou em uma coisa. *Oh, Deus! A antimatéria aniquilou-se antes da hora!*

Em vez de um estrondo, porém, uma ruidosa saudação ergueu-se do povo. Vittoria apertou os olhos contra a luz. Uma barreira de luz de refletores vinha da praça e, ao que parecia, agora apontava para eles! Todos se voltavam na direção deles, apontando e chamando. O ronco ficou mais alto. A atmosfera na praça de repente dava a impressão de estar mais alegre.

Langdon estava desnorteado.

– Que diabos…

Um rugido ecoou pelo céu.

Por trás da torre, sem aviso, surgiu o helicóptero do Papa. Trovejou uns 15 metros acima da cabeça deles, indo em linha reta para a Cidade do Vaticano. Quando passou, brilhando à luz dos refletores, o castelo tremeu. As luzes acompanharam o percurso do helicóptero, deixando Langdon e Vittoria de novo no escuro.

Vittoria teve a sensação desconfortável de estarem atrasados ao ver o enorme aparelho deter-se acima da Praça de São Pedro. Levantando uma nuvem de poeira, o helicóptero desceu no trecho vazio da praça, entre a multidão e a basílica, tocando o solo na base das escadarias da basílica.

– Falando sobre entrar no Vaticano... – disse Vittoria.

Destacando-se contra o fundo de mármore branco, viu ao longe a figura diminuta de uma pessoa sair do Vaticano e dirigir-se para o helicóptero. Nunca teria reconhecido quem era se não fosse pela boina vermelha na cabeça.

– Recebido com tapete vermelho. É Rocher.

Langdon deu um soco na grade.

– Alguém tem de avisar a eles! – e fez meia volta para sair.

Vittoria segurou o braço dele.

– Espere!

Acabara de ver algo mais, algo em que se recusava a acreditar. Com os dedos trêmulos, apontou para o helicóptero. Mesmo à distância, não havia engano possível. Descendo pela prancha de desembarque vinha uma outra figura, que se movia de maneira tão peculiar que só poderia ser um homem. Embora estivesse sentado, ele acelerou pela praça aberta sem esforço e a uma velocidade surpreendente.

Um rei sentado em um trono elétrico.

Era Maximilian Kohler.

CAPÍTULO **111**

Kohler estava enojado com a opulência do saguão do Belvedere. Só revestimento de ouro do teto daria para financiar um ano de pesquisas sobre o câncer. Rocher subiu com ele uma rampa, conduzindo-o por um caminho tortuoso ao Palácio Apostólico.

– Não tem elevador? – perguntou Kohler.

– Estamos sem luz. – Rocher mostrou as velas acesas em torno deles no edifício escuro. – É parte de nossa estratégia de busca.

– Estratégia que certamente falhou.

Rocher concordou.

Kohler teve outro ataque de tosse e ocorreu-lhe que talvez fosse um dos últimos de sua vida. Não era um pensamento de todo desagradável.

Ao chegarem ao andar de cima e entrarem no corredor que levava ao escritório do Papa, quatro guardas suíços correram na direção deles com ar preocupado.

– Capitão, o que estão fazendo aqui em cima? Pensei que esse senhor tivesse informações que...

– Ele só vai falar com o camerlengo.

Os guardas recuaram, desconfiados.

– Avise ao camerlengo – disse Rocher, em tom enérgico – que o diretor do CERN, Maximilian Kohler, está aqui para vê-lo. Imediatamente.

– Sim, senhor!

Um dos guardas saiu apressado para o escritório do camerlengo. Os outros mantiveram suas posições. Observavam Rocher com ar constrangido.

– Só um momento, capitão. Vamos anunciar seu visitante.

Kohler, porém, não se deteve. Deu uma guinada repentina e manobrou sua cadeira, contornando os sentinelas.

Os guardas giraram e saíram trotando ao lado dele.

– *Fermati!* Senhor! Pare!

Kohler sentia aversão por eles. Nem a força de segurança mais elitista do mundo estava imune à pena que todos sentiam pelos aleijados. Se Kohler fosse um homem saudável, os guardas o teriam segurado. *Os aleijados são impotentes*, pensou Kohler. *Ou o mundo acredita que eles são.*

Kohler sabia que dispunha de pouco tempo para levar a cabo o que tinha vindo fazer. Sabia também que poderia morrer ali naquela noite. Ficou surpreso ao constatar quão pouco se importava. A morte era um preço que estava pronto para pagar. Suportara coisas demais em sua vida para que seu trabalho fosse destruído por alguém como o camerlengo Ventresca.

– *Signore!* – gritaram os guardas, correndo na frente e formando uma fila de lado a lado do corredor. – *O senhor tem de parar!* – Um deles puxou uma arma e apontou-a para Kohler.

Kohler parou.

Rocher interpôs-se, contrito.

– Senhor Kohler, por favor. Só vai levar um momento. Ninguém entra no escritório do Papa sem ser anunciado.

Kohler viu nos olhos de Rocher que não tinha escolha a não ser esperar. *Muito bem*, pensou, *vamos esperar.*

Os guardas, por maldade talvez, tinham feito Kohler parar junto a um espelho de moldura dourada que ia do teto ao chão. A visão de sua figura disforme causava-lhe repulsa. A velha raiva mais uma vez veio à tona. Fortalecia-o. Estava no meio do inimigo naquele momento. *Aquelas* eram as pessoas que o haviam privado de sua dignidade. Eram elas mesmas. Por causa *delas*, nunca sentira o corpo de uma mulher, nunca se levantara para receber um prêmio. *Qual é a verdade que essa gente possui? Que provas, malditos sejam? Um livro de fábulas antigas? Promessas de milagres que estão por vir? A ciência produz milagres todos os dias!*

Contemplou seus olhos de pedra. *Esta noite pode ser que eu morra nas mãos da religião*, pensou. *Mas não será a primeira vez.*

E voltou aos seus 11 anos. Deitado em sua cama na mansão de seus pais em Frankfurt, os lençóis que o envolviam, feitos com o melhor linho da Europa, estavam empapados de suor. O jovem Max sentia o corpo em fogo, uma dor inimaginável torturando-o. Ajoelhados ao lado de sua cama, de onde não saíam já fazia três dias, estavam seu pai e sua mãe. Ambos rezavam.

Nas sombras do quarto encontravam-se três dos melhores médicos de Frankfurt.

– Insisto que pensem melhor! – disse um dos médicos. – Olhem para o menino! A febre está aumentando. Ele está com dores terríveis. E corre risco de vida!

Max, todavia, sabia o que sua mãe responderia antes mesmo que ela abrisse a boca.

– *Gott wird ihn beschuetzen.*

Sim, pensou Max. *Deus vai me proteger.* A convicção na voz de sua mãe deu-lhe forças. *Deus vai me proteger.*

Uma hora mais tarde, Max sentia dores tamanhas, como se seu corpo estivesse sendo esmagado por um carro. Sequer conseguia respirar para gritar.

– Seu filho está sofrendo demais – disse outro médico. – Deixe-me ao menos aliviar as dores dele. Tenho na minha mala uma injeção simples de...

– *Ruhe, bitte!* – O pai de Max fez o médico calar-se sem ao menos abrir os olhos, continuando a rezar.

– Papai, por favor! – Max queria gritar. – Deixe que ele faça a dor parar! – Mas suas palavras perderam-se em um espasmo de tosse.

Uma hora depois, a dor tinha piorado ainda mais.

– Seu filho pode ficar paralítico – advertiu um dos médicos. – E até morrer! Temos remédios que podem ajudar!

Frau e *Herr* Kohler não permitiram. Não acreditavam em remédios. Quem eram eles para interferir nos planos divinos? Rezaram com maior intensidade. Afinal, se Deus os abençoara com aquele menino, por que Deus o levaria embora? Sua mãe sussurrou-lhe que fosse forte. Explicou que Deus o estava testando como na história de Abraão na Bíblia, um teste de fé.

Max tentava ter fé, mas as dores eram excruciantes.

– Não agüento ver isso! – disse afinal um dos médicos, saindo às pressas do quarto.

Ao amanhecer, Max estava semiconsciente. Todos os seus músculos contraíam-se em espasmos de agonia. *Onde está Jesus?* Delirava. *Ele não me ama?* Max sentia a vida esvaindo-se de seu corpo.

Sua mãe adormecera ao lado da cama, as mãos ainda entrelaçadas em cima dele. O pai estava junto à janela, do outro lado do quarto, vendo o dia clarear. Parecia estar em transe. Max escutava o murmúrio de suas súplicas incessantes por misericórdia.

Nesse momento Max divisou a figura pairando acima dele. *Um anjo?* Ele não enxergava direito. Seus olhos estavam muito inchados. A figura cochichou em seu ouvido, mas não era a voz de um anjo. Max reconheceu a voz de um dos médicos, o que estava sentado em um canto havia dois dias, sem desistir, rogando aos pais de Max que o deixassem administrar na criança um novo remédio vindo da Inglaterra.

– Nunca vou me perdoar – sussurrou o médico – se não fizer isso. – E, com delicadeza, pegou o braço frágil do menino. – Gostaria de tê-lo feito mais cedo.

Max sentiu uma pequenina espetadela no braço, que mal distinguiu em meio a tanta dor.

O médico então guardou suas coisas em silêncio. Antes de sair, pousou a mão na testa de Max.

– Isto vai salvar sua vida. Tenho muita fé no poder da medicina.

Poucos minutos depois, Max sentiu como se uma espécie de espírito mágico fluísse em suas veias. O calor espalhou-se por seu corpo e amorteceu a dor. Finalmente, pela primeira vez em dias, Max dormiu.

Quando a febre cedeu, seu pai e sua mãe proclamaram que era um milagre de Deus. Mas, quando ficou evidente que o filho estava aleijado, ficaram melancólicos. Levaram-no à igreja em uma cadeira de rodas e pediram que um padre os aconselhasse.

– Foi apenas pela graça de Deus – disse o padre – que esse menino sobreviveu.

Max escutava sem dizer nada.

– Mas nosso filho não anda mais! – chorava *Frau* Kohler.

O padre sacudiu a cabeça, com ar triste.

– Sim. Parece que Deus o puniu por não ter fé suficiente.

♦♦♦

– Senhor Kohler? – era o guarda suíço que correra na frente quem falava.
– O camerlengo disse que concederá uma audiência ao senhor.

Kohler resmungou algo, acelerando de novo pelo corredor afora.

– Ele está surpreso com a sua visita – disse o guarda.

– Estou certo que sim – Kohler respondeu, prosseguindo. – Gostaria de vê-lo a sós.

– Impossível – disse o guarda. – Ninguém...

– Tenente – falou Rocher, ríspido –, a reunião será como o senhor Kohler deseja.

O guarda olhou fixo para ele, incrédulo.

♦♦♦

Do lado de fora do escritório do Papa, Rocher autorizou seus guardas a tomarem as precauções de praxe antes de deixar Kohler entrar. O detector de metais manual perdeu toda a utilidade com os inúmeros aparelhos eletrônicos instalados na cadeira de rodas de Kohler. Os guardas o revistaram, mas sua deficiência evidentemente os encabulou e não o fizeram como deveriam. Não encontraram o revólver escondido sob a cadeira. Nem o outro objeto, aquele que, Kohler sabia, fecharia de modo inesquecível a seqüência de acontecimentos daquela noite.

Quando Kohler entrou no escritório do Papa, o camerlengo Ventresca estava sozinho, ajoelhado, rezando ao lado do fogo quase extinto da lareira. Não abriu os olhos.

– Senhor Kohler – disse o camerlengo. – O senhor veio para me transformar em um mártir?

CAPÍTULO 112

O túnel estreito chamado *Il Passetto* estendia-se em linha reta diante de Langdon e Vittoria enquanto os dois corriam rumo à Cidade do Vaticano. A tocha na mão de Langdon só produzia claridade para que enxergassem uns poucos metros adiante. As paredes eram muito próximas e o teto era baixo. Havia um cheiro desagradável de umidade no ar. Langdon avançava depressa pela escuridão com Vittoria seguindo-o de perto.

O túnel inclinava-se de modo acentuado ao sair do Castelo Sant'Angelo, prosseguindo em sentido ascendente por dentro da parte inferior de um bastião de pedra semelhante a um aqueduto romano. Ali, o túnel se estabilizava e continuava seu percurso secreto na direção da Cidade do Vaticano.

No caminho, os pensamentos sucediam-se como um caleidoscópio de imagens confusas na cabeça de Langdon – Kohler, Janus, o Hassassin, Rocher, uma sexta marca? *Você já ouviu falar da sexta marca*, dissera o matador. *A mais brilhante de todas.* Langdon tinha certeza de que *não* ouvira. Nem nas teorias conspiratórias havia qualquer referência a uma sexta marca, real ou imaginária. Sabia de boatos sobre barras de ouro e sobre um diamante Illuminati sem qualquer jaça, mas nunca ouvira menção alguma a uma sexta marca.

– Kohler não pode ser Janus! – afirmou Vittoria, correndo pelo túnel atrás de Langdon. – É impossível!

Impossível era uma palavra que Langdon deixara de usar naquela noite.

– Não sei – gritou ele para trás, sem parar. – Kohler tinha um ressentimento sério e também exerce uma grande influência.

– Esta crise fez o CERN parecer monstruoso! Max nunca faria nada para prejudicar a reputação do CERN!

Por um lado, Langdon sabia que o CERN ficara desacreditado naquela noite devido à insistência dos Illuminati em fazer daquilo tudo um espetáculo público. Por outro, ponderava o quanto de fato o CERN teria sido prejudicado. As críticas da Igreja não eram novidade para o CERN. Na verdade, quanto mais Langdon pensava a respeito, mais achava que a crise iria na realidade *beneficiar* o CERN. Se o negócio era publicidade, a antimatéria ganhara o grande prêmio da loteria naquela noite. No planeta inteiro só se falava dela.

– Sabe o que dizia o promotor P. T. Barnum? – disse Langdon por cima do ombro. – "Não me importo que falem mal de mim, contanto que escrevam meu nome certo!" Aposto como já deve ter uma fila de gente interessada em obter a licença da tecnologia da antimatéria. E depois que virem o que ela é capaz de fazer à meia-noite de hoje...

– Não tem lógica – disse Vittoria. – Fazer publicidade de avanços tecnológicos não é mostrar seu poder destrutivo! Isto é *terrível* para a antimatéria, acredite!

A tocha de Langdon estava quase no fim.

– Então deve ser mais simples do que isso. Talvez Kohler tenha apostado que o Vaticano manteria segredo sobre a antimatéria para não fortalecer os Illuminati. Kohler esperava que o Vaticano se comportasse com a sua reserva de costume sobre a ameaça, mas o camerlengo mudou as regras.

Vittoria ficou calada enquanto prosseguiam.

Aos poucos, as coisas foram fazendo mais sentido para Langdon.

– É isso! Kohler não contava com a reação do camerlengo. O camerlengo quebrou a tradição de segredo do Vaticano e foi a público falar da crise. Ele foi tremendamente franco. Chegou a pôr a antimatéria na TV! Foi uma reação brilhante, Kohler jamais a esperava. E a ironia de tudo é que o tiro dos Illuminati saiu pela culatra. Sem querer, produziu um novo líder da Igreja na pessoa do camerlengo. E agora Kohler está chegando para matá-lo!

– Max é um canalha – declarou Vittoria –, mas não é um assassino. E nunca estaria envolvido no assassinato do meu pai.

Na mente de Langdon, foi a própria voz de Kohler que respondeu: *Leonardo era considerado perigoso por muitos puristas do CERN. Unir ciência e Deus é a suprema heresia científica.*

– Talvez Kohler tenha descoberto sobre o projeto da antimatéria há semanas e não tenha ficado satisfeito com as implicações religiosas.

– E *matado* meu pai por causa disso? Ridículo! Além do mais, Max Kohler não *sabia* que o projeto existia.

– Enquanto você estava fora, talvez seu pai tenha sucumbido e consultado Kohler, pedindo orientação. Você mesma disse que seu pai estava preocupado com as implicações morais de criar uma substância tão mortal.

– Pedir orientação moral a Maximilian Kohler? – desdenhou Vittoria. – Acho que não!

O túnel desviava-se ligeiramente para oeste. Quanto mais depressa corriam, mais fraca se tornava a luz da tocha. Langdon começou a temer que ficasse totalmente escuro, como se tivessem apagado a luz. Trevas totais.

– Além disso, por que Kohler teria se incomodado em ligar para você hoje de manhã cedo para pedir ajuda se ele *próprio* estivesse por trás de tudo?

Langdon já tinha considerado a possibilidade.

– Ao ligar para mim, Kohler estava cobrindo suas bases. Daí em diante, ninguém poderia acusá-lo de omissão em um momento de crise. Provavelmente não contava que fôssemos tão longe.

A idéia de ter sido "usado" por Kohler irritou Langdon. Seu envolvimento dera credibilidade aos Illuminati. Suas qualificações e seus trabalhos publicados haviam sido citados a noite inteira pela imprensa e, por mais ridículo que fosse, a presença de um professor de Harvard na Cidade do Vaticano de certa forma afastara a possibilidade de que toda aquela situação pudesse ser um delírio paranóide, também convencendo os céticos do mundo todo de que a fraternidade dos Illuminati não era apenas um fato histórico, mas uma força a ser levada em conta.

– Aquele repórter da BBC – disse Langdon – acha que o CERN é o novo refúgio dos Illuminati.

– O quê! – Vittoria tropeçou atrás dele. Pôs-se de pé e alcançou-o. – Ele *disse* isso?!

– No ar. Comparou o CERN às lojas maçônicas. Uma organização inocente abrigando a fraternidade dos Illuminati dentro dela.

– Meu Deus, isso vai destruir o CERN.

Langdon não tinha tanta certeza. De qualquer maneira, a teoria agora parecia mais coerente. O CERN era o supremo paraíso científico, onde viviam cientistas de mais de dez países. Aparentemente, dispunham de inesgotável financiamento privado. E Maximilian Kohler era o diretor.

Kohler é Janus.

– Se Kohler não está envolvido – argumentou Langdon –, o que veio fazer aqui?

– Provavelmente tentar impedir que essa loucura continue. Demonstrar apoio. Talvez ele esteja realmente agindo como o Samaritano! Pode ter descoberto quem sabia sobre o projeto da antimatéria e veio trazer informações.

– O matador disse que ele viria para marcar o camerlengo a fogo.

– Preste atenção no que está dizendo! Isto seria uma missão suicida. Max jamais sairia vivo daqui.

Langdon refletiu. *Talvez seja esta a questão.*

◆◆◆

Os contornos de um portão de ferro delinearam-se à frente bloqueando-lhes a passagem. O coração de Langdon quase parou. Quando se aproximaram, entretanto, encontraram o velho cadeado solto. O portão podia ser aberto à vontade.

Langdon suspirou aliviado, percebendo, como já desconfiava, que o velho túnel fora usado. Recentemente. Naquele mesmo dia. Agora não tinha dúvidas de que quatro cardeais aterrorizados haviam sido conduzidos por ali secretamente horas antes.

. Continuaram a correr. Dava para ouvir agora o som do caos à esquerda. Era a Praça de São Pedro. Estavam chegando.

Passaram por outro portão, este mais pesado e também destrancado. O barulho na Praça de São Pedro diminuiu de intensidade atrás deles e Langdon calculou que tinham ultrapassado o muro externo da Cidade do Vaticano. Perguntava-se onde terminaria aquela antiga passagem. *Nos jardins? Na basílica? Na residência do Papa?*

Então, inesperadamente, o túnel chegou ao fim.

A incômoda porta que lhes obstruía o caminho era uma grossa muralha de ferro rebitado. Mesmo à luz bruxuleante da tocha, agora em seus últimos lampejos, dava para ver que a porta era inteiriça – sem maçaneta, sem puxadores, sem buraco de fechadura, sem dobradiças. Sem jeito de entrar.

Sentiu uma onda de pânico. Em linguagem de arquiteto, aquele raro tipo de porta era chamado de *senza chiave:* uma passagem de sentido único, usada para fins de segurança, só operável de um dos lados – do *outro* lado, no caso. As esperanças de Langdon apagaram-se junto com a tocha em sua mão.

Olhou para o relógio. Mickey brilhava no escuro.

11h29.

Com um grito de frustração, Langdon atirou longe a tocha e começou a esmurrar a porta.

CAPÍTULO **113**

Algo estava errado.

O tenente Chartrand encontrava-se do lado de fora do escritório do Papa e, pela postura constrangida do soldado que montava guarda com ele, percebia que ambos partilhavam a mesma ansiedade. O encontro **particular** que estavam protegendo, dissera Rocher, poderia salvar o Vaticano da destruição. Portanto, Chartrand não compreendia por que motivo seu instinto de preservação estava tão aguçado. E por que Rocher estaria agindo de modo tão estranho?

Decididamente, algo estava errado.

O capitão Rocher encontrava-se à direita de Chartrand, olhando fixo para a frente, seu olhar arguto estranhamente distante. Chartrand mal reconhecia o capitão. Rocher nem parecia o mesmo naquela última hora. As decisões dele não faziam sentido.

Alguém tinha de estar presente lá dentro durante este encontro, pensou Chartrand. Escutara Maximilian Kohler trancar a porta depois de entrar. *Por que Rocher permitira aquilo?*

Mas havia muito mais coisas incomodando Chartrand. *Os cardeais.* Os cardeais ainda estavam trancados na Capela Sistina. Isso era uma insanidade total. O camerlengo queria que eles tivessem saído 15 minutos antes! Rocher passara por cima da decisão e não informara o camerlengo. Chartrand demonstrara preocupação e Rocher quase arrancara a cabeça dele. A cadeia de comando nunca era questionada na Guarda Suíça, e agora quem mandava era Rocher.

Meia hora, pensou Rocher, discretamente verificando seu cronômetro suíço à luz mortiça do candelabro que iluminava o saguão. *Por favor, apressem-se.*

Chartrand gostaria de poder escutar o que estava acontecendo do outro lado das portas. Ainda assim, sabia que ninguém melhor do que o camerlengo para lidar com aquela crise. O homem passara por provas duríssimas naquela noite sem esmorecer. Enfrentara o problema de cabeça erguida – verdadeiro, franco, brilhando, um exemplo para todos. Chartrand estava sentindo orgulho de ser católico. Os Illuminati tinham cometido um engano ao desafiarem o camerlengo Ventresca.

Naquele momento, porém, os pensamentos de Chartrand foram abalados por um som inesperado. Batidas. Vinham do fundo do corredor. As batidas soavam distantes e abafadas, mas incessantes. Rocher levantou a cabeça. O capitão fez um sinal para Chartrand. Chartrand compreendeu, ligou sua lanterna e foi investigar.

As batidas soavam mais desesperadas agora. Chartrand percorreu 30 metros do corredor até um cruzamento. O barulho parecia vir de algum ponto depois da curva, além da Sala Clementina. Chartrand estava perplexo. Só havia um aposento ali – a biblioteca particular do Papa, que estava trancada desde a morte de Sua Santidade. Não podia haver ninguém lá!

Chartrand entrou depressa no segundo corredor, dobrou mais uma esquina e correu para a porta da biblioteca. O pórtico de madeira era diminuto, mas surgia no escuro como uma austera sentinela. As batidas vinham de dentro. Chartrand hesitou. Nunca estivera antes na biblioteca particular. Poucos tinham estado. Ninguém tinha autorização para entrar ali a não ser acompanhado pelo próprio Papa.

Tateando, encontrou a maçaneta e virou-a. Como previra, a porta estava trancada. Encostou a orelha na porta. As batidas ficaram mais altas. Então, ouviu mais alguma coisa. *Vozes! Alguém chamando!*

Não distinguia as palavras, mas notava o pânico nos gritos. Alguém estaria preso na biblioteca? Será que a Guarda Suíça não evacuara completamente o prédio? Chartrand estava indeciso, sem saber se deveria voltar e consultar Rocher. Ora, ele que se danasse. Chartrand fora treinado para tomar decisões e era o que faria agora. Tirou a arma da cintura e deu um único tiro no trinco. A madeira estourou e a porta se abriu.

Lá dentro, Chartrand só viu escuridão. Apontou a lanterna. A sala era retangular – tapetes orientais, altas estantes de carvalho cheias de livros, um sofá de couro e uma lareira de mármore. Chartrand ouvira histórias sobre aquele lugar – três mil livros antigos lado a lado com centenas de revistas e jornais modernos, qualquer coisa que Sua Santidade solicitasse. A mesa baixa de centro estava coberta de publicações especializadas sobre ciência e política.

As batidas estavam mais nítidas agora. Chartrand dirigiu o foco da lanterna para o lado oposto, de onde vinha o som. Na parede do fundo, além do conjunto de sofá e cadeiras, havia uma enorme porta de aço. De aparência tão impenetrável quanto a de um cofre. Tinha quatro fechaduras colossais. O que estava escrito em letras pequeninas bem no centro da porta tirou o fôlego de Chartrand.

IL PASSETTO

Chartrand estava boquiaberto. *A saída secreta do Papa!* Já escutara comentários sobre o *Passetto,* é claro, e até ouvira falar que antigamente existia uma entrada ali, pela biblioteca, mas não se usava o túnel havia séculos! *Quem poderia estar do outro lado?*

O rapaz pegou a lanterna e bateu com ela na porta. Soou uma exclamação abafada de alegria do outro lado. As batidas cessaram e as vozes gritaram mais alto. Chartrand não distinguia direito as palavras através da barreira.

– Kohler... mentira... camerlengo...

– Quem está aí? – gritou Chartrand.

– ...ert Langdon... Vittoria Ve...

Chartrand compreendeu, mas não assimilou logo o que ouviu. *Pensei que estivessem mortos!*

– ...a porta – gritaram as vozes. – Abra...!

Chartrand olhou para a porta de aço e achou que seria preciso usar dinamite para abri-la.

– Impossível! – gritou de volta. – Grossa demais!

– ...encontro ...impedir ...erlengo... perigo...

A despeito de seu treinamento sobre os riscos do pânico, o guarda foi acometido por uma onda de medo ao ouvir as últimas palavras. Será que compreendera direito? Com o coração acelerado, virou-se para voltar correndo para o escritório. Ao fazê-lo, porém, estacou. Seu olhar parou em algo na porta – algo mais impressionante ainda do que a mensagem que vinha do outro lado. Presas em todos os buracos das enormes fechaduras da porta havia chaves. As *chaves* estavam ali? Como? Ele piscava, estático, sem acreditar. As chaves daquela porta supostamente deveriam estar guardadas em algum cofre! Aquela passagem nunca era usada – não nos últimos séculos!

Chartrand pousou sua lanterna no chão. Virou a primeira chave. O mecanismo estava enferrujado e duro, mas ainda funcionava. Alguém o abrira recentemente. Abriu a segunda fechadura. E a seguinte. Quando a última língüeta se soltou, ele puxou a porta. O bloco de aço abriu-se com um rangido. Ele pegou a lanterna e dirigiu-a para a entrada.

Robert Langdon e Vittoria Vetra tinham o aspecto de duas aparições ao entrarem cambaleantes na biblioteca. Ambos estavam em frangalhos e cansados, mas bem vivos.

– O que houve? – perguntou Chartrand. – O que está acontecendo? De onde vocês vieram?

– Onde está Max Kohler? – perguntou Langdon.

Chartrand apontou.

– Em um encontro particular com o camer...

Langdon e Vittoria passaram por ele e correram para a porta da biblioteca. Chartrand, por instinto, levantou o revólver para as costas deles. Mas logo abaixou a arma e foi atrás dos dois. Rocher provavelmente os ouviu se aproximando porque, quando chegaram à porta do escritório do Papa, ele se posicionara com as pernas afastadas e apontava-lhes o revólver.

– *Alto!*

– O camerlengo está em perigo! – berrou Langdon, levantando os braços e parando. – Abra a porta! Max Kohler vai matar o camerlengo!

Rocher parecia zangado.

– Abra a porta! – disse Vittoria. – Depressa!

Mas era tarde demais.

De dentro do escritório do Papa veio um grito pavoroso. Era o camerlengo.

CAPÍTULO **114**

O confronto durou apenas alguns segundos.

O camerlengo Ventresca ainda estava gritando quando Chartrand passou por Rocher e arrebentou a porta do escritório do Papa com um tiro. Os guardas entraram correndo, com Langdon e Vittoria atrás deles.

A cena com que se depararam era estarrecedora.

O aposento só contava com a iluminação de velas e do fogo quase apagado da lareira. Kohler estava perto da lareira, de pé, desajeitado, junto à sua cadeira de rodas. Brandia uma pistola, apontada para o camerlengo, que jazia no chão a seus pés, contorcendo-se de dor. A batina do camerlengo estava rasgada e seu peito nu fora marcado a fogo. Langdon, do outro lado da sala, não conseguiu distinguir o símbolo, mas um grande ferro de marcar quadrado encontrava-se no chão perto de Kohler. O metal ainda estava em brasa.

Dois guardas suíços agiram sem vacilar. Abriram fogo. As balas penetraram no peito de Kohler, jogando-o para trás. Kohler caiu em sua cadeira de rodas, o sangue jorrando. O revólver resvalou pelo chão.

Langdon, aturdido, não passou da porta.

Vittoria ficou paralisada.

– Max... – murmurou.

O camerlengo, ainda se revirando no chão, rolou o corpo na direção de Rocher e, tendo no rosto a expressão de terror exaltado dos primeiros caçadores de bruxas, apontou o dedo indicador para Rocher e berrou uma única palavra:

– ILLUMINATUS!

– Seu canalha – disse Rocher, correndo para ele. – Seu canalha hipócrita...

Dessa vez foi Chartrand quem reagiu por instinto, metendo três balas nas costas de Rocher. O rosto do capitão bateu primeiro no piso de azulejos e ele escorregou inerte em seu próprio sangue. Chartrand e os guardas correram então para o camerlengo, que se contraía todo, com dores atrozes.

Os guardas soltaram exclamações horrorizadas ao verem o símbolo marcado no peito do camerlengo. O segundo guarda viu a marca de cabeça para baixo e recuou cambaleante, cheio de medo. Chartrand, igualmente perturbado pelo símbolo, puxou a batina rasgada do camerlengo para cima da queimadura, escondendo-o.

Langdon teve a sensação de estar delirando ao cruzar o aposento. Em meio à bruma de insanidade e violência, ele tentava entender o que estava presenciando.

Um cientista aleijado, num gesto final de autoridade simbólica, voara até a Cidade do Vaticano para marcar a fogo o personagem mais eminente da Igreja. *Há coisas pelas quais vale a pena morrer*, dissera o Hassassin. Langdon se perguntava como um deficiente físico poderia ter dominado o camerlengo. Mas Kohler estava armado. *Não importava como o fizera! Kohler cumprira sua missão!*

Langdon aproximou-se da cena medonha. O camerlengo já estava sendo assistido e Langdon foi atraído pelo ferro fumegante caído perto da cadeira de Kohler. *A sexta marca?* Quanto mais olhava, menos compreendia. A marca parecia ser um quadrado perfeito, bastante grande e seguramente viera do sagrado compartimento central da arca que estava no refúgio dos Illuminati. *A sexta marca*, dissera o Hassassin. *A mais brilhante de todas.*

Langdon ajoelhou-se ao lado de Kohler e estendeu a mão para pegar o objeto. O metal ainda irradiava calor. Segurou o cabo de madeira e levantou-o. Não sabia o que esperava ver, mas decerto não era isso.

Olhou fixamente para a peça durante um longo e confuso momento. Nada fazia sentido. Por que os guardas tinham gritado, apavorados, ao ver a marca? Era um quadrado de rabiscos incompreensíveis. *A mais brilhante de todas?* Era simétrica, dava para notar ao girá-la na mão, mas era um deboche.

Ao sentir a mão de alguém em seu ombro, Langdon ergueu a cabeça, pensando que era Vittoria. A mão, porém, estava coberta de sangue. Pertencia a Maximilian Kohler, que a estendia de sua cadeira de rodas.

Langdon deixou cair o ferro de marcar e levantou-se apressadamente. *Kohler ainda estava vivo!*

O corpo afundado na cadeira, o diretor agonizava mas ainda estava respirando, embora com dificuldade, arquejante. Seus olhos encontraram os de Langdon com a mesma expressão dura que o recebera no CERN horas antes. Parecia ainda mais severa na hora da morte, com a aversão e a animosidade vindo à tona.

O corpo do cientista ainda se agitava em leves convulsões e Langdon achou que ele estava tentando se mexer. Todos na sala se concentravam no camerlengo naquele momento. Langdon quis chamar alguém, mas não foi capaz de reagir. Fascinava-o a intensidade que emanava de Kohler nos segundos finais de sua vida. O diretor, com esforço, trêmulo, levantou o braço e tirou um pequeno objeto do braço de sua cadeira. Do tamanho de uma caixa de fósforos. Segurou-o no ar, oscilante. Langdon chegou a pensar que Kohler tivesse uma arma. Mas era outra coisa.

– En... tregue... – a voz não passava de um sussurro entrecortado. – En... tregue isto... à imprensa.

Kohler tombou, imóvel, e o aparelho caiu em seu colo.

Abalado, Langdon olhou para o aparelho. Era eletrônico. As palavras SONY RUVI estavam impressas na frente. Tratava-se de uma dessas pequenas câmeras de vídeo em miniatura que cabem na palma da mão. *Que audácia desse sujeito*, pensou. Kolher provavelmente gravara alguma mensagem suicida e queria que a imprensa a divulgasse – sem dúvida algum sermão sobre a importância da ciência e os malefícios da religião. Langdon decidiu que já fizera demais pela causa daquele homem naquela noite. Antes que Chartrand visse a pequenina câmera, Langdon enfiou-a no bolso mais fundo de seu paletó. *A mensagem final de Kohler que vá para o inferno!*

Foi a voz do camerlengo que quebrou o silêncio. Ele tentava se sentar.

– Os cardeais – disse ele a Chartrand, ofegante.

– Ainda estão na Capela Sistina! – exclamou Chartrand. – O capitão Rocher ordenou...

– Faça-os sair agora. Todos.

Chartrand despachou às pressas um dos outros guardas para soltar os cardeais.

O camerlengo fez uma careta de dor.

– O helicóptero... aí na frente... para me levar para um hospital.

CAPÍTULO **115**

Na Praça de São Pedro, o piloto da Guarda Suíça estava sentado na cabine do helicóptero do Vaticano estacionado e esfregava as têmporas. O caos na praça em torno dele era tão grande que a barulheira abafava o som de seus rotores ligados. Aquela não era certamente uma daquelas vigílias solenes à luz de velas. Não sabia como ainda não havia acontecido um tumulto pior.

Faltavam menos de 25 minutos para a meia-noite e as pessoas ainda estavam amontoadas lá, umas rezando, outras chorando pela Igreja, algumas gritando obscenidades e proclamando que era isso mesmo o que a Igreja merecia, outras entoando versículos apocalípticos da Bíblia.

A cabeça do piloto latejava mais quando os focos de luz das emissoras passavam pelo seu pára-brisa, ofuscando-o. Apertava os olhos para a massa turbulenta. Cartazes e faixas eram agitados pela multidão.

A ANTIMATÉRIA É O ANTICRISTO!

CIENTISTAS-SATANISTAS,

ONDE ESTÁ SEU DEUS AGORA?

O piloto gemia, a cabeça piorando. Ponderava se deveria cobrir o pára-brisa com a proteção de vinil para não ver nada, mas achava que iria levantar vôo em questão de minutos. O tenente Chartrand acabara de falar com ele pelo rádio dando notícias graves. O camerlengo fora atacado por Maximilian Kohler e estava seriamente ferido. Chartrand, o americano e a mulher iriam sair com o camerlengo para que ele fosse levado a um hospital.

O piloto sentia-se pessoalmente responsável pelo ataque. Censurava-se por não ter agido com mais audácia. Pouco antes, ao pegar Kohler no aeroporto, percebera algo estranho nos olhos mortos do cientista. Não sabia definir, mas não gostara nada. Não que isso importasse. Rocher era quem mandava e ele insistira que era aquele sujeito. Pelo jeito, enganara-se.

Um novo clamor ergueu-se da multidão. O piloto levantou os olhos e viu uma fila de cardeais indo solenemente do Vaticano para a Praça de São Pedro. O alívio dos cardeais por saírem da zona de risco era rapidamente superado pelas expressões de espanto diante do espetáculo que se desenrolava fora da igreja.

O alarido intensificou-se mais ainda. A cabeça do piloto latejava. Precisava de uma aspirina. Talvez de três. Não gostava de voar depois de tomar remédios, mas a aspirina seria decerto menos debilitante do que aquela dor de cabeça furiosa. Pegou o estojo de primeiros-socorros, guardado junto com diversos mapas e manuais em uma caixa presa entre os dois bancos dianteiros. Quando tentou abri-lo, porém, estava trancado. Olhou em torno procurando a chave e finalmente desistiu. Aquela não era mesmo a sua noite de sorte. Voltou a massagear as têmporas.

◆◆◆

Dentro da basílica às escuras, Langdon, Vittoria e os dois guardas avançavam, ofegantes, para a saída principal. Sem conseguirem encontrar nada mais adequado, os quatro transportavam o camerlengo ferido em cima de uma mesa estreita, o corpo inerte equilibrado entre eles como em uma maca. Lá fora, o ruído distante da aglomeração humana tornou-se audível. O camerlengo encontrava-se à beira da inconsciência.

O tempo estava se esgotando.

CAPÍTULO 116

Eram 11h39 quando Langdon saiu com os outros da Basílica de São Pedro. Uma claridade ofuscante atingiu-o. A iluminação da imprensa refletia-se na brancura do mármore como a luz do sol na tundra coberta de neve. Langdon apertou os olhos, procurando refugiar-se atrás das enormes colunas da fachada, mas a luz vinha de todas as direções. Na sua frente, uma coleção de enormes telas de vídeo destacava-se acima da multidão.

Do alto da magnífica escadaria que se projetava para a praça, Langdon sentiu-se um ator relutante no maior palco do mundo. Em algum ponto além das luzes ofuscantes, ouviu um motor de helicóptero ligado e o rumor de milhares de vozes. À esquerda, a procissão dos cardeais continuava seguindo para a praça. Todos pararam, visivelmente pesarosos com a cena que naquele momento se desenrolava nas escadarias.

– Com cuidado, agora – recomendou Chartrand, concentrado, quando o grupo começou a descer as escadas a caminho do helicóptero.

Langdon tinha a sensação de que se moviam debaixo d'água. Seus braços doíam com o peso do camerlengo e da mesa. Perguntava a si mesmo se poderia haver momento mais constrangedor do que aquele. E logo teve a resposta. Os dois repórteres da BBC, que deviam estar atravessando a praça para voltar à área da imprensa, tinham mudado de idéia ao ouvir o vozerio das pessoas. Glick e Macri vinham correndo na direção deles, a câmera de Macri funcionando. *Lá vêm os abutres*, pensou Langdon.

– *Alt!* – gritou Chartrand. – Para trás!

Mas os repórteres não se detiveram. Langdon calculou que as outras emissoras levariam uns seis segundos para também começar a transmitir aquela cena ao vivo. Estava errado. Levaram dois. Como se unidas por uma espécie de consciência universal, todas as telas na *piazza* interromperam a transmissão das imagens da bomba de antimatéria e das opiniões de seus especialistas em Vaticano e passaram a mostrar a mesma coisa – uma seqüência oscilante das escadarias da basílica. Agora, para qualquer ponto que se olhasse, via-se o corpo inerte do camerlengo em close colorido.

Isto não está certo!, pensou Langdon, com vontade de descer as escadas e intervir, mas sem poder. Não teria ajudado nada, porém. Se foi a algazarra do povo ou o ar frio da noite a causa de tudo o que se seguiu, Langdon jamais saberia, mas o fato é que, naquele momento, o inconcebível aconteceu.

Como se o camerlengo acordasse de um pesadelo, seus olhos se abriram de repente e ele se sentou ao mesmo tempo. Tomados inteiramente de surpresa, Langdon e os outros atrapalharam-se com o deslocamento do peso. A parte da frente da mesa tombou e o camerlengo começou a deslizar. Eles tentaram recuperar o equilíbrio colocando a mesa no chão, mas já era tarde demais. O camerlengo escorregou para a frente. Inacreditavelmente, ele não caiu. Seus pés apoiaram-se no mármore, ele oscilou um pouco e depois se aprumou. Permaneceu parado um instante, meio desorientado, e então, antes que alguém pudesse impedir, precipitou-se escada abaixo, as passadas incertas, na direção de Macri.

– *Não!* – Langdon gritou.

Chartrand correu, tentando segurar o camerlengo, que, entretanto, se virou para ele dizendo com ar desvairado, enlouquecido:

– Largue-me!

Chartrand deu um pulo para trás.

A cena foi de mal a pior. A batina rasgada do camerlengo, que Chartrand apenas puxara para cima de seu peito, abriu-se e começou a cair. Por um segundo, Langdon pensou que a roupa fosse agüentar, mas o segundo passou. A batina se rompeu, descendo pelos ombros dele até a cintura.

A exclamação que veio da multidão pareceu percorrer o mundo inteiro e voltar em um instante. As câmeras rodaram, os flashes espocaram. Nas telas de televisão de todos os lugares projetou-se a imagem do peito do camerlengo marcado a fogo, ampliado e em horríveis detalhes. Algumas telas chegaram a congelar a imagem e girá-la 180 graus.

A suprema vitória dos Illuminati.

Langdon viu a marca nas telas de televisão. Apesar de ser a impressão produzida pelo ferro quadrado que tivera nas mãos pouco antes, o símbolo *agora* fazia sentido. Completo. O poder impressionante da marca atingiu-o com o impacto de um trem.

Direção. Langdon esquecera a primeira regra da simbologia. *Quando é que um quadrado não é um quadrado?* Também esquecera que os ferros de marcar, assim como os carimbos de borracha, nunca se parecem com a marca que produzem. São invertidos. Langdon olhara para o *negativo* da marca!

À medida que aumentava o caos na praça, uma velha citação dos Illuminati ecoou em sua mente com um novo significado: "Um diamante sem jaça, nascido dos antigos elementos com tamanha perfeição, que todos os que o viam ficavam extasiados."

Agora sabia que o mito era verdadeiro.

Terra, Ar, Fogo, Água.

O diamante Illuminati.

CAPÍTULO **117**

Robert Langdon não duvidava que o caos e a histeria que se alastraram pela Praça de São Pedro naquela ocasião tivessem suplantado tudo o que o Vaticano já vira. Nenhuma batalha, crucificação, peregrinação ou visão mística – nada na história de dois mil anos do santuário poderia se igualar às dimensões e à dramaticidade daquele momento.

Enquanto a tragédia se desenrolava, Langdon sentia-se estranhamente distante, como se pairasse ali ao lado de Vittoria no alto da escadaria. A ação pareceu distender-se como uma deformação do tempo, toda aquela insanidade passando cada vez mais devagar.

O camerlengo marcado a fogo, delirando para o mundo inteiro ver.

O diamante Illuminati revelado em toda a sua diabólica engenhosidade.

A contagem regressiva do relógio da antimatéria registrando os últimos 20 minutos da história do Vaticano.

O drama, porém, estava apenas começando.

O camerlengo, como se estivesse vivendo um transe pós-traumático, mostrou-se repentinamente cheio de vigor, possuído por demônios. Balbuciava, murmurava coisas para espíritos invisíveis, olhando para o céu e levantando os braços para Deus.

– Fale! – gritou ele para os céus. – Sim, estou escutando!

E Langdon compreendeu. Foi como se um peso caísse dentro dele.

Vittoria também compreendera. Ficou pálida.

– Ele está em estado de choque – disse. – Está tendo alucinações. Acha que está falando com Deus.

Alguém tem de impedir que isso continue, pensou Langdon. Era um final lamentável, embaraçoso. *Levem esse homem para um hospital!*

Ao pé da escadaria, Chinita Macri instalara-se em um ponto ideal e estava filmando tudo. As imagens apareciam instantaneamente nas enormes telas atrás dela na praça, como filmes intermináveis de cinema ao ar livre, mostrando a mesma tragédia angustiante.

A cena toda tinha um tom épico. O camerlengo, a batina rasgada, a marca da queimadura no peito, parecia uma espécie de paladino ferido que tivesse ultrapassado todos os círculos do inferno por aquele momento de revelação. Ele bradava para os céus.

– *Ti sento, Dio!* Estou ouvindo, Deus!

Chartrand recuou, o rosto cheio de temor.

Um silêncio espalhou-se pela multidão, instantâneo, absoluto. E foi como se o planeta inteiro mergulhasse no mesmo silêncio. Todas as pessoas ficaram rígidas diante de suas televisões, prendendo a respiração em conjunto.

O camerlengo parou nas escadas, diante do mundo, e abriu os braços. Igual a Cristo, despido e machucado. Levantou os braços e, olhando para cima, exclamou:

– *Grazie! Grazie, Dio!*

Nenhum ruído rompeu o silêncio.

– *Grazie, Dio!* – repetiu o camerlengo. Como a luz do sol passando através de nuvens de tempestade, uma expressão de alegria indizível de repente iluminou o rosto dele. – *Grazie, Dio!*

Obrigado, Deus? Langdon assistia à cena, sem compreender.

O camerlengo mostrava-se radiante agora, a misteriosa transformação já completa. Ainda olhava para o céu, sacudindo a cabeça, arrebatado. Gritou para o céu.

– "Sobre esta pedra edificarei minha igreja!"

Langdon conhecia a frase, mas não entendia por que o camerlengo a pronunciara.

O camerlengo voltou-se para o povo e gritou outra vez para dentro da noite.

– "Sobre esta pedra edificarei minha igreja!" – E, com os braços erguidos, riu alto, repetindo uma vez mais: – *Grazie, Dio! Grazie!*

O homem indiscutivelmente enlouquecera.

O mundo assistia, hipnotizado.

O clímax de tudo aquilo, entretanto, foi algo que ninguém esperava.

Com um exultante brado final, o camerlengo deu meia-volta e disparou para dentro da Basílica de São Pedro.

CAPÍTULO **118**

11h42.

Langdon nunca imaginou que fosse um dia fazer parte de uma comitiva frenética como a que se lançou atrás do camerlengo, muito menos que fosse ele a sair na frente. Era ele quem estava mais próximo da porta e acabou agindo por instinto.

O camerlengo vai morrer aqui, pensou Langdon, correndo para o interior escuro da basílica.

– Camerlengo! Pare!

A escuridão com que Langdon se deparou era absoluta. Suas pupilas estavam contraídas por causa da claridade do lado de fora e seu campo de visão limitava-se a alguns metros. Ele parou. Em algum ponto lá dentro ouviu o farfalhar do tecido da batina do camerlengo, que corria às cegas para o fundo da basílica.

Vittoria e os guardas vieram logo atrás. As lanternas foram acesas, mas as luzes já estavam fracas e não bastavam para alcançar as profundezas do templo. Os fachos de luz iam e vinham, mostrando apenas colunas e o chão vazio. Não se via o camerlengo em parte alguma.

– Camerlengo! – gritou Chartrand, com medo na voz. – Espere! *Signore!*

Um tumulto na porta atrás deles fez todos se virarem. O volumoso vulto de

Chinita Macri assomou na entrada. Uma luz vermelha brilhando na câmera apoiada no ombro dela revelava que ainda estava transmitindo tudo. Glick vinha correndo atrás, microfone na mão, gritando-lhe que fosse mais devagar.

Aqueles dois eram inacreditáveis. *Não é hora disso*, pensou Langdon.

– Fora! – exclamou Chartrand. – Isto não é para os seus olhos!

Mas Macri e Glick não pararam.

– Chinita! – a voz de Glick soava amedrontada. – Isto é suicídio! Vou voltar!

Macri não fez caso dele. Apertou um botão em sua câmera. O projetor em cima dela acendeu-se, ofuscando todos.

Langdon protegeu o rosto com a mão e abaixou a cabeça, zonzo. *Droga!* Quando a levantou, porém, a igreja estava iluminada uns 30 metros em torno deles.

A voz do camerlengo ecoou em algum ponto distante:

– "Sobre esta pedra edificarei minha igreja!"

Macri direcionou sua câmera para o som. Lá longe, na área cinzenta além do alcance da luz do projetor, viu-se ondular um tecido escuro, revelando uma forma conhecida que corria pela nave principal.

Seguiu-se um instante fugaz de hesitação enquanto todos os olhos acompanhavam a imagem bizarra. Depois, rompeu-se o dique. Chartrand passou por Langdon e lançou-se no encalço do camerlengo. Langdon foi logo atrás. Depois, os guardas e Vittoria.

Macri fechava a retaguarda iluminando o caminho de todos e transmitindo a caçada sepulcral para o mundo. Glick praguejava em voz alta enquanto a acompanhava a contragosto, assustado.

◆◆◆

A nave central da Basílica de São Pedro, calculara certa vez o tenente Chartrand, era mais comprida do que um campo de futebol. Naquela noite dava a impressão de ser o dobro. Correndo atrás do camerlengo, o guarda se perguntava para onde ele estaria indo. O homem estava em choque, seguramente, abalado pelo trauma físico e por ter presenciado aquele massacre terrível no escritório do Papa.

Mais além, depois do trecho iluminado pelo projetor da BBC, a voz do camerlengo soava jubilosa:

– "Sobre esta pedra edificarei minha igreja!"

Chartrand sabia que ele estava citando a Bíblia – Mateus, 16:18, se não se enganava. *Sobre esta pedra edificarei minha igreja.* Uma inspiração quase cruel de tão inadequada – a igreja em questão estava prestes a ser destruída. O camerlengo com certeza enlouquecera.

Ou ele?

Por um momento, a alma de Chartrand alçou vôo. Sempre tinha considerado as visões celestes e as divinas mensagens como ilusões, o produto de mentes excessivamente zelosas que ouviam o que desejavam ouvir. Deus não interagia *diretamente!*

Logo em seguida, contudo, como se o próprio Espírito Santo descesse para persuadi-lo de Seu poder, Chartrand teve uma visão.

Uns 50 metros à frente, no centro da igreja, um fantasma apareceu, um vulto diáfano, reluzente. A figura pálida era a do camerlengo seminu. O espectro parecia transparente, irradiando luz. Chartrand estacou, com um aperto no estômago. *O camerlengo está brilhando!* O corpo passou a reluzir mais ainda. Então, começou a afundar, mais e mais, até desaparecer, como por um passe de mágica, no chão escuro.

◆◆◆

Langdon também vira o fantasma. E, por uma fração de segundo, também pensou ter tido uma visão mágica. No entanto, ao passar pelo aturdido Chartrand em direção ao ponto onde o camerlengo desaparecera, percebeu o que havia acontecido. O camerlengo chegara ao Nicho dos Pálios – a câmara rebaixada e iluminada por 99 lamparinas de óleo. As lamparinas dentro do nicho iluminaram-no como um fantasma, de baixo para cima. Depois, quando o camerlengo desceu as escadas no meio da luz das lamparinas, pareceu desaparecer sob o chão.

Langdon chegou ofegante à borda do recinto rebaixado. Olhou para baixo, para as escadas. No fundo, sob a luminosidade amarelada das lamparinas de óleo, viu o camerlengo atravessar a câmara de mármore rumo às portas de vidro que levavam ao aposento onde fica a famosa arca dourada.

O que ele está fazendo, perguntou-se Langdon. *Será que acha que a arca dourada...*

O camerlengo escancarou as portas e entrou. Entretanto, não tomou conhecimento da arca dourada, passando direto por ela. Mais ou menos um metro e meio depois da arca, caiu de joelhos e começou a tentar levantar uma grade de ferro presa no chão.

Langdon assistia a tudo estarrecido, percebendo aonde o camerlengo queria ir. *Deus do céu, não!* E desceu depressa as escadas ao encontro dele.

– Padre! Não!

Assim que Langdon abriu as portas de vidro e correu para o camerlengo, este suspendeu a grade de ferro, que, ao girar nas dobradiças, caiu, abrindo-se com um estrondo ensurdecedor e revelando uma abertura estreita com uma escada quase a prumo. Quando o camerlengo já se encaminhava para a abertura, Langdon segurou seus ombros nus e puxou-o de volta. A pele estava escorregadia de suor, mas Langdon conseguiu detê-lo.

O camerlengo virou-se rapidamente para ele, espantado.

– O que está fazendo!

Langdon surpreendeu-se quando seus olhos se encontraram. O camerlengo não tinha mais aquela expressão de quem está em transe. Estava alerta, cheio de lúcida determinação. O aspecto da queimadura em seu peito era aflitivo.

– Padre – instou Langdon com toda a calma possível –, o senhor não pode entrar aí. Temos de sair da basílica.

– Meu filho – disse o camerlengo, a voz extraordinariamente sensata –, acabei de receber uma mensagem. Eu sei que...

– Camerlengo! – Chartrand e os outros tinham chegado. Desceram correndo as escadas sob a luz da câmera de Macri.

Quando Chartrand viu a grade aberta no chão, seu rosto se encheu de medo. Fez o sinal-da-cruz e lançou um olhar agradecido a Langdon por ter impedido o camerlengo. Langdon compreendeu. Lera o suficiente sobre a arquitetura do Vaticano para saber o que havia depois da grade. Era o local mais sagrado da cristandade. *Terra Santa*. Solo sagrado. Alguns chamavam-no de Necrópole. Outros, de Catacumbas. Segundo os relatos dos poucos religiosos que ao longo do tempo haviam descido ali, a Necrópole era um labirinto escuro de criptas subterrâneas que poderia engolir um visitante se ele se perdesse. Não era um bom lugar para correr atrás do camerlengo.

– *Signore* – suplicou Chartrand –, o senhor está em estado de choque. Temos de sair daqui. Não pode descer aí. É suicídio.

O camerlengo pareceu estóico de repente. Estendeu o braço e pousou a mão com serenidade no braço de Chartrand.

– Obrigado por sua preocupação e seus préstimos. Não sei como lhe dizer. Nem tenho como lhe dizer o quanto o compreendo. Mas tive uma revelação. Sei onde está a antimatéria.

Todos olhavam para ele, estáticos.

O camerlengo voltou-se para o grupo.

– "Sobre esta pedra edificarei minha igreja." Esta foi a mensagem. O significado é claro.

Langdon ainda não conseguia compreender a convicção do camerlengo de que falara com Deus e muito menos de que decifrara a mensagem divina. *Sobre esta pedra edificarei minha igreja?* As palavras que Jesus proferira ao escolher Pedro como seu primeiro apóstolo. O que tinham a ver com a situação?

Macri aproximou-se para conseguir um ângulo melhor. Glick estava mudo, como quem tomou um grande susto.

O camerlengo falava rapidamente, explicando.

– Os Illuminati colocaram seu instrumento de destruição na própria pedra angular desta igreja. Nas suas fundações. – Fez um gesto para as escadas abaixo. – Na pedra sobre a qual esta igreja foi construída. E eu sei onde essa pedra está.

Langdon achava que chegara a hora de subjugar o camerlengo e sair dali. Por mais que parecesse lúcido, o padre não estava dizendo coisa com coisa. *Uma pedra? A pedra angular das fundações?* Aqueles degraus não levavam às fundações, mas à Necrópole!

– A citação é uma metáfora, senhor. Não existe uma *pedra* de verdade!

O rosto do camerlengo ficou estranhamente triste.

– Existe uma pedra, sim, filho – e apontou para a abertura. – *Pietro è la pietra.*

Langdon congelou. Tudo ficou claro.

A austera simplicidade daquilo deu-lhe arrepios. Ali, de pé com os outros, olhando para a longa escada que descia, percebeu que havia de fato uma pedra enterrada nas trevas sob aquela igreja.

Pietro è la pietra. Pedro é a pedra.

Pedro tinha uma fé tão sólida em Deus que Jesus o chamava de "a rocha" – o discípulo resoluto sobre cujos ombros Jesus construiria sua igreja. Naquele lugar exato, a Colina Vaticana, Pedro fora crucificado e enterrado. Os primeiros cristãos ergueram um pequeno santuário em cima de sua tumba. À medida que o cristianismo se espalhava, o santuário foi crescendo pouco a pouco, culminando com aquela colossal basílica. A fé católica fora construída, de modo bastante literal, em cima de São Pedro. Da rocha. Da pedra.

– A antimatéria está na tumba de São Pedro – disse o camerlengo com voz cristalina.

A despeito da suposta origem sobrenatural da informação, Langdon reconhecia que havia lógica nela. Colocar a antimatéria na tumba de São Pedro agora parecia dolorosamente óbvio. Os Illuminati, num gesto de desafio simbólico, tinham escondido a antimatéria no âmago da cristandade, literal e figurativamente. *A suprema infiltração.*

– E se vocês precisarem de provas concretas – disse o camerlengo, agora impaciente –, acabei de encontrar esta grade destrancada – e mostrou a grade aberta no chão. – *Nunca* fica destrancada. Alguém esteve aqui embaixo *recentemente*.

Todos olharam para dentro da abertura.

No instante seguinte, com insuspeitada agilidade, o camerlengo pegou uma das lamparinas e desceu as escadas.

CAPÍTULO 119

Os degraus de pedra seguiam em declive acentuado para dentro da terra.

Vou morrer lá embaixo, pensou Vittoria, segurando o corrimão feito de corda pesada ao enveredar pela passagem estreita atrás dos outros. Embora Langdon tivesse feito um movimento para impedir que o camerlengo entrasse na abertura da escada, Chartrand interferira segurando Langdon. Pelo jeito, o jovem guarda convencera-se de que o camerlengo sabia o que estava fazendo.

Depois de uma breve luta, Langdon soltara-se e seguira o camerlengo, com Chartrand em seus calcanhares. Instintivamente, Vittoria fora atrás de ambos.

Agora precipitava-se por uma descida íngreme em que qualquer passo em falso poderia causar uma queda fatal. Bem abaixo, distinguia o brilho dourado da lamparina de óleo do camerlengo. Na retaguarda, ouvia os repórteres da BBC, que se apressavam para chegar perto deles. O refletor da câmera lançava sombras retorcidas nas profundezas, iluminando Chartrand e Langdon. Era inacreditável que o mundo estivesse testemunhando aquela loucura. *Desligue a maldita câmera!* Mas logo depois admitia que sem a luz da câmera nenhum deles saberia aonde estava indo.

Enquanto aquela corrida louca prosseguia, os pensamentos de Vittoria agitavam-se, tempestuosos. O que o camerlengo poderia fazer ali embaixo? Mesmo que encontrasse a antimatéria? Não havia mais tempo!

Vittoria surpreendeu-se ao descobrir sua intuição lhe dizendo que o camerlengo provavelmente tinha razão. Colocar a antimatéria tão fundo dentro da terra era uma opção quase nobre e misericordiosa. Àquela profundidade – tal como no laboratório do CERN –, o aniquilamento da antimatéria seria parcialmente contido. Não haveria o deslocamento de ar quente nem os fragmentos voando para ferir as pessoas, só uma abertura bíblica da terra e uma gigantesca basílica desmoronando dentro de uma cratera.

Teria sido este o único gesto de generosidade de Kohler? Poupar vidas?

Vittoria ainda não compreendia o envolvimento do diretor. Aceitava que tivesse ódio da religião, mas aquela conspiração apavorante não combinava com ele. Será que a aversão fora assim tão profunda? A ponto de destruir o Vaticano? De contratar um assassino? E planejar os assassinatos do pai dela, do Papa e de quatro cardeais? Parecia impensável. E como teria Kohler induzido toda aquela traição dentro dos muros do Vaticano? *Rocher era o contato de Kohler*, pensou Vittoria. *Rocher era um Illuminatus*. Devia ter as chaves de todos os lugares – dos aposentos do Papa, do *Passetto,* da Necrópole, da tumba de São Pedro, de tudo. Ele próprio poderia ter colocado a antimatéria na tumba de São Pedro – um local altamente restrito – e depois ter recomendado que seus guardas não perdessem tempo procurando nas áreas restritas do Vaticano. Rocher *sabia* que ninguém jamais encontraria a antimatéria.

Mas Rocher não contava com a mensagem que o camerlengo recebera do alto.

A mensagem. Vittoria ainda lutava para acreditar nela. Deus teria realmente se comunicado com o camerlengo? Em seu íntimo, Vittoria dizia que não e, todavia, a sua especialidade como cientista era a física do *entanglement,* ou emaranhamento – a da interconexão. Presenciava comunicações milagrosas todos os dias – ovos gêmeos de tartarugas marinhas separados e colocados em laboratórios a quilômetros de distância um do outro que eclodiam no mesmo instante, milhares de águas-vivas dentro d'água pulsando no mesmo ritmo como se fossem uma só. *Existem linhas invisíveis de comunicação em toda parte*, refletiu.

Mas também entre Deus e o homem?

Vittoria desejou que seu pai estivesse ali para dar-lhe fé. Ele certa vez explicara-lhe a divina comunicação em termos científicos e fizera com que acreditasse. Ainda lembrava que o vira rezando e perguntara:

– Pai, por que se dá ao trabalho de rezar? Deus não pode responder.

Leonardo Vetra interrompera suas meditações e olhara para ela com um sorriso paternal.

– Minha filha cética. Quer dizer que você não acredita que Deus fale com o homem? Deixe que lhe explique com uma linguagem que você compreende. – Pegou um modelo do cérebro humano em uma prateleira e colocou na frente dela. – Como já deve saber, Vittoria, os seres humanos normalmente utilizam apenas uma parcela muito pequena de sua capacidade cerebral. Contudo, se forem expostos a situações emocionalmente intensas, como traumas físicos, alegria ou medo extremos, meditação profunda, de repente seus neurônios começam a se acelerar como loucos, o que resulta em um aumento enorme de clareza mental.

– E daí? – argumentou Vittoria. – Só porque alguém pensa com clareza não significa que fale com Deus.

– Ah! – exclamou Vetra. – No entanto, soluções extraordinárias para problemas supostamente impossíveis costumam ocorrer nesses momentos de clareza. É o que os gurus chamam de consciência elevada. Os biólogos, de estados alterados. Os psicólogos, de superpercepção – e ele fez uma pausa. – E os cristãos, de preces atendidas. – Com um sorriso largo, acrescentou: – Às vezes, a revelação divina significa simplesmente adaptar seu cérebro para escutar o que seu coração já sabe.

Agora, descendo as escadas sombrias, sentia que talvez seu pai tivesse razão. Seria tão difícil assim acreditar que o trauma sofrido pelo camerlengo tivesse posto a mente dele em um estado que lhe permitira "perceber" a localização da antimatéria?

Cada um de nós é um Deus, dissera Buda. *Cada um de nós sabe tudo. Precisamos apenas abrir nossas mentes para escutar nossa sabedoria.*

Naquele momento de clareza, descendo ao fundo da terra, Vittoria sentiu sua mente se abrir, sua sabedoria vir à tona. Sabia agora sem sombra de dúvida quais eram as intenções do camerlengo. Aquela conscientização fez Vittoria sentir um medo tão grande como nunca experimentara antes.

– Camerlengo, não! – gritou. – O senhor não está entendendo! – Vittoria lembrou da multidão em torno da Cidade do Vaticano e seu sangue gelou nas veias. – Se levar a antimatéria para cima, toda aquela gente vai *morrer!*

◆◆◆

Langdon descia pulando de três em três degraus, ganhando terreno. A passagem era apertada, mas ele não sentia claustrofobia. Seu antigo medo paralisante fora sobrepujado por um terror mais profundo.

– Camerlengo! – Langdon ia diminuindo a distância que o separava do brilho da lamparina. – O senhor tem de deixar a antimatéria onde está! Não há outro jeito!

Ao mesmo tempo em que pronunciava aquelas palavras, Langdon custava a acreditar no que dizia. Não só aceitara como verdadeira a revelação divina ao camerlengo da localização da antimatéria, como estava argumentando a favor da destruição da Basílica de São Pedro – uma das maiores proezas arquitetônicas da Terra e de toda a arte que ela continha.

Mas há pessoas do lado de fora, é o único jeito.

Parecia uma cruel ironia que a única forma de salvar as pessoas fosse a destruição da igreja. Langdon imaginava que os Illuminati estivessem achando graça no simbolismo.

O ar que subia do fundo do túnel era frio e úmido. Em algum ponto lá embaixo ficava a sagrada Necrópole, onde tinham sido enterrados São Pedro e inúmeros outros primeiros cristãos. Langdon sentiu um calafrio, esperando que aquela não fosse uma missão suicida.

Subitamente, a lamparina do camerlengo parou. Langdon logo o alcançou. Os degraus terminavam abruptamente. Um portão de ferro batido com três caveiras em relevo fechava a base das escadas. O camerlengo empurrou o portão e o abriu. Langdon pulou na frente e o fechou, bloqueando o caminho do camerlengo. Os outros vieram descendo às carreiras, fazendo barulho, todos fantasmagóricos sob a luz branca do refletor da BBC, sobretudo Glick, cada vez mais lívido.

Chartrand puxou Langdon.

– Deixe o camerlengo passar!

– Não! – exclamou Vittoria, ofegante. – Temos de abandonar este lugar agora mesmo! O senhor *não pode* tirar a antimatéria daqui! Se levá-la para cima, todos os que estão lá fora *vão morrer!*

A voz do camerlengo estava extraordinariamente calma.

– Todos vocês têm de ter confiança. Temos pouco tempo.

– O senhor não entendeu – disse Vittoria. – Uma explosão ao nível do chão seria muito pior do que uma explosão aqui embaixo!

O camerlengo olhou para ela, os olhos verdes resplandecentes e firmes.

– Quem falou de explosão ao nível do chão?

Vittoria espantou-se.

– O senhor vai deixá-la aqui?

A convicção do camerlengo era hipnótica.

– Não haverá mais mortes esta noite.

– Padre, mas...

– Por favor, tenham um pouco de *fé* – a voz dele adquiriu um tom de quietude irresistível. – Não estou pedindo a ninguém que me acompanhe. Sintam-se todos livres para ir embora. Só peço que não interfiram com a vontade de Deus. Deixem que eu faça o que me foi determinado fazer – o olhar do camerlengo ficou mais intenso. – Tenho de salvar esta igreja. E *posso* fazê-lo. Juro por minha própria vida.

O silêncio que se seguiu teve o mesmo efeito de uma trovoada.

CAPÍTULO 120

11h51.

Necrópole significa literalmente "cidade dos mortos".

Nada do que Robert Langdon lera sobre aquele lugar o havia preparado para o que encontrou. A colossal cavidade subterrânea estava repleta de mausoléus em ruínas, como pequenas casas dentro de uma caverna. O ar cheirava a ausência de vida. Uma canhestra rede de caminhos serpenteava entre os monumentos deteriorados, a maior parte deles feita de tijolos fragmentados e placas de mármore. Semelhantes a colunas feitas de pó, inúmeros pilares de terra não escavada erguiam-se para apoiar um céu também de pó, que se estendia, pesado e baixo, sobre o pequeno povoado imerso na penumbra.

Cidade dos mortos, repetiu Langdon, dividido entre o deslumbramento acadêmico e o medo puro e simples. Ele e os outros enveredaram correndo pelas trilhas sinuosas. *Será que fiz a opção errada?*

Chartrand tinha sido o primeiro a sucumbir ao fascínio do camerlengo, escancarando o portão e declarando que confiava nele. Glick e Macri, por sugestão do camerlengo, tinham nobremente concordado em fornecer luz para a busca, embora, levando-se em conta os louvores que os esperavam caso saíssem vivos dali, suas motivações fossem no mínimo suspeitas. Vittoria fora quem mostrara menos entusiasmo e Langdon vira nos olhos dela uma cautela que se parecia um bocado com uma inquietante intuição feminina.

Agora é tarde, pensou, enquanto ele e Vittoria corriam junto com os outros. *Já estamos envolvidos.*

Vittoria ia calada, mas ele sabia que ambos pensavam a mesma coisa. *Nove minutos não bastam para sair da Cidade do Vaticano se o camerlengo estiver errado.*

Rodeando os mausoléus, Langdon começou a sentir as pernas cansadas, notando com surpresa que o grupo estava subindo uma elevação acentuada. Ao perceber o motivo, sentiu arrepios. A topografia sob seus pés era a do tempo de Cristo. Estavam subindo a Colina Vaticana original! Já ouvira especialistas em Vaticano afirmar que a tumba de São Pedro ficava quase no *alto* da Colina Vaticana e sempre se perguntara como eles poderiam saber. Agora compreendia. *A maldita colina ainda existe!*

Tinha a impressão de estar percorrendo páginas de um livro de história. Em algum ponto adiante encontrava-se a tumba de São Pedro – a relíquia cristã por excelência. Era difícil conceber que a sepultura original tivesse sido assinalada de início apenas com um modesto santuário. Não mais. À medida que se espalhou a importância de São Pedro, novos santuários foram construídos por cima do antigo e agora a homenagem prolongava-se quase 135 metros para o alto, até o topo do domo de Michelangelo, cujo ápice fora posicionado diretamente acima da tumba original com uma insignificante margem de erro.

A subida tortuosa continuava. Langdon olhou o relógio. *Oito minutos.* Começava a achar que ele e Vittoria em breve fariam companhia permanentemente àqueles mortos.

– Cuidado! – Glick gritou atrás deles. – Buracos de cobra!

Langdon viu-os a tempo. Uma sucessão de pequenos orifícios pontilhava o caminho à frente. Deu um pulo, esquivando-se.

Vittoria pulou também, quase pisando nos buracos. Perguntou, inquieta, enquanto seguiam adiante:

– Buracos de *cobra?*

– Não exatamente – disse Langdon. – Tenho certeza de que não vai querer saber o que são.

Os orifícios eram *tubos de libações.* Os primeiros cristãos acreditavam na ressurreição da carne e usavam aqueles buracos para literalmente "alimentar os mortos", derramando leite e mel nas criptas sob o chão.

◆◆◆

O camerlengo sentiu-se fraco.

Mas não se deteve, as pernas encontrando forças no cumprimento de seu dever a Deus e aos homens. *Quase chegando.* Sentia dores incríveis. *A mente pode causar muito mais dor do que o corpo.* Ainda assim, sentia-se cansado. Sabia que dispunha de muito pouco tempo.

– Vou salvar sua igreja, meu Pai. Juro.

Apesar da luz da BBC atrás dele, pela qual era grato, o camerlengo levava sua lamparina de óleo com o braço levantado. *Sou um farol na escuridão. Sou a luz.* O óleo balançava conforme ele corria e, por um instante, receou que o líquido inflamável se derramasse e o queimasse. Sua carne já fora queimada demais por uma noite.

Quando se aproximou do alto da colina, estava encharcado de suor, com a respiração difícil. Ao atingir o topo, entretanto, sentiu-se renascer. Parou cambaleante sobre o trecho plano de terra onde já estivera muitas vezes. O caminho terminava ali. A Necrópole chegava abruptamente ao final em uma parede de terra. Um marco diminuto trazia a inscrição: *Mausoleum S.*

La tomba di San Pietro.

Havia uma abertura na parede que lhe chegava à cintura. Sem nenhuma placa dourada. Sem ostentação. Somente uma simples cavidade na parede, além da qual havia uma pequena gruta e um sarcófago pobre, esfacelando-se. O camerlengo lançou um olhar lá dentro e deu um sorriso cansado. Ouvia os outros se aproximando. Pousou sua lamparina de óleo no chão e ajoelhou-se para rezar.

Obrigado, meu Deus. Está quase acabando.

◆◆◆

Do lado de fora, na praça, rodeado pelos cardeais atônitos, o cardeal Mortati acompanhava pela tela grande o drama que se desenrolava na cripta. Não sabia mais em que acreditar. Será que o mundo inteiro vira o mesmo que ele? Deus teria mesmo falado com o camerlengo? Será que a antimatéria iria de fato aparecer na Basílica de São...

– Olhem! – o povo prendeu a respiração.

– Está lá! – todos apontavam para a tela. – É um milagre!

Mortati olhou para cima. A câmera não estava firme, mas a imagem era bem clara. E inesquecível.

Filmado de trás, o camerlengo estava rezando ajoelhado no chão de terra. Na frente dele, um buraco tosco cavado na parede. Dentro, em meio a pedregulhos e terra acumulados pelo tempo, havia um caixão de terracota. Mortati vira-o apenas uma vez na vida, mas sem dúvida sabia o que continha.

San Pietro.

Mortati não era ingênuo a ponto de achar que os gritos de alegria e espanto que ressoavam pela praça eram de exaltação por contemplarem uma das mais sagradas relíquias do cristianismo. As pessoas não estavam caindo de joelhos em orações e agradecimentos espontâneos por causa da tumba de São Pedro, mas por causa do objeto que se encontrava *em cima* da tumba.

O tubo de antimatéria. Lá estava, no mesmo lugar onde estivera escondido o dia todo: na escuridão da Necrópole. Sorrateiro. Incansável. Mortal. A revelação do camerlengo estava certa.

Mortati olhava perplexo para o cilindro transparente. O glóbulo de líquido pairava no meio dele. A gruta que o continha refletiu a luz vermelha intermitente do contador marcando os cinco minutos finais das baterias.

Também pousada dentro da tumba, a centímetros de distância do cilindro, encontrava-se a câmera sem fio da Guarda Suíça, que apontara para o tubo e transmitira sua imagem todo aquele tempo.

Mortati benzeu-se com o sinal-da-cruz, certo de que se tratava da imagem mais assustadora que vira em toda a sua vida. Um momento mais tarde, porém, percebeu que estava prestes a ficar ainda pior.

O camerlengo levantou-se repentinamente. Agarrou o tubo de antimatéria e virou-se para os outros, o rosto completamente em foco. Passou pelos outros e começou a descer a Necrópole do mesmo modo como subira, correndo ladeira abaixo.

A câmera pegou Vittoria Vetra paralisada de terror.

– Onde o senhor está indo? Camerlengo! O senhor não disse que...

– Tenha fé! – exclamou ele, sempre correndo.

Vittoria dirigiu-se a Langdon.

– O que fazemos agora?

Robert Langdon tentou barrar o caminho do camerlengo, mas Chartrand agora o protegia, aparentemente confiante na decisão dele.

A seqüência que vinha da câmera da BBC ficou igual à de uma corrida de montanha-russa, sacudindo, subindo e descendo, fazendo voltas. Surgiam de vez em quando lampejos de confusão e pavor enquanto o cortejo excêntrico voltava aos tropeções para a entrada da Necrópole.

Na praça, Mortati deixou escapar uma exclamação amedrontada.

– Ele vai trazê-la *aqui para cima?*

Nas televisões do mundo todo, em tamanho grande, o camerlengo saía a toda a velocidade da Necrópole segurando o recipiente da antimatéria nos braços estendidos.

– Não haverá mais mortes esta noite!

Mas o camerlengo estava enganado.

C A P Í T U L O **121**

Exatamente às 11h56 o camerlengo irrompeu pelas portas da Basílica de São Pedro para o espaço aberto. Vacilou à claridade estonteante dos holofotes, carregando a antimatéria nas duas mãos estendidas como se fosse uma oferenda divina. Seus olhos ardiam, mas ele via sua própria figura, semi-nua e ferida, em proporções gigantescas nas telas das redes de emissoras espalhadas pela praça. O clamor que se ergueu da multidão na Praça de São Pedro foi algo que ele nunca tinha ouvido antes – choros, gritos, ladainhas, rezas, uma mistura de veneração e terror.

Livrai-nos do mal, ele murmurou.

Sentia-se completamente esgotado por sua corrida para sair da Necrópole. Aquela saída quase terminara em desastre. Robert Langdon e Vittoria Vetra tinham tentado interceptá-lo e levar o tubo de volta ao esconderijo subterrâneo, pretendendo depois correr para fora e se abrigar. *Tolos, cegos!*

O camerlengo via agora, com assustadora clareza, que jamais teria vencido aquela corrida em qualquer outra noite. Naquela, porém, Deus estivera com ele mais uma vez. Robert Langdon quase o alcançara, mas fora impedido por Chartrand, sempre confiante e leal aos seus rogos para que tivessem fé. Os repórteres, evidentemente, estavam enfeitiçados demais e sobrecarregados com muito equipamento para interferirem.

O Senhor trabalha de maneira misteriosa.

O camerlengo ouvia os outros vindo atrás dele agora – via-os nas telas, aproximando-se. Reuniu o resto de suas forças e levantou a antimatéria acima da cabeça. Então, endireitou os ombros nus, num gesto de desafio à marca dos Illuminati em seu peito, e desceu depressa as escadas.

Ainda haveria um ato final.

Vou com Deus! Vou com Deus!

◆◆◆

Quatro minutos...

Langdon pouco enxergou assim que saiu da basílica. Mais uma vez o mar de luzes agrediu suas retinas. Só vislumbrava a silhueta indistinta do camerlengo, direto à sua frente, descendo depressa as escadas. Por um instante, refulgente com seu halo de luzes, o camerlengo pareceu celestial, uma espécie de divindade moderna. A batina caíra-lhe até a cintura e envolvia-o como um sudário. O corpo tinha sido queimado e ferido pelos inimigos e mesmo assim ele resistia. Corria para as massas com o corpo ereto, exortando o mundo a ter fé, levando a arma de destruição.

Langdon seguiu-o. *O que ele está fazendo? Vai matar toda essa gente!*

– A obra de Satã – gritava o camerlengo – não tem lugar na Casa de Deus!

E corria na direção das pessoas, agora apavoradas.

– Padre! – chamava Langdon atrás dele. – Não há mais para onde ir!

– Olhe para o céu! Esquecemos de olhar para o céu!

Ao entender para onde o camerlengo se encaminhava, Langdon sentiu aquela magnífica verdade invadi-lo. Embora as luzes dos refletores não o deixassem enxergar, sabia que a salvação estava justamente acima deles.

No céu da Itália repleto de estrelas.

O helicóptero que o camerlengo solicitara para levá-lo ao hospital estava esperando ali perto, o piloto na cabine, as pás zumbindo em ponto morto. Correndo atrás do camerlengo, Langdon foi tomado por uma repentina e avassaladora alegria.

Uma enxurrada de pensamentos passou-lhe rapidamente pela cabeça.

Primeiro, veio a imagem do espaço aberto do mar Mediterrâneo. A que distância ficava dali? Oito quilômetros? Quinze? Sabia que a praia em Fiumicino ficava somente a uns sete minutos de trem. Mas de helicóptero, a mais de 400 quilômetros por hora, sem paradas... Se conseguissem levar o tubo bem longe acima do mar e jogá-lo do helicóptero... Havia outras opções ainda, lembrou, sentindo-se quase sem peso enquanto corria. *La Cava Romana!* As pedreiras de mármore ao norte da cidade ficavam a menos de cinco quilômetros de distância. Qual era o tamanho delas? Cinco quilômetros quadrados? Deviam estar desertas àquela hora! Jogar o tubo de antimatéria ali...

◆◆◆

– Para trás! – berrava o camerlengo. Seu peito doía enquanto ele corria. – Saiam daí! Agora!

A Guarda Suíça postada em torno do helicóptero olhava boquiaberta para o camerlengo que se aproximava.

– Saiam! – o padre gritava.

Os guardas se afastaram.

Com o mundo inteiro assistindo embasbacado, o camerlengo contornou o aparelho até a porta do piloto e a escancarou.

– Saia daí, meu filho! Já!

O piloto pulou fora.

O camerlengo avaliou a altura do assento da cabine e percebeu que, exausto como estava, precisaria das duas mãos para subir. Virou-se para o piloto, trêmulo a seu lado, e pôs o cilindro de antimatéria nas mãos dele.

– Segure isto. Me entregue quando eu estiver sentado.

Ao subir, o camerlengo ouviu Langdon gritando com grande excitação chegando perto do helicóptero. *Agora você compreendeu*, pensou o camerlengo. *Agora você tem fé!*

O camerlengo acomodou-se no assento, ajustou algumas alavancas que já conhecia e debruçou-se para pegar o cilindro.

O piloto, porém, estava de mãos vazias.

– Ele o pegou! – exclamou.

O camerlengo sentiu um baque no coração.

– Quem?

O piloto apontou.

– Ele!

◆◆◆

Robert Langdon surpreendeu-se ao verificar como o tubo era pesado. Correu para o outro lado do helicóptero e pulou para o compartimento traseiro onde ele e Vittoria tinham sentado poucas horas antes. Deixou a porta aberta e afivelou o cinto de segurança. E gritou para o camerlengo no banco da frente.

– Decole, padre!

O camerlengo virou a cabeça para Langdon, o rosto branco de susto.

– O que vai fazer?

– O *senhor* pilota! Eu jogo o tubo! – vociferou Langdon. – Não há tempo! Faça o bendito helicóptero levantar vôo!

O camerlengo pareceu momentaneamente paralisado, a iluminação forte penetrando na cabine e acentuando os vincos em seu rosto.

– Posso fazer isto sozinho – murmurou. – *Tenho* de fazer isto sozinho.

Langdon não lhe deu ouvidos. *Decole!*, ouviu-se gritar. *Agora! Estou aqui para ajudar!* Olhou para o cilindro e sua garganta se apertou ao ver os números.

– *Três minutos*, padre! *Três!*

O número fez o camerlengo voltar a si. Sem titubear, voltou-se para os controles. Com um rugido, o helicóptero levantou vôo.

Através de uma nuvem de poeira, Langdon viu Vittoria chegar correndo. Seus olhos se encontraram e depois ela sumiu, como uma pedra que afunda na água.

CAPÍTULO **122**

Dentro do aparelho, o barulho do motor e a ventania que entrava pela porta aberta assaltaram os sentidos de Langdon com um caos ensurdecedor. Firmou-se contra a força ampliada da gravidade à medida que o camerlengo acelerava o helicóptero para cima em linha reta. O brilho da Praça de São Pedro encolheu abaixo deles até se transformar em uma elipse luminosa, radiante no mar de luzes da cidade.

O tubo de antimatéria era como um peso morto nas mãos de Langdon. Segurava-o com força, as palmas das mãos escorregadias de suor e sangue. Dentro do cilindro, o glóbulo de antimatéria oscilava calmamente, pulsando sob a luz vermelha do relógio em contagem regressiva.

– Dois minutos! – gritou Langdon, tentando adivinhar onde o camerlengo pretendia jogar o tubo.

As luzes da cidade lá embaixo espalhavam-se por todas as direções. Para oeste, ao longe, ele avistava o contorno cintilante da costa do Mediterrâneo – uma orla pontilhada de luminescências, além da qual estendia-se uma infindável e escura extensão de nada. O mar parecia mais longínquo agora do que Langdon imaginara. Além disso, a concentração de luzes na costa era um lembrete amargo de que, mesmo bem longe, uma explosão no mar poderia ter conseqüências devastadoras. E ele nem chegara a considerar os efeitos de uma onda gigantesca de dez quilotons atingindo o litoral.

Ao olhar para a frente, através da janela da cabine de comando, ficou mais esperançoso. As sombras ondulantes dos contrafortes de Roma surgiam no meio da noite, salpicadas de luzes – as *villas* dos muito ricos –; entretanto, a pouco mais de um quilômetro ao norte, as colinas ficavam escuras. Não havia nenhuma luz ali, só um enorme espaço negro. Nada mais.

As pedreiras! Langdon pensou. *La Cava Romana!*

Avaliando o trecho estéril de terreno, Langdon achou que seria grande o bastante. E parecia próximo, além disso. Mais próximo do que o mar. Animado, achou que era de fato para lá que o camerlengo planejava levar a antimatéria! O helicóptero estava apontado para aquela direção! As pedreiras! O estranho, porém, é que os motores faziam um ruído cada vez mais alto, o helicóptero movia-se no ar, mas as pedreiras não ficavam mais próximas.

Desconcertado, lançou um olhar pela porta lateral para se localizar. O que viu transformou sua animação em pânico. Diretamente abaixo deles, distantes, brilhavam as fortes luzes da imprensa na Praça de São Pedro.

Ainda estamos sobrevoando o Vaticano!

– Camerlengo! – chamou ele, engasgado de aflição. – Vá em frente! Já subimos bastante! Temos de começar a seguir em frente! Não podemos jogar o tubo de volta na Cidade do Vaticano!

O camerlengo não respondeu. Aparentemente, concentrava-se em pilotar o aparelho.

– Temos menos de dois minutos! – gritou Langdon, levantando o cilindro. – Estou vendo daqui! *La Cava Romana!* Uns dois quilômetros ao norte! Não temos...

– Não – disse o camerlengo –, é perigoso demais. Sinto muito. – O helicóptero continuou subindo. O camerlengo virou-se e deu um sorriso triste para Langdon. – Preferia que não tivesse vindo, meu amigo. Você fez o supremo sacrifício.

Langdon olhou para o rosto cansado do camerlengo e então compreendeu. Seu sangue congelou.

– Mas deve haver *algum lugar* para onde possamos ir!

– *Para cima* – respondeu o camerlengo, a voz resignada. – É a única alternativa garantida.

Langdon mal conseguia pensar. Interpretara de modo completamente errado o plano do camerlengo. *Olhe para o céu!*

O céu, só agora entendia, era literalmente para onde estavam indo. O camerlengo nunca tivera a intenção de lançar fora a antimatéria. Estava simplesmente se afastando o máximo possível da Cidade do Vaticano.

Aquela era uma viagem sem volta.

CAPÍTULO **123**

Na Praça de São Pedro, Vittoria olhava para cima. O helicóptero não passava de um pontinho agora que as luzes dos refletores não o alcançavam mais. Até o barulho dos rotores transformara-se em um zumbido distante. Parecia que o mundo inteiro se concentrava no alto, emudecido antecipadamente, os rostos de todos voltados para o céu – todas as pessoas, de todas as crenças, todos os corações batendo como se fossem um só.

As emoções de Vittoria eram um turbilhão de agonias. Quando o helicóptero desapareceu, ela lembrou o rosto de Robert, afastando-se dentro dele. *O que será que ele pensou? Será que não compreendeu?*

Em torno da praça, as câmeras de televisão sondavam a escuridão, esperando. Milhares de rostos voltavam-se para o céu, unidos em uma contagem silenciosa. Todos os telões mostravam a mesma cena tranqüila: o céu romano pontilhado de estrelas brilhantes. Vittoria sentiu as lágrimas começarem a brotar.

Atrás dela, na escadaria de mármore, 161 cardeais olhavam para cima em silenciosa reverência. Alguns tinham as mãos juntas em oração. A maioria permanecia imóvel, aturdida. Alguns choravam. Os segundos passavam.

Nas casas das pessoas, em bares, escritórios, aeroportos, hospitais do mundo todo, os espíritos se uniam em testemunho universal. Homens e mulheres davam-se as mãos. Outros seguravam seus filhos. Como se o tempo pairasse no limbo, as almas suspensas em uníssono.

Então, cruelmente, os sinos de São Pedro começaram a tocar.

Vittoria deixou as lágrimas virem.

E, com o mundo inteiro assistindo, o tempo se esgotou.

◆◆◆

O silêncio mortal do acontecimento foi seu aspecto mais aterrorizante.

Muito acima do Vaticano, um ponto de luz apareceu no céu. Por um instante fugaz, um novo corpo celeste nasceu, uma centelha de luz pura e branca como nunca se vira.

Depois, tudo começou.

Um lampejo. O ponto luminoso encapelou-se, como se se alimentasse de si mesmo, desenrolando-se pelo céu em um raio que se dilatava, de um branco ofuscante. Projetou-se para todas as direções, acelerando com indizível rapidez, devorando sofregamente a escuridão. À medida que a esfera de luz crescia, também se intensificava, como o rebento de um demônio preparando-se para consumir o céu inteiro. Correu para baixo, na direção deles, ganhando velocidade.

Estarrecidos, os milhares de rostos iluminados pela luz implacável arquejaram juntos, as mãos protegendo os olhos, todos deixaram escapar um grito estrangulado de medo.

A luz se propagou em todas as direções e, súbito, deu-se o inimaginável. Como se fosse contido pela própria vontade de Deus, o raio crescente pareceu bater em uma parede, como se de alguma forma a explosão ficasse retida dentro de uma gigantesca esfera de vidro. A luz ricocheteou, aguçando-se,

ondulando sobre si mesma. A onda parecia ter alcançado um diâmetro prede-
terminado e pairava ali. Durante aquele instante, uma perfeita e silenciosa
esfera de luz brilhou sobre Roma. A noite virou dia.

Então houve o impacto.

A concussão foi profunda e surda – uma estrondosa onda de choque vinda
de cima. Desceu sobre eles como a ira do inferno, sacudindo as fundações de
granito da Cidade do Vaticano, golpeando o ar para fora dos pulmões das pessoas, fazendo-as cambalear. A reverberação percorreu a colunata, seguida por
uma repentina lufada de ar quente. O vento se abateu sobre a praça, soltando
um gemido sepulcral ao sibilar entre as colunas e fustigar as paredes. A poeira
redemoinhava no ar, as pessoas se encolhiam, testemunhas do Armagedon.

Em seguida, tão depressa quanto surgira, a esfera implodiu, sugando-se a si
própria, comprimindo-se, retornando ao diminuto ponto de luz de onde viera.

CAPÍTULO 124

Nunca antes tantos tinham ficado em silêncio ao mesmo tempo.

Os rostos na Praça de São Pedro, um a um, desviaram os olhos do céu escuro
e voltaram-se para baixo, cada pessoa em seu momento particular de assombro. Os refletores da imprensa fizeram o mesmo, baixando seus focos luminosos para a terra, como em reverência pelas trevas que se instalavam acima
deles. Parecia que o mundo inteiro curvava a cabeça junto.

O cardeal Mortati ajoelhou-se para rezar e os outros cardeais acompa-
nharam-no. A Guarda Suíça baixou suas longas lanças e imobilizou-se. Ninguém
falava. Ninguém se mexia. Em toda parte, emoções espontâneas abalavam os
corações. Consternação. Medo. Espanto. Crença. E um respeito temeroso pelo
novo e impressionante poder cuja manifestação tinham acabado de presenciar.

Vittoria Vetra permanecia, trêmula, ao pé das amplas escadarias da basílica.
Ela fechou os olhos. Através da tempestade de emoções que percorriam seu
corpo, uma única palavra soava triste como o dobrar de um sino distante.
Intacta. Cruel. Ela tentava afastá-la, mas a palavra voltava e voltava. A dor era
grande demais. Vittoria procurou ocupar-se com as imagens que inflamavam
as mentes das outras pessoas – o poder inquietante da antimatéria, a salvação
do Vaticano, o camerlengo, gestos de bravura, milagres, desprendimento.

E a palavra ainda ecoava, soando através do tumulto com uma amargura pungente.

Robert.

Ele fora atrás dela no Castelo Sant'Angelo.

Ele a salvara.

E agora fora destruído pela criação *dela.*

◆◆◆

Enquanto rezava, o cardeal Mortati conjeturava se ele também ouviria a voz de Deus como o camerlengo tinha ouvido. *Temos de acreditar em milagres para vivenciá-los?* Mortati era um homem moderno que pertencia a uma antiga religião. Os milagres nunca tinham representado qualquer papel em sua crença. Sua religião sem dúvida falava de milagres – chagas nas mãos, ascensão dos mortos, marcas em sudários – e, contudo, a mente racional de Mortati sempre explicara esses relatos como parte do mito. Eram simplesmente o resultado da maior fraqueza do homem – sua necessidade de *provas.* Os milagres eram nada mais que histórias a que nos apegávamos porque *desejávamos* que fossem verdade.

No entanto...

Será que sou tão moderno que não consigo aceitar o que acabei de ver com meus próprios olhos? Foi um milagre, não foi? Sim! Deus, ao sussurrar umas poucas palavras no ouvido do camerlengo, interferiu e salvou Sua Igreja. Por que seria assim tão difícil de acreditar? O que teríamos a dizer sobre Deus se Deus não tivesse feito nada? Que o Todo-Poderoso não se importa conosco? Que Ele não tinha poder para impedir a desgraça? *Um milagre era a única resposta possível!*

Mortati ajoelhou-se, reverente, e rezou pela alma do camerlengo. Deu graças pelo jovem camarista que, apesar da pouca idade, abrira os olhos de um velho para os milagres da fé inquestionável.

Mortati jamais poderia suspeitar, porém, até que ponto sua fé seria testada.

O silêncio na Praça de São Pedro foi quebrado por um leve ruído a princípio, que se transformou em murmúrio. E, então, repentinamente, em bramido. Sem aviso, a multidão gritava a uma só voz.

– Olhem! Olhem!

Mortati abriu os olhos e voltou-os para o povo. Todos apontavam para um mesmo lugar atrás dele, na fachada da Basílica de São Pedro. Estavam pálidos. Alguns caíram de joelhos. Alguns desmaiaram. Outros desataram a chorar.

– Olhem! Olhem!

Mortati, atarantado, acompanhou com o olhar as mãos estendidas que mostravam o nível mais alto da basílica, o terraço no telhado onde imensas estátuas de Cristo e dos apóstolos velavam pelo povo.

Ali, à direita de Jesus, com os braços estendidos para o mundo, estava o camerlengo Carlo Ventresca.

CAPÍTULO 125

Robert Langdon não estava mais caindo.

Acabara-se o pavor. E a dor. E o som sibilante do vento. Havia apenas o barulho suave da água, como se ele estivesse confortavelmente dormindo em uma praia.

Num paradoxo de autoconsciência, Langdon pressentiu que aquilo era a morte. Ficou contente. Deixou-se levar pelo entorpecimento que tomava conta dele. Deixou que o levasse para onde tivesse de ir. Sua dor e seu medo tinham sido anestesiados e ele não os queria de volta de jeito nenhum. A última lembrança que tinha só poderia ter sido conjurada no inferno.

Leve-me. Por favor...

Mas o barulho da água que o acalentava com uma longínqua sensação de paz também estava trazendo-o de volta. Tentava despertá-lo de um sonho. *Não! Deixe-me!* Ele não queria acordar. Entrevia demônios que o aguardavam nas fronteiras de sua bem-aventurança, insistindo em despedaçar sua beatitude. Imagens imprecisas giravam. Vozes gritavam. O vento agitava tudo. *Não, por favor!* Quanto mais lutava, mais a fúria se infiltrava através de sua consciência.

Então, duramente, reviveu tudo...

◆◆◆

O helicóptero prosseguia em sua subida vertiginosa. Ele estava preso lá dentro. Pela porta aberta via as luzes de Roma distanciando-se mais a cada segundo. Seu instinto de sobrevivência dizia-lhe para lançar fora o cilindro imediatamente. Langdon sabia que levaria menos de 20 segundos para o tubo cair uns 800 metros. Só que cairia em uma cidade cheia de gente.

Mais alto! Mais alto!

Calculava a que altura estariam. Jatos pequenos costumavam voar a altitudes de cerca de seis mil metros. Aquele helicóptero já devia estar a uma boa parcela disto. *Três mil metros? Quatro?* Ainda havia uma chance. Se calculasse a queda perfeitamente, o tubo cairia só parte do caminho para a terra e explodiria a uma distância segura acima do solo e longe do helicóptero. Langdon olhou para a cidade que se espalhava lá embaixo.

– E se você calcular errado? – disse o camerlengo.

Langdon espantou-se. O camerlengo nem estava olhando para ele e provavelmente lera seus pensamentos vendo seu reflexo esbranquiçado no pára-brisa. Estranhamente, o camerlengo não estava mais ocupado com os controles. Suas mãos nem seguravam mais o manete. O helicóptero devia estar funcionando com o piloto automático, subindo sempre. O camerlengo levantou a mão para o teto da cabine e tirou de um compartimento de cabos uma chave, presa ali fora da vista.

Langdon viu desnorteado o camerlengo destrancar rapidamente a caixa metálica instalada entre os assentos. Tirou de lá um grande embrulho de náilon preto, que colocou no assento a seu lado. As idéias de Langdon se embaralharam. Os movimentos do camerlengo eram calmos e deliberados, como se ele já tivesse uma solução.

– Passe o cilindro para mim – disse, com um tom de voz sereno.

Langdon não sabia mais o que pensar. Entregou o cilindro.

– Noventa segundos!

O que o camerlengo fez com a antimatéria pegou Langdon completamente de surpresa. Segurando o cilindro com cuidado, ele o colocou dentro da caixa metálica. Depois, fechou a tampa pesada e trancou-a.

– O que está fazendo?! – perguntou Langdon.

– Afastando de nós a tentação – e jogou a chave pela janela aberta.

A chave mergulhou na escuridão da noite e Langdon sentiu sua alma caindo junto.

O camerlengo então pegou o embrulho de náilon e enfiou os braços nas alças. Fechou a presilha de uma outra tira que lhe envolveu o estômago e ajustou tudo como se fosse uma mochila. Finalmente, disse a um estupefato Robert Langdon:

– Sinto muito. Não era para acontecer desta maneira.

Em seguida, abriu a porta e atirou-se no espaço.

◆ ◆ ◆

A imagem queimava no inconsciente de Langdon e com ela vinha a dor. Dor de verdade. Dor física. Atormentando-o. Penetrante. Ele suplicou que fosse levado para que a dor terminasse, mas, com o som da água mais alto em seus ouvidos, novas imagens relampejavam em sua cabeça. O inferno apenas começara. Via pedaços dele, cenas esparsas de puro pânico. Encontrava-se entre a morte e o pesadelo, implorando para ser libertado, mas as imagens ficavam mais nítidas em sua mente.

O tubo de antimatéria estava trancado e inacessível. A contagem de seu relógio diminuía ao mesmo tempo que o helicóptero aumentava a altitude. *Cinqüenta segundos*. Mais alto. Mais alto. Langdon agitava-se loucamente dentro da cabine, tentando compreender o que acabara de presenciar. *Quarenta e cinco segundos*. Procurou outro pára-quedas debaixo dos assentos. *Quarenta segundos*. Não havia mais nenhum! *Trinta e cinco segundos*. Foi para a porta aberta do helicóptero, exposto ao vento furioso, e olhou para as luzes de Roma embaixo. *Trinta e dois segundos*.

Então, tomou sua decisão.

A incrível decisão.

◆◆◆

Sem pára-quedas, Robert Langdon pulou do helicóptero. À medida que a noite engolia seu corpo, tinha a impressão de que o helicóptero subia como um foguete acima dele, o som de seus rotores dissipando-se no ruído ensurdecedor de sua própria queda livre.

Na descida a prumo para terra, Langdon sentiu algo que não vivenciava desde o tempo em que praticava salto de plataforma – a inexorável atração da gravidade durante um mergulho. Quanto mais rápido caía, mais a terra parecia puxá-lo, sugá-lo. Desta vez, porém, o mergulho não era de 15 metros dentro de uma piscina, mas de milhares de metros em uma cidade – uma extensão infindável de concreto e asfalto.

Em meio ao vento e ao desespero, a voz de Kohler ecoava do túmulo com as palavras que ele dissera naquela mesma tarde junto ao túnel de queda livre do CERN: *Um metro quadrado de algo que ofereça resistência ao ar retarda a queda de um corpo em quase 20 por cento*. Vinte por cento, Langdon constatava, nem chegava perto do que seria necessário para alguém sobreviver a uma queda como aquela. De qualquer modo, mais por inércia do que por esperança, apertou nas mãos com força a única coisa que agarrara ao pular do helicóptero. Era uma lembrança esquisita, mas que por um instante fugaz dera-lhe alguma esperança.

A lona protetora do pára-brisa estava jogada na traseira do aparelho. Era um retângulo que se amoldava à forma côncava do pára-brisa do helicóptero – de uns quatro metros por dois – semelhante a um grande lençol, o mais tosca-mente parecido com um pára-quedas que se possa imaginar. Não tinha arneses, só alças elásticas em cada extremidade para ajustá-lo à curvatura do vidro. Langdon pegara a lona, enfiara as mãos nas alças e saltara no vazio.

Seu último grande gesto de desafio juvenil.

Não tinha mais ilusões sobre a vida além daquele momento.

Langdon caía como uma pedra. Pés primeiro. Braços esticados para cima. Mãos agarradas nas alças. A lona ondulava acima de sua cabeça com o formato de um cogumelo. O vento se deslocava com grande velocidade em torno dele.

Durante a queda, deu-se a explosão no alto. Mais longe do que ele esperava. Quase instantaneamente a onda de choque atingiu-o. O impacto comprimiu seus pulmões. Um calor repentino espalhou-se pelo ar em torno dele. Langdon lutou para não largar a lona. Uma parede quente veio de cima para baixo. O topo da lona começou a arder, mas não se rompeu.

Langdon descia a toda a velocidade, no limiar de um véu ondulante de luz, sentindo-se como um surfista que tenta sair da frente de uma onda de quilô-metros de altura. De repente, porém, o calor retrocedeu e ele voltou a mergu-lhar na fria escuridão.

Por um instante, teve esperança. No momento seguinte, entretanto, a espe-rança se foi, tal e qual a onda de calor. Apesar de seus braços estendidos garan-tirem-lhe que a lona desacelerava sua queda, o vento ainda passava por seu corpo com uma velocidade espantosa. Ele não tinha qualquer dúvida de que estivesse indo depressa demais para sobreviver à queda. Seria esmagado quan-do batesse no chão.

Cálculos matemáticos embaralhavam-se em sua cabeça, ele estava entorpeci-do demais para organizá-los – *um metro quadrado de algo que ofereça resistência ao ar... quase 20 por cento de redução de velocidade.* O máximo que conseguia raciocinar é que a lona acima de sua cabeça era grande o bastante para retardá-lo mais do que 20 por cento. Infelizmente, pela velocidade do vento, ele deduzia que a lona não bastava, por melhor que fosse. Estava caindo depressa demais, não sobreviveria ao impacto no mar de concreto que o esperava.

Lá embaixo, as luzes de Roma espalhavam-se para todos os lados. A cidade parecia um enorme céu estrelado no qual Langdon iria cair, só interrompido por uma faixa escura que dividia a cidade em dois – uma fita larga e não ilu-minada que serpenteava por entre os pontos de luz como uma cobra gorda. Langdon olhou para os meandros escuros ao longe.

E, como a crista de uma onda inesperada, surgiu outra vez uma esperança.

Com um vigor quase maníaco, Langdon deu puxões fortes na lona com a mão direita. A lona agitou-se mais, ondulando, procurando o ponto à direita, de menor resistência. Langdon sentiu-se deslizar de lado. Puxou de novo, com mais força, sem fazer caso da dor na palma de sua mão. A lona inflou-se e Langdon notou que seu corpo voava para o lado. Não muito. Mas *um pouco!* Olhou de novo para baixo, para a sinuosa serpente negra. Ficava bem para a direita, mas ele ainda estava bastante alto. Será que tinha esperado demais? Puxou com toda a força que pôde e daí em diante aceitou que estava nas mãos de Deus. Concentrou-se na parte mais larga da serpente e, pela primeira vez em sua vida, rezou por um milagre.

O resto não passou de uma lembrança nebulosa.

A escuridão se fechando por cima dele, os reflexos do mergulhador voltando, o instintivo posicionamento da coluna e das pontas dos pés, os pulmões se inflando para proteger os órgãos vitais, as pernas flexionando-se para funcionar como um aríete e, finalmente, a gratidão pelo ondulante rio Tibre estar cheio e revolto, o que tornava suas águas espumantes e cheias de ar três vezes mais macias do que a água parada.

Depois houve o impacto e as trevas.

◆ ◆ ◆

Foi o barulho trovejante da lona batendo que fez o grupo tirar os olhos da bola de fogo no alto. O céu de Roma estivera cheio de visões naquela noite: um helicóptero subindo em linha reta como um foguete, uma enorme explosão e agora aquele estranho objeto que mergulhara nas águas agitadas do rio Tibre, ao largo da pequenina ilha que havia no rio, a Isola Tiberina.

Desde o tempo em que a ilha fora usada para manter doentes de quarentena durante a praga que assolou Roma em 1656, dizia-se que possuía propriedades curativas místicas. Por esta razão, mais tarde fora ali instalado o Hospital Tiberina de Roma.

O corpo estava bastante machucado quando foi puxado para a margem. O homem ainda tinha uma leve pulsação, o que era espantoso, pensaram. Especularam se não teria sido a lendária reputação da Isola Tiberina para a cura que de alguma forma teria mantido o coração dele batendo. Minutos depois, quando o homem começou a tossir e a lentamente recuperar a consciência, o grupo concluiu que a ilha devia ser mesmo mágica.

CAPÍTULO **126**

O cardeal Mortati sabia que não existiam palavras em nenhuma língua capazes de acrescentar o que quer que fosse ao mistério daquele momento. O silêncio da visão no alto da Praça de São Pedro era mais eloqüente do que um coro de anjos.

Quando levantou os olhos para o camerlengo Ventresca, Mortati sentiu um choque paralisante entre seu coração e sua mente. A visão parecia real, tangível. E, no entanto, como era possível? Todos tinham visto o camerlengo entrar no helicóptero. Todos tinham testemunhado a presença da bola de luz no céu. E agora, sem que se soubesse como, o camerlengo estava no terraço da basílica. Transportado por anjos? Reencarnado pela mão de Deus?

Isso é impossível...

O coração de Mortati queria acreditar, mas sua mente exigia razões. E os cardeais que o cercavam, evidentemente vendo o mesmo que ele via, olhavam para cima imóveis, deslumbrados.

Era o camerlengo. Sem sombra de dúvida. Mas ele parecia de certa forma diferente. Divino. Como se tivesse sido purificado. Um espírito? Um homem? Sua carne branca brilhava à luz dos refletores com uma leveza incorpórea.

Na praça havia choro, vivas, aplausos espontâneos. Um grupo de freiras caiu de joelhos e entoou *saetas*. Um ruído ritmado elevou-se da multidão. Súbito, a praça inteira repetia o nome do camerlengo. Os cardeais, alguns com lágrimas rolando nas faces, uniram-se ao povo. Mortati olhou em torno de si e tentou compreender. *Isto realmente está acontecendo?*

◆◆◆

O camerlengo Carlo Ventresca, do terraço no telhado da Basílica de São Pedro, contemplava os milhares de pessoas voltadas para ele. Estava acordado ou sonhando? Sentia-se transformado, sobrenatural. Pensava se teria sido seu corpo ou somente seu espírito que tinha descido flutuando do céu para a maciez e a penumbra dos Jardins do Vaticano, pousando como um anjo silencioso nos gramados desertos, seu pára-quedas negro protegido da loucura pela sombra imponente da Basílica de São Pedro. Pensava se teria sido seu corpo ou seu espírito que tivera forças para subir a antiga Escadaria dos Medalhões até o terraço onde agora se encontrava.

Sentia-se leve como um fantasma. Embora as pessoas lá embaixo estivessem entoando seu nome, sabia que não era *ele* quem estavam saudando. Saudavam por um mero impulso de alegria, a mesma alegria que ele sentia todos os dias de sua vida quando meditava sobre o Todo-Poderoso. Vivenciavam o que todos sempre tinham desejado: uma garantia do alto, uma comprovação do poder do Criador.

O camerlengo Ventresca rezara toda a sua vida por esse momento e, ainda assim, nem ele conseguia acreditar inteiramente que Deus encontrara uma forma para torná-lo manifesto. Queria gritar para as pessoas. Seu Deus é um Deus vivo! Atentem para todos os milagres que as cercam!

Permaneceu um pouco ali, entorpecido e ao mesmo tempo sentindo tudo com mais intensidade do que jamais sentira. Quando afinal a disposição de espírito o fez mover-se, curvou a cabeça e recuou, afastando-se da beirada do terraço.

Sozinho, ajoelhou-se e rezou.

CAPÍTULO **127**

Imagens imprecisas rodeavam-no, indo e vindo. Os olhos de Langdon lentamente começaram a vê-las em foco. Suas pernas doíam e seu corpo parecia ter sido atropelado por um caminhão. Estava deitado de lado no chão. Algo cheirava mal, como bílis. Ainda ouvia o ruído incessante de água. Não lhe soava tranqüilo como antes. Havia outros sons – gente falando perto dele. Entreviu vultos brancos, embaçados. *Todos estavam vestidos de branco?* Langdon concluiu que devia estar em um hospício ou então no céu. Pelo ardor em sua garganta, achou que não poderia ser o céu.

– Ele parou de vomitar – disse um homem em italiano. – Virem-no. – A voz era firme e profissional.

Langdon sentiu mãos virarem seu corpo devagar para deitá-lo de costas. Sua cabeça girava. Tentou sentar-se, mas as mãos delicadamente o forçaram a permanecer deitado. Seu corpo submeteu-se. Então, sentiu alguém examinando seus bolsos, tirando coisas de dentro deles.

Depois, perdeu por completo os sentidos.

◆◆◆

O doutor Jacobus não era um homem religioso. A medicina fizera-o deixar de ser já fazia muito tempo. Contudo, os acontecimentos daquela noite na Cidade do Vaticano tinham posto em teste sua lógica sistemática. *Agora caem corpos do céu?*

O doutor Jacobus tomou o pulso do homem sujo e molhado que tinham retirado do rio Tibre. O médico admitiu que o próprio Deus entregara em mãos e em segurança aquele homem. O impacto com a água pusera-o inconsciente e, se não fosse Jacobus e sua equipe estarem na beira do rio assistindo ao espetáculo no céu, essa alma caída não teria sido notada e com certeza teria se afogado.

– É americano – disse uma enfermeira, revirando a carteira do homem depois de o terem levado para terra firme.

Americano? Os romanos costumavam caçoar que havia tantos americanos em Roma que os hambúrgueres deveriam passar a ser a comida oficial italiana. *Mas americanos caindo do céu?* Jacobus piscou a luz de uma pequena lanterna nos olhos do homem para testar a dilatação da pupila.

– Senhor? Está ouvindo? Sabe onde está?

O homem estava insconsciente outra vez. Jacobus não se surpreendeu. Vomitara muita água depois que Jacobus lhe aplicara a ressuscitação cardiorrespiratória.

– *Si chiama Robert Langdon* – disse a enfermeira, lendo a carteira de motorista da vítima.

Todo o grupo reunido no cais parou de repente.

– *Impossibile!* – declarou Jacobus.

Robert Langdon era o homem da televisão – o professor americano que vinha ajudando o Vaticano. Jacobus vira o senhor Langdon, poucos minutos antes, entrar em um helicóptero na Praça de São Pedro e voar quilômetros pelo ar. Jacobus e os outros tinham saído correndo para o cais para ver a explosão da antimatéria – uma fantástica esfera de luz, diferente de tudo o que já tinham visto. *Como poderia ser a mesma pessoa?*

– É ele mesmo! – exclamou a enfermeira, afastando-lhe da testa o cabelo molhado. – Estou reconhecendo o casaco de lã dele!

Subitamente, alguém gritou da entrada do hospital. Era uma das pacientes. A mulher berrava, parecia enlouquecida, segurando seu rádio portátil no braço estendido para o alto e dando graças a Deus. Dizia que o camerlengo Ventresca acabara de aparecer miraculosamente no telhado do Vaticano.

O doutor Jacobus decidiu que, quando seu plantão terminasse, às 8h, ele iria direto para a igreja.

◆◆◆

As luzes acima da cabeça de Langdon eram mais brilhantes agora, frias. Ele se encontrava em uma espécie de mesa de exame. Sentia o cheiro de desinfetantes, de estranhos produtos químicos. Alguém lhe dera uma injeção e tinham tirado suas roupas.

Decididamente, não são ciganos, concluiu ele em seu delírio semiconsciente. Extraterrenos, talvez? Já ouvira falar de coisas assim. Felizmente, esses seres não lhe fariam mal. Só queriam os seus...

– De jeito nenhum! – Langdon sentou-se abruptamente, abrindo os olhos.

– *Attento!* – gritou uma das criaturas, segurando-o. Usava um pequeno crachá onde estava escrito "Doutor Jacobus". Parecia bastante humano.

Langdon gaguejou:

– Eu... pensei...

– O senhor está em um hospital.

A névoa começou a se dissipar. Langdon sentiu uma onda de alívio. Detestava hospitais, mas decerto menos do que extraterrenos prestes a extrair seus testículos.

– Meu nome é doutor Jacobus – disse o homem. Explicou o que acabara de acontecer. – Tem muita sorte por estar vivo.

Langdon não se sentia muito sortudo. Mal concatenava suas próprias lembranças – o helicóptero, o camerlengo. Seu corpo doía todo. Deram-lhe um pouco de água e fizeram um curativo na palma de sua mão.

– Onde está a minha roupa? – perguntou. Estava vestido com uma túnica de papel.

Uma das enfermeiras mostrou-lhe um amontoado de pedaços rasgados de tecido cáqui e lã tweed pingando de cima de um balcão.

– Estavam encharcadas. Tivemos de cortar tudo para tirá-las do senhor.

Langdon olhou para seu tweed Harris em frangalhos e franziu a testa.

– O senhor tinha uma porção de lenços de papel em seu bolso – disse a enfermeira.

Só então Langdon notou os fragmentos de pergaminho espalhados pelo forro do paletó. O fólio do *Diagramma* de Galileu. O último exemplar do mundo se dissolvera. Ele estava abalado demais para saber como reagir. Ficou parado, apenas, olhando fixo para o balcão.

– Conseguimos salvar seus objetos pessoais – ela lhe estendeu uma caixa plástica. – Carteira, câmera portátil de vídeo e caneta. Sequei a câmera o melhor que pude.

– Não tenho nenhuma câmera de vídeo.

A enfermeira levantou as sobrancelhas e deu-lhe a caixa. Langdon olhou para os objetos que continha. Junto com sua carteira e sua caneta havia uma pequena câmera de vídeo Sony. Agora se lembrava. Kohler entregara-a a ele, pedindo que a mostrasse à imprensa.

– Nós a encontramos em seu bolso. Acho que o senhor vai precisar de uma nova. – A enfermeira abriu a tela de duas polegadas na parte de trás da câmera. – A tela está rachada. – Então, seu rosto se animou. – Mas o som ainda funciona! Mais ou menos. – Encostou a máquina no ouvido. – Fica repetindo a mesma coisa sem parar. – Escutou mais um pouco e depois ficou séria, entregando-a a Langdon. – São dois sujeitos discutindo, acho.

Intrigado, Langdon pegou a câmera e aproximou-a do ouvido. As vozes soavam anasaladas, metálicas, mas eram discerníveis. Uma, perto. A outra, longe. Langdon reconheceu ambas.

Sentado ali, vestido com a túnica descartável do hospital, Langdon escutou espantado toda a conversa. Apesar de não poder ver o que estava acontecendo, deu graças por ter sido poupado da parte visual ao ouvir o final chocante.

Meu Deus!

Com a conversa recomeçando do início, Langdon abaixou a câmera de seu ouvido e continuou sentado, impressionado, estupefato. A antimatéria, o helicóptero... A mente de Langdon começou a funcionar.

Então, isso quer dizer que...

Teve vontade de vomitar outra vez. Agitado, com uma raiva crescente, ele desceu da mesa e ficou de pé, as pernas bambas.

– Senhor Langdon! – disse o médico, tentando impedi-lo.

– Preciso de umas roupas – pediu Langdon, sentindo a corrente de ar em seu traseiro por causa da túnica aberta atrás.

– Mas o senhor precisa descansar.

– Estou saindo. Agora. Preciso de roupa.

– Mas o senhor...

– Agora!

Todos se entreolharam, desconcertados.

– Não temos roupas – disse o médico. – Talvez amanhã algum amigo seu possa trazê-las para o senhor.

Langdon respirou fundo com uma expressão paciente e encarou o médico.

– Doutor Jacobus, vou sair por aquela porta agora mesmo. Preciso de roupas. Vou para a Cidade do Vaticano. Ninguém pode ir para o Vaticano de bunda de fora. Deu para entender?

O doutor Jacobus engoliu em seco.

– Dêem-lhe alguma coisa para vestir.

◆◆◆

Quando Langdon saiu mancando do Hospital Tiberina, sentia-se como um lobinho, um escoteiro-mirim, só que crescido. Usava um macacão azul de paramédico com zíper na frente, enfeitado com distintivos de pano que aparentemente indicavam as numerosas qualificações do dono.

A mulher que o acompanhava era robusta e usava um macacão igual ao dele. O médico garantira a Langdon que ela o levaria ao Vaticano em tempo recorde.

– *Molto traffico* – disse Langdon, lembrando-lhe que a área em torno do Vaticano estaria congestionada por carros e pessoas.

A mulher não se mostrou preocupada. Apontou orgulhosa para um dos seus distintivos.

– *Sono conducente di ambulanza.*

– *Ambulanza?* – Então estava explicado. Langdon achou que um passeio de ambulância viria a calhar.

A mulher conduziu-o para a parte lateral do edifício. Em um afloramento de terra acima da água havia um deque de cimento onde o veículo a esperava. Quando Langdon o viu, parou. Era um velho helicóptero de transporte médico. Na carcaça estava escrito *Aero-Ambulanza*.

Ele baixou a cabeça.

A mulher sorriu.

– *Voar* Cidade do Vaticano. Muito rápido.

CAPÍTULO **128**

O Colégio dos Cardeais estava em ebulição ao voltar para a Capela Sistina. Mortati, ao contrário, sentia crescer dentro de si uma confusão tão grande que quase poderia levantá-lo do chão e carregá-lo. Acreditava nos antigos milagres das Escrituras e, todavia, o que acabara de testemunhar era algo que não conseguia compreender. Depois de uma vida inteira de devoção, 79 anos, Mortati sabia que tais acontecimentos deveriam despertar nele uma piedosa exuberância, uma fé ardorosa e viva. No entanto, só sentia um constrangimento espectral e cada vez maior. Havia algo errado.

– *Signore* Mortati! – gritou um guarda suíço aproximando-se às pressas. – Fomos ao telhado da basílica como o senhor pediu. O camerlengo é *de carne e osso!* É um homem de verdade! Não é um espírito! É exatamente a pessoa que conhecemos!

– Ele falou com vocês?

– Está ajoelhado rezando em silêncio! Ficamos com medo de tocar nele!

Mortati estava perdido.

– Digam a ele que seus cardeais estão esperando.

– *Signore*, por ele ser mesmo um *homem...* – o guarda hesitou.

– O que é?

– O peito dele... ele está queimado. Podemos fazer um curativo na ferida? Ele deve estar sentindo dor.

Mortati refletiu. Nada em todo o seu tempo de serviço à Igreja o preparara para aquela situação.

– Ele é um homem, portanto tratem dele como se trata de um homem. Lavem-no. Cuidem de suas feridas. Dêem-lhe roupas limpas. Esperamos por ele na Capela Sistina.

O guarda saiu correndo.

Mortati seguiu para a capela. O resto dos cardeais já se encontrava lá dentro. Caminhando pelo corredor, viu Vittoria Vetra sozinha, com ar abatido, sentada em um banco ao pé da Escadaria Real. A dor e a solidão da perda eram visíveis no rosto dela e Mortati teve vontade de ir ao seu encontro, mas sabia que isso teria de esperar. Tinha trabalho a fazer, embora não tivesse a menor idéia de qual pudesse ser esse trabalho.

Mortati entrou na capela. Havia uma excitação ruidosa no ambiente. Fechou a porta. *Que Deus me ajude.*

◆◆◆

A *Aero-Ambulanza* de dois rotores do Hospital Tiberina contornava a Cidade do Vaticano por trás, e Langdon cerrava os dentes, jurando por Deus que aquela seria a última viagem de helicóptero de sua vida.

Depois de convencer a mulher que fazia as vezes de piloto de que as regras que regiam o espaço aéreo do Vaticano eram o que menos preocupava a cidade do Papa naquele momento, ele a guiou, sem serem vistos, por cima do muro de trás, até a aterrissagem no heliporto do Vaticano.

– *Grazie* – disse ele, descendo penosamente. Ela lhe soprou um beijo e decolou rápido, desaparecendo dentro da noite na direção de onde viera.

Langdon respirou fundo, tentou clarear a mente, procurando entender o que estava prestes a fazer. Com a câmera na mão, embarcou no mesmo carrinho de golfe em que andara mais cedo naquele mesmo dia. Não tinha sido recarregado e o medidor indicava que a bateria estava no final. Ele dirigiu com os faróis apagados para economizar energia.

Também preferia que ninguém o visse chegar.

◆◆◆

Nos fundos da Capela Sistina, o cardeal Mortati parou atordoado diante do pandemônio que se formara.

– Foi um milagre! – um dos cardeais gritava. – Foi obra de Deus!

– Sim! – exclamavam outros. – Deus manifestou sua vontade!

– O camerlengo será nosso Papa! – gritou outro. – Ele não é cardeal, mas Deus enviou um sinal milagroso!

– Sim! – concordou alguém. – As leis do conclave são leis do *homem*. A vontade de Deus está diante de nós! Solicito uma eleição imediatamente!

– Uma eleição? – perguntou Mortati, caminhando na direção deles. – Acho que esta é *minha* função.

Todos se viraram.

Mortati notou que os cardeais o examinavam. Pareciam distantes, desnorteados, ofendidos com a sua sobriedade. Mortati desejava muito que seu coração também fosse arrebatado por aquela miraculosa exaltação que via nos rostos que o cercavam. Mas não conseguia. Sentia uma dor inexplicável em seu íntimo, uma dolorosa tristeza que não sabia definir. Havia jurado dirigir aqueles procedimentos com pureza de alma e sua hesitação era algo que não podia negar.

– Meus amigos – disse Mortati, subindo ao altar. Quase não reconhecia a própria voz. – Acho que até o fim dos meus dias vou debater comigo mesmo o significado daquilo que testemunhamos hoje. E, no entanto, o que sugerem com relação ao camerlengo não pode ser de jeito algum a vontade de Deus.

Fez-se silêncio na capela.

– Como pode dizer isso? – perguntou afinal um dos cardeais. – O camerlengo *salvou* a Igreja. Deus falou diretamente ao camerlengo! O homem sobreviveu à própria morte! De que outro sinal precisamos mais?

– O camerlengo virá ao nosso encontro aqui – disse Mortati. – Vamos esperar. Vamos escutá-lo antes de fazer uma eleição. Pode haver uma explicação.

– Uma explicação?

– Como seu Grande Eleitor, jurei preservar as leis do conclave. Todos sem dúvida estão cientes de que, pela Santa Lei, o camerlengo é inelegível para o papado. Ele não é cardeal. É um padre, um camarista. Há também a questão de sua idade inadequada. – Mortati notou olhares mais duros. – Ao consentir que se realizasse uma eleição, eu estaria permitindo que os senhores aprovassem um homem que a Lei Vaticana considera inelegível. Estaria pedindo a cada um que quebrasse um juramento sagrado.

– Mas o que aconteceu aqui esta noite – alguém disse, titubeante – *certamente* transcende as nossas leis!

– Será mesmo? – Mortati replicou, cheio de autoridade, sem ao menos saber de onde vinham suas palavras. – Será que é a vontade de Deus que deixemos de lado as regras da Igreja? Será que Deus quer que abandonemos a razão e nos entreguemos ao delírio?

– Mas o senhor não viu o que *nós* vimos? – um outro o desafiou, irritado. – Como pode se atrever a questionar um poder como aquele?

A voz de Mortati projetou-se então com uma ressonância que ele jamais conhecera.

– Não estou questionando o poder de Deus! Foi *Deus* quem nos concedeu razão e circunspecção! É a Deus que servimos exercendo a prudência!

CAPÍTULO 129

Sentada em um banco junto à base da Escadaria Real, no corredor do lado de fora da Capela Sistina, Vittoria Vetra parecia entorpecida. Quando avistou a figura que entrava pela porta dos fundos, pensou que estivesse vendo outro espírito. Ele estava enfaixado, mancando e vestido com uma espécie de uniforme médico.

Ela se levantou, incapaz de acreditar na visão.

– Ro... bert?

Ele nem respondeu. Caminhou direto para ela e a envolveu em seus braços. Apertou seus lábios contra os dela em um beijo impulsivo, longamente desejado, cheio de gratidão.

Vittoria sentiu as lágrimas chegando.

– Oh, Deus... oh, obrigada, meu Deus...

Ele a beijou de novo, um beijo mais apaixonado, e ela comprimiu seu corpo contra o dele, perdendo-se no abraço. Seus corpos se uniram como se já se conhecessem há anos. Ela esqueceu o medo e a dor e fechou os olhos, a alma leve, naquele momento perfeito.

◆◆◆

– É a vontade de Deus! – alguém gritava, a voz ecoando na Capela Sistina. – Quem mais além do *escolhido* poderia ter sobrevivido àquela explosão diabólica?
– Eu – uma voz reverberou do fundo da capela.
Mortati e os outros viraram-se espantados para a figura maltratada que se aproximava pelo centro da nave.
– Senhor Langdon?!
Sem uma palavra, Langdon encaminhou-se devagar para a frente da capela. Vittoria Vetra entrou também. Logo depois, dois guardas surgiram apressados empurrando um carrinho com uma grande televisão em cima. Langdon esperou enquanto eles ligavam o aparelho, a tela voltada para os cardeais. Então, Langdon fez sinal para que os guardas se retirassem. Eles o fizeram, fechando as portas atrás de si.
Agora era entre Langdon, Vittoria e os cardeais. Langdon conectou a câmera Sony à televisão e apertou o botão PLAY.
A tela se acendeu.
A cena que se materializou diante dos cardeais passava-se no escritório do Papa. O vídeo fora filmado de forma desajeitada, como se a câmera estivesse escondida. Descentrado na tela, o camerlengo aparecia meio na penumbra, em frente à lareira acesa. Embora parecesse estar falando diretamente para a câmera, logo ficou evidente que estava falando com alguém – a pessoa que filmava. Langdon disse aos cardeais que o vídeo fora filmado por Maximilian Kohler, o diretor do CERN. Apenas uma hora antes, Kohler filmara secretamente seu encontro com o camerlengo usando a minúscula câmera de vídeo que trazia disfarçada sob um dos braços de sua cadeira de rodas.
Mortati e os cardeais assistiam a tudo perplexos. A conversa já começara, mas Langdon não se deu ao trabalho de rebobinar a fita. O que ele queria que os cardeais vissem ainda estava por vir.

◆◆◆

– Leonardo Vetra mantinha um diário? – dizia o camerlengo. – Imagino que isso seja uma boa notícia para o CERN. Se os diários contêm seus processos para criar antimatéria...

– Não contêm – disse Kohler. – Vai ser um alívio para o senhor saber que esses processos morreram com Leonardo. No entanto, os diários falam de um assunto diferente. Do *senhor*.

O camerlengo pareceu perturbar-se.

– Não compreendo.

– Descrevem um encontro que Leonardo teve no mês passado. Com o senhor.

O camerlengo hesitou, depois olhou para a porta.

– Rocher não deveria ter autorizado sua entrada sem me consultar. Como chegou aqui?

– Rocher sabe da verdade. Telefonei antes de vir e contei a ele o que o senhor fez.

– O que *eu* fiz? Seja qual for a história que contou a ele, Rocher é da Guarda Suíça e fiel demais a esta Igreja, não acreditaria mais em um cientista amargo do que em seu camerlengo.

– Na realidade, ele é fiel demais para não acreditar. É tão fiel que, apesar da prova de que um dos seus leais guardas traiu a Igreja, ele se recusou a aceitar o fato. O dia inteiro vem procurando outra explicação.

– Que o senhor deu a ele.

– A verdade. Por mais chocante que fosse.

– Se Rocher tivesse acreditado no senhor, teria me prendido.

– Não. Eu não deixei. Ofereci a ele o meu silêncio em troca deste encontro.

O camerlengo deu uma risada estranha.

– O senhor pretende *chantagear* a Igreja com uma história em que ninguém vai acreditar?

– Não preciso fazer chantagem nenhuma. Quero simplesmente ouvir a verdade de sua boca. Leonardo Vetra era meu amigo.

O camerlengo nada disse. Limitou-se a olhar para Kohler.

– Vejamos, então – começou Kohler, áspero. – Há cerca de um mês, Leonardo Vetra entrou em contato com o senhor solicitando uma audiência urgente com o Papa. Uma audiência que o senhor concedeu porque o Papa admirava o trabalho de Leonardo e porque Leonardo disse que era uma emergência.

O camerlengo voltou-se para o fogo da lareira. Não disse nada.

– Leonardo veio ao Vaticano em absoluto segredo. Estava traindo a confiança de sua filha ao vir aqui, um fato que o perturbava grandemente, mas ele achava que não tinha opção. Suas pesquisas haviam criado um profundo conflito em seu íntimo e ele sentia necessidade de orientação espiritual da Igreja. Em um encontro particular, contou ao Papa que havia feito uma descoberta científica com profundas implicações religiosas. Havia *provado* que o Gênese era fisicamente possível e que intensas fontes de energia, que Vetra chamava de *Deus*, poderiam reproduzir o momento da Criação.

Silêncio.

– O Papa ficou entusiasmado – Köhler continuou. – Queria que Leonardo divulgasse a experiência. Sua Santidade achava que essa descoberta poderia começar a aproximar a ciência da religião, um dos sonhos da vida do Papa. Então, Leonardo explicou ao senhor o aspecto negativo da descoberta, o motivo pelo qual ele solicitara a orientação da Igreja. Parecia que sua experiência da Criação, exatamente como a Bíblia relata, produzia tudo aos pares. Opostos. Luz e trevas. Além do processo de criação da matéria, Vetra descobriu o da criação da *antimatéria*. Devo prosseguir?

O camerlengo manteve-se calado. Inclinou-se para atiçar as brasas da lareira.

– Depois que Leonardo Vetra veio aqui – disse Kohler –, o *senhor* foi ao CERN ver o trabalho dele. Os diários de Leonardo dizem que o senhor fez uma visita pessoal ao laboratório dele.

O camerlengo levantou a cabeça.

Kohler foi em frente.

– O Papa não poderia viajar sem atrair a atenção da mídia, por isso mandou o *senhor*. Leonardo levou-o para uma excursão secreta pelo laboratório. Fez uma demonstração de aniquilamento de antimatéria, o Big-Bang, o poder da Criação. Também lhe mostrou um grande espécime que mantinha escondido e que provava que seu novo método poderia produzir antimatéria em larga escala. O senhor ficou assombrado. Voltou para a Cidade do Vaticano para contar ao Papa o que tinha presenciado.

O camerlengo suspirou.

– E é isso que o incomoda? Que eu tenha respeitado a confiança de Leonardo ao fingir perante o mundo esta noite que nada sabia sobre a antimatéria?

– Não! O que me incomoda é que Leonardo Vetra praticamente *provou* a existência de seu Deus e o senhor fez com que ele fosse assassinado!

O camerlengo voltou-se para ele afinal, o rosto impenetrável.

O único som era o estalar do fogo.

Súbito, a câmera balançou e o braço de Kohler apareceu no enquadramento. Ele se curvou para a frente, tentando alcançar algo preso debaixo de sua cadeira de rodas. Quando endireitou o corpo, segurava uma pistola. O ângulo da câmera era arrepiante: visto por trás, o braço estendido apontava o revólver direto para o camerlengo.

Kohler disse:

– Confesse os seus pecados, padre. Agora.

O camerlengo parecia assustado.

– Não vai sair vivo daqui.

– A morte seria um alívio bem-vindo para o sofrimento pelo qual sua religião me faz passar desde que eu era criança – Kohler segurava o revólver com as duas mãos agora. – Estou lhe dando uma chance. Confesse os seus pecados ou morra agora mesmo.

O camerlengo olhou de soslaio para a porta.

– Rocher está lá fora – desafiou-o Kohler. – Ele também está preparado para matá-lo.

– Rocher jurou proteger a Ig...

– Rocher deixou que eu entrasse aqui. *Armado*. Está enojado com as suas mentiras. O senhor tem uma única opção. Confessar-se a mim. Tenho de ouvir tudo de sua própria boca.

O camerlengo hesitou.

Kohler levantou a arma.

– Realmente duvida que eu vá matá-lo?

– Não importa o que lhe conte – disse o camerlengo –, um homem como o senhor nunca entenderia.

– Experimente.

O camerlengo permaneceu imóvel por um instante, uma silhueta dominante em meio à vaga luminosidade do fogo. Quando falou, suas palavras ecoaram com uma dignidade mais apropriada a uma gloriosa narrativa de altruísmo do que a uma confissão.

– Desde o princípio dos tempos – disse o camerlengo –, a Igreja lutou contra os inimigos de Deus. Às vezes com palavras. Outras vezes com espadas. E sempre sobrevivemos.

O camerlengo irradiava convicção.

– Os demônios do passado – continuou ele – eram demônios de fogo e abominação. *Esses* eram inimigos contra os quais podíamos lutar, inimigos que inspiravam *medo*. Mas Satã é astuto. Com o passar do tempo, abandonou sua fisionomia diabólica e assumiu uma nova face: a face da pura razão. Transparente e insidiosa, mas também sem alma. – A voz do camerlengo enraiveceu-se de modo inesperado, numa transição quase insana. – Diga-me, senhor Kohler, como pode a Igreja condenar o que faz sentido, o que é lógico para nossas mentes? Como podemos censurar o que hoje é o próprio fundamento de nossa sociedade? Cada vez que a Igreja levanta a voz para fazer uma advertência, vocês gritam mais alto e nos chamam de ignorantes. De paranóicos. De controladores! E assim a sua maldade cresce. Encoberta por um véu de virtuoso intelectualismo. Espalha-se como um câncer. Santificada pelos milagres de sua própria tecnologia. Deificando-se a si mesma! Até se dissipar a nossa desconfiança e passarmos a achar que é pura bondade. A ciência chegou para nos salvar de nossas doenças, de nossa fome e de nosso sofrimento! Eis a ciência, o novo Deus de infinitos milagres, onipotente e benevolente! Ignorem as armas e o caos. Esqueçam a solidão dilacerada e os perigos intermináveis! A ciência está aqui! – O camerlengo deu um passo na direção do revólver. – Mas eu vi o rosto de Satã à espreita, vi o perigo.

– O que é que está dizendo! A ciência de Vetra praticamente *provou* a existência de seu Deus! Ele era seu aliado!

– Aliado? A ciência e a religião não andam juntas nisso! Não buscamos o mesmo Deus, você e eu! Quem é seu Deus? Um Deus de prótons, massa e cargas de partículas? Como o seu Deus *inspira* seus fiéis? Como é que o seu Deus chega ao coração do homem para lembrar-lhe que ele é explicável por um poder maior? Ou que ele é responsável por seus semelhantes? Vetra estava desencaminhado. Seu trabalho não era religioso, era *sacrílego!* O homem não pode colocar a Criação de Deus dentro de um tubo de ensaio e exibi-la para o mundo! Isto não glorifica Deus, isto *desmerece* Deus!

O camerlengo, a essa altura, apertava o próprio corpo com as mãos em garra, a voz enlouquecida.

– E por isso mandou matar Leonardo Vetra!

– Pela Igreja! Por toda a humanidade! Que loucura era aquela! O homem não está preparado para ter o poder de Deus em suas mãos. Deus em um tubo de ensaio? Uma gotinha de líquido que pode desintegrar uma cidade inteira? Ele tinha de ser detido!

O camerlengo calou-se abruptamente. Parecia estar considerando suas opções. As mãos de Kohler levantaram o revólver.

– Você confessou. Não tem mais escapatória.

O camerlengo riu um riso triste.

– Então não sabe que confessar os pecados *é* a forma de escapar? – Olhou para a porta. – Quando Deus está do nosso lado, temos opções que um homem como você não é capaz de compreender.

Com essas palavras ainda ressoando no ar, o camerlengo agarrou a sua batina pela gola e rasgou-a com violência, deixando seu peito nu.

Kohler fez um movimento brusco, obviamente espantado.

– O que está fazendo?

O camerlengo não respondeu. Deu um passo para trás, para junto da lareira, e tirou um objeto das brasas reluzentes.

– Pare! – ordenou Kohler, a arma ainda levantada. – O que está fazendo?

Quando o camerlengo se virou, segurava um ferro de marcar em brasa. O diamante Illuminati. O homem tinha uma expressão desvairada.

– Pretendia fazer isto sozinho – falava com uma intensidade selvagem –, mas agora vejo que Deus queria que você estivesse aqui. *Você* é minha salvação.

Antes que Kohler pudesse esboçar qualquer reação, o camerlengo fechou os olhos, arqueou as costas e comprimiu o ferro em brasa no centro do próprio peito. Sua carne chiou.

– *Mãe Maria! Mãe Bendita! Olhe seu filho!* – e gritou alto de dor.

Kohler surgiu no enquadramento mal se equilibrando nas pernas, o revólver agitando-se descontroladamente.

O camerlengo gritou mais alto, o corpo oscilando. Ele lançou o ferro de marcar aos pés de Kohler e caiu no chão, contorcendo-se em agonia.

O que aconteceu em seguida foi difícil de distinguir.

Houve um grande tremor na imagem da tela quando a Guarda Suíça irrompeu na sala. Ouviu-se o som de tiroteio. Kohler dobrou os braços no peito, foi lançado para trás, sangrando, e caiu da cadeira de rodas.

– Não! – gritou Rocher, tentando impedir seus guardas de atirarem em Kohler.

O camerlengo, ainda se contorcendo no chão, girou o corpo e apontou freneticamente para Rocher:

– *Illuminatus!*

– Canalha! – berrou Rocher, correndo para ele. – Seu canalha santarrão…

Chartrand abateu-o com três tiros. Rocher caiu morto no chão da sala.

Então, os guardas correram para o camerlengo ferido, rodeando-o. Ao mesmo tempo que eles se reuniam, o vídeo pegava o rosto estarrecido de Robert Langdon, ajoelhado perto da cadeira de rodas, olhando para o ferro de marcar. Depois, a imagem sacudiu fortemente. Kohler recuperara a consciência e estava soltando a pequenina câmera do suporte localizado debaixo do braço de sua cadeira. Em seguida, tentava estender a mão com a câmera para Langdon.

– Ent…tregue… – arquejou Kohler –, en…tregue isto… à imprensa.

E a tela ficou branca.

CAPÍTULO 130

O camerlengo começou a sentir a névoa de exaltação e de adrenalina se dissipar. Enquanto a Guarda Suíça o ajudava a descer a Escadaria Real para ir para a Capela Sistina, o camerlengo escutou cânticos na Praça de São Pedro e soube que montanhas haviam sido removidas.

Grazie Dio.

Ele rezara pedindo forças e Deus as concedera. Nos momentos em que duvidara, Deus falara. *Tua missão é Santa*, Deus dissera. *Dar-te-ei forças.* Mesmo com a força de Deus, o camerlengo sentira medo, questionara a correção de seu caminho.

Se não fores tu, Deus o desafiara, *QUEM o fará?*

Se não for agora, QUANDO será?

Se não for assim, COMO será?

Jesus, Deus lembra-lhe, salvara-os todos, salvara-os da própria apatia. Com dois atos, Jesus abrira-lhes os olhos. Horror e Esperança. A crucificação e a ressurreição. Ele mudara o mundo.

Mas isto acontecera havia milênios. O tempo corroera o milagre. As pessoas haviam se esquecido. Tinham se voltado para os falsos ídolos – tecnodivindades e milagres da mente. *E quanto aos milagres do coração?*

O camerlengo sempre rezava para que Deus lhe mostrasse como fazer os homens acreditarem outra vez. Mas Deus permanecia em silêncio. Foi somente no momento mais sombrio que Deus veio ao encontro do camerlengo. *Ah, que noite terrível!*

O camerlengo ainda se lembrava de estar deitado no chão com a roupa de dormir em frangalhos cravando as unhas na própria carne, tentando purgar sua alma do sofrimento provocado por uma verdade infame que descobrira pouco antes. *Não pode ser!*, gritara. Entretanto, sabia que era. O engano queimava-o como o fogo do inferno. O bispo que o acolhera, o homem que fora como um pai para ele, o religioso ao lado de quem o camerlengo sempre ficara enquanto ele subia até chegar ao papado, era uma fraude. Um pecador comum. Mentindo para o mundo sobre um ato tão traiçoeiro em sua essência que o camerlengo duvidava que o próprio Deus pudesse perdoá-lo.

– Seu *juramento!* – o camerlengo gritara para o Papa. – O senhor quebrou seu juramento a Deus! Logo o senhor, entre todos os homens!

O Papa tentou se explicar, mas o camerlengo não lhe deu ouvidos. Saiu correndo, cambaleando às cegas pelos corredores, vomitando, rasgando a própria pele até dar por si ensangüentado e sozinho, caído no chão de terra diante da tumba de São Pedro. *Mãe Maria, o que faço agora?* Foi naquele momento de dor e traição, quando o camerlengo estava prostrado na Necrópole, rezando para Deus levá-lo deste mundo sem fé, que Ele veio.

A voz em sua cabeça ressoou como um trovão.

Juraste servir teu Deus?

– Sim! – bradou o camerlengo.

Morrerias por teu Deus?

– Sim! Leve-me agora!

Morrerias por tua Igreja?

– Sim! Liberte-me, por favor!

Mas morrerias pela humanidade?

No silêncio que se seguiu, o camerlengo sentiu-se despencando no abismo. Cada vez mais fundo, cada vez mais depressa, sem controle. No entanto, sabia a resposta. Sempre soubera.

– Sim! – gritou em meio à loucura. – Eu morreria pelos homens! Como Teu filho, morreria por eles!

Horas depois, o camerlengo ainda tiritava caído no chão. Viu o rosto de sua mãe. *Deus tem planos para você*, ela dizia. O camerlengo mergulhou mais ainda no desvario. Então, Deus falou de novo. Desta vez, com silêncio. Mas o camerlengo compreendeu. *Restaure a fé dos homens.*

Se não fosse eu, quem seria?

Se não fosse agora, quando seria?

◆◆◆

Quando os guardas destrancaram a porta da Capela Sistina, o camerlengo Ventresca sentiu o poder fluindo em suas veias, exatamente como quando ele era menino. Deus o escolhera. Muito tempo antes.

Seja feita a Sua vontade.

O camerlengo sentia-se renascido. A Guarda Suíça encarregara-se de enfaixar seu peito, de banhá-lo e vestir nele uma batina limpa de linho branco. Tinham-lhe dado também uma injeção de morfina para a dor da queimadura. O camerlengo desejara não ter tomado analgésico algum. *Jesus suportou Suas dores durante três dias na cruz!* Já sentia a droga lhe amortecendo os sentidos, uma vertigem que o arrastava.

Ao entrar na capela, não se surpreendeu nada com os olhares admirados dos cardeais para ele. *É uma admiração reverente por Deus*, lembrou a si mesmo.

Não por mim, mas pela maneira como Deus trabalha ATRAVÉS *da minha pessoa.* Enquanto caminhava pelo centro da nave, via perplexidade em todos os rostos. A cada rosto por que passava, porém, percebia algo mais no olhar. O que seria? O camerlengo imaginara antes como eles o receberiam naquela noite. Com alegria? Com respeito? Tentou ler seus olhos e não encontrou neles nenhuma dessas duas emoções.

Foi então que o camerlengo olhou para o altar e viu Robert Langdon.

CAPÍTULO **131**

O camerlengo Carlo Ventresca parou entre as fileiras de cadeiras, no meio da Capela Sistina. Os cardeais estavam todos de pé, próximos da frente da igreja, olhando para ele. Robert Langdon estava no altar ao lado de uma televisão ligada, onde se desenrolava uma cena que o camerlengo reconhecia mas não podia imaginar como fora parar ali. Vittoria Vetra encontrava-se junto de Langdon, o rosto tenso.

O camerlengo fechou os olhos por um momento, esperando que tudo fosse uma alucinação causada pela morfina e que, quando os reabrisse, a cena pudesse ser diferente. Mas não era.

Eles sabiam.

Curiosamente, não sentiu medo. *Mostre-me o caminho, Pai. Dê-me as palavras para fazê-los ver a Sua visão*, pediu.

Mas o camerlengo não obteve resposta.

Pai, chegamos longe demais para fracassar agora.

Silêncio.

Eles não compreendem o que Nós fizemos.

O camerlengo não soube de quem era a voz que ele escutou em sua própria mente, mas a mensagem era brutalmente simples.

E a verdade o libertará...

◆◆◆

E foi assim que o camerlengo Ventresca manteve a cabeça erguida ao avançar pela Capela Sistina. Andando na direção dos cardeais, nem a difusa luminosidade das velas suavizava os olhares penetrantes que eles lhe lançavam. *Explique-se,* diziam os rostos. *Dê sentido a esta loucura. Diga que nossos temores são infundados!*

A verdade, disse o camerlengo a si mesmo. *Só a verdade.* Havia segredos demais entre aquelas paredes, um deles tão sombrio que o levara à loucura. *Mas da loucura viera a luz.*

– Se pudessem dar sua própria alma para salvar milhões – disse ele, enquanto andava –, não o fariam?

Os rostos na capela limitaram-se a olhar para ele. Ninguém se mexia. Ninguém falava. Além das paredes, trechos alegres de cânticos vinham da praça.

O camerlengo caminhava para eles.

– Qual é o maior pecado? Matar o inimigo? Ou ficar inativo enquanto seu verdadeiro amor é esmagado? *Eles estão cantando na Praça de São Pedro!* – O camerlengo parou por um instante e contemplou o teto da Capela Sistina. O Deus de Michelangelo, na abóbada obscurecida, olhava para baixo e parecia satisfeito.

– Eu não podia ficar parado – disse o camerlengo. Cada vez mais próximo dos cardeais, ainda assim não encontrou nenhum lampejo de compreensão nos olhares deles. Será que não enxergavam a radiante simplicidade de seus atos? Não percebiam a sua necessidade absoluta?

Haviam sido tão puros.

Os Illuminati. Ciência e Satã juntos.

Ressuscitar o antigo medo. Depois o esmagar.

Horror e Esperança. Fazê-los acreditar outra vez.

Naquela noite, o poder dos Illuminati fora desencadeado mais uma vez, com conseqüências gloriosas. A apatia se evaporara. O medo percorrera todo o mundo como um relâmpago, unindo as pessoas. E então a majestade de Deus vencera as trevas.

Eu não podia deixar de interferir!

A inspiração viera do próprio Deus – aparecendo como um farol luminoso na noite de agonia do camerlengo. *Ah, mundo sem fé! Alguém tem de salvá-lo. Você. Se não for você, quem será? Você foi salvo por uma razão. Mostre-lhes os velhos demônios. Lembre-os de como tinham medo. Apatia é morte. Sem trevas, não há luz. Faça-os escolher. Luz ou trevas. Onde está o medo? Onde estão os heróis? Se não for agora, quando será?*

O camerlengo andou pelo centro da nave direto para a multidão de cardeais. Sentiu-se como Moisés quando o mar de faixas e capelos vermelhos abriu-se à sua frente dando-lhe passagem. No altar, Robert Langdon desligou a televisão, pegou a mão de Vittoria e abandonou o altar. O fato de Robert Langdon ter sobrevivido, o camerlengo sabia, só podia ser a vontade de Deus. Deus salvara Robert Langdon. O camerlengo se perguntava por quê.

A voz que quebrou o silêncio foi a da única mulher presente na Capela Sistina.

– Você *matou* meu pai? – perguntou ela, dando um passo à frente.

Quando o camerlengo encarou Vittoria Vetra, não soube definir bem a expressão no rosto dela – sofrimento, sim, mas *raiva?* Ela certamente devia compreender. O talento de seu pai era perigoso. Ele tinha de ser impedido de continuar. Para o bem da humanidade.

– Ele estava fazendo o trabalho de Deus – disse Vittoria.

– O trabalho de Deus não é feito dentro de um laboratório. É feito no coração.

– O coração de meu pai era puro! E as pesquisas dele provaram...

– As pesquisas dele provaram outra vez que a mente do homem está progredindo mais depressa do que a sua alma! – a voz do camerlengo soou mais estridente do que ele esperava. Ele baixou o tom. – Se um homem tão espiritualizado quanto seu pai foi capaz de criar uma arma como a que vimos esta noite, imagine o que um homem comum não faria com essa tecnologia que ele criou!

– Um homem como *você?*

O camerlengo respirou fundo. Será que ela não via? A moral humana não avançava tão depressa quanto a ciência. A humanidade não era bastante evoluída espiritualmente para os poderes que possuía. *Nunca criamos uma arma que não tenhamos usado!* E ainda assim ele sabia que a antimatéria não era nada – apenas mais uma arma no já copioso arsenal do homem. O homem ainda podia destruir. O homem aprendera a matar havia muito tempo. *E o sangue de sua mãe caíra como chuva.* O talento de Leonardo Vetra era perigoso por outra razão.

– Durante séculos – disse o camerlengo –, a Igreja se manteve impassível enquanto a ciência desmoralizava a religião pouco a pouco. Desmascarando milagres. Treinando a mente para superar o coração. Condenando a religião como o ópio das massas. Deus foi acusado de ser uma alucinação – um arrimo ilusório para os muito fracos, incapazes de aceitar que a vida não tem qualquer sentido. Eu não podia ficar parado enquanto a ciência se atrevia a captar o poder do próprio Deus! Você falou de *prova?* Sim, prova da ignorância da ciência! O que está errado em admitir que algo existe além de nossa compreensão? O dia em que a ciência comprovar a existência de Deus em um laboratório será o dia em que as pessoas não terão mais necessidade da fé!

– Você quer dizer o dia em que as pessoas não terão mais necessidade da *Igreja* – desafiou-o Vittoria, andando na sua direção. – A dúvida é o seu último farrapo de controle. É a *dúvida* que traz as almas para vocês. A necessidade humana de saber se a vida tem sentido. A insegurança e a necessidade do homem de uma mente instruída que lhe garanta que tudo é parte de um plano geral. Só que a Igreja não é a única mente instruída do planeta! Nós todos buscamos Deus de diferentes maneiras. De que tem medo? Que Deus se mostre em algum outro lugar *fora* destas paredes? Que as pessoas O encontrem em suas próprias vidas e deixem esses rituais antiquados para trás? As religiões evoluem! A mente encontra respostas, o coração se apega a novas verdades. Meu pai buscava o mesmo que *você!* Em um caminho paralelo! Como não enxergou isto? Deus não é uma autoridade onipotente que nos olha de cima, ameaçando nos atirar em um poço de fogo se desobedecermos. Deus é a energia que flui através das sinapses de nossos sistemas nervosos e dos ventrículos de nossos corações! Deus está em todas as coisas!

– *Exceto* na ciência – rebateu o camerlengo, os olhos demonstrando somente pena. – A ciência, por definição, não tem alma. É alheia ao coração. Os milagres intelectuais como a antimatéria chegam ao mundo sem instruções éticas anexas. Isto em si mesmo é perigoso! E quando a ciência alardeia suas atividades ímpias como sendo o caminho esclarecido a seguir? Prometendo respostas a perguntas cuja beleza é não ter resposta? – ele sacudiu a cabeça. – Não.

Houve um momento de silêncio. O camerlengo sentiu-se de repente cansado sob o olhar inflexível de Vittoria. Não era assim que deveria ser. *Deus o estaria submetendo a um teste final?*

Foi Mortati quem quebrou o feitiço do momento.

– Os *preferiti* – disse ele, num murmúrio horrorizado. – Baggia e os outros. Por favor, diga que não...

O camerlengo voltou-se para ele, surpreso com a dor que transparecia em sua voz. Decerto *Mortati* seria capaz de compreender. Os milagres da ciência ocupavam as manchetes dos jornais todos os dias. Fazia quanto tempo que o mesmo não acontecia com a religião? Séculos? A religião precisava de um milagre! Algo que despertasse o mundo adormecido. Que o levasse de volta para o caminho da retidão. Que restaurasse a fé. De qualquer maneira, os *preferiti* não eram líderes, eram transformadores. Liberais preparados para abraçar o novo mundo e abandonar os velhos métodos! Só havia um jeito. Um novo líder. Jovem. Vigoroso. Vibrante. Milagroso. Os *preferiti* serviram mais à Igreja na morte do que jamais o teriam feito quando vivos. Horror e Esperança. *Oferecer quatro almas para salvar milhões.* O mundo lembraria deles para sempre como mártires. A Igreja prestaria gloriosas homenagens a seus nomes. *Quantos milhares morreram pela glória de Deus? Eles eram somente quatro.*

– Os *preferiti* – repetiu Mortati.

– Partilhei a dor deles – defendeu-se o camerlengo, apontando para o peito.
– E eu também teria morrido por Deus, mas meu trabalho apenas começou.
Estão cantando na Praça de São Pedro!

O camerlengo vislumbrou horror nos olhos de Mortati e novamente ficou confuso. Seria a morfina? Mortati olhava para ele como se o camerlengo tivesse matado aqueles homens com suas próprias mãos. *Até isto eu teria feito por Deus*, pensou o camerlengo, e contudo não o fizera. A tarefa tinha sido realizada pelo Hassassin, uma alma pagã que fora levada a acreditar que estava trabalhando para os Illuminati. *Sou Janus*, dissera-lhe o camerlengo. *Vou provar meu poder*. E o fizera. O ódio do Hassassin transformara-o em um joguete nas mãos de Deus.

– Escutem os cânticos – disse o camerlengo, sorrindo, seu coração se enchendo de alegria. – Nada une mais os corações do que a presença do mal. Queimem uma igreja e a comunidade se levanta, dando-se as mãos, cantando hinos de desafio enquanto a reconstrói. Vejam como eles afluem hoje para cá. O medo os trouxe de volta para casa. Temos de forjar demônios modernos para o homem moderno. A apatia está morta. Mostremos a eles a face do mal, os adoradores de Satanás à espreita no meio de nós, dirigindo nossos governos, nossos bancos, nossas escolas, ameaçando destruir a própria Casa de Deus com sua ciência pervertida. A corrupção é profunda. O homem precisa estar vigilante. Procurar a virtude. *Tornar-se* a virtude!

No silêncio, o camerlengo esperava que agora eles tivessem entendido. Os Illuminati não tinham ressurgido. Os Illuminati estavam mortos fazia muito tempo. Apenas seu mito ainda vivia. O camerlengo fizera os Illuminati ressurgirem como um lembrete. Aqueles que conheciam a história dos Illuminati reviveram sua maldade. Os que não conheciam passaram a conhecer e ficaram espantados por terem sido tão cegos. Os antigos demônios tinham sido ressuscitados para despertar um mundo indiferente.

– Mas... os ferros de marcar? – a voz de Mortati soava dura de tanta repulsa.

O camerlengo não respondeu. Mortati não tinha como saber, mas as marcas haviam sido confiscadas pelo Vaticano mais de um século antes. Tinham ficado trancadas, esquecidas e cobertas de poeira no cofre papal, o relicário particular do Papa, no fundo dos Aposentos Bórgia. O cofre papal continha certos objetos que a Igreja considerava perigosos demais para outros olhos a não ser os do Papa.

Por que escondiam algo que inspirava medo? O medo levava as pessoas a Deus!

A chave do cofre-forte passava de um Papa para outro. O camerlengo Ventresca tinha furtado a chave e entrado. O mito que envolvia o conteúdo do cofre era fascinante: o manuscrito original dos 14 livros da Bíblia conhecidos como *Apocrypha*, a terceira profecia de Fátima, as duas primeiras tendo se realizado e a terceira sendo tão terrível que a Igreja nunca a revelara. Além de tudo isso, o camerlengo encontrara a Coleção Illuminati, todos os segredos que a Igreja descobrira depois de banir o grupo de Roma: seu infame Caminho da Iluminação, a astuciosa fraude de um dos principais artistas do Vaticano, Bernini, os cientistas mais importantes da Europa zombando da religião ao se reunirem secretamente no Castelo Sant'Angelo, propriedade do Vaticano. A coleção incluía uma caixa pentagonal contendo os ferros de marcar, um deles o mítico diamante Illuminati. Aquela era uma parte da história do Vaticano que os antigos achavam melhor esquecer. O camerlengo, porém, não concordava com isso.

– Mas a *antimatéria*... – disse Vittoria. – O Vaticano correu o risco de ser destruído!

– Não há riscos quando Deus está a seu lado – objetou o camerlengo. – Esta causa era Dele.

– Você é louco! – exclamou ela, fervendo de indignação.

– Milhões foram salvos.

– Pessoas *morreram!*

– Almas foram salvas.

– Diga isto a meu pai e a Max Kohler!

– A arrogância do CERN tinha de ser revelada. Uma gotícula de líquido que pode desintegrar um quilômetro? E é a mim que você chama de louco? – O camerlengo sentiu a raiva subir. Será que achavam que a incumbência dele era simples? – Aqueles que *crêem* são submetidos a grandes testes por amor a Deus! Deus pediu a Abraão para lhe sacrificar seu filho! Deus ordenou a Jesus que passasse pelo tormento da crucificação! E nós penduramos o símbolo da cruz diante de nossos olhos, sangrento, doloroso, agoniante, para nos lembrarmos do poder do mal! Para manter nossos corações vigilantes! As chagas no corpo de Jesus são uma lembrança viva dos poderes das trevas! Minhas feridas são uma lembrança viva da mesma coisa! O mal está vivo, mas o poder de Deus triunfará!

Seus brados ecoaram na parede dos fundos da Capela Sistina e depois um profundo silêncio caiu sobre todos. O tempo parou. O *Último Julgamento,* de Michelangelo, erguia-se ameaçador atrás do camerlengo – Jesus lançando os pecadores no inferno. Os olhos de Mortati encheram-se de lágrimas.

– O que você fez, Carlo – perguntou Mortati, num sussurro. Ele fechou os olhos e uma lágrima rolou por sua face –, com o *Santo Padre?*

Um suspiro coletivo de dor ergueu-se, como se todos até então tivessem esquecido o fato. O Papa. Envenenado.

– Um mentiroso vil – disse o camerlengo.

Mortati protestou, chocado.

– O que quer dizer? Ele era honesto! E amava você!

– E eu a ele. *Ah, como o amava! Mas a fraude! O juramento a Deus que foi quebrado!*

O camerlengo sabia que naquele momento eles não compreendiam, mas logo compreenderiam. Quando lhes contasse, eles veriam! O Santo Padre era a fraude mais nefasta que a Igreja jamais tivera. O camerlengo ainda se lembrava daquela noite terrível. Ele voltara de sua viagem ao CERN com as informações sobre o *Gênese* de Vetra e o poder horripilante da antimatéria. O camerlengo estava certo de que o Papa veria os perigos envolvidos na descoberta, mas o Santo Padre viu apenas esperança nos avanços científicos de Vetra. Chegou a levantar a possibilidade de o Vaticano *financiar* o trabalho de Vetra como um gesto de boa vontade para com a pesquisa científica baseada na espiritualidade.

Loucura! A Igreja investir em uma pesquisa que ameaçava tornar a própria Igreja obsoleta? Em um trabalho que produzia armas de destruição em massa? A bomba que matara sua mãe...

– O senhor não pode fazer isto! – exclamara o camerlengo.

– Tenho uma dívida muito grande com a ciência – replicara o Papa. – Algo que escondi a minha vida inteira. A ciência me concedeu uma dádiva quando eu era jovem. Uma dádiva que nunca esqueci.

– Não compreendo. O que teria a ciência a oferecer a um homem de Deus?

– É complicado – dissera o Papa. – Vou precisar de tempo para fazê-lo compreender. Mas antes há um fato a meu respeito que você precisa saber. Mantive segredo sobre isto durante todos estes anos. Acho que já é hora de lhe contar.

E o Papa contara a ele a assombrosa verdade.

C A P Í T U L O **132**

O camerlengo jazia encolhido no chão de terra diante da tumba de São Pedro. Fazia frio na Necrópole, mas isto ajudava a coagular o sangue das feridas que ele fizera na própria carne. O Santo Padre não o encontraria ali.

É complicado – a voz do Papa ecoava em sua mente. *Vou precisar de tempo para fazê-lo compreender...*

Entretanto, o camerlengo sabia que tempo nenhum o faria compreender.

Mentiroso! Acreditei em você! DEUS acreditou em você!

Com uma única frase, o Papa fizera desmoronar o mundo do camerlengo. Tudo em que o camerlengo acreditara sobre seu mentor fora despedaçado diante de seus olhos. A verdade atingiu o coração do camerlengo com tanta força que ele recuou vacilante para fora do escritório do Papa e vomitou no corredor.

– Espere! – o Papa o chamara, indo atrás dele. – Por favor, deixe-me explicar!

Mas o camerlengo fugiu. Como o Santo Padre poderia esperar que ele agüentasse mais alguma coisa? Ah, que desgraça, quanta depravação! E se alguém descobrisse? Que profanação da Igreja! Então os votos sagrados do Papa nada significavam?

A loucura chegou rápida, gritando em seus ouvidos, até ele acordar diante da tumba de São Pedro. Foi quando Deus veio a ele com uma assombrosa ferocidade. *TEU DEUS É UM DEUS VINGADOR!*

Juntos, tinham feito planos. Juntos, iriam proteger a Igreja. Juntos, iriam devolver a fé a este mundo sem fé. O mal estava em toda parte. E todavia o mundo se tornara imune a ele! Juntos, iriam mostrar a escuridão do mal e Deus triunfaria no fim! Horror e Esperança. Então, o mundo iria acreditar!

O teste final de Deus não fora tão horrível quanto o camerlengo imaginara. Esgueirar-se no quarto de dormir do Papa, encher a sua seringa, cobrir a boca do embusteiro enquanto o corpo dele se entregava aos espasmos da morte. À luz da lua, o camerlengo via nos olhos aflitos do Papa que havia algo que ele queria dizer.

Tarde demais.

O Papa já dissera o suficiente.

CAPÍTULO **133**

– O Papa teve um filho.

Dentro da Capela Sistina, o camerlengo permaneceu inabalável enquanto falava. Cinco palavras solitárias e uma conclusão estarrecedora. Toda a assembléia pareceu recuar em conjunto. Os semblantes acusadores dos cardeais transformaram-se em expressões de pasmo, como se cada criatura ali dentro rezasse para o camerlengo estar errado.

O Papa teve um filho.

O choque atingiu Langdon também. A mão de Vittoria na sua estremeceu, e a mente de Langdon, já atordoada com perguntas não respondidas, procurou encontrar um centro de gravidade.

A declaração do camerlengo parecia que iria pairar acima deles para sempre. Mesmo no olhar delirante do camerlengo, Langdon conseguia ver pura convicção. E tinha vontade de fugir dali, dizer a si mesmo que tudo não passava de um grotesco pesadelo e acordar em um mundo que fizesse sentido.

– Deve ser mentira! – gritou um dos cardeais.

– Não acredito! – protestou outro. – O Santo Padre era um dos homens mais piedosos e sinceros que já existiram!

Foi Mortati quem falou em seguida, com um fio de voz, abalado.

– Meus amigos, o que o camerlengo diz é verdade. – Todos os cardeais na capela voltaram-se para ele ao mesmo tempo, como se ele tivesse proferido uma obscenidade. – O Papa realmente teve um filho.

Os cardeais empalideceram de susto.

O camerlengo ficou estupefato.

– Você *sabia?* Mas como poderia saber uma coisa dessas?

Mortati suspirou.

– Quando Sua Santidade foi eleito, *eu* fui o Advogado do Diabo.

Ouviu-se o ruído de todos prendendo a respiração em uníssono.

Langdon compreendeu. Aquilo significava que a informação era provavelmente verdadeira. O abominável Advogado do Diabo era a autoridade máxima quando se tratava de informações escandalosas dentro do Vaticano. Segredos vergonhosos nas vidas dos Papas eram perigosos e, antes das eleições, eram realizadas investigações secretas sobre o passado dos candidatos por um único cardeal que servia de Advogado do Diabo, a pessoa encarregada de desenterrar razões por que cada um dos cardeais elegíveis *não* deveria se tornar Papa. Essa função era uma indicação antecipada do Papa em exercício como um preparativo para a sua própria morte. O Advogado do Diabo nunca revelava a sua identidade. *Jamais.*

– *Eu* fui o Advogado do Diabo – repetiu Mortati. – Foi como descobri.

Os queixos caíram. Pelo jeito, naquela noite todas as regras estavam sendo atiradas pela janela.

◆ ◆ ◆

O camerlengo encheu-se de raiva.

– E você não contou a *ninguém?*

– Eu interroguei Sua Santidade – disse Mortati – e ele confessou. Explicou a história inteira e pediu somente que eu deixasse meu coração guiar a minha decisão de revelar ou não o seu segredo.

– E seu coração lhe disse para *enterrar* a informação?

– Ele era o candidato favorito para o papado. As pessoas o amavam. O escândalo teria afetado profundamente a Igreja.

– Mas ele teve *um filho!* Quebrou seu voto sagrado de celibato!

O camerlengo estava aos berros. Ouvia a voz de sua mãe. *Uma promessa feita a Deus é a promessa mais importante de todas. Jamais quebre uma promessa feita a Deus.*

– O Papa quebrou seu voto!

Mortati parecia à beira do delírio de tanta angústia.

– Carlo, o amor dele era *casto.* Ele não quebrou voto algum. Ele não explicou a você?

– Explicar o quê?

O camerlengo lembrava-se de ouvir o Papa dizer enquanto ele fugia correndo: *Deixe-me explicar!*

Lentamente, tristemente, Mortati contou toda a história. Muitos anos antes, o Papa, quando ainda era apenas um padre, apaixonara-se por uma jovem freira. Ambos tinham feito voto de celibato e nunca pensaram em romper seu compromisso com Deus. Assim mesmo, o amor deles se aprofundou e, embora conseguissem resistir às tentações da carne, viram-se ambos desejando algo em que nunca tinham pensado: participar do supremo milagre da criação, um filho. *Seu* filho. O anseio, especialmente da parte *dela*, tornou-se avassalador. Mas Deus ainda vinha em primeiro lugar. Um ano mais tarde, quando a frustração tomara proporções quase insuportáveis, ela foi ao encontro dele toda alvoroçada. Acabara de ler um artigo sobre um novo milagre da ciência – um processo pelo qual duas pessoas, sem terem relações sexuais, podiam ter um filho. Ela pressentia que aquilo era um sinal de Deus. O padre viu a felicidade nos olhos dela e concordou. Um ano mais tarde, ela teve um filho por meio do milagre da inseminação artificial.

– Isto não pode ser verdade – disse o camerlengo, em pânico, esperando que fosse o efeito da morfina em seus sentidos. Devia estar ouvindo coisas.

Mortati tinha lágrimas nos olhos.

– Carlo, foi por isso que o Santo Padre sempre apreciou a ciência. Achava que tinha uma dívida de gratidão. A ciência permitiu que ele experimentasse as alegrias da paternidade sem quebrar seu voto de celibato. Sua Santidade contou-me que lamentava apenas uma coisa: que sua posição cada vez mais destacada na Igreja lhe impedisse de estar perto da mulher que amava vendo seu filho crescer.

O camerlengo Carlo Ventresca sentiu a loucura se instalando nele outra vez. Tinha ímpetos de rasgar a própria carne. *Como eu poderia saber?*

– O Papa não cometeu pecado nenhum, Carlo. Ele era casto.

– Mas... – o camerlengo vasculhou sua mente angustiada à procura de uma base racional – ...pensem nos riscos desses atos – a voz dele ficou fraca. – E se essa meretriz dele aparecesse? Ou, Deus nos livre, se o *filho* aparecesse? Imaginem que vergonha seria para a Igreja.

Mortati disse com voz trêmula:

– O filho dele *já* apareceu.

Tudo parou.

– Carlo – e Mortati quase sucumbiu –, o filho do Santo Padre é você.

Naquele momento, o camerlengo sentiu o fogo da fé quase se extinguir em seu coração. Tremia de pé no altar, emoldurado pelo *Último Julgamento,* de Michelangelo. Acabara de vislumbrar o próprio inferno. Abriu a boca para falar, mas seus lábios se moveram sem emitir som algum.

– Não vê? – disse Mortati, a voz embargada. – Foi por isso que Sua Santidade foi ao seu encontro no hospital em Palermo quando você era pequeno. Foi por isso que o recolheu e criou. A freira que ele amava era Maria, sua mãe. Ela deixou o convento para criar você, mas nunca abandonou sua rigorosa devoção a Deus. Quando o Papa tomou conhecimento de que ela morrera em uma explosão e você, filho dele, sobrevivera milagrosamente, jurou a Deus que nunca mais o deixaria. Carlo, seus pais eram ambos virgens. Mantiveram seus votos a Deus. E assim mesmo encontraram uma forma de trazê-lo ao mundo. Você foi o filho miraculoso deles.

O camerlengo tapou os ouvidos para não ouvir as palavras. Ficou imóvel no altar. Depois, com o mundo se desfazendo sob seus pés, caiu de joelhos e deixou escapar um gemido desesperado.

◆◆◆

Segundos. Minutos. Horas.

O tempo perdera todo o sentido entre as quatro paredes da capela. Vittoria libertou-se devagar da paralisia que tomara conta de todos. Soltou a mão de Langdon e saiu andando pelo meio dos cardeais. A porta da capela pareceu-lhe estar a quilômetros de distância e ela se movia como se estivesse embaixo d'água, em câmera lenta.

Ao passar no meio das batinas, seu movimento ia tirando os outros do transe. Alguns cardeais começaram a rezar. Outros choravam. Uns se viraram para vê-la passar, os rostos apáticos tornando-se aos poucos apreensivos à medida que ela se aproximava da porta. Quase chegara ao fundo do aglomerado de pessoas quando a mão de alguém segurou seu braço. O toque era frágil, mas resoluto. Ela se deparou com um cardeal idoso, enrugado. No rosto dele, um temor sombrio.

– Não – murmurou o homem. – Você não pode fazer isso.

Vittoria sustentou-lhe o olhar, incrédula. Outro cardeal surgiu ao lado dela.

– Temos de pensar antes de agir.

E outro.

– O sofrimento que isso pode causar...

Vittoria estava cercada. Olhou para todos eles, surpresa.

– Mas os atos que foram cometidos hoje, esta noite... o mundo tem de saber a verdade.

– Meu coração concorda – disse o cardeal idoso, ainda segurando o braço dela –, mas este seria um caminho sem volta. Precisamos levar em conta as esperanças destruídas. O ceticismo. Como as pessoas poderiam *voltar* a ter confiança um dia?

Mais cardeais impediam-na de prosseguir. Havia uma parede de batinas negras em torno dela.

– Ouça as pessoas na praça – disse um. – O que vai ser do coração delas? Temos de ser prudentes.

– Precisamos de tempo para refletir e rezar – disse outro. – Temos de pensar antes de agir. As repercussões de tudo isso...

– Ele matou meu pai! – protestou Vittoria. – Ele matou *o próprio pai dele!*

– Tenho certeza de que ele vai pagar por seus pecados – disse tristemente o cardeal que segurava o braço dela.

Vittoria também tinha certeza e pretendia tomar providências para *garantir* que isso acontecesse. Tentou chegar à porta, mas os cardeais juntaram-se mais, os rostos assustados.

– O que vão fazer? – exclamou ela. – *Me* matar?

Os velhos empalideceram e Vittoria no mesmo instante se arrependeu de ter dito aquilo. Podia ver que eram boas almas. Tinham enfrentado violência demais naquela noite. Não queriam ameaçá-la. Estavam simplesmente encurralados. Amedrontados. Tentando se orientar.

– Só desejo – disse o cardeal idoso – fazer o que é correto.

– Então vai deixá-la sair – declarou uma voz grave atrás dela. As palavras eram calmas, mas o tom era categórico. Robert Langdon postou-se ao lado de Vittoria e segurou-lhe a mão. – A senhorita Vetra e eu vamos sair desta capela. Agora.

Sem jeito, hesitantes, os cardeais começaram a abrir caminho para os dois.

– Esperem! – era Mortati.

Veio ao encontro deles pelo meio da nave, deixando o camerlengo sozinho e derrotado no altar. Mortati parecia mais velho de uma hora para outra, cansado além da conta. Caminhava como se carregasse um pesado fardo de vergonha. Ao chegar, pousou uma das mãos no ombro de Langdon e a outra no de Vittoria. Vittoria sentiu sinceridade no gesto. Ele tinha os olhos vermelhos.

– *É claro* que podem sair quando quiserem – disse Mortati. – Claro – e fez uma pausa, seu sofrimento quase tangível. – Peço apenas uma coisa... – e baixou a cabeça durante um longo momento, depois voltou a olhar para os dois. – Deixem que eu faça isso. Vou para a praça agora e encontro uma forma qualquer de dizer a eles. Não sei como, mas vou encontrar. A confissão da Igreja deve vir de dentro. As falhas são nossas, nós mesmos devemos apresentá-las.

Mortati virou-se com ar melancólico para o altar.

– Carlo, você colocou a Igreja em uma situação desastrosa – e parou, procurando em torno. Não havia mais ninguém no altar.

Com um farfalhar de tecido na passagem lateral, uma porta se fechou.

O camerlengo se fora.

C A P Í T U L O 134

A batina branca do camerlengo Ventresca ondulava enquanto ele se afastava pelo corredor que saía da Capela Sistina. Os guardas suíços ficaram perplexos quando surgiu desacompanhado de dentro da capela e lhes disse que precisava ficar sozinho um momento. Eles obedeceram e o deixaram passar.

Agora, ao dobrar uma esquina e fora da visão deles, o camerlengo sentiu um redemoinho de emoções que não imaginava que fosse possível um ser humano experimentar. Ele envenenara o homem que chamava de "Santo Padre", o homem que o chamava de "meu filho". Sempre achara que as palavras "pai" e "filho" faziam parte da tradição religiosa, mas agora conhecia a verdade diabólica – as palavras haviam sido *literais*.

Como naquela noite fatídica semanas atrás, o camerlengo foi tomado por vertigens enquanto caminhava no escuro.

◆◆◆

Chovia na manhã em que os funcionários do Vaticano bateram com força à porta do camerlengo, despertando-o de um sono intermitente. O Papa, diziam, não respondia à porta nem ao telefone. O clero estava preocupado. O camerlengo era o único que podia entrar nos aposentos do Papa sem se fazer anunciar.

O camerlengo entrou sozinho e encontrou o Papa, como na noite anterior, contorcido e morto em sua cama. O rosto de Sua Santidade parecia-se com o de Satã. A língua estava negra como a morte. O próprio Demônio dormira na cama do Papa.

O camerlengo não sentia remorso. Deus havia falado.

Ninguém veria a traição, ainda não. Isto viria mais tarde.

Ele deu a terrível notícia – Sua Santidade morrera de um derrame. Depois, o camerlengo preparou-se para o conclave.

◆◆◆

A voz de Mãe Maria sussurrava em seu ouvido: "Jamais quebre uma promessa feita a Deus."

– Estou escutando, Mãe – respondeu ele. – Este é um mundo sem fé. Eles precisam ser levados de volta para o caminho da retidão. Horror e Esperança. É o único jeito.

– Sim – concordou ela. – Se não for você, então quem será? Quem vai fazer a Igreja sair das trevas?

Decerto nenhum dos *preferiti*. Eles eram velhos, à beira da morte, liberais que seguiriam o Papa, protegendo a ciência em sua memória, buscando seguidores modernos ao abandonar as velhas fórmulas. Homens velhos e atrasados fingindo pateticamente não o serem. Iriam fracassar, é claro. A tradição era a força da Igreja, não sua transitoriedade. O mundo inteiro era transitório. A Igreja não precisava mudar, precisava apenas lembrar ao mundo que isto era irrelevante! O mal está vivo! Deus triunfará!

A Igreja precisava de um líder. Velhos não inspiram ninguém! Jesus inspirou! Jovem, vibrante, vigoroso, *MILAGROSO*.

◆◆◆

– Saboreiem seu chá – o camerlengo disse aos quatro *preferiti*, deixando-os na biblioteca particular do Papa antes do conclave. – Seu guia vai chegar daqui a pouco.

Os *preferiti* agradeceram-lhe, todos animados pela oportunidade de entrar no famoso Passetto. Extraordinário! O camerlengo, antes de sair, destrancara a porta do Passetto e, na hora combinada, a porta se abrira e um padre com aparência estrangeira e uma tocha acesa na mão fizera os entusiasmados *preferiti* entrarem no corredor.

De onde nunca mais saíram.

Eles serão o Horror. Eu serei a Esperança.

Não. Eu sou o Horror.

O camerlengo percorria agora com passadas incertas a escuridão da Basílica de São Pedro. De alguma forma, através da insanidade e da culpa, através das imagens de seu pai, através da dor e da revelação, até mesmo através dos efeitos da morfina, ele encontrara uma brilhante clareza. Uma noção de destino. *Sei qual é meu propósito*, pensou, admirado com tanta lucidez.

Desde o início, nada naquela noite correra exatamente como ele planejara. Obstáculos imprevistos haviam surgido, mas o camerlengo adaptara-se a eles, fizera ousados ajustes. Contudo, nunca imaginou que a noite terminasse daquela maneira, apesar de agora perceber a preordenada majestade de tudo.

Não poderia terminar de outra forma.

Ah, o pavor que sentira na Capela Sistina, achando que Deus o abandonara! *Oh, os atos que Ele exigira!* O camerlengo caíra de joelhos, imerso em dúvidas, os ouvidos esperando ouvir a voz de Deus, mas ouvindo apenas o silêncio. Ele implorara por um sinal. Por orientação. Rumo. A vontade de Deus era aquela? A Igreja ser destruída por escândalos e abominação? Não! Deus é que desejara que o camerlengo agisse! *Não fora Ele?*

Então, o camerlengo viu. Pousado no altar. Um sinal. Comunicação divina – algo comum visto sob uma luz incomum. O crucifixo. Singelo, feito de madeira. Jesus na cruz. E tudo se esclarecera: o camerlengo não estava só. Nunca estaria só.

Aquela era a vontade Dele, o Seu significado.

Deus sempre pedira grandes sacrifícios àqueles a quem mais amava. Por que o camerlengo levara tanto tempo para compreender? Seria ele temeroso demais? Humilde demais? Não fazia mais diferença. Deus encontrara um meio. O camerlengo até compreendia agora por que Robert Langdon fora salvo. Para trazer a verdade. E provocar *aquele* final.

Aquele era o único caminho para a salvação da Igreja!

O camerlengo sentia-se flutuar ao descer para o Nicho dos Pálios. O efeito da morfina chegara a um ponto máximo, mas ele sabia que Deus o guiava.

Ouvia ao longe o alarido dos cardeais saindo da capela, gritando instruções para a Guarda Suíça.

Mas nunca o encontrariam. Não a tempo.

Sentia-se atraído, cada vez mais depressa, descendo as escadas para o espaço rebaixado onde luziam as 99 lamparinas. Deus estava devolvendo-o ao solo consagrado. Encaminhou-se para a grade sobre a abertura que levava à Necrópole. A Necrópole, onde aquela noite terminaria. Na sagrada escuridão subterrânea. Pegou uma lamparina e preparou-se para descer.

Ao atravessar o Nicho, porém, ele se deteve. Algo não estava certo. Como aquilo serviria a Deus? Um fim solitário e silencioso? *Jesus* sofrera exposto aos olhos do mundo inteiro. A vontade de Deus não poderia ser aquela! O camerlengo tentou escutar a voz de seu Deus, mas havia apenas o confuso zumbido da droga em sua cabeça.

– Carlo – era sua mãe –, *Deus tem planos para você.*

Perturbado, o camerlengo continuou andando.

Então, sem preâmbulos, Deus chegou.

O camerlengo estacou. A luz das 99 lamparinas projetara a sombra do camerlengo na parede de mármore atrás dele. Gigantesca, temível. Um vulto nebuloso rodeado por uma luz dourada. Com as chamas cintilando em torno de seu corpo inteiro, o camerlengo parecia um anjo subindo aos céus. Parou um momento, elevou os braços estendidos, contemplou a própria imagem. E voltou-se para o alto das escadas.

A mensagem de Deus era clara.

◆ ◆ ◆

Três minutos tumultuados passaram-se nos corredores fora da Capela Sistina e ninguém ainda localizara o camerlengo. Era como se o homem tivesse sido engolido pela noite. Mortati estava prestes a solicitar uma busca em grande escala na Cidade do Vaticano quando um brado jubiloso irrompeu lá fora na Praça de São Pedro. Uma comemoração espontânea da multidão, muito ruidosa. Os cardeais se entreolharam, preocupados.

Mortati fechou os olhos.

– Que Deus nos ajude.

Pela segunda vez naquela noite o Colégio dos Cardeais saiu para a Praça de

São Pedro. Langdon e Vittoria foram arrastados pelo agrupamento de cardeais e também saíram para o espaço a céu aberto. As luzes das emissoras estavam todas dirigidas para a basílica. E lá, tendo acabado de aparecer na sacada papal localizada bem no centro da imensa fachada, estava o camerlengo Ventresca com os braços levantados. Mesmo à distância, ele parecia a personificação da pureza. Uma estatueta. Vestida de branco. Inundada de luz.

A energia na praça cresceu como a de uma grande onda e logo rompeu as barreiras formadas pela Guarda Suíça. A massa humana fluiu para a basílica em uma eufórica torrente de humanidade, uma investida irrefreável com gente cantando, os clarões das câmeras relampejando. Um pandemônio. As pessoas corriam para perto da fachada da basílica provocando um caos tão intenso que parecia que nada mais as faria parar.

E então algo as fez parar. Por completo.

No alto, o camerlengo fez o menor dos gestos. Juntou as duas mãos no peito. E curvou a cabeça em uma prece silenciosa.

Uma a uma, depois às dezenas e às centenas, as pessoas curvaram as cabeças junto com ele.

A praça mergulhou no silêncio como se um encanto tivesse sido lançado.

◆◆◆

Em sua mente, girando e distante, as preces do camerlengo eram um turbilhão de esperanças e tristezas... *perdoai-me, Pai... Mãe... cheia de graça... vós sois a Igreja... que possais compreender este sacrifício de seu único filho concebido.*

Oh, meu Jesus... salvai-nos do fogo do inferno... levai todas as almas para o céu, em especial as que mais necessitam da vossa misericórdia...

O camerlengo não abriu os olhos para ver a multidão lá embaixo, nem as câmeras de televisão, nem o mundo inteiro o assistindo. Sentia tudo isso em sua alma. Mesmo cheio de angústia, a comunhão daquele momento era embriagante. Como uma rede de conexões estendida em todas as direções pelo mundo. Diante das telas das televisões, em casa, dentro dos carros, o mundo todo rezava junto. Como sinapses de um coração gigantesco sendo ativadas em série, as pessoas se voltavam para Deus, em dezenas de línguas, em centenas de países. As palavras que murmuravam eram recém-nascidas e ainda assim tão familiares quanto suas próprias vozes – antigas verdades marcadas nas suas almas.

A harmonia parecia eternizar-se.

Mas o silêncio aos poucos se desfez, cânticos alegres começaram a ser entoados novamente.

Chegara o momento.

Santíssima Trindade, eu vos ofereço o mais precioso Corpo, Sangue e Alma...
em reparação pelas ofensas, sacrilégios e indiferenças...

O camerlengo já sentia a dor física se instalando. Espalhava-se por sua pele como uma peste, tinha vontade de enfiar as unhas na própria carne como fizera semanas antes quando Deus viera ao seu encontro pela primeira vez. *Não se esqueça da dor que Jesus suportou.* Já sentia as emanações em sua garganta. Nem a morfina amenizaria o ardor.

Meu trabalho aqui está terminado.

O Horror cabia a ele. A Esperança, à multidão.

No Nicho dos Pálios, o camerlengo seguira a vontade de Deus e untara seu corpo. Seu cabelo, seu rosto. Sua batina de linho branco. Sua carne. Estava encharcado com os óleos sagrados, vítreos, das lamparinas. Tinham um perfume doce como o de sua mãe, mas queimavam. A ascensão *dele* seria misericordiosa. Miraculosa e rápida. E o que deixaria para trás não seria escândalo, mas uma nova força e um novo prodígio.

Deslizou a mão para dentro do bolso e segurou o pequeno isqueiro dourado que trouxera consigo do *incendiario* do Pálio.

Murmurou um versículo de Juízes. *E, quando se elevaram as chamas do altar para o céu, subiu também com as chamas o Anjo do Senhor.*

Seu polegar fez um movimento.

Estavam cantando na Praça de São Pedro.

◆◆◆

A visão que o mundo testemunhou ninguém jamais esqueceria.

Na alta sacada, como uma alma que se libertasse de seu envoltório físico, uma pira de chamas luminosas irrompeu do meio do corpo do camerlengo. O fogo subiu, engolfando-o por inteiro no mesmo instante. Ele não gritou. Levantou os braços acima da cabeça e olhou para o céu. A conflagração rugia a seu redor, envolvendo-o todo em uma coluna de luz. Ardeu por um tempo que pareceu infinito tendo o mundo como testemunha. As labaredas ficaram cada vez mais brilhantes. Então, gradualmente, as chamas se dissiparam. O camerlengo se fora. Se caíra por trás da balaustrada ou se desintegrara no ar, era impossível dizer. Tudo o que restou foi uma nuvem de fumaça ondulando no céu acima do Vaticano.

CAPÍTULO **135**

O dia demorou a raiar sobre a Cidade do Vaticano.

Uma chuvarada esvaziara a Praça de São Pedro. A imprensa não arredou pé, seus representantes amontoados debaixo de guarda-chuvas e nos furgões comentando os acontecimentos da noite. Em todo o mundo, as igrejas ficaram cheias. O momento era de reflexão e discussão para todas as religiões. Havia muitas perguntas e, no entanto, as respostas pareciam provocar apenas perguntas mais profundas. Até então, o Vaticano se manteve em silêncio, sem fazer qualquer pronunciamento.

◆◆◆

Nas Grutas do Vaticano, o cardeal Mortati ajoelhou-se sozinho diante do sarcófago aberto. Estendeu a mão e fechou a boca enegrecida do velho Papa. Sua Santidade agora parecia em paz. Repousando serenamente para toda a eternidade.

Aos pés de Mortati havia uma urna dourada cheia de cinzas. Mortati pessoalmente juntara as cinzas e as levara até ali.

– Uma oportunidade de perdão – disse ele para Sua Santidade, colocando a urna dentro do sarcófago ao lado do corpo do Papa. – Não existe amor maior do que o de um pai por seu filho.

Mortati escondeu a urna sob as dobras da roupa do Papa. Sabia que aquele local sagrado era reservado exclusivamente para as relíquias dos Papas, mas de alguma forma ele achava que aquela era uma atitude apropriada.

– *Signore?* – disse alguém, entrando nas grutas. Era o tenente Chartrand, acompanhado de três guardas suíços. – Estão esperando o senhor para o conclave.

Mortati assentiu com um gesto de cabeça.

Lançou um último olhar para o sarcófago e depois se levantou. Dirigiu-se aos guardas.

– Já é hora de Sua Santidade ter a paz que mereceu.

Os guardas se adiantaram e, com grande esforço, empurraram a tampa do sarcófago de volta para o lugar. Ela fechou com um estrondo conclusivo.

◆◆◆

Mortati estava sozinho ao atravessar o Pátio Bórgia em direção à Capela Sistina. Uma brisa úmida agitou a batina dele. Um cardeal saiu do Palácio Apostólico e veio ao seu encontro.

– Posso ter a honra de acompanhá-lo ao conclave, *signore?*

– A honra é toda minha.

– *Signore* – disse o cardeal, com ar embaraçado. – O Colégio lhe deve desculpas por ontem à noite. Estávamos cegos com...

– Por favor – interrompeu-o Mortati. – Nossas mentes às vezes vêem o que nossos corações gostariam que fosse verdade.

O cardeal calou-se por um longo tempo. Finalmente, falou:

– Já lhe contaram? O senhor não é mais nosso Grande Eleitor.

Mortati sorriu.

– Já. Agradeço a Deus pelas pequenas bênçãos.

– O Colégio insistiu que o senhor fosse elegível.

– Parece que a caridade não morreu na Igreja.

– O senhor é um homem sábio. Seria um bom líder.

– Sou um homem velho. Seria líder por pouco tempo.

Os dois riram.

Ao chegarem ao fim do Pátio Bórgia, o cardeal hesitou. Virou-se para Mortati entre perplexo e inquieto, como se a precária reverência da noite anterior se insinuasse de novo em seu coração.

– O senhor sabia – cochichou o cardeal – que não encontramos restos na sacada papal?

Mortati sorriu.

– Talvez a chuva os tenha levado embora.

O homem olhou para o céu tempestuoso.

– É, quem sabe...

CAPÍTULO **136**

O céu da manhã ainda estava pesado de nuvens quando saíram da chaminé da Capela Sistina as primeiras baforadas de fumaça branca. Os alvos fiapos encresparam-se no firmamento e aos poucos se dissiparam.

Lá embaixo, na Praça de São Pedro, o repórter Gunther Glick observava calado, refletindo. O capítulo final.

Chinita Macri aproximou-se por trás dele e apoiou a câmera no ombro.

– Está na hora – disse ela.

Glick sacudiu a cabeça com ar lúgubre.

Virou-se para ela, alisou o cabelo e respirou fundo. *Minha última transmissão*, pensou. Uma pequena multidão reunira-se perto deles para assistir.

– Ao vivo em 60 segundos – avisou Macri.

Glick olhou por cima do ombro para o telhado da Capela Sistina.

– Dá para pegar a fumaça?

Macri concordou, paciente.

– Sei como enquadrar uma cena, Gunther.

Glick calou a boca. É claro que ela sabia. A atuação de Macri atrás da câmera na noite anterior provavelmente daria a ela o Pulitzer. A atuação *dele*, por outro lado… Nem queria pensar no assunto. Tinha certeza de que a BBC o mandaria embora. Seguramente, teriam problemas legais com diversas entidades poderosas – o CERN e George Bush, inclusive.

– Você está bem – disse Chinita, protetora, afastando o rosto da câmera com um semblante ligeiramente preocupado. – Será que posso lhe dar um… – ela hesitou, interrompendo-se.

– Um *conselho?*

Macri suspirou.

– Eu só ia dizer que não precisa fechar a matéria com espalhafato.

– Eu sei – replicou ele. – Você quer um resumo oficial.

– O mais oficial do mundo. Confio em você.

Glick sorriu. *Um resumo oficial? Ela ficou maluca?* Uma história como a da noite anterior merecia muito mais. Uma virada. Uma declaração estrondosa no final. Uma revelação imprevista de verdades chocantes.

Felizmente, Glick tinha uma carta na manga.

◆◆◆

– No ar em… cinco… quatro… três…

Ao olhar através da câmera, Chinita Macri reparou que havia um brilho sorrateiro no olhar de Glick. *É uma loucura deixá-lo fazer isso*, pensou ela. *Onde eu estava com a cabeça?*

Mas o momento para reconsiderações já passara. Estavam no ar.

– Ao vivo da Cidade do Vaticano – anunciou Glick no momento certo –, aqui é Gunther Glick, para o noticiário da BBC. – Deu um olhar solene para a câmera, com a fumaça branca da Capela Sistina subindo atrás dele. – Senhoras e senhores, agora é *oficial*. O cardeal Saverio Mortati, um progressista de 79 anos, acabou de ser eleito Papa na Cidade do Vaticano. Apesar de não ser um candidato provável, Mortati foi eleito por uma *unanimidade* sem precedentes pelo Colégio dos Cardeais.

Macri respirou aliviada. Glick parecia incrivelmente profissional. Até austero. Pela primeira vez em sua vida, Glick de fato se comportava e falava como um repórter.

– Conforme já noticiamos – acrescentou Glick, a voz se intensificando perfeitamente –, o Vaticano ainda não fez *qualquer* pronunciamento sobre os miraculosos acontecimentos de ontem à noite.

Ótimo! O nervosismo de Chinita diminuiu mais um pouco. *Até aqui, tudo bem.*

Glick assumiu uma expressão pesarosa em seguida.

– Embora a noite passada tenha sido uma noite de prodígios, foi também uma noite de tragédias. Quatro cardeais morreram no conflito de ontem, assim como o comandante Olivetti e o capitão Rocher, da Guarda Suíça, ambos no cumprimento do dever. Outras baixas incluem Leonardo Vetra, o renomado físico do CERN e pioneiro da tecnologia da antimatéria, e Maximilian Kohler, o diretor do CERN, que aparentemente veio ao Vaticano em um esforço para oferecer ajuda, mas que, de acordo com as informações, faleceu nesse meio tempo. Nenhum relatório oficial foi divulgado ainda a respeito da morte do senhor Kohler, mas se supõe que tenha sido provocada por complicações decorrentes de uma antiga doença.

Macri balançou a cabeça para ele. A reportagem estava indo muito bem. Justamente como tinham combinado.

– E, em conseqüência da explosão no céu acima do Vaticano na última noite, a tecnologia da antimatéria produzida pelo CERN tornou-se o assunto *quente* entre os cientistas, despertando interesse e controvérsia. Uma declaração lida em Genebra pela assistente do senhor Kohler, Sylvie Baudeloque, anunciou esta manhã que o conselho diretor do CERN, embora entusiasmado com o potencial da antimatéria, está suspendendo todas as pesquisas e licenciamentos até que investigações posteriores sobre sua segurança possam ser efetuadas.

Excelente, pensou Macri. *Agora, a reta final.*

– Uma ausência notável em nossas telas ontem – prosseguiu Glick – foi o rosto de Robert Langdon, o professor de Harvard que veio para a Cidade do Vaticano a fim de colaborar com seus conhecimentos sobre os Illuminati. Acreditava-se que teria morrido na explosão da antimatéria, mas temos informações de que foi visto na Praça de São Pedro *após* a explosão. Como ele chegou ainda é especulação, mas um porta-voz do Hospital Tiberina afirma que o senhor Langdon caiu do céu no rio Tibre logo depois da meia-noite, foi medicado e liberado. – Glick arqueou as sobrancelhas para a câmera. – E se isto for verdade, essa foi certamente uma noite de milagres.

Perfeito! Macri abriu um sorriso largo. *Um resumo impecável! Agora, encerre a transmissão!*

Mas Glick não encerrou. Fez uma pausa e deu um passo na direção da câmera. Sorriu, misterioso.

– Antes de encerrarmos, porém...

Não!

– ...gostaria de convidar uma pessoa para conversar conosco.

As mãos de Chinita gelaram segurando a câmera. *Uma pessoa? Que diabos ele vai fazer? Que pessoa? Encerre agora, seu idiota!* Mas sabia que era tarde demais. Glick já se comprometera.

– O homem que vou apresentar – disse Glick – é um americano, um famoso acadêmico.

Chinita ficou indecisa. Prendeu a respiração enquanto Glick se dirigia ao pequeno grupo de pessoas em torno deles e fazia um sinal para que seu convidado se adiantasse. Ela fez uma oração silenciosa. *Por favor, que ele tenha de alguma forma localizado Robert Langdon e não um desses malucos obcecados por conspirações dos Illuminati.*

Quando o convidado de Glick apareceu, porém, o coração de Macri se apertou. Não era Robert Langdon coisa nenhuma. Era um homem careca de jeans e camisa de flanela. Usava uma bengala e grossos óculos de grau. Macri ficou apavorada. *É um dos malucos!*

– Quero lhes apresentar – anunciou Glick – o respeitado professor Joseph Vanek, especialista em assuntos do Vaticano da Universidade De Paul, em Chicago.

O homem juntou-se a Glick na imagem da câmera. *Não era* um maníaco por conspirações. Ela até já *ouvira falar* daquele sujeito.

– Doutor Vanek – começou Glick –, o senhor tem algumas informações surpreendentes para nos dar sobre o conclave da noite passada, não é?

– De fato, tenho – disse Vanek. – Depois de uma noite de tantas surpresas, é difícil imaginar que ainda existam mais surpresas. Entretanto... – ele fez uma pausa.

Glick sorriu.

– Entretanto, existe um detalhe estranho em tudo isso.

Vanek assentiu.

– Sim. E, por mais desconcertante que seja, acredito que o Colégio dos Cardeais elegeu *dois* Papas neste fim de semana.

Macri quase deixou cair a câmera.

Glick deu um sorriso astuto.

– Dois Papas, o senhor disse?

O especialista concordou.

– Sim. Antes de mais nada, devo explicar que passei a vida estudando as leis da eleição papal. A judicatura do conclave é extremamente complexa e grande parte dela está hoje esquecida ou é deixada de lado como obsoleta. Talvez nem o Grande Eleitor esteja ciente daquilo que vou revelar agora. Todavia, de acordo com leis antigas e esquecidas enunciadas no *Romano Pontifice Eligendo, Numero 63*, a eleição não é o único método pelo qual um Papa pode ser eleito. Há outro método, mais *divino*. Chama-se "eleição por aclamação" – ele fez uma pausa. – E aconteceu ontem à noite.

Glick lançou um olhar penetrante a seu convidado.

– Como devem lembrar – prosseguiu o acadêmico –, na noite de ontem, quando o camerlengo estava no telhado da basílica, todos os cardeais embaixo começaram a gritar seu nome em uníssono.

– Sim, eu me lembro.

– Com essa imagem em mente, permita-me ler o texto original das antigas leis eleitorais. – O homem tirou uns papéis do bolso, pigarreou e começou a ler: – "A Eleição por Aclamação ocorre quando todos os cardeais, como se por inspiração do Espírito Santo, livre e espontaneamente, unanimemente e em voz alta, proclamam o nome de um indivíduo."

Glick, sorridente, perguntou:

– O senhor está dizendo então que, ontem à noite, quando os cardeais repetiram juntos o nome de Carlo Ventresca, eles *na verdade* o elegeram Papa?

– Sim, com certeza. Além disso, a lei estabelece que a eleição por aclamação suplanta a exigência de elegibilidade de um cardeal e permite que qualquer membro do clero – padre ordenado, bispo ou cardeal – seja eleito. Portanto, como pode ver, o camerlengo estaria perfeitamente qualificado para a eleição papal por esse procedimento. – O doutor Vanek olhou direto para a câmera. – Os fatos são estes: Carlo Ventresca foi eleito Papa na noite de ontem. Reinou por menos de 17 minutos. E, se não tivesse ascendido aos céus milagrosamente em uma coluna de fogo, estaria agora enterrado nas Grutas do Vaticano com os outros Papas.

– Obrigado, doutor – e Glick deu uma piscada maliciosa para Macri. – Foi muito esclarecedor.

CAPÍTULO **137**

Do alto dos degraus do Coliseu, Vittoria riu e voltou-se para ele, lá embaixo, chamando-o.

– Ande, Robert! Devia ter me casado com um homem mais moço! – o sorriso dela era mágico.

Ele tentou acompanhá-la, mas suas pernas pesavam como se fossem feitas de pedra.

– Espere – pediu. – Por favor...

Sua cabeça latejava.

Robert Langdon acordou sobressaltado.

Escuridão.

Ficou deitado um tempo enorme na maciez estrangeira da cama, incapaz de saber onde estava. Os travesseiros eram de plumas de ganso, imensos e maravilhosos. O ar cheirava a pot-pourri. Do outro lado do quarto, duas portas de vidro abriam-se para uma generosa sacada, onde uma brisa ligeira corria sob a lua meio encoberta pelas nuvens. Langdon tentou lembrar-se de onde estava e como fora parar ali.

Farrapos de lembranças filtravam-se por sua consciência.

Uma pira mística de fogo, um anjo se materializando em meio à multidão, a mão leve pegando a sua mão e levando-o pela noite afora, guiando seu corpo exausto e machucado através das ruas, levando-o para lá, para aquele apartamento, empurrando-o meio adormecido para uma ducha escaldante, levando-o para aquela cama e velando por ele enquanto ele adormecia como se desmaiasse.

Na penumbra, Langdon enxergou uma segunda cama. Os lençóis estavam desarrumados, mas a cama estava vazia. De um dos aposentos ao lado, ouviu o ruído abafado mas constante de um chuveiro aberto.

Ao olhar de novo para a cama de Vittoria, entreviu um brasão bordado em cores nítidas no travesseiro dela e a inscrição: HOTEL BERNINI. Langdon teve de achar graça. Vittoria escolhera bem. O luxo do Velho Mundo com vista para a Fonte do Tritão, de Bernini – não havia hotel mais apropriado em toda a Roma.

Deitado ali, ouviu batidas e percebeu o que o acordara. Alguém estava batendo à porta. Agora com mais força.

Confuso, Langdon levantou-se. *Ninguém sabe que estamos aqui*, pensou, meio inquieto. Vestiu um elegante roupão do Hotel Bernini e saiu do quarto de dormir para o vestíbulo da suíte. Parou um instante junto à pesada porta de carvalho e então a abriu.

Um homem alto e vigoroso vestido numa profusão rebuscada de amarelo e roxo olhou para ele.

– Sou o tenente Chartrand – disse o homem. – Da Guarda Suíça do Vaticano.

Langdon sabia muito bem quem ele era.

– Como... como nos encontrou?

– Vi quando saíram da praça ontem à noite. Eu os segui. Estou aliviado por ainda estarem aqui.

Langdon sentiu uma ansiedade repentina, cogitando se os cardeais teriam enviado Chartrand para escoltá-lo juntamente com Vittoria de volta para a Cidade do Vaticano. Afinal, os dois eram as únicas pessoas além dos membros do Colégio dos Cardeais que sabiam a *verdade*. Eram uma ameaça.

– Sua Santidade incumbiu-me de dar isto ao senhor – disse Chartrand, entregando-lhe um envelope lacrado com o sinete do Vaticano. Langdon abriu o envelope e leu o bilhete manuscrito.

Senhor Langdon e Senhorita Vetra,

Embora seja meu profundo desejo solicitar sua discrição a respeito dos assuntos das últimas 24 horas, não posso de forma alguma ter a presunção de lhes pedir mais do que já concederam. Sendo assim, sem nada pretender, recolho-me esperando que deixem seus corações os guiarem nessa questão. O mundo hoje parece um lugar melhor e talvez as perguntas sejam mais poderosas do que as respostas.

Minha porta estará sempre aberta para ambos.

Sua Santidade, Saverio Mortati

Langdon leu duas vezes o bilhete. O Colégio dos Cardeais sem dúvida escolhera um líder cheio de nobreza e generosidade.

Antes que Langdon pudesse dizer qualquer coisa, Chartrand entregou-lhe um pequeno pacote.

– Em sinal do agradecimento de Sua Santidade.

Langdon segurou o pacote. Era pesado e estava embrulhado em papel pardo.

– Por decreto do Santo Padre – disse Chartrand –, esse objeto do cofre papal é confiado ao senhor em empréstimo por tempo indefinido. Sua Santidade pede apenas que em sua última vontade e testamento o senhor estabeleça que ele deve voltar para o lugar de onde veio.

Langdon abriu o embrulho e perdeu a fala. Era o ferro de marcar. *O diamante Illuminati.*

Chartrand sorriu.

– Fique em paz – disse, virando-se para ir embora.

– Muito... obrigado – Langdon conseguiu por fim dizer, as mãos trêmulas segurando o valioso presente.

O guarda hesitou, já no corredor.

– Senhor Langdon, posso lhe perguntar uma coisa?

– Claro.

– Os outros guardas e eu estamos curiosos. Naqueles últimos minutos, o que aconteceu *lá em cima* dentro do helicóptero?

Langdon ficou um tanto apreensivo. Sabia que aquele momento chegaria – o momento da verdade. Ele e Vittoria tinham conversado sobre o assunto na noite anterior enquanto se afastavam da Praça de São Pedro. E tinham tomado uma decisão. Antes mesmo do bilhete do Papa.

O pai de Vittoria sonhara que sua descoberta da antimatéria causaria um despertar espiritual. Os acontecimentos da véspera seguramente não eram o que ele pretendia, mas havia um fato que não se podia negar: naquele momento, em todo o mundo, as pessoas estavam pensando em Deus como nunca haviam feito antes. Quanto tempo a mágica iria durar, Langdon e Vittoria não tinham a menor idéia, mas nunca seriam capazes de quebrar aquele deslumbramento com escândalos e dúvidas. *O Senhor trabalha de estranhas maneiras*, disse Langdon a si mesmo, conjeturando se talvez, quem sabe, o dia anterior correra de acordo com a vontade de Deus, afinal de contas.

– Senhor Langdon? – repetiu Chartrand. – Eu estava perguntando sobre o helicóptero...

Langdon deu um sorriso tristonho.

– É, eu sei – e deixou que as palavras viessem de seu coração, não de sua mente. – Pode ser que tenha sido o choque da queda, mas a minha memória... parece... está toda embaralhada...

Chartrand fez uma cara desanimada.

– Não se lembra *de coisa alguma?*

Langdon suspirou.

– Tenho a impressão de que isso vai ser um mistério para sempre.

◆ ◆ ◆

Quando Robert Langdon voltou para o quarto, a visão que o aguardava fez com que parasse no meio do caminho. Vittoria estava na sacada, de costas para a grade, os olhos profundos pousados nele. Uma verdadeira aparição dos céus, a silhueta radiante com a lua brilhando por trás. Poderia ter sido uma deusa romana, envolta em seu roupão atoalhado, a faixa apertada na cintura acentuando suas curvas esbeltas. Na rua, uma névoa clara pairava como um halo sobre a Fonte do Tritão, de Bernini.

Langdon sentia-se tremendamente atraído por ela, mais do que por qualquer mulher em sua vida. Com cuidado, colocou o diamante Illuminati e a carta do Papa em sua mesa-de-cabeceira. Haveria muito tempo para explicar tudo aquilo depois. Foi ao encontro dela na sacada.

Vittoria mostrou-se contente ao vê-lo.

– Você acordou – murmurou ela, com um ar de timidez afetada. – *Finalmente*. Langdon sorriu.

– O dia de ontem foi longo.

Ela correu a mão pela cabeleira abundante, o decote de seu roupão abrindo-se ligeiramente.

– E agora suponho que você queira sua recompensa.

A observação pegou Langdon desprevenido.

– O que... o que foi que disse?

– Somos adultos, Robert. Pode admitir. Você está com vontade. Estou vendo em seus olhos. Uma fome intensa, carnal. – Ela sorriu. – Eu também. E essa vontade ardente está prestes a ser satisfeita.

– Está? – ele se animou e deu um passo em direção a ela.

– *Completamente* – ela lhe estendeu um cardápio de serviço de quarto. – Pedi tudo o que eles têm aqui.

◆◆◆

O banquete foi suntuoso. Os dois jantaram juntos ao luar, sentados na sacada saboreando uma salada *frisée*, trufas e risoto. Bebericaram um vinho Dolcetto e conversaram até tarde da noite.

Langdon não precisaria ter sido especialista em Simbologia para decifrar todos os sinais que Vittoria lhe mandava. Durante a sobremesa de creme de amoras raras com *savoiardi* e o *Romcaffè* fumegante, Vittoria encostou suas pernas nuas nas dele sob a mesa e lançou-lhe um olhar carregado de significados. Parecia estar querendo que ele largasse os talheres naquele instante e a levasse para dentro em seus braços.

Mas Langdon nada fez. Comportou-se como um perfeito cavalheiro. *Este é um jogo de dois*, pensou, disfarçando um sorriso maroto.

Quando acabaram de comer, Langdon foi sentar-se sozinho na beirada de sua cama, onde ficou virando e revirando o diamante Illuminati nas mãos e fazendo comentários intermináveis sobre o milagre de sua simetria. Vittoria olhava fixo para ele, sua incompreensão transformando-se em uma evidente frustração.

– Você acha esse ambigrama tremendamente interessante, não é? – perguntou ela.

Langdon concordou.

– Fascinante.

– Diria que é a coisa mais interessante neste quarto?

Langdon coçou a cabeça, fingindo ponderar com cuidado a pergunta.

– Bem, há *uma* coisa que me interessa mais.

Ela sorriu e se aproximou dele.

– Que é?

– Como você refutou aquela teoria de Einstein usando atuns.

Vittoria lançou os braços para cima.

– *Dio mio!* Chega desses atuns! Pare de brincar comigo, estou lhe avisando!

Langdon deu um sorriso largo.

– Em sua próxima experiência, você deveria estudar linguados e provar que a Terra é plana.

Vittoria estava furiosa, mas os primeiros vestígios de um sorriso exasperado apareceram em seus lábios.

– Para sua informação, professor, minha nova experiência vai marcar a história da ciência. Pretendo provar que os neutrinos têm massa.

– Os neutrinos têm *massa*? – Langdon fez uma cara espantada. – Eu nem sabia que eles eram comestíveis!

Com um movimento fluido, ela o derrubou e o imobilizou.

– Espero que você acredite na vida depois da morte, Robert Langdon. – Vittoria ria enquanto se sentava em cima dele, as mãos prendendo-o, os olhos cheios de malícia.

– Na verdade – disse ele, rindo mais ainda –, sempre achei difícil imaginar alguma coisa além deste mundo.

– É mesmo? Quer dizer que nunca teve uma experiência religiosa? Um momento perfeito de êxtase glorioso?

Langdon sacudiu a cabeça, negando.

– Não, e duvido muito que eu seja o tipo de pessoa que *jamais* possa ter uma experiência religiosa.

Vittoria deixou cair seu roupão.

– Você nunca foi para a cama com uma mestra de ioga, foi?

Quando o invencível computador da NSA (National Security Agency), programado para decifrar qualquer código, se depara com um novo e misterioso código que não pode ser quebrado, a agência recorre à sua mais brilhante criptógrafa, a bela matemática Susan Fletcher.

Aquilo que ela descobre faz tremer os corredores do poder. A NSA está sendo mantida como refém... não por armas ou bombas, mas por um código tão engenhosamente complexo que, se divulgado, irá causar grandes danos aos serviços de inteligência dos Estados Unidos.

Presa em uma teia de segredos e mentiras, Susan tenta de todas as formas salvar a organização na qual sempre acreditou. Sem ninguém em quem confiar, ela se descobre lutando não apenas por seu país mas por sua própria vida, e, no final, pela vida do homem que é sua grande paixão.

"Um novo mestre dos livros de ação e suspense inteligentes."

People Magazine

"*Fortaleza Digital* é o melhor e mais realístico *tecnothriller* lançado em muitos anos... Impossível não ficar arrepiado a cada página."

The Midwest Book Review

"Impressionante – com certeza vai deixar vidrados todos os amantes de tecnologia."

Booklist

"Com sua narrativa rápida e plausível, Dan Brown apaga as linhas divisórias entre o bem e o mal de forma irresistível tanto para os patriotas quanto para os paranóicos."

Publishers Weekly

CONHEÇA OS 25 CLÁSSICOS DA EDITORA SEXTANTE

Um dia daqueles, Querida mamãe e *O sentido da vida*,
de Bradley Trevor Greive

Você é insubstituível, Pais brilhantes, professores fascinantes e
Dez leis para ser feliz, de Augusto Cury

O Código Da Vinci, de Dan Brown

Palavras de sabedoria, O caminho da tranqüilidade e
Uma ética para o novo milênio, do Dalai-Lama

*Os 100 segredos das pessoas felizes, Os 100 segredos das pessoas de
sucesso* e *Os 100 segredos dos bons relacionamentos*, de David Niven

Por que os homens fazem sexo e as mulheres fazem amor,
de Allan e Barbara Pease

Não leve a vida tão a sério, de Hugh Prather

Enquanto o amor não vem, de Iyanla Vanzant

A última grande lição, de Mitch Albom

A Dieta de South Beach, de Arthur Agatston

Histórias para aquecer o coração, de Mark V. Hansen e
Jack Canfield

A divina sabedoria dos mestres e *Só o amor é real*, de Brian Weiss

O ócio criativo, de Domênico De Masi

Em busca da espiritualidade, de James Van Praagh

A vida é bela, de Dominique Glocheux

O outro lado da vida, de Sylvia Browne

INFORMAÇÕES SOBRE OS
PRÓXIMOS LANÇAMENTOS

Para receber informações sobre os lançamentos da
EDITORA SEXTANTE, basta enviar um e-mail para
atendimento@esextante.com.br
ou cadastrar-se diretamente no site
www.sextante.com.br

Para saber mais sobre nossos títulos e autores, e enviar
seus comentários sobre este livro, visite o nosso site:
www.sextante.com.br

EDITORA SEXTANTE
Rua Voluntários da Pátria, 45 / 1.404 – Botafogo
Rio de Janeiro – RJ – 22270-000 – Brasil
Telefone: (21) 2286-9944 – Fax: (21) 2286-9244
E-mail: atendimento@esextante.com.br

"Este livro foi impresso em papel
Chamois Fine Dunas 80g/m², da
Ripasa S/A, fabricado em harmonia
com o meio ambiente."